PASOS Y PUENTES

Scott, Foresman Spanish Program   Book 2

Bernadette M. Reynolds
Montbello High School
Denver, Co

Carol Eubanks Rodríguez
Glen Crest Junior High School
Glen Ellyn, Il

Rudolf L. Schonfeld
Parsippany High School
Parsippany, NJ

PASOS Y PUENTES

ScottForesman

A Division of HarperCollinsPublishers

Editorial Offices: Glenview, Illinois

Regional Offices: Sunnyvale, California · Atlanta, Georgia
Glenview, Illinois · Oakland, New Jersey · Dallas, Texas

ISBN: 0-673-21622-5

678910 RRC 99989796959493

Acknowledgments of illustrations appear on page 611. The acknowledgments section should be considered an extension of the copyright page.

The authors and editors would like to express their heartfelt thanks to the following team of reader consultants. Each of them read the manuscript of all three levels of the Scott, Foresman Spanish Program. Chapter by chapter, each offered suggestions and provided encouragement. Their contribution has been invaluable.

Senior Reader Consultants

Estella M. Gahala, Ph.D.
National Foreign Language Consultant
Scott, Foresman and Company
Glenview, IL

Barbara Snyder, Ph.D.
Parma Public Schools
Parma, OH

Reader Consultants

Sheila Starr Ashley
Radnor High School
Radnor, PA

Elaine W. Baer
Foreign Language Dept. Chairperson
John Bartram High School
Philadelphia, PA

Barbara M. Berry, Ph.D.
Foreign Language Dept. Chairperson
Ypsilanti Public Schools
Ypsilanti, MI

Anna Budiwsky
Cardinal O'Hara High School
Springfield, PA

Susan R. Cole
San Francisco USD
San Francisco, CA

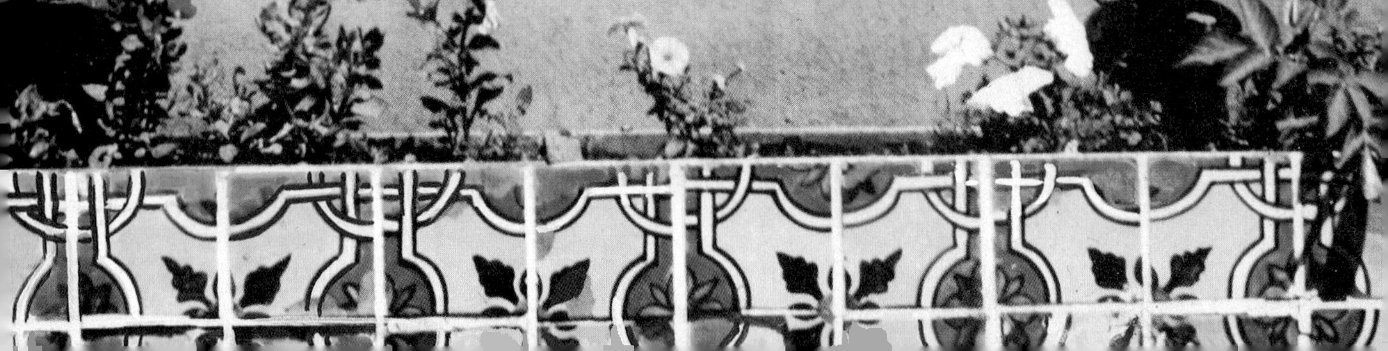

TABLA DE MATERIAS

CAPÍTULO 4

CAPÍTULO 5

CAPÍTULO 6

CAPÍTULO 7

CAPÍTULO 8

CAPÍTULO 9

CAPÍTULO 10

CAPÍTULO 11

CAPÍTULO 12

CAPÍTULO 13

CAPÍTULO 14

CAPÍTULO 15

CAPÍTULO 16

REPASO

A ¡Hola! Estás en la escuela otra vez, después de unas largas vacaciones. Mira los dibujos y las palabras siguientes para preparar un diálogo para cada situación.

¡Hola!	¿Qué tal?	
Buenos días.	¿Cómo estás?	
Buenas tardes.	¿Cómo está Ud.?	¿Y tú?
¿Cómo te llamas?	Muy bien, gracias.	Adiós.
Me llamo ____.	Así, así.	Hasta luego.
Mucho gusto.	¿Y Ud.?	Hasta mañana.

B Las estaciones. Contesta según los dibujos.

1. a. ¿Qué día es hoy?
   b. ¿Cuál es la fecha?
   c. ¿Qué estación del año es?
   d. ¿Cuáles son los meses de esta estación?
   e. ¿Qué tiempo hace?
   f. ¿Dónde están los chicos?
   g. ¿Qué hacen los chicos?
   h. ¿Qué haces tú durante el verano?

2. a. ¿Qué estación del año es?
   b. ¿Cuáles son los meses de esta estación?
   c. ¿Qué día es hoy?
   d. ¿Cuál es la fecha?
   e. ¿Qué deporte practican?
   f. ¿Qué tiempo hace?
   g. ¿Qué haces tú durante esta estación?

3. a. ¿Cuál es la fecha?
   b. ¿Qué día es hoy?
   c. ¿Qué tiempo hace?
   d. ¿Qué hacen los chicos?
   e. ¿Qué estación del año es?
   f. ¿Cuáles son los meses de esta estación?
   g. ¿Qué te gusta hacer cuando hace frío?

4. a. ¿Llueve o nieva?
   b. ¿Cuál es la fecha?
   c. ¿Qué estación del año es?
   d. ¿Cuáles son los meses de esta estación?
   e. ¿Dónde están los niños?
   f. ¿Qué hacen?
   g. ¿Dónde están sus padres? ¿Qué leen?
   h. ¿Te gusta la primavera? ¿Por qué?

C Según el calendario. ¿Qué te gusta hacer durante cada estación del año? Pregunta y contesta según el modelo.

> el invierno
> ESTUDIANTE A   *¿Te gusta nadar en el invierno?*
> ESTUDIANTE B   *No, no me gusta. Prefiero esquiar.*
> o: *Sí, me encanta.*

el invierno	nadar	ir a la escuela
la primavera	jugar al tenis	trabajar en el jardín
el verano	montar en bicicleta	jugar al golf
el otoño	jugar al béisbol	ir al campo
	ir de vacaciones	jugar al volibol
	viajar	jugar al básquetbol
	esquiar	tomar limonada
	jugar al fútbol americano	tomar chocolate
	ir de compras	ir al parque

D ¿Cuándo es tu cumpleaños? Pregúntale a la persona que está a tu lado *(side)* cuándo es su cumpleaños. Otro estudiante escribe las fechas en la pizarra. Sigue el modelo.

> ESTUDIANTE A   *¿Cuándo es tu cumpleaños?*
> ESTUDIANTE B   *Es el _____ de _____.*
> ESTUDIANTE A   *El cumpleaños de* (nombre) *es el _____ de _____.*

Ahora contesta las siguientes preguntas.

1. ¿Cuántos estudiantes tienen cumpleaños en enero? ¿En febrero? ¿En marzo, etc.?
2. ¿En qué mes hay más cumpleaños?
3. ¿En qué mes hay menos cumpleaños?
4. ¿Hay meses sin cumpleaños? ¿Cuáles son?
5. ¿En qué mes hay más cumpleaños de chicos? ¿De chicas?
6. ¿En qué mes es el cumpleaños de la persona a tu derecha? ¿de la persona a tu izquierda? ¿de tu mejor amigo(a)?

E **De compras.** Imagina que vas de compras. ¿Qué vas a comprar?
Pregunta y contesta según el modelo.

ESTUDIANTE A *¿Qué desea Ud., señor(ita)?*
ESTUDIANTE B *Necesito lápices. ¿Cuánto cuestan?*
ESTUDIANTE A *Veinticinco pesos.*

F **¿A qué hora?** Imagina que tú y un(a) amigo(a) quieren saber a qué hora dan los siguientes programas de televisión. Pregunta y contesta según el modelo.

¡HOY!
EN EL CANAL 8

13:30
El pájaro loco—Dibujos animados con Paco el Pájaro

14:00
Somos de la luna—Película de ciencia ficción divertida para toda la familia

15:50
Pregunta y contesta—Juego de preguntas

16:15
La hora mexicana—Música y bailes folklóricos

17:15
Fútbol americano—Los Osos y los Leones

19:30
Estudiantes de Kung Fu—Programa de aventuras

20:00
¿Qué pasa?—Noticias de hoy

20:30
Cine de hoy: La montaña negra—Una película del oeste con Verónica Vaquera

22:40
Cocina con Carolina—Hoy enseña cómo cocinar una tortilla española

23:00
¡No me digas!—Las cosas más fantásticas de esta semana

El **8** ¡El canal para su vida!

ESTUDIANTE A   ¿A qué hora dan "El pájaro loco"?
ESTUDIANTE B   A la una y media.

G ¿Cómo son? Escoge adjetivos de la lista para describir a las siguientes personas. Recuerda *(Remember)* que los adjetivos tienen que corresponder en género y número *(agree in gender and number)* con los nombres o pronombres.

> Mi madre
> *Mi madre es alta, guapa y muy lista.*

1. El (La) estudiante a mi derecha (izquierda)
2. (Yo)
3. Mi amigo(a) *(nombre)* y yo
4. Mi mejor amigo(a)
5. Mi profesor(a) de español
6. Mi profesor(a) de *(materia)*

aburrido	feo	moreno
alto	gordo	pelirrojo
antipático	grande	pequeño
bajo	guapo	rubio
bilingüe	inteligente	simpático
bonito	joven	tonto
delgado	listo	viejo

Ahora, diles *(tell them)* a estas personas cómo tú crees que son.

7. Tu profesor(a) de español: "Señor(a), . . ."
8. Tu mejor amigo(a): "*(Nombre)*, . . ."
9. Un miembro de tu familia: "*(Nombre)*, . . .''
10. Dos personas que se parecen *(are alike)*: "*(Nombres)*, . . ."

H La familia Torres. Completa las frases según el dibujo.

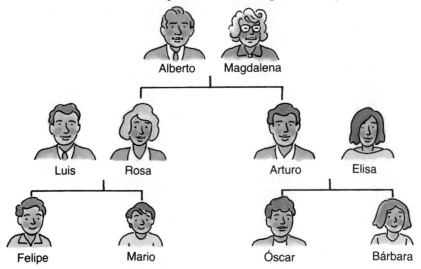

1. Magdalena es *(la madre / la tía / la esposa)* de Alberto. Alberto es su *(tío / esposo / padre)*.
2. Óscar es *(el primo / el hermano / el tío)* de Bárbara. Bárbara es su *(hermana / prima / tía)*.
3. Elisa y Arturo son *(los padres / los abuelos / los hermanos)* de Óscar y Bárbara. Óscar y Bárbara son sus *(primos / padres / hijos)*.
4. Elisa es *(la tía / la prima / la hermana)* de Felipe y Mario. Felipe y Mario son sus *(hijos / primos / sobrinos)*.
5. Luis es *(el padre / el tío / el hermano)* de Bárbara. Bárbara es su *(sobrina / hija / esposa)*.
6. Alberto y Magdalena son *(los padres / los tíos / los hijos)* de Rosa y Arturo. Rosa es su *(hermana / prima / hija)* y Arturo es su *(hermano / hijo / primo)*. Alberto y Magdalena son *(los abuelos / los padres / los tíos)* de los cuatro niños de la familia.

I ¿Qué llevan hoy? Describe la ropa de cada persona.

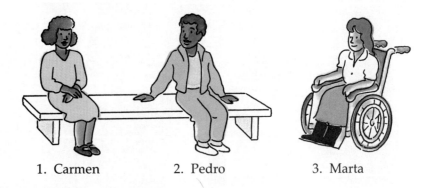

1. Carmen 2. Pedro 3. Marta

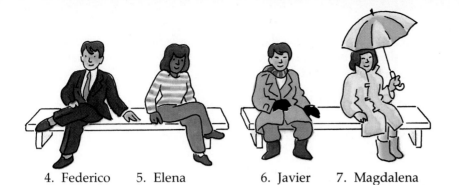

4. Federico   5. Elena   6. Javier   7. Magdalena

J   **¿Cuál prefieres?**   Imagina que tú y un(a) amigo(a) están en un restaurante. Pregunta y contesta según el modelo.

ESTUDIANTE A   *¿Cuál prefieres, leche o limonada?*
ESTUDIANTE B   *Prefiero leche.*
       o: *Prefiero limonada.*

K **¿Sí o no?** Lee (*Read*) las siguientes frases. Si la frase es verdad, contesta *sí*. Si no es verdad, contesta *no*, y da (*give*) la información correcta. Sigue el modelo.

> Hablo francés y español.
> *Sí.*
> o: *No, no hablo francés y español.*

1. Vivo lejos de la escuela.
2. Voy a la escuela en autobús.
3. Asistimos a clase los sábados.
4. Me encanta la clase de español.
5. Mis padres y yo hablamos español en casa.
6. Voy a viajar a España mañana.
7. Tengo muchos primos.
8. Soy hijo(a) único(a).
9. Tengo muchos hermanos.
10. Mis amigos y yo nunca miramos la televisión.
11. Me encanta ayudar en casa.
12. Voy a una fiesta el sábado por la noche.

Una familia mira la televisión en Madrid, España.

L Por la mañana.   Contesta las preguntas según los dibujos.

1. ¿Dónde está la familia Alba?
2. ¿Qué hora es?
3. ¿Qué hace Miguel?
4. ¿Qué hace David?
5. ¿Qué come Sara?
6. ¿Qué bebe ella?
7. ¿Qué lleva Sara?
8. ¿Qué hace el gato?
9. ¿Llega o sale la Sra. Alba?
10. ¿Adónde crees que va?

M El horario de Mónica.   Lee el horario de Mónica y contesta las preguntas.

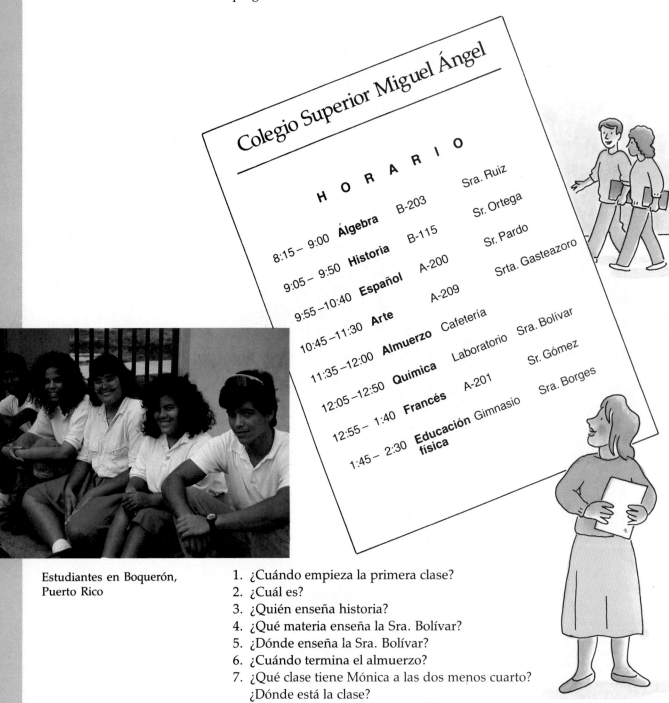

Colegio Superior Miguel Ángel

HORARIO

8:15 – 9:00	**Álgebra**	B-203	Sra. Ruiz
9:05 – 9:50	**Historia**	B-115	Sr. Ortega
9:55 –10:40	**Español**	A-200	Sr. Pardo
10:45 –11:30	**Arte**	A-209	Srta. Gasteazoro
11:35 –12:00	**Almuerzo**	Cafetería	
12:05 –12:50	**Química**	Laboratorio	Sra. Bolívar
12:55 – 1:40	**Francés**	A-201	Sr. Gómez
1:45 – 2:30	**Educación física**	Gimnasio	Sra. Borges

Estudiantes en Boquerón, Puerto Rico

1. ¿Cuándo empieza la primera clase?
2. ¿Cuál es?
3. ¿Quién enseña historia?
4. ¿Qué materia enseña la Sra. Bolívar?
5. ¿Dónde enseña la Sra. Bolívar?
6. ¿Cuándo termina el almuerzo?
7. ¿Qué clase tiene Mónica a las dos menos cuarto? ¿Dónde está la clase?
8. ¿Dónde come?

N **En la biblioteca.** Contesta las preguntas.

1. ¿Qué hora es?
2. ¿Dónde están los estudiantes?
3. ¿Quiénes buscan libros?
4. ¿Qué mira Ana?
5. ¿Quién hace su tarea de inglés?
6. ¿Qué llevan las muchachas?
7. ¿Cómo es la Sra. de Blanco?

O **Cuando no hay clases.** ¿Qué haces cuando no hay clases? En un grupo de tres o cuatro alumnos, usa una expresión de la primera lista para preguntar y una expresión de la segunda lista y de la tercera lista para contestar. Sigue el modelo.

ESTUDIANTE A *¿Qué haces los sábados por la mañana?*
ESTUDIANTE B *Bueno, a veces practico deportes.*

los sábados por la mañana	a menudo	ayudar en la cocina
los sábados por la tarde	a veces	cocinar
los sábados por la noche	nunca	cuidar a los niños
	siempre	escuchar la radio
		estudiar
		hablar por teléfono
		ir al campo
		ir al cine
		ir a fiestas
		ir al parque
		ir de compras
		lavar el coche
		limpiar mi dormitorio
		mirar la televisión
		practicar deportes
		trabajar en el garaje

(izquierda) En España; (derecha) Cerca de la ciclovía en Bogotá, Colombia; (abajo) En Madrid, España

P **¿Qué hacen todos?** Describe qué hacen todas estas personas. Usa una palabra o expresión de cada columna para hacer frases completas. Sigue el modelo.

> (nosotras)
> *Trabajamos en el jardín.*

(nosotros)	aprender de memoria	a la profesora de
Elena	asistir	matemáticas
(yo)	ayudar	a los niños
(tú)	cuidar	a una clase bilingüe
Pedro y yo	esperar	el autobús
Rogelio y Enrique	estudiar	el garaje
Ud.	hablar	el horario
tus amigos y tú	lavar	el sol
el profesor	limpiar	en bicicleta
	mirar	en casa
	montar	en el jardín
	repasar	en el laboratorio
	sacar	fotos
	terminar	la guitarra
	tocar	la lección de química
	tomar	la tarea
	trabajar	la televisión
		los platos
		los poemas en español
		para la prueba de
		álgebra
		por teléfono

En España

Q **¿Qué compramos?** Lee los párrafos y usa las palabras que siguen para hacer preguntas.

1. Inés y Jorge van a una tienda de ropa. Buscan una chaqueta para su hermanita, Lolita, porque mañana es su cumpleaños. Quieren comprar una chaqueta bonita pero barata.

   a. ¿Quiénes? b. ¿Adónde? c. ¿Qué? d. ¿Por qué?
   e. ¿Cuándo?

2. Norma está en casa hoy. Está bastante preocupada. Mañana hay un examen de historia y tiene que estudiar. Siempre saca buenas notas.

   a. ¿Quién? b. ¿Dónde? c. ¿Cómo? d. ¿Por qué?
   e. ¿Cuándo? f. ¿Qué?

3. Hay seis estudiantes en la clase de inglés. Esteban y María son de España. Rafael, Gregorio y Lourdes son de México y Gustavo es de Puerto Rico. Esteban habla con el profesor.

   a. ¿De dónde? b. ¿Quiénes? c. ¿Cuántos? d. ¿Con quién?

R **¿Adónde van?** Según los dibujos, indica adónde van estas personas y cómo van. Sigue el modelo.

(tú)
Vas al Perú en avión.

1. (yo) 2. (nosotros) 3. Luis y Carolina

4. mis padres

5. Teresa y yo

6. Sara

7. Felipe

8. los turistas

9. el Sr. Ávila

S Mañana es sábado.   Imagina que hablas con unos amigos sobre lo que Uds. van a hacer el sábado. Forma frases completas con la forma correcta de *ir a,* un verbo de la segunda lista y una palabra o expresión de las otras dos listas. Sigue el modelo.

Cecilia va a cuidar a los niños españoles.

(nosotros)	asistir a	a mis padres	aburrido
Elena	ayudar	bicicleta	barato
Jorge y María	comer en	el apartamento	blanco
Pablo y yo	comprar	el cine	cómodo
(tú)	cuidar a	el examen	de geometría
Uds.	escribir	el tren	en el patio
Ud.	escuchar	un restaurante	enorme
(yo)	estudiar para	la biblioteca	español
Cecilia	hacer	la ciudad	hoy
	ir a	la ropa	la próxima semana
	lavar	la tarea	mexicano
	leer	los niños	moderno
	limpiar	un partido de ____	por la mañana
	montar en	un suéter	rubio
	tomar	una carta	sucio
	trabajar en	unos discos	

T **¿Dónde está . . . ?**   Imagina que estás en la plaza y le preguntas a un policía dónde están los siguientes lugares *(places)*. Usa las preposiciones de la lista. Pregunta y contesta. Por ejemplo:

ESTUDIANTE A   *¿Dónde está la farmacia? ¿Está lejos?*
ESTUDIANTE B   *No, no está lejos. Está entre el cine y el banco.*
ESTUDIANTE A   *Muchas gracias.*
ESTUDIANTE B   *De nada.*

a la izquierda de	enfrente de	entre
a la derecha de	delante de	lejos (de)
al lado de	detrás de	cerca (de)

U ¿Por qué no vienes? Mucha gente no puede ir al teatro hoy. Para cada persona de la lista de la izquierda, escoge *(choose)* una excusa de la lista de la derecha. Pregunta y contesta según el modelo.

> ESTUDIANTE A *¿Por qué no viene Roberto con nosotros?*
> ESTUDIANTE B *Tiene que hacer la tarea.*

1. (tú)
2. ellos
3. Sara
4. Uds.
5. el Sr. Gómez
6. Ud.
7. las muchachas
8. tu amiga y tú

estudiar para un examen
cuidar a su hermanita
trabajar
hacer la tarea
hablar con su profesor
ir de compras
cocinar
ir a la oficina
practicar el fútbol
esperar a su hermano
ir a los quince años de una sobrina

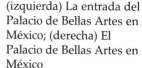

(izquierda) La entrada del Palacio de Bellas Artes en México; (derecha) El Palacio de Bellas Artes en México

V ¿Qué haces?   Con un(a) compañero(a) haz preguntas *(ask questions)* según los dibujos. Tu compañero(a) puede contestar con expresiones de la lista o dar otras respuestas apropiadas *(appropriate)*. Sigue el modelo.

ESTUDIANTE A   *¿Qué haces cuando tienes sed?*
ESTUDIANTE B   *Bebo una limonada.*

1.

2.

3.

4.

5.

6.

7.

8.

beber (un(a)) _____	hablar con _____
buscar un restaurante / un café	ir a(l) _____
cantar	llamar a(l) _____
comer (un(a)) _____	llevar _____
correr	no hacer nada
estar contento(a) / triste	sacar una buena / mala nota

(izquierda) Unos jóvenes compran helados en Madrid, España;
(derecha) Tres amigos en un café en Bogotá, Colombia; (abajo)
Un día de lluvia en Madrid, España

W **¿Qué tienes ganas de hacer?** Di *(tell)* qué tienen que hacer estas personas y qué quieren hacer. Sigue el modelo.

Cecilia

Cecilia tiene ganas de nadar, pero tiene que cuidar a los niños.

1. Carlos

2. (tú)

3. (nosotras)

4. tú y yo

5. Bernardo y Felipe

6. Uds.

7. (yo)

8. Ud.

X Una carta de Elizabeth. Elizabeth le escribe a una amiga que vive en Puerto Rico. Usa la forma correcta de los verbos entre paréntesis *(parentheses)* para ayudarla a escribir la carta.

Querida Luisa:

¿Qué tal? ¿Cómo *(estar)*? Nosotros *(estar)* muy bien. Mi hermano Paul y yo *(asistir)* a un nuevo colegio donde *(estudiar)* español. Nuestra profesora de español *(ser)* muy simpática. (Nosotros) *(comprender)*
5 español muy bien y *(tener)* mucha tarea. (Yo) *(trabajar)* mucho en clase y siempre *(sacar)* buenas notas. Paul no *(trabajar)* mucho y nunca *(escuchar)* en clase. (Yo) *(leer)* todas las lecciones y *(escribir)* todos los ejercicios.

(Tú) *(aprender)* inglés, ¿verdad? ¿Te gusta? ¿Por qué no *(escribir)*
10 una carta en inglés? ¿Y cuándo *(venir)* tú a los Estados Unidos? ¿El verano próximo? ¡Ojalá! (Yo) *(tener)* muchas ganas de hablar contigo.

Hasta luego,

Elizabeth

Dos estudiantes en la Universidad de Puerto Rico en San Juan

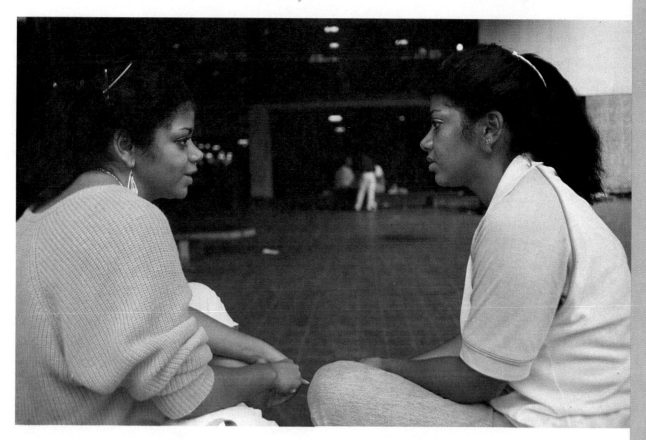

Y **¿Con quién vas?** Todo el mundo va a la fiesta el viernes. ¿Quién va con quién? Pregunta y contesta según el modelo.

ESTUDIANTE A *¿Con quién va Elena?*
ESTUDIANTE B *Va contigo.*

1. Pedro y Juan

2. (tú)

3. Uds.

4. Bernardo

5. Eduardo y Teresa

6. tu novio(a)

7. Silvia

8. Uds.

Dos amigas en Barcelona, España

Z Hablemos de ti.

1. ¿Cómo te llamas?
2. ¿Cuál es el nombre de la persona a tu izquierda? ¿a tu derecha? ¿Cuál es su apellido?
3. ¿Cuál es tu dirección? ¿Cuál es tu número de teléfono?
4. ¿Cuántos años tienes? ¿Cuándo es tu cumpleaños?
5. ¿Cómo eres?
6. ¿Cuál es la fecha de hoy? ¿Qué tiempo hace?
7. ¿Qué vas a hacer esta noche? ¿Qué vas a hacer durante el fin de semana?
8. ¿Cuál es tu materia favorita? ¿En qué materias estás flojo(a)? ¿En cuáles estás fuerte?
9. ¿Qué materias son fáciles para ti? ¿Cuáles son difíciles?

Tres jóvenes en un café en España

CAPÍTULO 1

LA VIDA ESCOLAR

School is school no matter where you live. In Maine or Mexico, Arkansas or Argentina, students study, teachers teach, and there are textbooks, tests, and homework.

There are, however, a few major differences between our schools and those in most Spanish-speaking countries. For example, most Latin American high-school students must take 10 or 12 courses every year, and there are no electives. Instead of having classes in all subjects every day, students usually study each subject two or three times a week.

Another major difference is the lack of emphasis on sports at school. Though most high schools offer physical education, not too many have teams that compete with those of other schools. Instead, local clubs most often sponsor sports teams.

School holidays are also very different. In much of South America, summer vacation falls between November and February, which means that there is no separate Christmas vacation. And national holidays are different too, of course. Argentina's Independence Day, for example, is in the middle of winter—on July 9. It was on that date in 1816 that José de San Martín led the provinces of what is now Argentina to declare the region's independence from Spain.

There are many private schools in Spanish-speaking countries. Particularly popular are the international or foreign schools, where some of the subjects are taught in a language other than Spanish. English, French, and German schools are located in many major Spanish-speaking cities.

Some schools in Spanish-speaking countries host exchange students from the United States. In a year or two you might want to share in that exciting experience.

29

PALABRAS NUEVAS I

La América Central y el Caribe

CONTEXTO
VISUAL

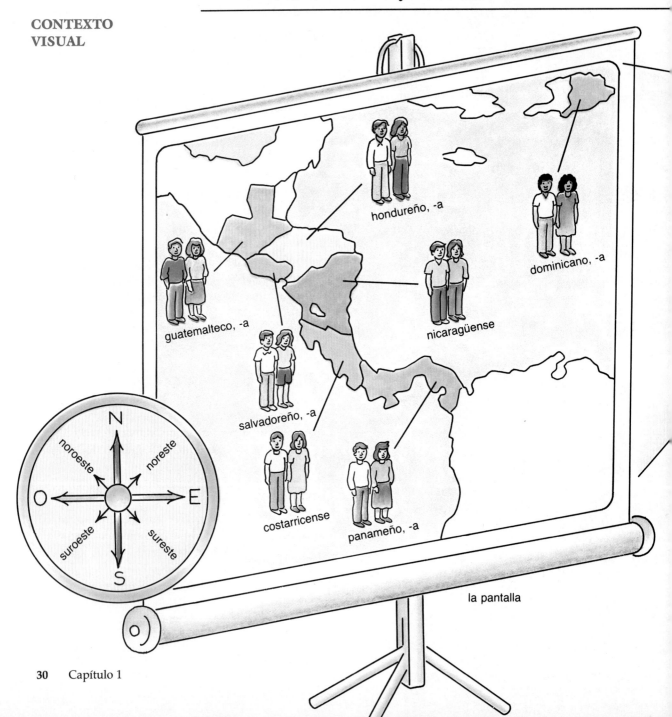

noroeste · noreste · O · E · suroeste · sureste · N · S

hondureño, -a

dominicano, -a

guatemalteco, -a

nicaragüense

salvadoreño, -a

costarricense

panameño, -a

la pantalla

el proyector

la diapositiva

CONTEXTO COMUNICATIVO

1	EVA	La diapositiva **siguiente** es de Guatemala.
	CÉSAR	¿En qué **parte** de la América Central está Guatemala?
	EVA	Está al sureste de México.
	CÉSAR	¿Cuántos **habitantes** hay en Guatemala?
	EVA	**Quizás** ocho **millones.***
	CÉSAR	¿Y qué lengua hablan?
	EVA	¡El español, por supuesto!

siguiente *next, following*
la parte *part*

el / la habitante *inhabitant*
quizás = tal vez
el millón, *pl.* **millones (de)**
  million

Variaciones:

■ diapositiva → foto
■ Guatemala → Honduras (*3 veces*)
  sureste de México → noroeste de Nicaragua
  ocho millones → cuatro millones
■ lengua →**idioma**

el idioma = la lengua

* When we use *millón (millones)* with a noun, we add *de*. For example: *cinco millones de habitantes.* Note that in English we use the singular form: "five million inhabitants."

2 JUANA ¿Cuántos meses dura **el año escolar** en Costa Rica?

ÁNGEL Nueve. De septiembre a junio.

JUANA Dura el **mismo** tiempo que en Panamá, ¿verdad?

ÁNGEL Creo que sí.

■ Panamá → los Estados Unidos

el año escolar *school year*

mismo, -a *same*

3 DAVID ¿Qué piensas de la profesora Durán?

MARTA La **admiro** mucho. **Explica** muy bien las lecciones.

DAVID Pues yo no comprendo bien lo que ella enseña.

MARTA Entonces debes **prestar** más **atención** en clase.

■ explica → enseña

admirar *to admire*

explicar *to explain*

prestar atención *to pay attention*

4 JORGE ¿Quién es esa chica?

PABLO Es la hija del **director.**

JORGE ¿Asiste a una escuela **pública**?

PABLO No, va a un **colegio particular.** Por eso lleva un **uniforme** azul.

■ del director → de la directora

el director, la directora *(school) principal*

público, -a *public*

el colegio particular *private school*

el uniforme *uniform*

EN OTRAS PARTES

el colegio particular

También se dice *la transparencia.*

También se dice *el colegio privado.*

PRÁCTICA

A ¿De dónde son? David conoció *(met)* a mucha gente cuando viajó por la América Central y el Caribe. Mira sus fotos y di *(tell)* cómo se llaman las personas y de dónde son. Sigue el modelo.

María es de Managua.
Es nicaragüense.

María
Managua, Nicaragua

1. Pedro
   Copán, Honduras

2. José y Fernando
   Antigua, Guatemala

3. Carmen y Marta
   Santo Domingo,
   la República Dominicana

4. Antonio
   Colón, Panamá

5. Teresa
   San Salvador,
   El Salvador

6. Luisa y Jorge
   San José, Costa Rica

7. Graciela
   Cozumel, México

8. Esteban
   Ponce, Puerto Rico

B **¿Cómo son?** David escribió en el otro lado *(side)* de cada foto. Escoge *(choose)* dos fotos de la Práctica A y escribe unas frases sobre estas dos personas. Sigue el modelo.

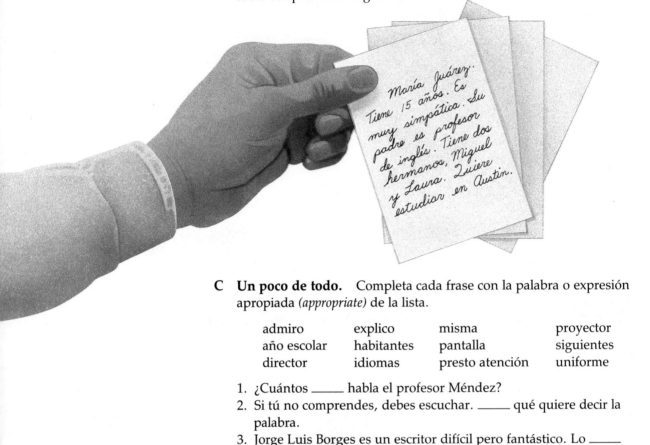

María Juárez. Tiene 15 años. Es muy simpática. Su padre es profesor de inglés. Tiene dos hermanos, Miguel y Laura. Quiere estudiar en Austin.

C **Un poco de todo.** Completa cada frase con la palabra o expresión apropiada *(appropriate)* de la lista.

admiro	explico	misma	proyector
año escolar	habitantes	pantalla	siguientes
director	idiomas	presto atención	uniforme

1. ¿Cuántos _____ habla el profesor Méndez?
2. Si tú no comprendes, debes escuchar. _____ qué quiere decir la palabra.
3. Jorge Luis Borges es un escritor difícil pero fantástico. Lo _____ mucho.
4. El primer capítulo del libro es un poco aburrido. Pero los capítulos _____ son muy interesantes.
5. Si no _____ en clase voy a sacar malas notas.
6. Para mostrar diapositivas necesitas una _____ y un _____.
7. El _____ de mi equipo favorito es azul y blanco.
8. ¿Cuántos millones de _____ hay en Costa Rica?
9. Tú y yo vivimos en la _____ parte de la ciudad.

D **¡No, Jorge!** Jorge dice muchas cosas que no son correctas. Corrígelo *(correct him)* según el modelo.

ESTUDIANTE A   *El director lleva uniforme.*
ESTUDIANTE B   *¡No! Los estudiantes llevan uniforme.*

1. Los habitantes de Honduras hablan portugués.
2. Costa Rica está al noroeste de Nicaragua.
3. En los Estados Unidos el año escolar dura seis meses.
4. En la Argentina celebran la Navidad durante el año escolar.
5. Arizona está en el sureste de los Estados Unidos.
6. Juan habla francés porque es guatemalteco.
7. Panamá está en la América del Sur.
8. Nicaragua es un país muy grande.

E Hablemos de ti.

1. ¿En qué parte de los Estados Unidos vives? ¿Vives cerca de México o del Canadá? ¿Vas allá a veces? ¿Quieres viajar por México? ¿Por qué?
2. ¿Vives en un barrio o cerca de un barrio donde hablan español? ¿Puedes hablar en español con los habitantes? ¿Puedes comprender lo que ellos dicen?
3. ¿Asistes a una escuela pública o a un colegio particular? ¿Hay que llevar uniforme en tu escuela? ¿Cómo es? ¿Crees que es una buena idea llevar uniforme? ¿Por qué sí? ¿Por qué no?
4. ¿A quiénes admiras mucho? ¿Por qué?
5. ¿Prefieres sacar diapositivas o fotos? ¿Sacas muchas? ¿De quién o de qué?

Estudiantes en México

ACTIVIDAD

Nuestro uniforme nuevo   With a partner, design a daily uniform for your school. You might consider the following questions:

¿De qué color o colores es el uniforme?
¿Tiene un dibujo de algo (un animal, por ejemplo)?
¿Llevan los chicos y las chicas la misma clase de uniforme?
¿Tiene el uniforme un sombrero? ¿Zapatos especiales?

When you have finished designing your school uniform, exchange your descriptions with another pair to see what they came up with.

APLICACIONES

El primer día de clases

Es el primer día del año escolar en una escuela de Texas. Roberto y Graciela hablan después de la primera clase.

ROBERTO   Graciela, tú eres panameña, ¿no?

GRACIELA   Sí, de la capital. ¿Y tú?

5   ROBERTO   Soy de aquí, pero mi familia es de origen mexicano.

GRACIELA   Ah, por eso hablas español.

ROBERTO   En el oeste y el suroeste de los Estados Unidos muchas personas hablan español. El profesor Díaz, por ejemplo. Él es de Nuevo México.

10   GRACIELA   ¿El profesor de química? ¿Cómo es?

ROBERTO   Explica muy bien las lecciones, pero es muy exigente.[1] Nos da mucha tarea todos los días.

GRACIELA   ¿Y qué?[2] En Panamá, todos los profesores dan tarea todos los días. Asistimos a la escuela para aprender,

15   ¿no?

ROBERTO   Sí, pero yo tengo que trabajar en un restaurante por la tarde. No tengo mucho tiempo para ver a mis amigos.

GRACIELA   Sí, es bastante difícil, pero así es la vida,[3] ¿verdad?

---

[1]**exigente** *tough, demanding*   [2]**¿y qué?** *so what?*   [3]**así es la vida** *that's life*

Preguntas

Contesta según el diálogo.

1. ¿Qué día es?   2. ¿Dónde están Roberto y Graciela?   3. ¿Cuándo hablan?   4. ¿De qué ciudad es Graciela?   5. ¿De dónde es Roberto? 6. ¿Por qué habla español?   7. ¿Qué enseña el profesor Díaz?   8. Según Roberto, ¿cómo es él? ¿Por qué?   9. ¿Cómo crees que son los profesores en Panamá?   10. ¿Por qué no tiene tiempo Roberto para ver a sus amigos?   11. ¿Por qué asistes tú a la escuela?

Participación

Working with a partner, create a dialogue in which you discuss aspects of school life. For example, what subjects do you study? Which is your favorite? Why? How long is the school day? When are vacations?

AÑO 198......	AREA COGNOSCITIVA			AÑO 198......	
TRIMESTRE					
ASPECTOS A EVALUAR	1	2	3	Promedio	Resultado
Español					
Estudios Sociales					
Ed. Científica					
Matemática					
Educación Física					
Educación Musical					
Artes Plásticas					
Ed. para el Hogar					
Ed. Agrícola					
Ed. Religiosa					
Inglés					
Visitas del P. a la Esc.					
AUSENCIAS					
Motivadas					
nmotivadas		1			

PALABRAS NUEVAS II

To borrow someone's
notes

To find out what
something means

To get someone's
attention

En la sala de estudio

CONTEXTO
VISUAL

el diccionario

el sujetapapeles
pl. los sujetapapeles

CONTEXTO
COMUNICATIVO

1	INÉS	Vamos a tener un **repaso** hoy. ¿Me prestas tus **apuntes**?
	VÍCTOR	Lo siento, pero nunca tomo apuntes.
	INÉS	Y entonces, ¿cómo sales bien en los exámenes?
	VÍCTOR	Siempre presto atención en clase.

Variaciones:

■ en los exámenes → en las pruebas

el repaso   *review*
el apunte   *note*

¡SILENCIO!

el bibliotecario

la bibliotecaria

la máquina
de escribir

la grapadora

la calculadora

la grapa

el sacapuntas
pl. los sacapuntas

2 SUSANA   ¿Qué lees, Miguel?

MIGUEL   Una **biografía** de la reina Isabel de España.

SUSANA   ¿Tienes que escribir **una composición**?

MIGUEL   No, pero **la historia** de su **vida** es muy interesante.

- una biografía de → un libro sobre
- de la reina Isabel → del rey Fernando

la biografía *biography*

la composición, pl. **las
composiciones** *composition*

la historia here: *story*

la vida *life*

3 JUAN   ¿Cuál es **el tema** de tu composición?

LAURA   **No** sé **todavía.**

JUAN   Pero tienes que darle la composición al profesor esta tarde.

LAURA   La voy a escribir ahora, en **la sala de estudio.**

JUAN   Pero tenemos que **escribir**la **a máquina.**

LAURA   ¿A máquina? ¡No me digas!

■ la sala de estudio → la biblioteca

■ ¡no me digas! → ay, ¡caramba!

el tema   *topic, subject*

no . . . todavía (or: **todavía no**)   *not yet*

la sala de estudio   *study hall*

escribir a máquina   *to type*

4 LUIS   Perdón, ¿te puedo **hacer una pregunta**?

SARA   Por supuesto.

LUIS   ¿Qué tenemos que leer para la clase de inglés?

SARA   *The Cask of Amontillado.* Es **de** Edgar Allan Poe.

LUIS   ¿Qué quiere decir la palabra *amontillado*?

SARA   Creo que es un vino español. ¿Por qué no la buscas en el diccionario?

■ hacer una pregunta → preguntar algo

■ es de → **el autor** es

hacer una pregunta   *to ask a question*

de   here: *by*

el autor, la autora   *author*

EN OTRAS PARTES

También se dice *el afilalápices* y *el cortalápices.*

También se dice *la presilla.*

También se dice *el engrapador, la engrapadora* y *el abrochador.*

También se dice *la máquina de calcular.*

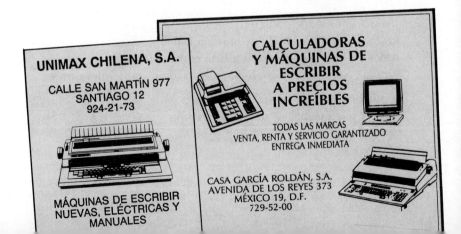

PRÁCTICA

A ¿Qué necesitas?   Siempre puedes encontrar cosas que necesitas en una venta de patio *(garage sale)*. Escoge *(Choose)* la palabra correcta para completar cada frase.

1. Voy a comprar *(este sacapuntas / esta cámara)* para mi hermano. Le gusta sacar fotos.
2. Necesito un *(mapa / sacapuntas)*. Siempre escribo con lápiz.
3. Esta *(máquina de escribir / grapadora)* va a ser perfecta para mis composiciones.
4. Aquí tienes *(un diccionario / una calculadora)* de cinco idiomas.
5. El Sr. Díaz todavía busca unos *(carteles / televisores)* para decorar la sala de estudio.
6. Voy a comprar este *(mapa / sujetapapeles)* de España para poner en la pared de mi dormitorio.
7. Necesitamos *(una cuchara / un cuchillo)* para abrir esa caja.
8. ¿Hay una *(grapadora / grabadora)*? Quiero poner juntas estas hojas de papel.
9. Todavía no tengo un buen *(sujetapapeles / bolígrafo)* para tomar apuntes en clase.

B La composición.   Laura y Enrique tienen que escribir juntos una composición. Están en la biblioteca y tratan de decidir el tema de su composición. Escoge *(Choose)* la palabra correcta para cada frase. Usa cada palabra sólo una vez.

apuntes	bibliotecario	diccionario	historias	repaso
autor	biografía	habitantes	idiomas	tema

ENRIQUE ¿Quién es el _____ de *The Cask of Amontillado?*

LAURA Creo que es Edgar Allan Poe, pero podemos preguntarle al _____.

ENRIQUE Las _____ de Poe son muy difíciles. Ya necesito un _____
5   porque no sé qué quiere decir ''Cask.'' Quizás debemos escribir sobre otro _____.

LAURA ¿Por qué no escribimos sobre los mayas y los _____ de la Guatemala de hoy? Va a ser muy interesante. Allí hablan varios _____, ¿no?

10 ENRIQUE Creo que sí. Podemos repasar nuestros _____ de historia.

LAURA Bueno. Vamos a buscar unos libros sobre Guatemala.

CALCULADORAS ELECTRÓNICAS

- PROGRAMABLES Y PREPROGRAMADAS
- CIENTÍFICAS Y FINANCIERAS
- PORTÁTILES Y DE ESCRITORIO
- CON TIRA DE PAPEL Y PANTALLA

C Hablemos de ti.

1. ¿Sabes escribir a máquina? ¿Qué escribes a máquina?
2. ¿Quién es tu autor favorito? ¿Cuáles de sus cuentos o novelas te gustan más? ¿Cuáles prefieres leer, novelas o biografías? ¿Por qué?
3. ¿En qué clases tomas apuntes? ¿Te ayudan tus apuntes cuando estudias para los exámenes?
4. ¿Tienes un escritorio en tu dormitorio? ¿Qué hay en tu escritorio?

ESTUDIO DE PALABRAS

Did you know that Los Angeles means "City of the Angels"? When the Spaniards began to settle in the Americas, they gave some of their settlements religious names: San Francisco (St. Francis) and San Antonio (St. Anthony), for example.

Sometimes the explorers named places because of their first impressions. *Honduras* got its name from the deep waters off its northern coast (the Spanish word for "deep" is *hondo*). *Venezuela* means "Little Venice," because the people who lived on Lake Maracaibo had built their houses over the water, a scene that reminded the Spaniards of the Italian city of Venice. *Costa Rica* means "rich coast." What do you think *Puerto Rico* means?

Some Latin American countries kept their original names. *Chile* is an Indian name meaning "the place where the land ends," and *Uruguay* means "the river of the painted birds."

Sinónimos

Cambia las palabras en cursiva *(italics)* por un sinónimo.

1. El español es *la lengua* de los españoles.
2. Marta Morales es *la escritora* de esta novela.
3. Vamos hoy o *tal vez* mañana.
4. El capítulo *próximo* describe la vida de Cervantes.

Antónimos

Escoge un antónimo para cada palabra en cursiva *(italics)*. Luego usa ese antónimo en una frase.

1. *privado*	fuerte	público	listo
2. *las vacaciones*	el año escolar	el director	el habitante
3. *otro*	ese	algún	mismo
4. *noroeste*	sureste	noreste	suroeste

EXPLICACIONES I

Los usos de *ser* y *estar*

Review the present-tense forms of *ser* and *estar*.

SER		ESTAR	
soy	somos	estoy	estamos
eres	sois	estás	estáis
es	son	está	están

◆ COMMUNICATIVE
   OBJECTIVES

**To tell the time of day
and the date**

**To tell where and when
something takes place**

**To describe origin and
location**

**To describe people and
things**

**To describe how people
are feeling**

**To tell what someone
does for a living**

1 Remember that we use *ser*
  a. to tell the time of day and the date:

  Son las dos.   *It's two o'clock.*
  Hoy **es** el tres de octubre.   *Today **is** October 3.*

  b. to indicate nationality or where someone or something comes from:

  Soy de Nicaragua.   *I'm from Nicaragua.*
  El Sr. Durán **es** hondureño.   *Mr. Durán **is** Honduran.*

  c. to describe characteristics that are usually associated with a person
     or a thing:

  ¿Cómo **es** Carlos?   *What's Carlos like?*
  Es alto.   *He's tall.*

  d. to connect a noun or a pronoun to another noun or pronoun:

  La Dra. Méndez **es** una dentista   *Dr. Méndez **is** an excellent
  excelente.   dentist.*

  Unless we use an adjective, we don't use the indefinite articles *un* and
  una with occupations or professions after *ser: La Dra. Méndez es dentista.*

2 We also use *ser*
  a. to tell what something is made of:

  El flan **es** de leche, huevos y   *Flan **is** made of milk, eggs, and
  azúcar.   sugar.*

  b. to tell the time and place of an event:

  La fiesta **es** a las ocho.   *The party **is** at eight.*
  La clase **es** en la biblioteca.   *The class **is** in the library.*

¡Te invitamos
¿A qué?
¿Cuándo?
¿A qué hora?
¿Dónde?
fiesta de
3 de octu
a las 7,
en casa de
¡Hasta entonces!

3 We use *estar*

  a. to tell where something or someone is located:

El diccionario **está** sobre la mesa.	*The dictionary **is** on the table.*
Estamos en la sala de estudio.	*We're in the study hall.*

  b. to describe conditions or characteristics that are not always associated with someone or something:

HEALTH:	**Estoy** enfermo.	*I'm sick.*
FEELINGS:	**Están** muy tristes.	*They're very sad.*
CONDITIONS:	**Estás** muy ocupado.	*You're very busy.*

4 Notice how the choice of *ser* or *estar* can give very different meanings.

USUALLY	{ ¿Cómo **son** los chiles?	*What **are** chili peppers like?*
	{ **Son** picantes.	***They're** hot (spicy).*
TODAY	{ ¿Cómo **está** la sopa?	*How's the soup?*
	{ **Está** picante.	***It's** hot (spicy).*

Some adjectives have a very different meaning depending on whether they are used with *ser* or *estar*.

Felipe **es aburrido.**	*Felipe **is boring.***
Felipe **está aburrido.**	*Felipe **is bored.***
La blusa **es verde.**	*The blouse **is green.***
La naranja **está verde.**	*The orange **is green** (unripe).*

PRÁCTICA

A **¿Qué hacen?** Los miembros *(members)* de la familia de Pilar trabajan en muchas profesiones diferentes. Indica la profesión de cada persona. Sigue el modelo.

  Su madre es la persona más importante en la oficina del colegio.
  Es directora.

  1. Su padre enseña inglés en un colegio particular panameño.
  2. El hermano mayor de Pilar escribe una biografía de Goya.
  3. Su prima Margarita vive y trabaja en una granja.
  4. Pilar asiste a una escuela bilingüe.
  5. Su tía trabaja en un restaurante.
  6. Su primo Enrique saca fotos.
  7. Su hermana mayor trabaja en un hospital para animales.
  8. Su abuela trabaja en una tienda.
  9. Su tío Raimundo trabaja en una biblioteca.

B ¿Dónde están? Mira el dibujo y describe dónde está cada persona. Sigue el modelo.

Mario
Mario está en el taxi.

1. Rosa
2. José
3. la policía
4. Luz y Luis
5. el perro
6. las dos chicas
7. los pájaros
8. el gato
9. Juan y Olga

C Una carta. Imagina que un compañero de clase escribió esta tarjeta postal sobre su viaje a España. Completa la tarjeta con las formas correctas de *ser* o *estar*.

Queridos amigos,

Mis padres y yo _____ en San Sebastián. _____ una ciudad en el norte de España. _____ al lado del mar y las playas _____ muy bonitas.

5   Los mejores restaurantes _____ en un barrio viejo de la ciudad y las comidas que sirven _____ estupendas. Todos (nosotros) _____ más gordos que antes.

(Yo) _____ muy contento. La vida aquí _____ fantástica. España _____ un país muy bello, y creo que San Sebastián _____ la ciudad

10 más bella de todas. No quiero volver nunca a la escuela. (¡_____ un chiste!)

Su compañero,

Felipe

D ¿Ser o estar? Completa las frases con la forma correcta de *ser* o *estar*.

1. ¡Qué aburridas _____ (nosotras) en este colegio particular!
2. Hoy _____ el primer día de octubre.
3. (Yo) _____ en la sala de estudio.
4. Ya _____ las tres y cuarto de la tarde.
5. El estudiante a mi izquierda _____ cansado.
6. Las niñas _____ guatemaltecas.
7. Las grapas _____ con los sujetapapeles.
8. (Nosotros) _____ pelirrojos.
9. La película _____ muy aburrida.
10. (Tú) _____ bibliotecaria, ¿no?

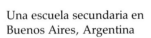

Una escuela secundaria en Buenos Aires, Argentina

La a personal

When the direct object of a verb is a definite person or a group of people, we use the personal *a* before it. Remember that *a* + *el* → *al*.

Admiro **a mis profesores.**	*I admire **my teachers.***
Llama **al director.**	*He's calling **the principal.***

When more than one person is mentioned, we usually repeat the *a*.

Espero **a Olga** y **a su amiga.**	*I'm waiting for **Olga** and **her friend.***

1 We also use the personal *a* before *¿quién?* and *¿quiénes?* when they are direct objects.

¿A quién invitas?	***Whom** are you inviting?*
¿A quiénes ayudan?	***Whom** are they helping?*

2 We generally do not use the personal *a* with *tener*.

Tengo tres hermanas.	*I have three sisters.*

3 We can also use the personal *a* with place names and with pets.

Voy a visitar **a España.**	*I'm going to visit **Spain.***
Ella busca **a su pájaro.**	*She's looking for **her bird.***

PRÁCTICA

¿A qué hora? Horacio tiene mucho que hacer durante el día. Di *(tell)* lo que va a hacer. Usa la *a* personal cuando sea necesario *(when necessary)*. Sigue el modelo.

8:00 / despertar / su hermano
A las ocho va a despertar a su hermano.

1. 8:10 / escuchar / las noticias
2. 8:30 / llamar / el director
3. 9:00 / tomar / el autobús
4. 10:00 / visitar / el museo
5. 10:15 / mirar / el arte
6. 12:00 / visitar / el director
7. 1:00 / esperar / Carlos y Jorge
8. 1:30 / repasar / sus apuntes
9. 3:00 / bañar / el perro
10. 6:00 / comer / comida italiana
11. 7:30 / estudiar / química
12. 9:00 / llamar / su novia

El complemento directo:
Los pronombres *lo, la, los, las*

◆ COMMUNICATIVE
OBJECTIVES
To go over a checklist
To confirm an appointment
To agree (or not to agree) to do something
To rate activities on a frequency scale and explain why

Here are the direct object pronouns meaning "him," "her," "it," "you" (formal), "them," and "you" (plural). Remember that a direct object tells who or what receives the action of the verb.

lo	*him, it, you* (masc. formal)	**los**	*them, you* (pl.)
la	*her, it, you* (fem. formal)	**las**	*them* (fem.), *you* (fem. pl.)

1 Direct object pronouns agree in gender and number with the nouns they replace. They come right before the verb.

¿Admiras **sus obras de teatro**?	*Do you admire **his plays**?*
Sí, **las** admiro.	*Yes, I admire **them**.*
¿Esperas **a tus tíos**?	*Are you waiting for **your aunt and uncle**?*
No, no **los** espero.	*No, I'm not waiting for **them**.*

2 When a pronoun replaces both a masculine and a feminine direct object noun, we use **los**.

¿Visitas **a Roberto y a María**?	*Do you visit **Roberto and María**?*
Sí, **los** visito.	*Yes, I visit **them**.*

3 We can attach a direct object pronoun to an infinitive or put it before the main verb.

¿Quieres ver **mis diapositivas**?	*Do you want to see **my slides**?*
Sí, quiero ver**las** ahora.	⎫ *Yes, I want to see **them** now.*
Si, **las** quiero ver ahora.	⎭

En Puerto Rico

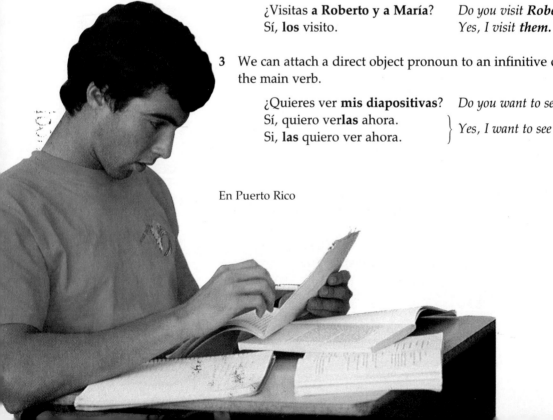

PRÁCTICA

A De viaje. Imagina que vas de vacaciones y uno de tus padres te pregunta si tienes todo lo que necesitas. Pregunta y contesta según el modelo.

ESTUDIANTE A *¿Tienes tu boleto?*
ESTUDIANTE B *Sí, lo tengo.*
o: *No, no lo tengo.*

1. 2. 3. 4.
5. 6. 7. 8.

B ¿A quién llamas? ¿Llamas por teléfono a estas personas? Usa la lista de la derecha para preguntar y contestar. Luego explica por qué las llamas o no las llamas.

Pedro
ESTUDIANTE A *¿Llamas a Pedro?*
ESTUDIANTE B *Sí, lo llamo a veces. Es muy simpático.*
o: *No, no lo llamo nunca. No me gusta hablar con él.*

1. tu novio(a)	5. tus padres	todos los días
2. tu mejor amigo(a)	6. tus tíos	todas las noches
3. tu profesor(a) de español	7. tu médico(a)	a menudo
4. tus abuelos	8. tu dentista	a veces
		nunca

C ¿A qué hora? Gustavo es enfermero. Todas las tardes llama a los pacientes *(patients)* que tienen cita *(appointment)* el día siguiente. Sigue el modelo.

Sra. Ruiz / 5:00 P.M.
Sra. Ruiz, el médico la espera a las cinco de la tarde.

1. Sr. Sánchez / 10:00 A.M.
2. Sra. Casino / 3:00 P.M.
3. Srta. Hernández / 8:15 A.M.
4. Sr. Jiménez / 7:00 P.M.
5. Sr. Morán / 11:45 A.M.
6. Sra. Alba / 1:30 P.M.
7. Srta. Goytisolo / 9:30 A.M.
8. Sr. Martínez / 4:15 P.M.

D ¿A quién buscas? Imagina que tú y un(a) amigo(a) buscan a otras personas para ayudar a decorar el gimnasio para un baile. Pregunta y contesta según el modelo.

> Esteban
>
> ESTUDIANTE A *¿Buscas a Esteban?*
> ESTUDIANTE B *Sí, lo necesito. ¿Puedes llamarlo?*
> ESTUDIANTE A *Sí, lo llamo ahora.*
> o: *No, tú lo puedes llamar.*

1. María
2. Jorge y Raúl
3. Sr. Ramírez
4. Paco y Javier
5. Ana y Lucía
6. Timoteo
7. Sra. Ibáñez
8. Sofía y Pablo

E Hablemos de ti.
1. ¿Cómo estás? ¿Cómo eres?
2. ¿Cómo es tu clase de español? ¿Cómo es tu profesor(a) de español?
3. ¿Cuándo estás triste? ¿Contento(a)? ¿Estás preocupado(a) a veces? ¿Aburrido(a)? ¿Cuándo?
4. ¿Qué haces cuando estás enfermo(a)?
5. ¿Qué haces cuando estás solo(a) en casa?
6. ¿Dónde está tu casa o apartamento?
7. ¿Ayudas a tus padres en casa? ¿Cuándo los ayudas?
8. ¿Hablas mucho por teléfono? ¿A quiénes llamas?

ACTIVIDAD

¿Quién es? Send one student out of the room. Now choose another person whose identity the first student must try to discover. The student who is outside should then come back in and ask the class yes / no questions to find out whom they picked. For example:

> ¿Lleva una camisa roja?
> ¿Es alta?
> ¿Está a la izquierda del profesor?

Can the questioner discover whom the class picked in seven questions or less?

APLICACIONES

En la sala de estudio

¿A quién ves en la sala de estudio? ¿Qué hace cada persona? ¿Qué ves sobre las mesas?

Arturo and Mónica have to write a composition about a Central American country for their history class. Make up a dialogue in which they discuss what country they are going to choose and why. Here are some words you might want to use:

buscar	escribir a máquina	mismo, -a
los carteles	explicar	tener
las diapositivas	los habitantes	tener que
dibujar / hacer un dibujo	el mapa	la vida

EXPLICACIONES II

Los verbos *dar* y *ver*

To describe gifts

To discuss types of movies you like

Here are the present-tense forms of *dar* ("to give") and *ver* ("to see"). Remember that they are irregular only in the *yo* form.

DAR		VER	
doy	damos	veo	vemos
das	dais	ves	veis
da	dan	ve	ven

PRÁCTICA

A Unos regalos. Imagina que los padres de una amiga abren una guardería (*day-care center*) y necesitan muchas cosas. ¿Quién va a darles qué? Sigue el modelo.

Gerardo
Gerardo les da una grapadora.

1. Carmen

2. (yo)

3. Tomás y Ángel

4. Esperanza

5. nuestra directora

6. (tú)

7. (nosotros)

8. Pablo y Ester

9. Tomás y tú

B **¿Qué película dan?** Los miembros de la familia Novás nunca van todos juntos al cine. Nunca hay más de dos personas que quieren ver la misma película. ¿Qué películas ven esta noche?

Verónica
Verónica ve una película cómica.

1. Nicolás y Norma

2. (yo)

3. la tía Rebeca

(izquierda) En Buenos Aires, Argentina; (izquierda, abajo) En Costa Rica; (derecha) En Bogotá, Colombia

4. (tú)

5. (nosotros)

6. el tío Ricardo y tú

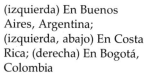

El complemento indirecto:
Los pronombres *le* y *les*

◆ COMMUNICATIVE
  OBJECTIVES
  **To express doing things
  for others**
  **To tell how often or to
  explain why you do
  things**
  **To describe gifts you
  give to people**

Remember that an indirect object tells *to whom* or *for whom* an action is performed. The indirect object pronouns *le* and *les* mean "to (or for) him, her, you" (formal and plural), and "them." Like direct object pronouns, they come right before the verb.

Le doy los uniformes.   *I'm giving the uniforms* $\begin{cases} \textbf{to him.} \\ \textbf{to her.} \\ \textbf{to you} \text{ (Ud.).} \end{cases}$

   or: *I'm giving **him (her, you)** the uniforms.*

Les compro calculadoras.   *I'm buying calculators* $\begin{cases} \textbf{for them.} \\ \textbf{for you} \text{ (Uds.).} \end{cases}$

   or: *I'm buying **them (you)** calculators.*

Dinero mexicano

1   With *¿a quién(es)?* and when the indirect object is a noun, we generally also use an indirect object pronoun.

   ¿A quién le das el dinero?   *To whom are you giving the money?*
   Le doy el dinero **a Juana.**   *I'm giving the money **to Juana.***

2   For emphasis or to clarify the meaning of *le* and *les*, we can add *a* + a prepositional pronoun.

   Le escribo una tarjeta postal **a él.**   *I'm writing a post card **to him.***
   Les presto los apuntes **a ellas.**   *I'm lending the notes **to them.***
   Les compro varias cosas **a Uds.,**   *I'm buying several things **for you,***
   no **a ella.**   *not **for her.***

3   We can attach *le* or *les* to an infinitive or put it before the main verb, just as we do with direct object pronouns.

   Tengo que dar**les** las grapas. ⎫
   Les tengo que dar las grapas. ⎭   *I have to give **them** the staples.*

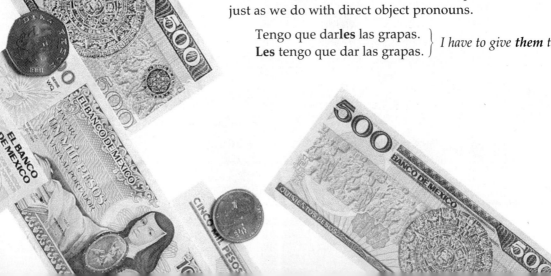

PRÁCTICA

A **¿A quiénes les escribes?** Imagina que estudias en otro país. Pregunta y contesta según el modelo.

> tu sobrino favorito / a menudo
> ESTUDIANTE A *¿A quién le escribes?*
> ESTUDIANTE B *A mi sobrino favorito. Le escribo a menudo.*

1. mis padres / cuando necesito dinero
2. mi hermana(o) / cada mes
3. mi novio(a) / casi todos los días
4. mis amigos / a menudo
5. mis tíos / cuando tengo noticias
6. mi abuela / cada semana
7. mi profesor(a) de español / para practicar el español
8. mis primos / porque están enfermos

Una muchacha escribe en España.

B **¿Qué les das?** Todas las personas en la familia de Yolanda van a cumplir años *(have a birthday)* pronto. Pregunta y contesta según el modelo.

Pablo
ESTUDIANTE A   *¿Qué le vas a dar a Pablo?*
ESTUDIANTE B   *Quizás voy a darle una corbata.*

1. tu prima Gloria

2. tu hermano Luis

3. tu abuela

4. tus sobrinas

5. tus tíos

6. tu hermanita

7. tu papá

8. tus primos

9. tu mamá

C **Hablemos de ti.**
1. ¿Te gusta escribir cartas o prefieres llamar a la gente por teléfono? ¿A quiénes les escribes cartas? ¿Las escribes con lápiz o bolígrafo o las escribes a máquina? ¿Cuando viajas, a quiénes les escribes tarjetas postales?
2. ¿A veces les prestas cosas a tus amigos? ¿Qué les prestas?
3. ¿Qué le vas a dar a tu novio(a) para su cumpleaños? ¿Qué les vas a dar a tus abuelos o a tus padres o hermanos?
4. ¿Qué clase de regalos te gusta recibir?

ACTIVIDAD

¡Regalos para todos!   With a partner, make a list of five or six items that you might give away. Discuss to whom you are going to give them and why. For example:

ESTUDIANTE A   *¿A quién le damos la máquina de escribir?*
ESTUDIANTE B   *Le damos la máquina de escribir a la profesora de inglés.*
ESTUDIANTE A   *¿Por qué?*
ESTUDIANTE B   *Porque no tiene ninguna.*
      o: *Porque no puedo leer lo que escribe.*
      o: *Porque su máquina de escribir es muy vieja.*

En la biblioteca en México

REPASO

Mira las frases modelo. Luego cambia las frases que siguen *(follow)* al español según los modelos.

1. *Soy una médica dominicana.*
   (M. A. Asturias is a Guatemalan author.)
   (They (masc.) are Panamanian pilots.)
   (We (fem.) are Nicaraguan librarians.)

2. *Asisten a un partido importante mañana.*
   (Do you (fam.) attend a private school now?)
   (We're attending an interesting concert today.)
   (They're attending a bilingual class now.)

3. *Las muchachas son muy amables. Le explican palabras.*
   (I'm very generous. I give you (pl.) paperclips.)
   (She's very smart. Does she teach you (pl.) languages?)
   (The principal is very boring. She reads them biographies.)

4. *Están tristes porque tienen mucho trabajo.*
   (We're busy because we have a lot of homework.)
   (Luz is bored because she doesn't have many friends.)
   (I'm worried because I don't have many notes.)

5. *A veces ve a su primo y lo espera en la esquina.*
   (We often see the librarian and help him in the library.)
   (You (fam.) always call your friends (fem.) or see them at the café.)
   (I always admire that actress and see her on TV.)

Estudiantes en España

Estudiantes costarricenses

TEMA

Escribe las frases en español.

1. Pablo is a Costa Rican student.

2. He attends a public school now.

3. The students are very nice. They're teaching him English.

4. Pablo is happy because he has a lot of friends.

5. He often calls his friends and invites them to his house.

REDACCIÓN

Ahora escoge *(choose)* uno de los siguientes temas para escribir tu propio *(own)* diálogo o párrafo *(paragraph)*.

1. Expand the *Tema* by writing about Pablo's experiences in his new school. Tell about his schedule, the subjects he's studying, his homework, and tests. Say how he feels about the students and the teachers.

2. Write a paragraph describing your school library. Describe the room and its furnishings. Tell what sorts of things occur there in a typical hour.

3. Imagine that Pablo is writing a letter to a friend in Costa Rica describing his school in the United States. Start the letter with *Querido(a)* and end it with *Hasta pronto.*

COMPRUEBA TU PROGRESO   CAPÍTULO 1

A *¿Ser o estar?*
Completa las frases con la forma correcta de *ser* o *estar*.

1. ¿_____ Ud. bibliotecario?
2. (Yo) _____ triste porque todavía no hace sol.
3. Manuel y su hermana _____ en Guatemala.
4. Su oficina _____ en la esquina sureste de la calle.
5. (Nosotros) _____ dominicanos.
6. Juana _____ muy atlética, pero _____ enferma hoy.
7. El estadio _____ al noroeste de la ciudad.

B *¿Qué hacen?*
Contesta cada pregunta con una frase completa. Sustituye *(substitute)* las palabras indicadas con un pronombre.

1. ¿Dónde pasa Pablo *el verano*?   (en Chile)
2. ¿Quién manda *esta tarjeta postal*?   (Daniel)
3. ¿Quién explica *la lección*?   (la profesora)
4. ¿Quiénes escuchan *las cintas*?   (los chicos)
5. ¿Adónde llevan *los libros*?   (al laboratorio)
6. ¿Quiénes hacen *los planes*?   (mis padres)

C *¿Qué tiene que hacer?*
Contesta cada pregunta dos veces. Usa el pronombre correcto. Sigue el modelo.

>   ¿Tienes que lavar el coche? / Sí
>   *Sí, tengo que lavarlo.*
>   *Sí, lo tengo que lavar.*

1. ¿Vas a practicar el fútbol? / Sí
2. ¿Vas a mostrar las diapositivas? / Sí
3. ¿Tienes que llevar el uniforme todos los días? / No
4. ¿Quieres visitar a tu tía mañana? / No
5. ¿Prefieres comer la ensalada? / No

D *La a personal*
Escribe frases completas. Usa la *a* personal cuando sea necesaria.

1. ¿llamar / (tú) / Juan?
2. ¿buscar / Javier / el médico?
3. (yo) / admirar / la profesora
4. ¿comprar / Mónica / la máquina de escribir?
5. los estudiantes / escuchar / el director
6. ¿usar / Uds. / el proyector?
7. Mario / invitar / todos los estudiantes
8. (yo) / ver / el policía

E *¿Dar o ver?*
Completa cada frase con la forma correcta de *dar* o *ver*.

1. Diego y Raúl le _____ flores a mamá.
2. ¿Qué _____ (tú) en la pantalla?
3. En la granja (nosotros) _____ muchos animales.
4. ¿Quién les _____ un millón de dólares a los García?
5. (Yo) siempre le _____ mis apuntes a Pilar.
6. (Yo) _____ a la directora.
7. ¿_____ (Uds.) esos carteles?
8. ¿Le _____ (nosotros) una corbata a papá?
9. Todos los días (ellos) le _____ de comer al gato.

F *¿Qué pasa?*
Pregunta y contesta según el modelo. Usa el pronombre correcto.

>   dar / Ud. / la entrada / Elena
>   *¿Le da Ud. la entrada a Elena?*
>   *Voy a darle la entrada más tarde.*

1. prestar / Horacio / los diccionarios / su amigo
2. dar / (tú) / helados / los niños
3. escribir / ellos / cartas / sus hijos
4. explicar / Ana / la historia / su compañera
5. dar / Uds. / la grapadora / Patricia
6. prestar / Ud. / la grabadora / sus hijas
7. mandar / (ellos) / comida / los habitantes de esa parte del país

VOCABULARIO DEL CAPÍTULO 1

Sustantivos
el año escolar
el apunte
el autor, la autora
el bibliotecario, la bibliotecaria
la biografía
la calculadora
el colegio particular
la composición, *pl.* las
  composiciones
la diapositiva
el diccionario
el director, la directora
la grapa
la grapadora
el/la habitante
la historia
el idioma
la máquina de escribir
el millón (de), *pl.* millones (de)
el noreste
el noroeste
la pantalla
la parte
el proyector
el repaso
el sacapuntas, *pl.* los
  sacapuntas
la sala de estudio
el sujetapapeles, *pl.* los
  sujetapapeles
el sureste
el suroeste
el tema
el uniforme
la vida

Adjetivos
costarricense
dominicano, -a
guatemalteco, -a
hondureño, -a
mismo, -a
nicaragüense
panameño, -a
público, -a
salvadoreño, -a
siguiente

Verbos
admirar
explicar

Preposición
de *(by)*

Adverbios
quizás
todavía no (no . . . todavía)

Expresiones
escribir a máquina
hacer una pregunta
prestar atención
¡silencio!

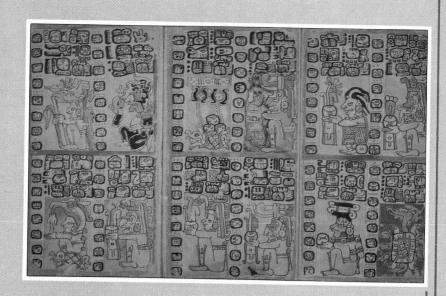

CAPÍTULO 2

LA CASA ESPAÑOLA

If you were visiting someone's home in southern Spain, you would probably notice many differences between it and your own home. Lawns and front yards are not traditional there, and the exterior of the houses is often quite plain. But you would see flowering plants on wrought-iron balconies or hung on decorative hooks attached to the outside wall. Many houses have front doors large enough for a car to enter. A smaller door may be built into the large one for people to pass through. Instead of bells, there are often door knockers, sometimes shaped like a lion's head or a woman's hand.

Behind the door there is usually a short passageway leading to a sunny patio at the center of the house. Here you might see an array of clay pots overflowing with geraniums and other plants. In warm weather this inner garden serves as an outdoor family room.

The inner garden is a tradition inherited from the Arabs, who invaded Spain in 711 and remained there for more than seven hundred years. The Spanish also learned from them how to build cool adobe houses made of blocks of baked mud painted white to reflect the sun. When the Spaniards settled in North America they continued building houses this way. Today you can see many examples of this in New Mexico and Arizona, where adobe is still used because of its excellent insulating properties.

Large homes in southern Spain may be two or three stories high, with galleries on each level overlooking the patio. Most of the rooms open onto the galleries. Their tiled floors and pastel walls are very inviting in the warm afternoons. They have high ceilings and tall windows with shutters that can be closed to block out the sun. In the Spanish-speaking world we are constantly reminded how climate influences the way we live.

PALABRAS NUEVAS I

Hay que poner todo en orden

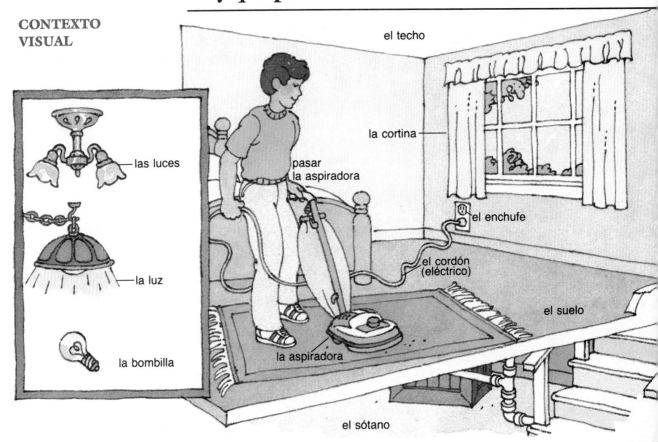

CONTEXTO
COMUNICATIVO

1 MAMÁ   Diego, ¿vas a limpiar el pasillo?

   DIEGO   Sí, pero la aspiradora no **funciona.**

   MAMÁ   Hay que **enchufar**la, hijo.

Variaciones:

- el pasillo → la alfombra
- no funciona → está **descompuesta**
- hay que enchufarla → acabas de **desenchufarla**

funcionar   *to work, to run
(machines)*

enchufar   *to plug in*

descompuesto, -a   *broken, out of
order (machines)*

desenchufar   *to unplug*

◆ COMMUNICATIVE OBJECTIVES

To exclaim

To tell that something is broken or not working

To ask someone for or to offer help

To ask someone or to agree to do a household job

To postpone or put someone off

ordenado, -a   el pasillo   desordenado, -a

barrer

la escoba

cortar
el césped

el césped

el cortacésped

2 PAPÁ   ¡Ay, Sarita, qué **desorden**!

    SARA   Lo siento, papá. Voy a **poner** todo **en orden ahora mismo.**

■ ¡qué desorden! → ¡qué dormitorio tan* desordenado!
■ ahora mismo → esta mañana

el desorden	*mess, disorder*
poner en orden	*to straighten out*
el orden	*order*
ahora mismo	*right away, right now*

* You know that we use *Qué* to form exclamations with adjectives and nouns: *¡Qué hermoso!* ("How beautiful!"), *¡Qué día!* ("What a day!"). To form an exclamation using both an adjective and a noun we use *noun* + **tan** + *adjective*: *¡Qué día tan hermoso!* ("What a beautiful day!").

Palabras Nuevas I   **65**

3 GUSTAVO ¿Adónde van Uds. a pasar las vacaciones?

    JUDIT Bueno, pensamos **alquilar** un coche para ir a Málaga.

    GUSTAVO Buena **idea.**

    ■ alquilar → pedir prestado

alquilar *to rent*

la idea *idea*

4 GERARDO ¡Uf! ¡Qué frío! ¿Qué **pasa** con **la calefacción**?

    SUSANA Está descompuesta.

    ■ frío → calor
      la calefacción → **el aire acondicionado**
      descompuesta → descompuesto

pasar *here: to happen*
la calefacción *heating (system)*

el aire acondicionado *air conditioning*

5 MAMÁ Tomás, ¿puedes **cortar** las zanahorias, por favor?

    TOMÁS Bueno. ¿Dónde está el cuchillo?

    ■ zanahorias → cebollas

cortar *to cut*

EN OTRAS PARTES

También se dice *el bombillo* y *el foco.*

También se dice *la cortadora de césped* y *el cortacéspedes.*

También se dice *conectar.*

PRÁCTICA

A **El sábado por la mañana.** Imagina que vas a ayudar en casa. Escoge (*choose*) elementos de cada columna para preguntar y contestar según el modelo.

    ESTUDIANTE A *¿Cuándo vas a cortar el césped?*
    ESTUDIANTE B *Voy a cortarlo por la mañana.*

arreglar	la aspiradora	ahora mismo
barrer	el baño	antes del almuerzo
cambiar	las bombillas	después del desayuno
comprar	la cama	por la mañana
cortar	el césped	esta noche
enchufar	el cortacésped	por la tarde
hacer	las cortinas	este fin de semana
lavar	el pasillo	la semana próxima
limpiar	las sábanas	mañana
pasar	el suelo	mañana por la mañana

B **¿Dónde está?** Mira los dibujos para preguntar y contestar dónde están estas cosas. Sigue el modelo.

ESTUDIANTE A *¿Dónde están las revistas?*
ESTUDIANTE B *En el estante.*

1.

2.

3.

4.

5.

6.

7.

8.

C ¿Qué necesitas?   Pregunta y contesta. Escoge *(choose)* la palabra o expresión apropiada *(appropriate)* de la columna de la derecha para contestar. Sigue el modelo.

> escribir una carta
> ESTUDIANTE A   *¿Qué necesitas para escribir una carta?*
> ESTUDIANTE B   *Un bolígrafo.*

1. limpiar la alfombra
2. barrer el suelo de la cocina
3. enchufar el televisor
4. abrir la puerta del sótano
5. poner los libros en orden
6. usar esa lámpara
7. cortar algo
8. hacer la cama

una bombilla nueva
una aspiradora
una llave
una escoba
unos estantes
sábanas y fundas
un cuchillo
un enchufe
un bolígrafo

En Marbella, España

D ¡Qué entusiasmo! Hay gente que exclama sobre todo. Usa cada sustantivo de la izquierda con un adjetivo apropiado de la derecha para hacer exclamaciones. No uses *(Don't use)* un adjetivo más de una vez. Sigue el modelo.

diapositiva
¡Qué diapositivas tan bellas!

1. día	aburrido	enérgico
2. gente	amable	fabuloso
3. historia	antipático	fantástico
4. hombre	atlético	frío
5. muchacho(a)	bueno	fuerte
6. mujer	caliente	generoso
7. novela	corto	largo
8. película	chistoso	perezoso
9. poema	débil	simpático
10. programa	emocionante	tacaño

E Hablemos de ti.

1. ¿Qué haces para ayudar en casa? ¿Cortas el césped? ¿Es un trabajo aburrido para ti o te gusta hacerlo?
2. ¿Prefieres pasar la aspiradora o barrer? ¿Por qué?
3. ¿Cómo es tu dormitorio? ¿Está ordenado o desordenado? ¿Quién lo limpia? ¿Cuándo? ¿Haces la cama todos los días?
4. ¿Hay un sótano en tu casa? ¿Qué tienes allí?
5. Donde tú vives, ¿necesitas aire acondicionado? ¿Durante qué meses? ¿Tienen casi todos los coches allí aire acondicionado?
6. ¿Hace mucho frío donde vives? ¿Necesitas calefacción todos los días en el invierno? ¿Prefieres el invierno o el verano? ¿Por qué?

(más arriba) En Caracas, Venezuela; (arriba) En Yucatán, México; (izquierda) En San Isidro, Argentina

APLICACIONES

¡Qué desorden!

Una discusión entre dos hermanos que comparten[1] un dormitorio.

JUAN PABLO   ¡Qué desorden! Hay zapatos debajo de la cama, pantalones en la puerta, calcetines sucios en el suelo
5   y camisas en las sillas. ¿Por qué no pones las cosas donde deben estar?

JOSÉ LUIS   Y tú, ¿por qué eres tan ordenado? Siempre tienes que poner toda tu ropa en la cómoda y en el armario.

10 JUAN PABLO   Sí, cuando está limpia. Pero cuando está sucia la lavo y luego la guardo.[2]

JOSÉ LUIS   ¿Ah sí? ¿Y quién limpia el cuarto?

JUAN PABLO   ¡Yo! Tú nunca limpias nada. Nunca barres ni[3] pasas la aspiradora. Voy a poner el estante entre nuestras
15   camas. Así[4] no tengo que ver el desorden de *tu* dormitorio.

JOSÉ LUIS   ¿De veras? Entonces no puedes usar el teléfono que está al lado de mi cama.

---

[1]**compartir** *to share*   [2]**guardar** *to put (something) away*   [3]**ni** *or (after a negative)*   [4]**así** *that way*

Preguntas
Contesta según el diálogo.

1. ¿De qué hablan los dos hermanos? ¿Están de acuerdo? ¿Por qué no?
2. ¿Cómo quiere tener el cuarto Juan Pablo? ¿Y José Luis?   3. ¿Qué hace con sus cosas Juan Pablo? ¿Y José Luis?   4. Según Juan Pablo, ¿qué no hace nunca José Luis?   5. ¿Qué dice Juan Pablo que va a hacer con el estante? ¿Por qué?   6. ¿Lo va a hacer de veras? ¿Qué crees tú? ¿Qué va a pasar? ¿Por qué?   7. ¿Estás de acuerdo con José Luis o con Juan Pablo? ¿Por qué?

Participación

Working with a partner, make up a dialogue about two brothers or sisters sharing a room. What might be some causes for disagreement? Messiness, borrowing things, using the other person's belongings?

◆ COMMUNICATIVE
OBJECTIVES
To tell where something
is or belongs
To complain or fret

PALABRAS NUEVAS II

¿Quién lava los platos hoy?

**CONTEXTO
VISUAL**

**CONTEXTO
COMUNICATIVO**

1	MAMÁ	Los abuelos vienen a **almorzar** y no sé qué servir de postre.
	HIJA	¿Por qué no preparas un flan? Yo te ayudo.
	MAMÁ	Bien, **trae aquella** cacerola y **aquellas** tazas. Voy a **batir** los huevos. Después puedes **mezclar**los con el azúcar y **añadir** la leche.

Variaciones:
- a almorzar → a comer
- servir → preparar
- aquella cacerola → aquel tenedor
  aquellas tazas → aquellos platos

almorzar (o → ue)   *to eat lunch,
to have lunch*

trae (**tú** *command form of*
traer)   *bring*

aquel, aquella adj.   *that (over
there)*

aquellos, aquellas adj.   *those
(over there)*

batir   *to beat*

mezclar   *to mix*

añadir   *to add*

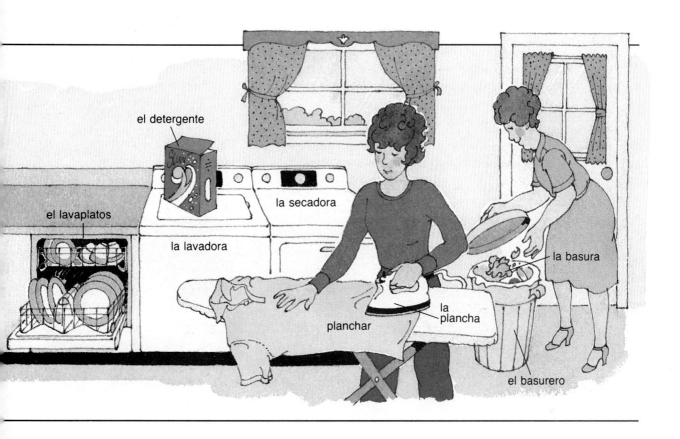

el detergente

el lavaplatos

la secadora

la lavadora

la basura

planchar

la plancha

el basurero

2 CÉSAR   ¿Qué servilletas pongo?

ANITA   No sé . . . es difícil **escoger.*** **Éstas** son demasiado grandes, ¿verdad?

CÉSAR   Sí, **ésas** no me gustan tampoco.

ANITA   Y **aquéllas** no son azules **como** el mantel.

- servilletas → platos
  éstas → éstos
  ésas → ésos
  aquéllas → aquéllos

escoger (j) *to choose*

éste, ésta; éstos, éstas pron. *this one; these*

ése, ésa; ésos, ésas pron. *that one; those*

aquél, aquélla; aquéllos, aquéllas pron. *that one; those (over there)*

como *like, as*

* In the present tense, verbs whose infinitives end in *-ger* change **g** → **j** in the *yo* form: **escojo.**
We will mark these verbs with a **(j).**

3	CECILIA	¿Qué es **eso**?	**eso** *that*
	ANDRÉS	**¿Esto?** Es un regalo para mi hermanito. Es su santo.	**esto** *this*
	CECILIA	¿Y **aquello**?	**aquello** *that (over there)*
	ANDRÉS	Es un regalo para ti. **¡Feliz cumpleaños!**	**¡Feliz cumpleaños!** *Happy birthday*

4	PAPÁ	¡Qué desordenada eres, hija! ¿Por qué no **recoges** los papeles del suelo?	**recoger (j)** *to pick up*
	MARÍA	Está bien, papá. Ahora mismo los recojo y los **tiro** a la basura.	**tirar** *to throw, to throw away*

■ los papeles → la ropa
los → la
los tiro a la basura → la pongo en la lavadora

Dos muchachas cocinan en España.

EN OTRAS PARTES

En la Argentina se dice *el tacho de basura*. En el Caribe se dice *el latón de basura*.

En el Caribe se dice *la pila* o *la pileta*.

En muchos países de la América Latina se dice *botar*.

También se dice *el lavarropas*.

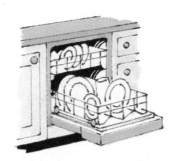

También se dice *el lavavajilla*.

PRÁCTICA

A   ¿Dónde pongo esto?   Es medianoche. El restaurante está cerrado y ahora hay que poner la cocina en orden. Escoge la palabra correcta. Sigue el modelo.

> platos sucios *(lavaplatos / basurero)*
> ESTUDIANTE A   *¿Dónde pongo los platos sucios?*
> ESTUDIANTE B   *En el lavaplatos.*

1. sartenes limpias *(estante / secadora)*
2. olla sucia *(fregadero / horno)*
3. pan quemado *(basurero / horno)*
4. cucharitas sucias *(secadora / lavaplatos)*
5. manteles sucios *(pasillo / lavadora)*
6. mantequilla *(fregadero / refrigerador)*
7. basura *(basurero / lavaplatos)*
8. detergente *(refrigerador / lavadora)*

B **¿Qué hacen?** Toda la familia ayuda en casa. Completa el párrafo *(paragraph)* con las palabras correctas.

Después de almorzar José *(quita / desenchufa)* los platos, los platillos, las cucharitas y los vasos sucios de la mesa. Yo lavo las ollas y las cacerolas en el *(refrigerador / fregadero)* y él las *(seca / lava)*. Luego (yo) *(barro / quemo)* el suelo de la cocina con la escoba y él *(tira / escoge)* la
5 basura y lleva el basurero afuera. Mi hermana mayor *(enchufa / recoge)* la ropa sucia de nuestros cuartos y la pone primero en la *(lavadora / tostadora)* y después en la *(aspiradora / secadora)*. Mi mamá *(plancha / corta)* las camisas y papá *(limpia / enchufa)* el sótano. Mi hermano mayor *(corta / seca)* el césped y *(barre / alquila)* el patio. A Josefina le
10 gusta pasar la *(aspiradora / plancha)* y poner en *(orden / desorden)* la sala y el comedor.

C **En la cocina.** Raquel y Esteban ayudan en la cocina. Escoge elementos de cada columna para preguntar y contestar. Sigue el modelo.

los platos
ESTUDIANTE A *¿Qué haces con los platos?*
ESTUDIANTE B *Los lavo y después los seco.*

En California

1. la basura	contar	añadir a la sopa
2. las servilletas sucias	cortar lavar	batir lavar
3. el pollo	mezclar con leche	limpiar
4. las cucharitas	planchar	poner en el armario
5. el mantel limpio	poner en el basurero	poner en el horno
6. las cacerolas sucias	poner en el fregadero	poner en la mesa
7. las papas y las zanahorias	poner en la lavadora preparar	poner en la secadora secar
8. los huevos	recoger	tirar

D **Hablemos de ti.**

1. ¿Qué prefieres hacer en la cocina? ¿Te gusta cocinar? ¿Qué cocinas? ¿Cocinas a menudo? ¿Qué usas más cuando cocinas, el horno o la estufa? ¿Por qué?
2. ¿Tienes lavaplatos en tu casa? Si no tienes uno, ¿quién lava los platos? ¿Quién los seca? ¿Quién los pone en el armario?
3. De todos los aparatos *(machines)* eléctricos que tienes en tu casa, ¿cuál usas más a menudo? En tu opinión, ¿cuál es el más importante? ¿Por qué?

ACTIVIDAD

¿Haces la cama todos los días? Find out what chores your classmates do at home by participating in this class survey. Divide into small groups. Each group then writes questions about what kinds of chores people have to do at home. For example:

¿Quién tiene que lavar la ropa sucia?
¿Cuántos tienen que tirar la basura?
Si tienes un perro o un gato, ¿quién tiene que darle de comer?

One person in each group should keep a tally of the questions and responses. A sample tally sheet might look like the one below. Afterward compare the results. Which are the most and the least common chores among your classmates?

	Todos los días	A menudo	A veces	Nunca
lavar la ropa sucia				
tirar la basura				
dar de comer al perro/gato				

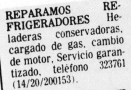
ESTUDIO DE PALABRAS

Written accents are often used to distinguish between words that are spelled the same but have different meanings. For example:

Él barre **el** suelo.	*He sweeps **the** floor.*
Tú y **tu** hermano pueden ir a la fiesta.	*You and **your** brother can go to the party.*
Sí, si tú lo dices.	*Yes, **if** you say so.*

How do the following words change in meaning when we add an accent mark?

se → sé   solo → sólo   mi → mí

We always use written accents on question words and exclamations.

¿Quién es tu profesor de inglés?	*Who's your English teacher?*
¿Dónde están las cucharitas?	*Where are the teaspoons?*
¡Qué desorden!	*What a mess!*

Familias de palabras

You have probably noticed that the adjective *quemado* is related to the verb *quemar*. What do you think these adjectives mean: *cortado, planchado, alquilado*?

Sinónimos

Completa las frases con una palabra parecida *(similar)* a la palabra en cursiva *(italics)*.

1. Para preparar un flan necesitas *poner* azúcar también.
2. El suelo está muy sucio. ¿Te ayudo a *limpiarlo*?
3. Voy a *comer al mediodía* con mi primo.

Antónimos

Completa las frases con un antónimo de la palabra en cursiva.

1. Voy a *enchufar* la plancha.
2. Es una persona muy *ordenada*.
3. Quiero comer *más tarde*.
4. Mi coche no tiene *aire acondicionado*.
5. Voy a comprar *aquél*.
6. El *suelo* está limpio.

EXPLICACIONES I

Verbos con el cambio *o* → *ue*

Remember that in certain verbs, called stem-changing verbs, the stem vowel *o* changes to *ue* in all except the *nosotros* and *vosotros* forms of the present tense.

◆ COMMUNICATIVE OBJECTIVES

To tell about activities and events

To discuss sports and games

ENCONTRAR		PODER		DORMIR	
encuentro	encontramos	puedo	podemos	duermo	dormimos
encuentras	encontráis	puedes	podéis	duermes	dormís
encuentra	encuentran	puede	pueden	duerme	duermen

1 Remember that *poder* is usually followed by an infinitive.

> No **puedo encontrar** las bombillas.　*I **can't find** the lightbulbs.*
> **Podemos ir** a la tienda mañana.　*We **can go** to the store tomorrow.*

2 Here are other *o* → *ue* stem-changing verbs that you have learned.

> *-ar* verbs: acostar(se), almorzar, contar, costar, mostrar
> *-er* verbs: doler, llover, volver

3 You also know one verb, *jugar*, whose stem changes from *u* → *ue* in all but the *nosotros* and *vosotros* forms of the present tense.

JUGAR	
juego	jugamos
juegas	jugáis
juega	juegan

4 Be careful, however, because not all verbs that have *o* as their stem vowel are stem-changing verbs. For example, *cortar: **Corto** el césped casi todos los fines de semana.*

Explicaciones I　**79**

PRÁCTICA

A **¿Qué hacen?**   Imagina que vas a una plaza. ¿Qué hace la gente que ves allí? Pregunta y contesta según el modelo. Escoge la frase más apropiada *(appropriate)*.

> esas enfermeras
> ESTUDIANTE A   *¿Qué hacen esas enfermeras?*
> ESTUDIANTE B   *Vuelven del hospital.*

1. esa camarera
2. esas atletas
3. ese gato
4. esas mujeres
5. ese fotógrafo
6. esos turistas panameños
7. el piloto
8. la profesora de biología

a) mostrarles las hojas a los estudiantes
b) contar su dinero en español
c) almorzar juntas con sus hijos
d) dormir debajo del árbol
e) volver al aeropuerto
f) jugar al béisbol
g) contar su propina
h) mostrarle sus fotos a un cliente
i) volver del hospital

Estos muchachos descansan en la playa de Luquillo, Puerto Rico.

B **Mis vacaciones.**   Todos los días Emilia escribe lo que hace en su diario *(diary)*. Escoge verbos de la lista para completar el párrafo *(paragraph)*.

almorzar	costar	jugar	poder
contar	dormir	llover	volver

Lunes 15 de julio.
Estoy cansada de la lluvia. _____ casi todos los días. ¡Qué vacaciones tan aburridas! Nunca _____ salir del hotel.

Martes 16 de julio.
5 ¡Hoy hace buen tiempo! Ahora estoy en la playa. Hay mucha gente. Varios chicos _____ en la playa, otros en el agua. Mucha gente toma el sol, descansa sobre toallas de playa o _____ debajo de las sombrillas. Hay un vendedor de helados. Muchos niños hacen cola y casi todos _____ sus monedas. Son casi las dos, y tengo mucha hambre. En
10 seguida (yo) _____ al hotel. Hoy _____ con Josefina. (Nosotras) _____ en un restaurante mexicano muy bueno. La comida allá es excelente y no _____ mucho. Bueno, eso es todo por hoy.

Mandatos afirmativos con *tú*

When you tell someone to do something, you are giving an affirmative command. For example, "Go away," "Eat your vegetables," "Be good" are commands. English has only one form for commands, but in Spanish there are several forms. Here is how you give an affirmative command to someone you address as *tú*.

◆ COMMUNICATIVE OBJECTIVES

To tell someone what to do

To give advice or make suggestions

To give instructions

To make excuses

1   The affirmative *tú* command form for regular and stem-changing verbs is the same as the *Ud. / él / ella* form of the present tense.

Elena contesta el teléfono.   *Elena is answering the phone.*
Elena, contesta el teléfono.   *Elena, answer the phone.*

Pepe abre la puerta.   *Pepe opens the door.*
Pepe, abre la puerta.   *Pepe, open the door.*

Graciela vuelve temprano.   *Graciela is coming back early.*
Graciela, vuelve temprano.   *Graciela, come back early.*

Jorge almuerza conmigo.   *Jorge is having lunch with me.*
Jorge, almuerza conmigo.   *Jorge, have lunch with me.*

2   Just as in English, we don't usually use the pronoun *tú* except for emphasis.

Marta, **desenchufa tú** la   *Marta, **you unplug** the toaster.*
tostadora. Yo estoy ocupada.   *I'm busy.*

Un almuerzo en España

PRÁCTICA

A ¡Silencio! ¿Qué dice la profesora al estudiante? Sigue el modelo.

Escribe tu nombre.

B ¿Qué hago primero? Imagina que tienes que hacer muchas cosas. Le preguntas a alguien qué debes hacer primero. ¿Qué te dice? Sigue el modelo.

> limpiar la sala y lavar el suelo de la cocina
>
> ESTUDIANTE A *¿Qué hago primero? ¿Limpio la sala o lavo el suelo de la cocina?*
>
> ESTUDIANTE B *Limpia la sala primero.*
>
> o: *Lava el suelo de la cocina primero.*

1. planchar los pañuelos y lavar los platos
2. cortar el césped y arreglar la tostadora
3. contar aquellas monedas y secar aquellas ollas
4. buscar mis llaves y llevar aquellas cajas al garaje
5. pasar la aspiradora y limpiar todos los espejos
6. almorzar con mi abuela y repasar mis apuntes
7. limpiar el sótano y decorar la sala
8. lavar las cortinas y preparar la cena
9. alquilar una película y comprar comestibles

C **¡Cómo habla!** Hay gente que siempre nos dice qué debemos hacer.
Sigue el modelo.

> Voy a pedir un postre. / escoger el pastel de queso
> **ESTUDIANTE A** *Voy a pedir un postre.*
> **ESTUDIANTE B** *Escoge el pastel de queso.*

1. Voy afuera. / volver pronto
2. Hay ropa sucia en el suelo. / recoger y lavar todo
3. El pasillo está sucio. / barrer el suelo ahora mismo
4. Llueve. / correr más rápidamente
5. No tengo mucha hambre. / comer más tarde
6. Voy a hacer un flan. / batir bien los huevos
7. Preparo una ensalada de frutas. / añadir más naranjas
8. Hace calor en casa. / abrir las ventanas

D **Prepara la cena.** En casa, tienes que hacer muchas cosas. Cambia
las frases según el modelo.

> Para hacer la cama, tienes que cambiar las sábanas y las fundas.
> *Para hacer la cama, cambia las sábanas y las fundas.*

1. Antes de la cena, tienes que lavar y secar los vasos, llevar el mantel
   a la mesa, y después traer los platos, tenedores y cuchillos.
2. Para preparar pollo al horno, debes lavar y secar el pollo, cortar y
   añadir las cebollas y las papas y después cocinar todo junto por
   45 minutos en un horno caliente.
3. Para preparar esta ensalada, tienes que lavar la lechuga, cortar los
   tomates y la cebolla, y añadir un poco de limón.
4. Después de la cena, tienes que quitar las cosas de la mesa, lavar los
   platos, platillos y vasos en el lavaplatos y las ollas en el fregadero,
   barrer el suelo y tirar la basura. Después puedes descansar.

E Hablemos de ti.

1. ¿A qué deportes juegas en la escuela?
2. ¿A qué hora vuelves de la escuela por la tarde? ¿Dónde almuerzas? ¿Dónde almuerzas los sábados? ¿Con quién? ¿Qué comes generalmente para el almuerzo?
3. ¿Tienes algún animal doméstico en tu casa? ¿Un perro o un gato? ¿Cómo se llama? ¿Dónde pasa la noche, afuera o adentro?
4. ¿Qué tiempo hace ahora? ¿Llueve? ¿En qué estación llueve mucho? ¿Qué haces cuando llueve?

ACTIVIDAD

Hacer excusas   Get together in groups of three or four. Write the verbs from the list below on separate slips of paper and place them upside down. Then take turns picking a verb and forming a command. The next person must reply with an excuse. Continue until each member of the group has given three commands and three excuses. Here are some examples:

Pasa la aspiradora.	Pero el suelo está limpio.
Come este pan tostado.	Pero está quemado.
Alquila un coche.	Pero ya tenemos uno.

abrir	batir	desenchufar	limpiar	quitar
almorzar	comer	enchufar	llevar	recoger
añadir	comprar	escribir	mandar	secar
aprender	contar	explicar	mezclar	subir
asistir a	contestar	jugar	mirar	tirar
bajar de	cortar	lavar	mostrar	tomar
barrer	dejar	leer	planchar	volver

En México

APLICACIONES

¡Hogar, dulce hogar![1]

Mi casa no es muy grande. Al contrario. Pero es cómoda y me gusta. No es
moderna como la casa de Luis. Luis es un poco aburrido. ¡Siempre habla de
su bello apartamento! Y sólo porque está en el edificio más grande y más
alto del barrio. ¿Y qué importa? Yo nunca le digo a Luis que no me gusta su
5 casa. Claro que no. Pero yo encuentro más bonita la casa de mi amigo Raúl.
Allí está, con su balcón, su jardín de muchos colores y el árbol viejo en la
esquina.

Mi casa no tiene jardín. No tiene balcón. Tampoco es moderna. Pero
tiene dos enormes ventanas con rejas de hierro[2] y unas flores rojas muy
10 bonitas. No cambiaría[3] por nada el patio interior. Si quiero, puedo acostarme allí para tomar el sol o puedo jugar con mi perro Ciclón. Nadie me ve
desde la calle. Claro que me gustaría[4] tener una casa más moderna con
balcón y con vista al mar. Pero ¿saben algo? Me gusta vivir en esta casa
vieja de paredes blancas y de grandes ventanas por donde entra mucha luz
15 y sol. Es que . . . ésta es mi casa y no quiero otra.

---

[1]**hogar, dulce hogar** *home, sweet home*   [2]**rejas de hierro** *iron grilles*
[3]**no cambiaría** (*from* **cambiar**) *I wouldn't change*   [4]**me gustaría** *I'd like*

ANTES DE LEER

As you read, think about
choosing another title for
this reading from the
following:
1. No hay casa como mi
   casa
2. No hay casa perfecta
3. Mi casa preferida

Preguntas
Contesta según la lectura.

1. ¿Dónde vive Luis? ¿Por qué habla siempre de su apartamento?
2. Según el autor, ¿por qué es más bonita la casa de Raúl que la casa de
   Luis?
3. ¿Por qué le gusta al autor tener un patio?
4. ¿Por qué le gusta al autor vivir en esa casa?
5. Cuando alguien dice "una casa moderna," ¿cómo la imaginas?
   Describe una casa moderna.
6. ¿Cómo es tu casa ideal?

EXPLICACIONES II

Adjetivos y pronombres demostrativos

◆ COMMUNICATIVE
OBJECTIVES

To point things out

To compare and contrast

To express agreement and disagreement

To state preferences

To find out what something is

You have already learned that we use demonstrative adjectives to point out people or things that are nearby.

este tenedor	*this fork*	**estos** tenedores	*these forks*
esta cuchara	*this spoon*	**estas** cucharas	*these spoons*
ese tenedor	*that fork*	**esos** tenedores	*those forks*
esa cuchara	*that spoon*	**esas** cucharas	*those spoons*

Remember that a demonstrative adjective always comes before the noun and agrees with it in gender and number.

1 To point out things that are farther away we use *aquel, aquella, aquellos, aquellas.*

aquel cuchillo	*that knife*	**aquellos** cuchillos	*those knives*
aquella servilleta	*that napkin*	**aquellas** servilletas	*those napkins*

2 We can also use all of these words as pronouns to replace a noun. In that case they have an accent mark.

Esta ensalada es de Sonia. Y **ésta,** ¿de quién es?	*This salad is Sonia's. And whose is this (one)?*
Este chile relleno es de César, ¿verdad? No, **éste** es de César y **ése** es de Anita.	*This stuffed pepper is César's, right? No, this (one) is César's and that (one) is Anita's.*
Aquella foto es bonita. **Aquéllas** son bastante feas.	*That photo (over there) is pretty. Those (over there) are rather ugly.*

3 To refer to an idea, to an action, or to something that has not yet been identified, we use the demonstrative pronouns *esto*, *eso*, or *aquello*. None of them has an accent mark.

Esto es fácil.	***This*** *is easy.*
Yo no hago **eso.**	*I don't do **that**.*
¿Qué es **aquello**?	*What is **that (over there)**?*

	Cerca de ti		Cerca de la persona a quien hablas		Lejos de ti y de la otra persona	
ADJETIVOS	este	estos	ese	esos	aquel	aquellos
	esta	estas	esa	esas	aquella	aquellas
PRONOMBRES	éste	éstos	ése	ésos	aquél	aquéllos
	ésta	éstas	ésa	ésas	aquélla	aquéllas
	esto		eso		aquello	

PRÁCTICA

A **¿Qué te gusta más?** Imagina que tú y un(a) amigo(a) están en una tienda donde venden muebles y otras cosas para la casa. Pregunta y contesta según el modelo.

las almohadas

ESTUDIANTE A *¿Te gustan estas almohadas?*
ESTUDIANTE B *Sí, pero prefiero ésas.*

1. la cama
2. la lavadora
3. el horno
4. las sartenes
5. la tostadora
6. los sillones
7. la cacerola
8. la lámpara
9. las cortinas
10. la cómoda
11. las sábanas
12. el espejo
13. la alfombra
14. el sofá
15. las mantas
16. los muebles

B De compras. Clara y Lucía van de compras pero no saben qué comprar. Usa la forma correcta de los adjetivos demostrativos para completar el diálogo según el dibujo.

CLARA   ¿Te gusta _____ sombrero rojo?

LUCÍA   Prefiero _____ sombrero con las flores pequeñas.

CLARA   ¿Y _____ sombrero mexicano?

LUCÍA   Es hermoso pero muy caro.

5 CLARA   Bueno, _____ sombrero verde es bonito y barato.

LUCÍA   Pero a mí no me gusta.

CLARA   Está bien. ¿Quieres buscar otra cosa?

LUCÍA   Sí, una falda.

CLARA   ¿Te gusta _____ falda azul?

10 LUCÍA   Es demasiado grande para mí.

CLARA   ¿Y _____ falda con el cinturón negro?

LUCÍA   Es interesante, pero no me gusta mucho.

CLARA   Vámonos, entonces. No te gusta nada.

LUCÍA   Un momento, ¿te gusta _____ bufanda marrón?

15 CLARA   No es mi color favorito. Prefiero _____ bufanda verde.

LUCÍA   No sé qué hacer. Es difícil escoger . . .

CLARA   ¡También es difícil ir de compras contigo!

C Regalos. Andrés va de compras con su hermanita. Pregunta y contesta según el modelo.

la piñata

ESTUDIANTE A   *¿Te gusta esa piñata?*

ESTUDIANTE B   *Prefiero aquélla.*

1. la pelota	3. los aviones	5. el tocadiscos	7. la máscara
2. el barco	4. el camión	6. los juegos	8. las calculadoras

La expresión *hace . . . que*

Remember that to tell how long something that began in the past has been going on we use this construction:

hace + period of time + **que** + present-tense verb

Hace mucho tiempo **que estudio** español.

I've been studying Spanish *for a long time.*

Hace cinco meses **que estamos** en esta ciudad.

We've been in this city *for* five months.

Hace una semana **que leo** esta novela.

I've been reading this novel *for a week.*

1 To form a question, we use this construction:

¿Cuánto tiempo
¿Cuántos años (meses, etc.) } **hace que** + present-tense verb?
¿Cuántas semanas (horas, etc.)

¿Cuánto tiempo hace que trabajas en la farmacia?

How long have you been working at the drugstore?

¿Cuántos meses hace que vives en este apartamento?

How many months have you been living in this apartment?

En Barcelona, España

PRÁCTICA

A Hacer cola. Un grupo de turistas hacen cola en el aeropuerto. ¿Qué dicen? Pregunta y contesta según el modelo.

> estar en Caracas / una semana
> ESTUDIANTE A *¿Cuánto tiempo hace que está Ud. en Caracas?*
> ESTUDIANTE B *Hace una semana.*

1. buscar ese número de teléfono / sólo un minuto
2. hacer cola / más de quince minutos
3. ir a esa agencia de viajes / un mes
4. hablar español / sólo un año
5. viajar / casi tres semanas
6. jugar al tenis / varios años
7. leer ese libro / tres días
8. escribir esa tarjeta postal / unos minutos
9. tener esa cámara / mucho tiempo

B Una conversación en la oficina. Lee cada una de las respuestas para hacer las preguntas. Sigue el modelo.

> *Hace tres años que vivo aquí.*
> *¿Cuántos años hace que vives aquí?*

1. Hace seis meses que trabajo en esta oficina.
2. Hace cuatro semanas que asisto a clases de computadoras.
3. Hace tres días que estoy aquí.
4. Hace varias horas que escribo a máquina.
5. Hace cinco minutos que hablo por teléfono.
6. Hace varios días que almuerzo solo(a).
7. Hace dos semanas que salgo tarde del trabajo.

C Hablemos de ti.
1. ¿Cuánto tiempo hace que estudias español?
2. ¿Cuánto tiempo hace que asistes a esta escuela?
3. ¿Cuántos minutos hace que estás en esta clase?
4. ¿Juegas a algunos deportes? ¿Qué deportes? ¿Cuánto tiempo hace que los juegas?
5. ¿Tocas la guitarra o el piano? ¿Cuánto tiempo hace que la/lo sabes tocar?
6. ¿Cuánto tiempo hace que vives en tu casa o apartamento?

ACTIVIDAD

¿Cuánto tiempo hace que . . . ?   Get together in groups of three or four. Each person should write on separate cards the names of five different household objects. Shuffle the cards and then distribute them in three piles marked *este(a)*, *ese(a)*, and *aquel(la)*. One person picks a card— for example, *la escoba* from the pile marked *este(a)*—and asks a question using the phrase *hace que*. For example:

¿Cuánto tiempo hace que tienes esta escoba?

The person to the questioner's left must give a reasonable answer. For example: *Hace un mes.*

Una estudiante en
Venezuela

APLICACIONES

REPASO

Mira las frases modelo. Luego cambia las frases que siguen al español según los modelos.

1. *Es lunes. Hace dos semanas que la ropa de Carolina está sucia.*
   (It's Thursday. The restaurant's dishwasher has been broken for two days.)
   (It's Sunday. The basement floor has been clean for a month.)
   (It's Friday. Pepe's sister has been sick for ten days.)

2. *Esta puerta está abierta y aquélla está cerrada.*
   (That pot (over there) is full, but this one is empty.)
   (These men are happy, but those (over there) are sad.)
   (This meat is burned, and that's cold.)

3. *No puedes cambiar la bombilla porque no encuentro una.*
   (I can't cut the grass because you (pl.) are playing there.)
   (They can't run the vacuum cleaner because their parents are sleeping now.)
   (We can't sweep the patio because you (fam.) are having lunch there.)

4. *Bate estos huevos, por favor. Voy a hacer un pastel.*
   (Please plug in that washing machine. I'm going to wash the clothes.)
   (Please pick up those cords. I'm going to sweep the floor.)
   (Please add that lemon (over there). He's going to mix the salad.)

En Zaragoza, España

TEMA

Escribe las frases en español.

1. It's Saturday. Enrique's room has been messy for a week.

2. This closet is neat and that one is messy.

3. He can't make his bed because his dog is sleeping there.

4. Please clean this room, Chispa! I'm going to throw out the trash.

REDACCIÓN

Ahora escoge uno de los siguientes temas para escribir tu propio diálogo o párrafo.

1. Expand the *Tema* by contrasting the chores Enrique has to do on weekends with what he wants to do. Does he have to mow the lawn? Wash the dishes? What does he want to do?

2. Write a paragraph describing your ideal home. Do you want to live in an apartment or a house? How many rooms are there? Do you have air conditioning? What other appliances do you have? Do you do many chores around the house? Which ones? Is your room always neat? Who cleans it?

3. Create a dialogue between a parent and a child. The parent is telling the child what to do to help around the house. The child has a lot of excuses.

COMPRUEBA TU PROGRESO   CAPÍTULO 2

A   Una casa desordenada
Completa cada frase con la forma correcta de la palabra apropiada.

ahora mismo	cortar	lavaplatos
barrer	enchufar	secadora
bombilla	hacer	suelo

1. El muchacho _____ la cama.
2. El perro duerme en el _____.
3. La madre _____ el balcón con su escoba.
4. Juan busca una _____ para la lámpara.
5. El muchacho pone las toallas en la _____.
6. Su hermanita _____ el césped.
7. El padre arregla el _____ descompuesto.
8. ¿Qué es eso en la pared? Hay que borrarlo _____.
9. (Yo) _____ la plancha.

B   Completa las frases
Completa cada frase con la forma correcta del verbo en el presente.

1. (Nosotros) no _____ salir porque _____.
   (poder, llover)
2. Teresa _____ al tenis con nosotros.   (jugar)
3. ¿A qué hora _____ Uds.?   (volver)
4. (Nosotros) no _____ en ese restaurante porque _____ demasiado.   (almorzar, costar)
5. (Yo) nunca _____ encontrar mis llaves, pero tú siempre las _____.   (poder, encontrar)
6. Ella _____ allá, en su dormitorio.   (dormir)
7. (Nosotros) siempre _____ nuestro dinero antes de salir del banco.   (contar)

C   Cambios
Escribe mandatos con *tú*. Sigue el modelo.

   tirar la basura
   Tira la basura.

1. volver temprano
2. escoger otro mantel
3. almorzar conmigo
4. batir los huevos con el azúcar
5. secar los cuchillos ahora mismo
6. añadir leche al café
7. enchufar la tostadora
8. alquilar esa película

D   La cocina
Completa las frases con el sustantivo y el demostrativo correctos.

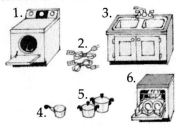
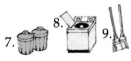

1. _____ no funciona.
2. Por favor, enchufa _____.
3. ¿Está limpio _____?
4. Pongo la sopa en _____.
5. No hay nada en _____.
6. Los platos están en _____.
7. _____ están vacíos.
8. ¿Tienes detergente para _____?
9. Uds. pueden barrer con _____.

E   Otra vez, por favor
Ahora vuelve a hacer (redo) la Práctica D.
Usa el pronombre demostrativo apropiado.

F   ¿Cuánto tiempo hace?
Contesta las preguntas.

1. ¿Cuánto tiempo hace que practicas el piano? (mucho tiempo)
2. ¿Cuánto tiempo hace que viven en esta ciudad? (tres meses)
3. ¿Cuánto tiempo hace que los Ramírez están de vacaciones?   (dos semanas)
4. ¿Cuánto tiempo hace que Pablo duerme? (media hora)
5. ¿Cuánto tiempo hace que ella barre el patio? (quince minutos)
6. ¿Cuánto tiempo hace que tu hermanito está enfermo?   (varios días)

VOCABULARIO DEL CAPÍTULO 2

Sustantivos

el aire acondicionado
la aspiradora
la basura
el basurero
la bombilla
la cacerola
la calefacción
el césped
el cordón, *pl.* los cordones
el cortacésped
la cortina
la cucharita
el desorden
el detergente
el enchufe
la escoba
el fregadero
el horno
la idea
la lavadora
el lavaplatos
la luz, *pl.* las luces
la olla
el orden
el pasillo
la plancha

la sartén, *pl.* las sartenes
la secadora
el sótano
el suelo
el techo
la tostadora

Pronombres demostrativos

aquél, aquélla, aquéllos, aquéllas
ése, -a, -os, -as
éste, -a, -os, -as
esto, eso, aquello

Adjetivos

descompuesto, -a
desordenado, -a
eléctrico, -a
ordenado, -a
quemado, -a

Adjetivo demostrativo

aquel, aquella, aquellos, aquellas

Verbos

almorzar (o → ue)
alquilar
añadir
barrer
batir
cortar
desenchufar
enchufar
escoger (j)
funcionar
mezclar
pasar *(to happen)*
planchar
quemar
recoger (j)
secar
tirar

Adverbio / Preposición

como

Expresiones

ahora mismo
¡Feliz cumpleaños!
pasar la aspiradora
poner en orden

CAPÍTULO 3

PARQUES DEL MUNDO HISPANO

It's Sunday, and you're walking with your friends on a wide sidewalk through a park filled with tall trees. When one of you suggests a snack, you stop to buy slices of melon or mangos that have been carved and peeled to look like flowers. You probably couldn't do that in a park in the United States, but you could in Mexico City's Parque de Chapultepec.

Parks everywhere serve the same purpose: to provide open places with grass and trees where you can picnic, play games, or simply take a leisurely stroll.

Although it became a public park only in this century, Chapultepec has a long history. Its name, given to it by the Aztecs, means "Grasshopper Hill." There you will find a zoo, lakes, an amusement park, and the national history museum—El Castillo Chapultepec. This 200-year-old, 200-foot-high hilltop palace has served many purposes. From 1910 to 1944, for example, it was the home of Mexico's presidents. Today the presidential home is situated elsewhere in the park.

Madrid's El Retiro is a different type of park. It was once the garden of the king's summer palace. (Its name means "hideaway.") Unlike Chapultepec, El Retiro has a very formal design, with broad paths that cut through the trees in straight lines. The paths are bordered by hedges and numerous statues of Spanish royalty.

The most popular section of El Retiro is a large rectangular pool *(el estanque)*. You can rent a rowboat or sit at a nearby outdoor café and watch the people pass by. Another attraction is the Crystal Palace, a nineteenth-century exhibition building that presents contemporary art. But most of El Retiro's visitors are content simply to wander down the shaded lanes, enjoying a few hours' escape from the noise and traffic of the city.

PALABRAS NUEVAS I

¿Qué haces este sábado?

remar

hacer un picnic

la canasta

el hielo

patinar (sobre hielo)

patinar (sobre ruedas)

la rueda

el patín (de ruedas)
pl. los patines

el patín
pl. los patines

CONTEXTO
VISUAL

jugar a los bolos

el cuadro

la heladería

la banda

la exposición de arte
pl. las exposiciones de arte

CONTEXTO
COMUNICATIVO

1 PABLO   Catalina, no puedo ir contigo a **la feria.**

CATALINA   No te **entiendo.** Primero dices que sí, después que no. ¿Por qué **cambias de idea** tan rápidamente?

PABLO   Mi padre me acaba de decir que tengo que ir con la familia.

Variaciones:
- la feria → la exposición de arte
- rápidamente → **frecuentemente**

la feria *fair*

entender (e → ie) = comprender

cambiar de idea *to change one's mind*

frecuentemente *frequently*

2 DANIEL   **Afortunadamente,** mañana es sábado y no hay clases. ¿Qué piensas hacer?

REBECA   **Probablemente** voy al parque. Los sábados por la tarde dan **espectáculos gratis.** ¿Quieres ir conmigo?

DANIEL   ¡Claro que sí!

- afortunadamente → **¡qué maravilla!**
- probablemente → quizás
- gratis → muy **graciosos**

afortunadamente *fortunately*

probablemente *probably*

el espectáculo *show, performance*

gratis, pl. **gratis** *free*

¡qué maravilla! *how marvelous! great!*

gracioso, -a = cómico, -a

3 ROGELIO   **Me gustaría ir de excursión** contigo, pero tengo que ir **antes** al dentista.

VERÓNICA   **¡Qué lata!** Tenemos que salir en media hora. Tal vez otro día.

- ir de excursión → **dar un paseo**
- en media hora → ahora mismo

me gustaría *I'd like (to)*

ir de excursión *to go on a short trip or outing*

antes *before (that), first*

¡qué lata! *what a drag! what a bore!*

dar un paseo *to go for a walk or ride*

4 ELISA   Para llegar al teatro temprano, es mejor salir a las seis. ¿Estás de acuerdo?

MARIO   **Completamente.**

- teatro → picnic
- completamente → claro

completamente *completely*

5 CAROLINA Esta camisa es **exactamente** lo que quiero. Pero ya
tengo **tantas** camisas . . . ¿Te gusta?

HORACIO Sí. **Especialmente** el color.

CAROLINA ¿La compro?

HORACIO Sí, cómprala. Es muy bella.

■ esta camisa → este vestido
¿la compro? → ¿lo compro?
cómprala → cómpralo
bella → bello

exactamente	*exactly*
tanto, -a, -os, -as	*so much, so many*
especialmente	*especially*

EN OTRAS PARTES

También se dice *la cesta*.

También se dice *jugar al boliche*.

También se dice *merendar en el campo* e *ir a un día de campo*.

PRÁCTICA

A Una carta incompleta. Mónica acaba de llegar a Madrid. Ella le escribe a su amigo Federico sobre sus planes para el día. Escoge palabras de la lista para completar la carta. Usa cada palabra sólo una vez.

afortunadamente	cuadros	exposición
banda	especialmente	gratis
canasta	espectáculo	maravilla

Querido Federico:

¿Cómo estás? Mi familia y yo acabamos de llegar a Madrid. Esta tarde vamos al Museo del Prado* para ver una _____ de arte nicaragüense. Les gustan mucho a mis padres los _____
5 centroamericanos de hoy.

Luego, mis padres van a ver un _____ en el teatro Juárez. _____, no tengo que ir con ellos. Yo voy a ir con mis primas a un concierto de una _____ fabulosa. ¡Las entradas son _____! Qué _____, ¿verdad? Pensamos llevar una _____ con comida y bebidas para hacer un picnic

En el Museo del Prado, Madrid, España

* The Museo del Prado, the national museum of Spain, is one of the world's great museums. It has a very extensive collection of art, but is best known for its works by such great Spanish artists as Diego Velázquez, Francisco Goya, and Pablo Picasso.

10 en el césped. Me gusta mucho la música de este grupo, _____ su canción "Siempre cambias de idea." Vamos a divertirnos mucho. Hay tantas cosas que quiero contarte, pero voy a tener que esperar. Hasta pronto.

Tu amiga,

Mónica

B ¿Qué hacen todos? ¿Qué hacen estas personas? Usa una palabra o expresión de cada columna para hacer frases. Sigue el modelo.

Paco y Sara
Paco y Sara cambian de idea frecuentemente.

1. (yo)	cambiar	a los bolos	a la feria
2. Elena	correr	con unos amigos	a la playa
3. Jaime y Luisa	dar	de excursión	a menudo
4. (tú)	escuchar	de idea	al campo
5. Gloria y yo	hacer	juntos(as)	en el lago
6. Juan y tú	ir	los cuadros	en el museo
7. Uds.	jugar	planes	en el parque
8. mis padres	mirar	sobre ruedas	frecuentemente
	patinar	una banda	por la tarde
	remar	un grupo de rock	rápidamente
		un paseo	todos los días
		un picnic	

En el Parque del Retiro, Madrid, España

C Hablemos de ti.

1. ¿Qué prefieres hacer cuando tienes tiempo libre? ¿Te gusta jugar a los bolos? ¿Patinar sobre ruedas? ¿Con quiénes?
2. ¿Tienes un pasatiempo interesante? ¿Qué es? ¿Coleccionas algo? ¿Qué coleccionas?
3. ¿Te gusta hacer picnics o prefieres comer en casa o en un restaurante? ¿Por qué? ¿Por qué le gusta a la gente comer en el campo?
4. ¿Qué te gusta comer en un picnic? ¿Qué preparas tú cuando haces un picnic?
5. ¿A veces vas de excursión con tu familia? ¿Adónde van Uds.? ¿Qué hacen?
6. ¿Qué clase de espectáculo te gusta más? ¿Asistes a muchos espectáculos? ¿Son gratis o tienes que pagar? ¿Adónde vas para ver un espectáculo?
7. ¿Vas a exposiciones de arte? ¿Frecuentemente? ¿Tienes algunos cuadros favoritos? ¿De quiénes son? ¿Puedes describirlos?

APLICACIONES

Doña* Clara Vidente

Es el cumpleaños de Rafael, y sus amigos Roberto y Pilar tienen una sorpresa[1] para él. Llegan a su casa con una mujer que lleva anteojos de sol, pulseras grandes en los brazos y muchos anillos en los dedos. Lleva también un pañuelo grande sobre la cabeza.
5 Dicen que es una adivina[2] que puede decirle cosas sobre su vida.

CLARA   Abre la mano por favor.

RAFAEL   ¡Qué tontería![3] Nadie puede leer nada en mi mano.

CLARA   ¡Silencio! ¡Sé lo que sé! ¡Veo lo que veo! *(Mira su palma con mucho cuidado.[4])* ¡Aquí veo algo!

10 RAFAEL   *(Un poco preocupado)* ¿Qué hay? ¿Qué ve Ud.?

CLARA   Escucha bien. Veo que a menudo no te lavas las manos.

RAFAEL   Para saber eso no hay que ser adivina.

CLARA   Hay más. Tu mano dice: "Estudia más" y "Come menos dulces."

15 RAFAEL   A todo el mundo le encantan los dulces.

CLARA   Yo lo sé. Soy adivina, ¿no? También veo que eres el mejor jugador de bolos de tu equipo.

RAFAEL   ¿Mi mano dice eso?

CLARA   No, tonto. ¡Tu amigo Roberto lo dice! *(Se quita los anteojos*
20 *y el pañuelo.)* ¡Y yo soy su tía Clara! Feliz cumpleaños, Rafael.

---

[1]**la sorpresa** *surprise*   [2]**la adivina** *fortune-teller*   [3]**la tontería** *nonsense*
[4]**con mucho cuidado** *very carefully*

*Doña is a title of respect generally used with a woman's first name. The masculine form is *don*.

Preguntas
Contesta según el diálogo.

1. ¿Quiénes le dan una sorpresa a Rafael? ¿Por qué?   2. ¿Cuál es la sorpresa?   3. Rafael dice que es una tontería, pero está preocupado. ¿Por qué?   4. ¿Qué ve doña Clara primero en la mano de Rafael?   5. Según la señora, ¿qué más dice la mano?   6. ¿Qué le gusta mucho a Rafael?
7. ¿Qué deporte practica Rafael?   8. Describe el disfraz de la adivina.
9. ¿Qué piensas tú de las adivinas?

Participación

Working with a partner, create a dialogue in which one of you tells the other's fortune.

◆ COMMUNICATIVE
OBJECTIVES

To attend a fair or
amusement park

To express relief

To ask about and tell
the price of something

PALABRAS NUEVAS II

La feria

**CONTEXTO
VISUAL**

El parque de diversiones

asustado, -a

la rueda de feria

la montaña rusa

los cacahuates

la bolsa
(de papel)

la casa de los fantasmas

las palomitas

la casa de los espejos

el carrusel

el puesto

el globo

flaco, -a

tímido, -a

valiente

CONTEXTO
COMUNICATIVO

1   En Bogotá, Colombia, hay un parque de diversiones que se
    llama El Salitre. Tiene **tantas atracciones como** el Parque de
    Chapultepec en México, que es el más **famoso** de la América
    Latina.

    Variaciones:
    ■ famoso → conocido

tanto, -a, -os, -as + noun +
  como *as much . . . as / as
  many . . . as*
la atracción, pl. **las atracciones**
  ride, attraction
famoso, -a *famous*

2   RAÚL   ¿**Damos una vuelta** en la montaña rusa?
    SILVIA Sí, es muy emocionante.
    RAÚL   Y no es **tan** cara **como** la rueda de feria.

    ■ emocionante → divertida
    ■ rueda de feria → el carrusel

dar una vuelta *to take a ride*

tan + adj. / adv. + **como** *as
  . . . as*

3   MARÍA   ¿Te da miedo la casa de los fantasmas?
    ROSA   No, lo que me **asusta** es la montaña rusa.
    MARÍA   ¡Ay, sí! ¡**Qué susto** me da cuando baja!
    ROSA   ¡Y **qué alivio** cuando **para**!

    ■ montaña rusa → rueda de feria
      baja → sube

asustar = dar miedo a
¡qué susto! *what a scare!*
¡qué alivio! *what a relief!*
parar *to stop*

4   EVA   ¡**Por fin** llegamos! ¿Te gusta este **lugar**?
    ÁNGEL   Sí, está perfecto para hacer un picnic. ¿Tienes la
            canasta con la comida?
    EVA   ¡Ay, no! La **olvidé** en casa.
    ÁNGEL   ¡Qué lata!

    ■ olvidé → dejé

¡por fin! *at last! finally!*
el lugar *place*

olvidar *to forget (something)*

EN OTRAS PARTES

En Cuba se dice *el cartucho.*
También se dice *el saco.*

En España se dice *la noria.*
También se dice *la estrella.*

En España se dice *el tiovivo,*
y en la Argentina y en el
Perú se dice *la calesita.*

También se dice *el parque de
atracciones.*

En Colombia se dice *las
crispetas.*

También se dice *el cacahuete*
y en muchos países se dice
el maní.

PRÁCTICA

A   En la feria.   Imagina que tu amigo(a) fue a la feria la semana pasada.
Tú le preguntas qué vio. Pregunta según el dibujo y escoge una
palabra de la lista para contestar. Sigue el modelo.

aburrido	emocionante	gracioso	rápido
bonito	enorme	lata	susto
divertido	estupendo	maravilla	tonto

ESTUDIANTE A   *¿Viste la casa de los fantasmas?*
ESTUDIANTE B   *Sí, ¡qué susto!*

1.

2.

3.

4.

5.

6.

7.

8.

9.

B **¿Cómo describirlos?** Usa la forma correcta del adjetivo apropiado
para describir a cada persona. Sigue el modelo.

asustado *Scared*	flaco *skinny*	listo	tacaño
desordenado	generoso	ordenado	tímido
famoso *famous*	gracioso	perezoso	valiente

Pedro nunca da nada a nadie. *Es muy tacaño.*

1. Afortunadamente, Ana no tiene miedo de nada.
2. María siempre cuenta chistes a sus amigas.
3. Todo el mundo conoce al Dr. Martín.
4. Ester nunca olvida nada y por eso siempre saca buenas notas.
5. Ese perro probablemente come muy poco.
6. Luis les presta cosas a sus amigos muy frecuentemente.
7. Juan siempre pone su cuarto en orden.
8. Felipe nunca quiere contestar en la clase de inglés.
9. Alicia nunca hace nada.

C **¿Qué vas a comprar?** Imagina que visitas los puestos en una feria y
preguntas cuánto cuesta cada cosa. Pregunta y contesta según el
modelo.

ESTUDIANTE A *¿Cuánto cuestan las cajas de dulces?*
ESTUDIANTE B *Veinticinco centavos.*

1.
2.
3.
4.
5.
6.

D Hablemos de ti.

1. ¿Vas a parques de diversiones? ¿Vas frecuentemente durante el verano? ¿Con quiénes vas? ¿Cuáles son tus atracciones preferidas? ¿Cuáles te gustan menos? ¿Por qué? ¿Qué atracciones te asustan mucho?

2. Cuando vas a un parque de diversiones, ¿cuánto tiempo pasas allí? ¿Todo el día? ¿Hay que hacer cola para subir a las atracciones? ¿Para comprar boletos o comida? ¿Generalmente son largas las colas?

3. ¿Cuesta mucho ir a un parque de diversiones? ¿Cuánto dinero necesitas para pasar un día allí? ¿Qué comes cuando estás en el parque de diversiones? ¿Generalmente es buena la comida? ¿Comes demasiado?

(abajo) En Costa Rica

ACTIVIDAD

¿Quién tiene . . . ?   With a partner, make a list of five famous superheroes, monsters, movie stars, rock stars, or other popular real or fictional figures. Working together, create descriptions of them. For example, King Kong: *Es un mono enorme y muy fuerte. Puede poner a una persona en la mano. Asusta a todo el mundo.* Join another pair of students and read them the descriptions you have prepared. Can they guess who or what is being described?

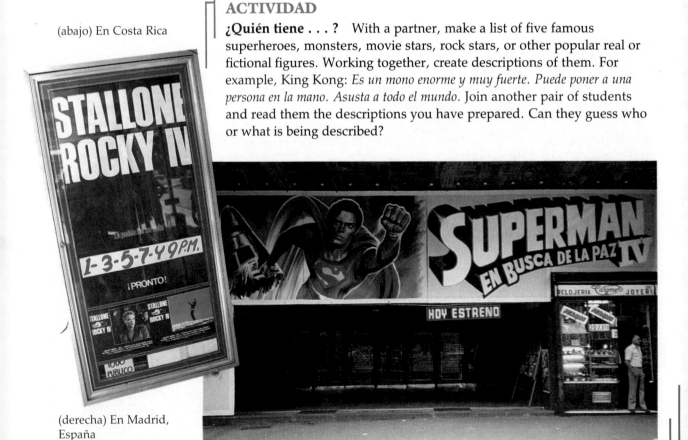

(derecha) En Madrid, España

ESTUDIO DE PALABRAS

The Spanish suffix *-mente* corresponds to the English suffix *-ly*.

    probablemente *probably*   exactamente *exactly*

We make these adverbs by adding *-mente* to the feminine form of an adjective. Remember that many adjectives have the same masculine and feminine form.

completa	+	mente	=	completamente	*completely*
rápida	+	mente	=	rápidamente	*rapidly*
especial	+	mente	=	especialmente	*especially*
frecuente	+	mente	=	frecuentemente	*frequently*

Note that if there is a written accent on the adjective it remains on the adverb. Can you form adverbs from these adjectives?

tímido	cómodo	perfecto	loco
agradable	valiente	triste	débil

Sinónimos

Cambia las palabras en cursiva por un sinónimo.

1. Esa señora es *muy conocida*.
2. Voy al cine *a menudo*.
3. Esta actriz es muy *cómica*.
4. Nadie me *comprende*.
5. ¿Jugar a los bolos? *¡Qué aburrido!*
6. *Quisiera* dar una vuelta en el carrusel.
7. Busco un lugar agradable para *caminar*.
8. Nada me *da miedo*.

Antónimos

Escoge el antónimo de cada palabra. Luego usa esa palabra en una frase.

1. flaco: fácil   gordo   delgado   listo
2. caro: generoso   gracioso   gratis   tacaño
3. valiente: tímido   caliente   famoso   cansado
4. gracioso: divertido   serio   cómico   ordenado
5. empezar: asustar   olvidar   parar   remar

EXPLICACIONES I

Verbos con el cambio e → ie

◆ COMMUNICATIVE
   OBJECTIVES

**To ask someone to do
something with you**

To decline an invitation

To state preferences

To make a gift list

To express opinions

Here are all of the present-tense forms of *pensar** ("to think"), *querer* ("to want"), and *preferir* ("to prefer"). Remember that the endings are the same as those of regular *-ar*, *-er*, and *-ir* verbs, but that the stem vowel *e* changes to *ie* in all but the *nosotros* and *vosotros* forms. (Watch out! *Preferir* has two *e*'s in its stem. It is the second *e* that changes.) The other *e → ie* stem-changing verbs that you know are *cerrar*, *despertar(se)*, *divertirse*, *empezar*, *entender*, *nevar*, and *perder*.

PENSAR		QUERER		PREFERIR	
pienso	pensamos	quiero	queremos	prefiero	preferimos
piensas	pensáis	quieres	queréis	prefieres	preferís
piensa	piensan	quiere	quieren	prefiere	prefieren

PRÁCTICA

A Los cumpleaños. Todos quieren algo diferente para su cumpleaños. ¿Qué quiere recibir cada persona?

¿Marcos?
ESTUDIANTE A *¿Qué quiere Marcos?*
ESTUDIANTE B *Quiere una cámara.*

   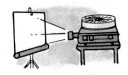

1. ¿Olga?   2. ¿Juan?   3. ¿Lola y Jaime?

---

* Remember that *pensar* + infinitive means "to plan to, to intend to," *pensar en* means "to think about," and *pensar de* means "to think of, to have an opinion about."

4. ¿su hermanito?　　5. ¿Uds.?　　6. ¿abuelita?

7. ¿Ud., Sr. Ortega?　　8. ¿Andrés?　　9. Y tú, ¿qué quieres recibir?

B **¿En qué piensan?** Nadie presta atención. Cada uno piensa en algo diferente. Escoge una expresión de la columna de la derecha y pregunta y contesta según el modelo.

(tú) / vacaciones

ESTUDIANTE A	*¿En qué piensas?*
ESTUDIANTE B	*Pienso en las vacaciones.*
ESTUDIANTE A	*¡Vámonos!*

1. ellos / la heladería nueva
2. ella / el almuerzo
3. Uds. / la feria
4. Fernando / su grupo de rock nuevo
5. ella y tú / el partido de básquetbol
6. Ud., señor / los cuadros de la exposición
7. la directora / el fin de semana
8. ellas / el picnic del sábado
9. el profesor / los estudiantes que siempre olvidan la tarea
10. ¿Y en qué piensas tú?

¡ah, no!
¡caramba!
¡claro!
¡cómo no!
¿de veras?
¡imagínate!
¡por fin!
¡qué alivio!
¡qué chistoso!
¡qué lata!
¡qué maravilla!
¡vámonos!

Una exposición de arte en México

Unos jóvenes reman en
Buenos Aires, Argentina.

C ¿Qué piensas de esto? Hoy es el día después de Navidad, y todos
los miembros de la familia Feliciano hablan de sus regalos. Pregunta y
contesta según el modelo. Usa siempre la forma correcta del adjetivo.

> (tú) / mi nuevo radio / muy bonito
> ESTUDIANTE A *¿Qué piensas de mi nuevo radio?*
> ESTUDIANTE B *Creo que es muy bonito.*

1. Ud. / esta biografía / muy bueno
2. ella / su aspiradora / fabuloso
3. (tú) / mi abrigo / demasiado grande
4. Uds. / mis sellos / muy bonito
5. Jorge y Miguel / su juego de ajedrez / excelente
6. Francisco / sus patines / formidable
7. papá / el cuadro / demasiado caro
8. Irene / sus aretes / bellísimo

D Siempre tiene preguntas. Mariana y Felipe siempre tienen que
contestar las preguntas que les hace su hermano menor. Completa las
frases. Escoge la forma correcta de los verbos para las preguntas y la
mejor palabra o expresión para la respuesta.

1. ¿Por qué *(cerrar)* (tú) la bolsa? Porque no debo *(comer más palomitas /
   dar una vuelta más).*
2. ¿Cuándo *(despertar)* (nosotros) a mamá y a papá? *(Media hora antes
   de salir. / Media hora después de salir.)*
3. ¡Qué maravilla! (Yo) *(entender)* completamente lo que dice esa
   gente. ¿Y tú? Sí. *(Afortunadamente / Frecuentemente)* aprendemos
   mucho este año.
4. ¿Por qué siempre *(perder)* (él) este juego? Probablemente porque no
   (juega mucho a los bolos / cambia de idea).
5. ¿Dónde *(preferir)* Uds. comer? En *(la heladería / el puesto de globos).*
6. ¿Qué *(pensar)* (ella) de este lugar? Le gustan todas las atracciones,
   (especialmente / afortunadamente) la montaña rusa.
7. ¿A qué hora *(empezar)* (nosotros)? *(Ahora mismo. / ¡Por fin!)*

Mandatos afirmativos
con *lo, la, los, las, le* y *les*

In Spanish we attach object pronouns to the end of affirmative commands. In writing we put an accent mark on the stressed syllable of the verb to show that the stress still remains there.

Abre la botella. **Ábrela.**	*Open the bottle. **Open it.***
Lee las revistas. **Léelas.**	*Read the magazines. **Read them.***
Para el coche. **Páralo.**	*Stop the car. **Stop it.***
Pregúntale al profesor. **Pregúntale.**	*Ask the teacher. **Ask him.***

With *o → ue* and *i → ie* stem-changing verbs, the written accent goes over the *e* of the stem change.

Cierra la puerta. **Ciérrala.**	*Close the door. **Close it.***
Cuéntale el chiste a Diana. **Cuéntale** el chiste.	*Tell Diana the joke. **Tell her** the joke.*

◆ COMMUNICATIVE OBJECTIVES

To offer help

To make polite suggestions

To ask for clarification

To tell a friend or family member to do something for someone

En el Parque de Chapultepec, México

PRÁCTICA

A Ahora mismo. La familia Martínez acaba de volver de sus vacaciones de seis semanas. Hay mucho que hacer. Afortunadamente hay muchas personas y todo el mundo quiere ayudar. Pregunta y contesta según el modelo.

> lavar esta ropa blanca
> ESTUDIANTE A *¿Lavo esta ropa blanca?*
> ESTUDIANTE B *Sí, lávala, por favor.*

1. barrer la cocina	6. enchufar la aspiradora
2. cambiar las sábanas	7. acostar a Juanito
3. limpiar los dormitorios	8. preparar el almuerzo
4. cortar el césped	9. abrir las ventanas
5. recoger la basura	10. llamar a los abuelos

B ¿Qué hago? Esperanza no presta atención cuando su mamá le dice algo. Su mamá siempre tiene que repetir todo. Pregunta y contesta según el modelo.

> mostrar las fotos / Eva y Pedro
> ESTUDIANTE A *¿Por qué no les muestras las fotos a Eva y a Pedro?*
> ESTUDIANTE B *¿Qué debo mostrarles?*
> ESTUDIANTE A *Muéstrales las fotos.*

1. escribir una tarjeta postal / Pedro
2. describir el cuadro / los otros
3. mandar las diapositivas / los tíos
4. contar ese chiste divertido / tu hermana
5. leer un cuento / los niños
6. prestar tus patines / Diana
7. explicar el problema / tu profesor de química
8. mostrar los dibujos / tu profesora de arte
9. llevar esta bolsa de dulces / la Sra. Gómez

C Hablemos de ti.
1. ¿A qué hora empiezan las clases en tu escuela? ¿A qué hora terminan? ¿A qué hora empieza tu clase de español? ¿A qué hora termina?
2. ¿Qué piensas hacer esta noche? ¿Y este fin de semana? ¿Y durante las vacaciones de Navidad?
3. ¿Qué piensas de los programas que dan en la televisión este año? ¿Qué piensas de las películas que dan en tu ciudad esta semana? ¿Quieres ver algunas de ellas? ¿Cuáles? ¿Por qué?

APLICACIONES

En el parque de diversiones

¿Qué puestos y diversiones ves en el dibujo? ¿Cuánto cuesta cada cosa?

Victoria and Antonio can't decide which ride to go on next. Create a dialogue in which Victoria tries to persuade Antonio to ride the roller coaster. Here are some words you may want to use:

asustado, -a	¡por fin!	¡qué maravilla!
el carrusel	¡qué alivio!	¡qué susto!
me gustaría	¡qué lata!	valiente

EXPLICACIONES II

Los comparativos

◆ COMMUNICATIVE OBJECTIVES

To make comparisons

To ask for and express opinions

To disagree emphatically

To disagree politely

To hedge

Estos patines son **más** caros **que** ésos.

Esta canasta es **menos** cara **que** ésa.

Remember that when we compare things that are not the same, we use *más* or *menos* + adjective + *que*. We compare adverbs in the same way.

Eva siempre llega **más tarde que** Luz.	*Eva always arrives **later than** Luz (does).*
Yo olvido cosas **menos frecuentemente que** tú.	*I forget things **less frequently than** you (do).*

Remember that adjectives agree in gender and number with the nouns they describe. Adverbs never change.

1 Remember that some adjectives have irregular comparative forms.

bueno → **mejor**   malo → **peor**   viejo → **mayor**   joven → **menor**

Este sombrero es **mejor que** aquél.	*This hat is **better than** that one.*
La nieve es **peor que** la lluvia.	*Snow is **worse than** rain.*
Bernardo es **mayor que** Graciela.	*Bernardo is **older than** Graciela.*
Mi tía es **menor que** mi papá.	*My aunt is **younger than** my dad.*

2 The adverbs *bien* and *mal* also have irregular comparative forms:
bien → **mejor**   *mal* → **peor**

Tú escribes **mejor que** yo.	*You write **better than** I (do).*
Antonio canta **peor que** José.	*Antonio sings **worse than** José (does).*

3 To compare things that are the same or equal, we use *tan* + adjective / adverb + *como*. In English we use "as . . . as."

> Él es **tan alto como** su hermano.   *He's **as tall as** his brother.*
> Corro **tan rápidamente como** él.   *I run **as fast as** he (does).*

4 To compare two verb actions, we use *más / menos que* or *tanto como*. In English, we use "more / less than" or "as much as."

> Trabajas $\begin{cases} \textbf{más que} \\ \textbf{menos que} \\ \textbf{tanto como} \end{cases}$ yo.   *You work* $\begin{cases} \textit{\textbf{more than}} \\ \textit{\textbf{less than}} \\ \textit{\textbf{as much as}} \end{cases}$ *I (do).*

5 To use nouns in equal comparisons we use *tanto, -a* + noun + *como* ("as much . . . as / as many . . . as"). Because *tanto* is an adjective, it agrees with the noun that follows it in number and gender.

> Tengo **tanto** dinero **como** mi hermano.   *I have **as much** money **as** my brother.*
> Hay **tantos** chicos **como** chicas.   *There are **as many** boys **as** girls.*
> Voy a traer **tantas** bolsas de papel **como** cajas.   *I'm going to bring **as many** paper bags **as** boxes.*

We can also use *más* and *menos* with nouns.

> Hacemos **más picnics que** ellos.   *We have **more picnics than** they (do).*
> Tengo **menos palomitas que** él.   *I have **less popcorn than** he (does).*
> Olvido **menos cosas que** Uds.   *I forget **fewer things than** you (do).*

6 Remember that we use *más de* or *menos de* with numbers.

> Tengo $\begin{cases} \textbf{más de} \\ \textbf{menos de} \end{cases}$ cien pesos.   *I have* $\begin{cases} \textit{\textbf{more than}} \\ \textit{\textbf{less than}} \end{cases}$ *100 pesos.*

Un vendedor de bebidas en el Parque de Chapultepec, México

PRÁCTICA

A **En el zoológico.** Dos amigos comparan los animales que ven en el zoológico. Mira los dibujos y haz *(make)* comparaciones con *más . . . que* y un adjetivo apropiado. Usa cada adjetivo sólo una vez. Sigue el modelo.

La oveja es más pequeña que la vaca.
o: *La vaca es más grande que la oveja.*

alto	corto	gordo	pequeño
bajo	feo	grande	tímido
bonito	flaco	largo	valiente

1. 2.

3. 4.

5. 6.

7. 8.

B **¿Qué piensas?** Julio compara todo. Pregunta y contesta según el modelo. Usa siempre la forma correcta.

> película / divertido
> ESTUDIANTE A *¿Qué piensas de esta película?*
> ESTUDIANTE B *Es menos divertida que ésa.*

1. cuento / interesante
2. vendedora / amable
3. flores / hermoso
4. lección / difícil
5. programas / serio
6. partido / aburrido
7. comida / picante
8. problemas / importante

Entrada al Zoológico Chapultepec en México

C **¿Más o menos?** Graciela siempre compara lo que hace ella con lo que hacen sus amigos. Escoge un adverbio de la lista para hacer cada comparación. Sigue el modelo.

> Héctor / aprender lenguas
> *Héctor aprende lenguas más fácilmente que yo.*
> o: *Héctor aprende lenguas menos fácilmente que yo.*

1. Rosa / ir de excursión
2. Esteban / escribir a máquina
3. Julio y Samuel / trabajar en nuestro puesto
4. tú / llegar al colegio
5. Uds. / correr
6. Patricia / cambiar de idea
7. Francisco / hablar
8. tú / explicar todo

completamente
despacio
exactamente
fácilmente
frecuentemente
rápidamente
tarde
temprano
tímidamente

D **¿Mejor o peor?** ¿Qué hacen estas personas? ¿Quién lo hace mejor? ¿Quién lo hace peor? Contesta según el modelo.

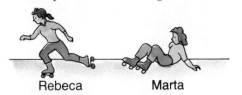

Rebeca   Marta

Rebeca patina mejor que Marta.
o: *Marta patina peor que Rebeca.*

1. nosotros   tú

2. Ud.   yo

3. ella   él

4. Ernesto   Víctor

5. Leonor   Judit

6. Uds.   nosotros

E **Al contrario.** Carmen y Antonio nunca están de acuerdo. Haz
(Make) comparaciones según el modelo. Siempre usa la forma correcta
del adjetivo.

> las novelas / divertido / las biografías
>
> ESTUDIANTE A *Las novelas son más divertidas que las biografías.*
> ESTUDIANTE B *Al contrario, son menos divertidas.*

1. el español / difícil / el francés
2. los chicos / débil / las chicas
3. la sopa de cebolla / picante / el chile con carne
4. la montaña rusa / emocionante / la rueda de feria
5. Superhombre / fuerte / King Kong
6. las mujeres / perezoso / los hombres
7. los ríos / frío / los lagos
8. los niños / tímido / las niñas
9. los gatos / valiente / los perros
10. los dibujos animados / bueno / las películas musicales

F **¿Qué crees tú?** Usa las frases de la Práctica E para hacer
comparaciones iguales *(equal)*. Sigue el modelo.

> las novelas / divertido / las biografías
>
> ESTUDIANTE A *Creo que las novelas son tan divertidas como las*
> *biografías.*
> ESTUDIANTE B *Estoy de acuerdo.*
> o: *No estoy de acuerdo. Yo creo que son más (o menos)*
> *divertidas.*

G ¿No soy mejor entonces? A este actor famoso le gusta creer que es mejor que su rival Juan Segura. Pero sus amigos le dicen (muy amablemente) que no. Sigue el modelo.

> ser chistoso / contar chistes
>
> ESTUDIANTE A   *¿Es Segura tan chistoso como yo?*
> ESTUDIANTE B   *Pues cuenta tantos chistes como tú.*

1. ser rico / tener dinero
2. ser fuerte / poder llevar pelotas de golf
3. ser generoso / dejar propinas grandes
4. ser serio / ver dibujos animados
5. estar ocupado / tener trabajo
6. ser famoso / recibir cartas
7. ser atlético / dar paseos
8. estar preocupado / tener problemas importantes
9. ser inteligente / leer revistas sobre el cine
10. ser guapo / tener espejos

Un parque de diversiones en Aranjuez, España

La forma superlativa

Remember that to say someone or something is the "most" or the "least" of a group, we use *de*.

◆ COMMUNICATIVE
OBJECTIVES

To speak in superlatives
To exaggerate
To express strong
opinions

$$\text{el / la / los / las} + \text{noun} + \begin{Bmatrix} \textbf{más} \\ \textbf{menos} \end{Bmatrix} + \text{adjective} + \textbf{de}$$

Ester es **la** alumna **más simpática de** la clase.	*Ester is **the nicest** student **in** the class.*
Juan y Manuel son **los** muchachos **menos enérgicos del** equipo.	*Juan and Manuel are **the least** energetic boys **on** the team.*
Sansón es **el** caballo **más grande de** la granja.	*Sansón is **the biggest** horse **on** the farm.*

Just as in English, we can omit the noun:

¿Quién es **la más simpática**?	*Who is **the nicest**?*
Juan y Manuel son **los menos enérgicos**.	*Juan and Manuel are **the least** energetic.*

1 Remember that we also use the irregular forms *mayor, menor, mejor,* and *peor* in the superlative.

Graciela es **la mejor** escritora **de** nuestra familia.	*Graciela is **the best** writer **in** our family.*
¿Quién es **el mayor de** la banda?	*Who's **the oldest in** the band?*

2 We can also add the suffix *-ísimo, -a* to adjectives. It means "very" or "extremely" but has a lot of English equivalents.

La ropa es **carísima**.	*The clothes are **terribly expensive**.*
Los jardines son **grandísimos**.	*The gardens are **huge**.*
Este libro es **facilísimo**.	*This book is **awfully easy**.*

Una rueda de feria en
San Juan, Puerto Rico

3 Adjectives ending in *-co, -ca* change to *qu* when the suffix *-ísimo, -a* is added. Adjectives ending in *-go, -ga* change to *gu*.

La médica es **simpatiquísima**.	*The doctor is **extremely nice**.*
Este programa es **larguísimo**.	*This program is **awfully long**.*

PRÁCTICA

A ¡Bienvenidos! Imagina que muestras tu ciudad a un(a) amigo(a) que es de otro país o de otro lugar. Usa palabras de las tres columnas para hacer frases según los modelos.

Éste es el hotel menos caro de la ciudad.
Ésta es la ciudad más famosa del país.

1. la calle	agradable	la América del Norte
2. la tienda	bonito	el barrio
3. el puente	caro	la calle
4. el parque	emocionante	el centro
5. la fuente	famoso	la ciudad
6. el zoológico	grande	los Estados Unidos
7. la casa	importante	el noroeste, etc.
8. el jardín	interesante	el país
9. el lugar	largo	
10. el barrio	viejo	

B ¡Mucho más! Algunas personas siempre exageran *(exaggerate)*. Sigue el modelo.

ESTUDIANTE A *Cervantes es un escritor muy famoso.*
ESTUDIANTE B *Sí, es famosísimo.*

1. El caballo de Don Quijote es flaco.
2. Estos programas son bastante aburridos.
3. ¡Qué bellos son los cuadros de El Greco!
4. Creo que la cola es bastante larga.
5. Gálvez es un jugador muy rico.
6. La vendedora en esta heladería es graciosa.
7. Aquí el río Tajo es rápido.
8. Las cosas en este puesto son caras.

C Hablemos de ti.
1. ¿Cuál es el mejor programa de televisión de este año? ¿La mejor película?
2. ¿Quién es el actor más famoso de los Estados Unidos? ¿La actriz más famosa?
3. ¿Quién es el mejor atleta de tu escuela? ¿La mejor atleta? ¿Qué deportes practican?
4. ¿Cuál es el río más grande de la América del Norte? ¿De la América del Sur?

ACTIVIDAD

El más pequeño de todos   With a partner make up a *Libro de superlativos* arranged by subject. For example:

Las mejores y peores comidas de la cafetería de la escuela
Los estudiantes más listos (altos, atléticos, etc.) de la escuela
Los edificios más grandes (feos, bellos, etc.) de la ciudad
Los barrios más interesantes (viejos, hermosos, etc.) de la ciudad

En el Museo del Prado, Madrid, España

APLICACIONES

Mira las frases modelo. Luego cambia las frases que siguen al español según los modelos.

1. *Este sábado pienso jugar a los bolos.*
   (This afternoon I intend to take a walk.)
   (On Wednesday we want to have a picnic.)
   (This Thursday they prefer to go on an outing.)

2. *Esos actores de Venezuela son los más famosos del espectáculo. Míralos.*
   (These roller skates are the best in the store. Buy them.)
   (That amusement park is the largest in the southwest. Visit it.)
   (This art exhibit is the most interesting (one) of the year. Describe it.)

3. *Creen que el desfile es menos divertido que esa banda fabulosa.*
   (She thinks the rides are less exciting than those free balloons.)
   (I think the bag is smaller than this old basket.)
   (We think the peanuts are more expensive than that hot popcorn.)

4. *"¡Qué bueno! Las montañas son tan hermosas como las playas," dice mamá.*
   ("What a shame! He's as shy as his father," says grandfather.)
   ("How marvelous! He's as courageous as a lion," says Anita.)
   ("What a drag! She's (estar) as scared as I am," he says.)

5. *Después vamos a la exposición. "Mira a tu mamá," dice la tía Juana.*
   "Cómprale un cuadro. Son bellísimos."
   (Then we go to the show. "Look at those children," says Dad. "Buy them tickets. They're extremely cheap.")
   (Before, they go to the booths. "Look at your daughter," says Mom. "Buy her a mask. They're very funny.")
   (Now we're going to the zoo. "Look at those little girls," says Luz. "Buy them some peanuts. They're (estar) really delicious.")

En el Parque de
Chapultepec, México

TEMA

Escribe las frases en español.

1. This Sunday, María and Ángela plan to go to the fair.

2. This Ferris wheel is the tallest in the country. Look at it!

3. They think the merry-go-round is less exciting than this roller coaster.

4. "Gee! I'm as ugly as you (are)," says María.

5. Afterwards they go to the ice cream shop. "Look at that little boy," says Ángela. "Buy him an ice cream. It's (estar) awfully good."

REDACCIÓN

Ahora escoge uno de los siguientes temas para escribir tu propio diálogo o párrafo.

1. Expand the *Tema* by writing a paragraph about María and Ángela at the fair. Tell how they go there, whether they meet friends, which rides they enjoy, and what their friends prefer to do. Are they going to go to the fair again? If so, when?

2. Write a paragraph about what you like to do best on weekends. Do you like to visit museums and art exhibits? Do you like to take walks, have picnics? Do you like to skate? Do you do these activities frequently? What do you plan to do next weekend?

3. Make up a telephone conversation between two friends who are planning a weekend outing. They are very enthusiastic and use a lot of superlatives.

Aplicaciones   **127**

COMPRUEBA TU PROGRESO   CAPÍTULO 3

A   La feria
Completa las siguientes frases con la palabra o expresión correcta.

1. ¿Quieres dar una vuelta en _____?   (el cuadro / la montaña rusa / la canasta)
2. En aquel _____ venden palomitas deliciosas. (carrusel / lago / puesto)
3. Ese caballo es muy _____. Todo le asusta. (tímido / valiente / famoso)
4. ¿Quiere Ud. comprar una _____ de dulces? (feria / bolsa / banda)
5. Los espectáculos en el parque no cuestan nada. Son _____.   (gratis / flacos / grises)
6. No podemos hacer un picnic porque va a llover. ¡_____! (Qué lata / Qué maravilla / Qué susto)

B   Preguntas
Escribe preguntas. Luego contesta cada una afirmativamente.

1. ¿entender / Uds. / la obra de teatro?
2. ¿pensar / ella / dar un paseo?
3. ¿querer / tú / tomar algo?
4. ¿pensar / tú / hacer un picnic?
5. ¿querer / Uds. / ir de excursión?
6. ¿preferir / Ud. / el invierno?

C   Tienes mucho que hacer
Haz preguntas y luego contesta cada una con un mandato con *tú*. Sigue el modelo.

> limpiar la cocina / ahora mismo
> *¿Limpio la cocina?*
> *Sí, límpiala ahora mismo.*

1. leer los apuntes / en seguida
2. recoger mis cosas / por la mañana
3. cerrar la puerta / ahora mismo
4. visitar la exposición de arte / antes de salir
5. invitar a mis primos / esta noche
6. escribir la carta / mañana
7. empezar la canción / en unos minutos
8. comer las verduras / todas

D   Comparaciones
Completa las siguientes frases para hacer comparaciones.

> Elena es alta.

1. Pablo es _____ Elena.
2. Juana es _____ todos.

> El niño es joven.

3. La madre es _____ el niño.
4. La abuela es _____ todos.
5. La madre es _____ la abuela.
6. El niño es _____ todos.

E   ¡Es aburridísimo!
Answer each question according to the model.

> ¿Es muy aburrido José?
> *Sí, es aburridísimo.*

1. ¿Es muy famoso García Lorca?
2. ¿Es muy fácil patinar?
3. ¿Son muy ricas las niñas?
4. ¿Es muy grande la casa de los espejos?
5. ¿Son muy baratas las palomitas?
6. ¿Es muy rápido el metro?

F   ¿Tan o tanto?
Completa las siguientes frases con *tan . . . como* o con la forma apropiada de *tanto . . . como*.

1. La casa de los fantasmas no es _____ divertida _____ la montaña rusa.
2. La feria no tiene _____ puestos este año _____ el año pasado.
3. Las naranjas no tienen _____ azúcar _____ los dulces.
4. Diego Obregón es _____ famoso _____ Rosa Pinto.
5. El tren no está _____ lleno de gente _____ el autobús.
6. En mi casa no hay _____ espejos _____ en la casa de los espejos de la feria.
7. Hay _____ hielo en las calles _____ en el río.

VOCABULARIO DEL CAPÍTULO 3

Sustantivos
la atracción, *pl.* las atracciones
la banda
la bolsa
el cacahuate
la canasta
el carrusel
la casa de los espejos
la casa de los fantasmas
el cuadro
el espectáculo
la exposición de arte, *pl.* las
    exposiciones de arte
la feria
el globo
la heladería
el hielo
el lugar
la montaña rusa
las palomitas
el parque de diversiones
el patín, *pl.* los patines (de
    ruedas)
el picnic
el puesto
la rueda
la rueda de feria

Adjetivos
asustado, -a
famoso, -a
flaco, -a
gracioso, -a
gratis, *pl.* gratis
tanto, -a
tímido, -a
valiente

Verbos
asustar
entender (e → ie)
olvidar
parar
patinar (sobre ruedas / sobre
    hielo)
remar

Adverbios
afortunadamente
antes
completamente
especialmente
exactamente
frecuentemente
probablemente

Expresiones
cambiar de idea
dar un paseo
dar una vuelta
hacer un picnic
ir de excursión
jugar a los bolos
me gustaría
¡por fin!
¡qué alivio!
¡qué lata!
¡qué maravilla!
¡qué susto!
tan + *adj.* / *adv.* + como
tanto + *noun* + como

CAPÍTULO 4

LA COMIDA ESPAÑOLA

I f you were in Spain at suppertime and wanted to try one of the local specialties, you would have a lot to choose from, because Spain offers a lot of variety. In Galicia, a cool, rainy region in the northwest, the favorite soup is a thick and hearty *caldo gallego*, made with meat and potatoes. In Andalucía, a region in the warm southern part of Spain, *gazpacho* is the classic soup. Served cold, it is a refreshing blend of tomatoes, cucumbers, olive oil, and garlic. Diced tomatoes, peppers, onions, and bread are added when the soup is served.

Fish is popular and plentiful. Look at the map, and you'll see why—Spain is nearly surrounded by water. Seafood dishes popular in the north are *merluza* (hake) *bacalao* (cod), *angulas* (baby eels fried in oil and garlic), and *pulpo* (octopus). Valencia, a port in the southeast, was the first to give us *paella*. Shrimp, crayfish, and clams are only part of *paella*'s special flavor. Chicken, rice (a major crop in that area), and the yellow-orange spice saffron are equally important ingredients.

Eggs are one of Spain's most popular foods. Spaniards often cook them by dropping them into a bowl of boiling garlic soup or by serving them fried with *patatas (papas) fritas*. The most popular egg dish is the *tortilla española*, an omelet made with potatoes and onions and cooked in olive oil. This is Spain's favorite snack food or side dish. It is usually served cold in wedges like pieces of pie.

It is no accident that the Spanish word for oil *(el aceite)* and olive *(la aceituna)* are closely related. Spain is the world's largest producer of olives and the oil derived from them. Like potatoes, eggs, and garlic, it is a staple in every Spanish home.

To order meat cooked
to one's taste

To plan a barbecue or
picnic

To order in a restaurant

To plan a camping trip

To camp out

To complain

PALABRAS NUEVAS I

Allá en el rancho

CONTEXTO
VISUAL

la colina

el valle

el pueblo

el ganado

el rancho

la salchicha

la campesina

el campesino

la parrilla

la sandía

el aceite

el vinagre

la sal

la pimienta

la tortilla

la mostaza

la aceituna

el perro caliente

el ajo

CONTEXTO COMUNICATIVO

1 Hoy hay muchos invitados en el rancho. Queremos **hacer un asado.** Vamos a **asar** carne **a la parrilla** y servirla con papas y ensalada.

   Variaciones:
   - carne → pollos
     servirla → servirlos

hacer un asado *to have a barbecue*

el asado *barbecue*

asar a la parrilla *to barbecue, to grill*

2 NORMA ¿Puedo **probar** la carne?
   PEDRO ¡Cómo no! ¿La quieres **bien cocida**?
   NORMA No, la prefiero **medio cocida.**
   PEDRO Entonces toma aquélla. **¡Buen provecho!**

   - bien cocida → **poco cocida**
   - aquélla → ésa

probar (o → ue) *to taste*

bien cocido, -a *well done (referring to meat)*

medio cocido, -a *medium*

¡buen provecho! *enjoy your meal*

poco cocido, -a *rare*

3 RITA ¡Qué buen **sabor** tiene este pescado! ¿Es **fresco,** verdad?
   LUIS ¡Por supuesto! Nunca compro pescado **congelado.**

   - sabor → **olor**
   - nunca compro → no me gusta el

el sabor *taste*
fresco, -a *fresh*
congelado, -a *frozen*

el olor *odor, smell*

4 DAVID ¡Mira qué bello es este **paisaje**!
   ÁNGEL Sí, sí. Muy bello. Pero estamos aquí para **recoger** frutas, no para mirar el paisaje.

   - este paisaje → este valle
   - frutas → manzanas

el paisaje *landscape*
recoger here: *to pick*

5 CARMEN   ¿Viene Rogelio a nuestro asado?

   JAVIER   ¡Claro que sí! Las tres **actividades** que más le gustan son **desayunar**, almorzar y **cenar.**

   ■ actividades → cosas
   desayunar → el desayuno
   almorzar → el almuerzo
   cenar → la cena

la actividad   *activity*
desayunar   *to eat breakfast*
cenar   *to have dinner*

6 JOSEFINA   ¿Qué vamos a cocinar hoy para la cena?

   VIRGINIA   Pienso **asar** un pavo.

   JOSEFINA   ¡Qué bueno! No hay nada tan **sabroso** como el pavo **asado.**

   ■ cocinar → preparar
   ■ sabroso → delicioso

asar   *to roast*
sabroso, -a   *tasty, flavorful*
asado, -a   *roasted (meat)*

EN OTRAS PARTES

el asado

También se dice *la barbacoa.*

poco/bien cocido

También se dice *poco / bien hecho.*

También se dice *el melón de agua.*

En España y en muchos países latinoamericanos se dice *la finca.* También se dice *la estancia* y *el fundo.*

Un asado cerca de Buenos Aires, Argentina

PRÁCTICA

A **¿Qué hacen en el campo?** Imagina que estás en un rancho con un amigo. Escoge la palabra o expresión correcta.

1. ¿Cómo está el asado? Muy *(congelado / ganado / sabroso).*
2. Cuando pongo la mesa frecuentemente olvido la sal y *(el paisaje / la pimienta / la salchicha).*
3. ¿Qué vamos a hacer después del asado? Vamos a subir *(al valle / a la colina / a la parrilla).*
4. ¿Qué más necesitamos para la ensalada? Un poco de aceite y *(olor / valle / vinagre).*
5. ¿Qué hacen esas campesinas? *(Asan / Barren / Recogen)* frutas.
6. ¿Qué tiene que hacer el campesino? Tiene que dar de comer *(al ganado / al paisaje / al asado).*
7. ¿Cómo puedo cocinar la carne? Puedes asarla a la *(colina / salchicha / parrilla).*
8. ¿Qué añades a los perros calientes? *(Pueblos / Mostaza / Sandía).*
9. ¿Qué hay en esos árboles? *(Ajo / Aceitunas / Aceite).*

B **Vamos a hacer un asado.** Escoge la mejor palabra o expresión para completar el párrafo.

asada	frescas	quemada
buen provecho	mostaza	sabor
congeladas	probar	sandía

¿A ti te gustan las salchichas o los perros calientes con _____ y cebolla? Pues yo prefiero la carne _____. Debe estar bien cocida, pero no _____. Tiene un _____ delicioso. ¡De veras! La tienes que _____.
Y cómela con verduras _____. Nunca compro esas verduras _____ que
5 venden en el supermercado. Y de postre, claro que no hay nada mejor que _____ fría. Es deliciosa. Entonces, ¡_____!

En Bolivia

C En el restaurante.   Imagina que tú y varios amigos están en un restaurante latinoamericano. Sólo tú sabes hablar español y tienes que pedir la comida para todos. Usa el menú, ¡y tu imaginación!

ESTUDIANTE A	*¿Y para el señor a su izquierda?*
ESTUDIANTE B	*Él quiere empezar con . . .*
ESTUDIANTE A	*Muy bien. ¿Y la carne?*
ESTUDIANTE B	*. . .*
ESTUDIANTE A	*¿Qué clase de verduras?*
ESTUDIANTE B	*. . .*
ESTUDIANTE A	*¿Y qué clase de ensalada?*
ESTUDIANTE B	*. . .*
ESTUDIANTE A	*¿Y para beber?*
ESTUDIANTE B	*. . .*
ESTUDIANTE A	*¿Y de postre?*
ESTUDIANTE B	*. . .*

Menú

Sopas
Sopa de pollo
Sopa de cebolla
Sopa de tomate
Sopa de ajo
Gazpacho

Carnes
Bistec a la parrilla
Chuleta de cerdo
Chuleta de cordero
Carne asada
Pollo frito
Pavo asado
Arroz con pollo

Verduras
Frijoles con arroz
Guisantes
Maíz
Zanahorias

Ensaladas
Ensalada de lechuga y tomate con aceite y vinagre
Ensalada de frutas

Postres
Helado
Pasteles
Flan
Fruta fresca

Bebidas
Vino
Refrescos
Naranjada
Limonada
Agua mineral
Jugos
Leche
Té, café o chocolate

D Hablemos de ti.

1. ¿Cómo te gusta la carne, poco cocida, bien cocida o medio cocida? ¿Con mucha o poca sal? ¿Con mucha o poca pimienta? ¿Te gusta el ajo?
2. ¿Cuál es tu comida favorita? ¿Qué comida no te gusta?
3. ¿Qué te gusta más comer cuando vas a un asado?
4. ¿Qué pones en los perros calientes? ¿En las hamburguesas?
5. ¿Qué clase de ensalada te gusta más? ¿Qué clase de sopa?
6. ¿A qué hora desayunas? ¿Quién prepara tu desayuno? ¿A qué hora cenas? ¿De qué habla tu familia durante la cena?
7. ¿Qué comes cuando cenas solo(a)?

ACTIVIDAD

Un asado en el campo   Imagine that you're planning a barbecue in the country with two or three of your classmates. First, each of you writes an answer to each of these questions:

¿Cuáles son tres cosas que quieres comer?
¿Cuáles son tres cosas que puedes traer?
¿Cuáles son tres cosas que prefieres hacer en el campo?

Then discuss what everyone wants to eat, and make a list of what each person can bring. Make any necessary changes to avoid repeating items. Finally, decide what activities would be the most fun for everyone.

APLICACIONES

Un asado en la playa Luquillo*

Playa Luquillo en Puerto Rico

Ana y su hermano Jaime invitan a César, su primo de Nueva York, a un asado en la bella playa de Luquillo en Puerto Rico.

    ANA   ¡Qué sabrosa está la carne!

    JAIME   Siempre me parece que aquí en la playa el sabor de la
5   comida es mucho mejor que en la ciudad. Oye, César,
           ¿hace asados la gente en Nueva York?

    CÉSAR   Sí, pero generalmente los hacemos en los parques.

    ANA   ¿Por qué? ¿No van Uds. a la playa?

    CÉSAR   Sí, pero no es tan fácil como aquí. Las playas están
10   bastante lejos y además[1] mucha gente no tiene coche.
           También, allá las playas no son tan bonitas como ésta.

    JAIME   ¡Qué lata! Nunca quiero vivir lejos del mar.

    ANA   Yo tampoco.

    CÉSAR   Entonces, ¿por qué no hacemos otro asado mañana?

15   JAIME   ¡Sí, sí! Buena idea. Podemos hacerlo en el campo.

    CÉSAR   Bien. Pero yo compro la carne esta vez. Y Uds. pueden
           traer el pan y los refrescos.

---

[1]**además** *besides*

* Luquillo, una de las playas más bellas de Puerto Rico, está en el noreste de la isla *(island)*.

Preguntas

Contesta según el diálogo.

1. ¿De dónde es César?   2. ¿Qué es Luquillo? ¿Dónde está?   3. Según Ana, ¿cómo está la carne?   4. ¿Por qué le gusta a Jaime comer en la playa? Y tú, ¿estás de acuerdo con lo que él dice? ¿Por qué?   5. Según César, ¿dónde hacen los asados en Nueva York? ¿Por qué?   6. ¿Qué piensa César de las playas de Nueva York?   7. ¿Dónde no quiere vivir Jaime?   8. ¿En qué parte del país vives tú? ¿En qué parte te gustaría vivir? ¿Por qué?   9. ¿Por qué están tantos pueblos cerca de un lago o de un río? ¿Qué crees tú?

Jóvenes cerca del fuego en México

Participación

Working with a partner, create a dialogue in which you decide whether to have a barbecue in a park or on the beach. Discuss the advantages and disadvantages of both.

PALABRAS NUEVAS II

¿Vas de camping?

CONTEXTO
VISUAL

el campamento

la tienda (de acampar)

la piedra

el saco de dormir

el sendero

ir de pesca

el fuego

la linterna

la pila

la lata

el abrelatas
pl. los abrelatas

la galleta

el ratón
pl. los ratones

la rana

la hormiga

la araña

el mosquito

la mosca

1 Nos encanta **ir de camping** los fines de semana. Buscamos un lugar cerca de un lago porque nos gusta ir de pesca. No tenemos que **llevar** carne porque siempre tenemos mucha suerte y podemos comer pescado frito cada noche.

Variaciones:
■ los fines de semana → durante el verano

ir de camping   *to go camping*

llevar   here: *to take*

2 ROSA   Andrés, hay que **encender** el fuego si quieres **calentar** la sopa.
ANDRÉS Bien. También puedo **hervir** el agua para el café.
ROSA   Buena idea, pero no debes olvidarte de **apagar** el fuego después.

■ hay que encender → enciende

encender (e → ie)   *to light, to turn on (a fire, light, appliance, etc.)*
calentar (e → ie)   *to heat*
hervir (e → ie)   *to boil*
apagar   *to put out, to turn off (a fire, light, appliance, etc.)*

3 ANDREA Mira esto. Todo está **mojado.** ¿No va a parar nunca la lluvia?
ÁNGEL   Afortunadamente, todavía hay algunas cosas **secas. Por ejemplo,** esta lata de café.

■ algunas → varias

mojado, -a   *wet*

seco, -a   *dry*
por ejemplo   *for example*

4 LUCÍA   Esta mochila está muy **pesada.**
MANUEL ¿Sabes qué hay adentro?
LUCÍA   No. ¿Piedras?
MANUEL Creo que tú llevas las latas y las linternas.

■ muy pesada → pesadísima
■ tú llevas → son

pesado, -a   *heavy*

5 MAMÁ   ¿Haces la tarea, Judit?

JUDIT   Ahora no. Pero te **prometo** hacerla más tarde.

prometer   *to promise*

- la tarea → las tortillas
  hacerla → hacerlas
- más tarde → después

EN OTRAS PARTES

También se dice *la tienda de campaña* y *la carpa*.

En España se dice *el camping*.

En España también se dice *el bote*. También se dice *el pote*.

En México se dice *el abridor*.

También se dice *la bolsa de dormir*.

En Cuba, Puerto Rico y Costa Rica se dice *el trillo*.

encender

En muchos países latinoamericanos se dice *prender*.

En la Argentina se dice *la laucha*.

Un campamento en Costa Rica

PRÁCTICA

A Vamos de camping. Imagina que tú y un(a) amigo(a) hacen planes para ir de camping. ¿Tienen todo lo que necesitan? Sigue el modelo.

ESTUDIANTE A   *¿Tienes las tazas?*
ESTUDIANTE B   *Sí, las tengo.*
           o: *No, no las tengo.*

1.

2.

3.

4.

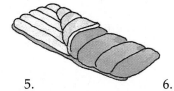

5.

6.

7.

8.

9.

B ¿Qué debo hacer? Imagina que tú y otras personas van de camping. El director del campamento les dice a todos lo que deben hacer. Escoge el verbo correcto y úsalo para hacer un mandato. Sigue el modelo.

   María, _____ las latas. (parar / apagar / abrir)
   María, abre las latas.

1. Diego, _____ la sopa. (calentar / alquilar / almorzar)
2. Juan, _____ las tiendas de acampar. (planchar / traer / tirar)
3. Ester, _____ el fuego. (probar / hervir / encender)
4. Pedro, _____ las parrillas. (limpiar / asar / remar)
5. Luisa, _____ el aceite. (buscar / explicar / secar)
6. Juana, _____ las latas. (enchufar / recoger / asar)
7. Pepe, _____ las ollas. (alquilar / lavar / admirar)
8. Carmen, _____ la luz. (quemar / batir / apagar)
9. Julio, _____ el agua. (quemar / hervir / asar)

C **En el campamento.** Escoge elementos de cada columna para describir lo que hacen estas personas. Sigue el modelo.

(tú)

ESTUDIANTE A   *¿Qué haces?*
ESTUDIANTE B   *Hiervo las papas.*

1. Luis y tú	apagar	el pollo
2. Cecilia y David	asar	el radio
3. nosotros	buscar	piedras
4. Isabel y Mario	calentar	en el río
5. Uds.	comer	la luz
6. Paco	dar un paseo	la parrilla
7. Leonor y Marta	encender	la sopa
8. Andrés	hervir	las galletas
9. Ud.	ir de pesca	las papas
10. (tú)	limpiar	pilas en la linterna
	poner	por ese sendero

D **Hablemos de ti.**

1. ¿Te gusta ir de camping? ¿Con quién vas? ¿Adónde van Uds.?
2. Cuando vas de camping, ¿prefieres preparar la comida o encender el fuego? ¿Cuál es más fácil? ¿Qué comes para el desayuno cuando vas de camping? ¿A qué hora desayunas?
3. ¿Tienes un saco de dormir? ¿Cuándo lo usas? ¿Es cómodo?
4. ¿Puedes explicarle a la clase cómo abrir una lata o preparar una sopa?
5. ¿Tienes miedo de algunos animales? ¿De cuáles? ¿Te gustan las ranas? ¿Te asustan los ratones? ¿Hay ranas o ratones blancos en el laboratorio de biología de tu escuela?
6. Las hormigas están siempre muy ocupadas. ¿Puedes describirle a la clase lo que hacen estos insectos?
7. Escoge uno o dos adjetivos para describir estos animales y explica por qué escogiste esa(s) palabra(s): las arañas, las moscas, los mosquitos, las ranas, el ganado.

En la Sierra de Gredos, España

ESTUDIO DE PALABRAS

Familias de palabras

What Spanish words or expressions do you know that are related to each of these words?

el campo	caliente	cocinar	el país
el pescado	el abrelatas	secar	cena

Antónimos

Escribe un antónimo para cada palabra en cursiva.

1. *Apaga* la tostadora, por favor.
2. El saco de dormir está *mojado*.
3. Prefiero la carne *bien cocida*.
4. *Esas colinas* son muy verdes.

Palabras con varios sentidos

¿Cuál es la palabra?

1.   2.

3. Sabes que la palabra *fresco* tiene dos sentidos. ¿Cuáles son?

Camping cerca de Buenaventura, Colombia

En un camping de Córdoba, España

EXPLICACIONES I

Los verbos *decir, oír, hacer, poner, salir* y *traer*

◆ COMMUNICATIVE
  OBJECTIVES
  To ask for clarification
  To clarify
  To assign tasks
  To give excuses for
  oneself and for others

1 Review the present-tense forms of *decir* ("to say, to tell").

DECIR	
digo	decimos
dices	decís
dice	dicen

Digo lo que pienso.	I **say** what I think.
¿Qué nos **dices**?	What **are you telling** us?
Dicen que va a llover.	They **say** (that) it's going to rain.

Remember that the *yo* form of *decir* ends in *-go* and that the *e* changes to *i* in all but the *nosotros* and *vosotros* forms.

(izquierda) En El Yunque, en Puerto Rico; (derecha) En Miranda del Castañar, España

2 Review the present-tense forms of *oír* ("to hear").

OIR	
oigo	oímos
oyes	oís
oye	oyen

No te **oigo** bien.	*I can't **hear** you well.*
¿**Oyes** los pájaros?	*Do you **hear** the birds?*

Remember that the *yo* form of *oír* ends in *-go* and that the *i* changes to *y* except in the *yo, nosotros,* and *vosotros* forms. Note that the *nosotros* and *vosotros* forms have a written accent on the *i.*

3 Remember that there are many similarities among the verbs *hacer,* "to do," *poner,* "to put," *salir,* "to go out," and *traer,* "to bring."

HACER		PONER	
hago	hacemos	pongo	ponemos
haces	hacéis	pones	ponéis
hace	hacen	pone	ponen

SALIR		TRAER	
salgo	salimos	traigo	traemos
sales	salís	traes	traéis
sale	salen	trae	traen

All four verbs take regular *-er / -ir* endings, except in the *yo* forms. Note the *e → i* change in the *yo* form of *traer.*

4 Remember that we use *salir de* when we mean "to leave (a place)."

Salimos de aquí esta tarde.	*We're leaving here this afternoon.*
El tren **sale de la estación** a las tres.	*The train **leaves the station** at three.*

We use *salir para* when we mean "to leave for (a place)."

Pronto **salen para** España.	*They'll leave for Spain soon.*

Cerca del mar en Puerto Rico

PRÁCTICA

A ¿Qué dice? Imagina que estás en una fiesta y que la música está tan fuerte *(loud)* que no puedes oír lo que dice la gente. Escoge elementos de cada columna para contestar.

Juan

ESTUDIANTE A *¿Qué dice Juan?*
ESTUDIANTE B *Dice que pone la leche en el refrigerador.*

1. Laura y Amalia	aceite y vinagre	en la caja
2. (tú)	aceitunas	en la ensalada
3. Felipe	ajo	en el horno
4. Uds.	galletas	en la mesa
5. Norma	leche	en la parrilla
6. Ud.	mostaza	en los perros calientes
7. Benjamín	postre	en los platos
	sal y pimienta	en el pollo
	salchichas	en el refrigerador
	sandía	en la sartén
	tortillas	en los vasos

B ¿Oyen algo? Un grupo de niños pequeños visita un museo de ciencias. Con los ojos cerrados tienen que escuchar e identificar varios animales. Sigue el modelo.

¿Eduardo?

ESTUDIANTE A *¿Qué oye Eduardo?*
ESTUDIANTE B *Oye una vaca.*

1. ¿Juana?

2. ¿Diego y Sergio?

3. ¿yo?

4. ¿María?

5. ¿nosotras?

6. ¿tú, Luis?

7. ¿tú, Rafael?

8. ¿Uds.?

C **¿Quién hace cada cosa?**   Imagina que tú y tus amigos preparan un asado y nadie sabe lo que debe hacer. Sigue el modelo.

> ¿nosotros? / preparar la ensalada de frutas
> ESTUDIANTE A   *¿Qué hacemos nosotros?*
> ESTUDIANTE B   *Uds. preparan la ensalada de frutas.*

1. ¿tú? / hacer una ensalada
2. ¿Pedro? / encender el fuego
3. Carlos y Eugenio / abrir las latas de jugo de naranja
4. ¿Clara y Julia? / calentar el agua para el té
5. ¿yo? / poner la mesa
6. ¿Emilia? / hervir los huevos
7. ¿Uds.? / asar las chuletas de cerdo a la parrilla

D **Nadie está contento.**   Imagina que llamas a tus amigos por teléfono, y que nadie está contento. Pregunta y contesta según el modelo.

> ¿Guillermo y Ángel / no decir la verdad? / estar asustado
> ESTUDIANTE A   *¿Por qué no dicen la verdad Guillermo y Ángel?*
> ESTUDIANTE B   *Porque están asustados.*

1. ¿Juanita / no poner la casa en orden? / tener fiebre
2. ¿(tú) / no oír las noticias? / no tener radio
3. ¿Héctor y Luis / no traer el tocadiscos? / ser demasiado pesado
4. ¿Uds. / no oír al profesor? / hay demasiado ruido
5. ¿(tú) / no hacer un asado afuera? / no salir cuando llueve
6. ¿Ud. / no traer la comida? / no querer preparar nada
7. ¿(nosotros) / no hacer el viaje? / no tener dinero
8. ¿Raúl / no decir nada? / ser tímido

Los complementos directos e indirectos: *me, te, nos*

◆ COMMUNICATIVE
OBJECTIVES

To contradict

To ask someone to do something

To agree to do something

To describe doing things for others

Remember that we use the pronouns *me, te,* and *nos* as either direct or indirect objects. In these examples, they are direct objects.

Las arañas **me** asustan.	*Spiders scare **me**.*
Los Ortega **nos** invitan.	*The Ortegas are inviting **us**.*
¿Dónde estás? No **te** veo.	*Where are you? I don't see **you**.*

In these examples, the pronouns are indirect objects. Note that they can mean *to* or *for me, you, us.*

¿**Me** muestras el sendero?
{ *Will you show the path **to me**?*
{ *Will you show **me** the path?*

Te doy el saco de dormir.
{ *I'm giving the sleeping bag **to you**.*
{ *I'm giving **you** the sleeping bag.*

Él **nos** presta su linterna.
{ *He's lending his flashlight **to us**.*
{ *He's lending **us** his flashlight.*

¿**Te** hiervo un huevo?
{ *Shall I boil an egg **for you**?*
{ *Shall I boil **you** an egg?*

1   Remember that the pronoun is placed just before the main verb or is attached to an infinitive or an affirmative command.

Lláma**me** más tarde.   *Call **me** later.*
No **te** puedo llamar más tarde. }
No puedo llamar**te** más tarde. } *I can't call **you** later.*

Enciénde**me** la luz, por favor.   *Please turn on the light **for me**.*
Claro. **Te** puedo encender la luz. } *Of course. I can turn on the light*
Claro. Puedo encender**te** la luz. } ***for you**.*

2   Remember that when an indirect object is a personal possession or a part of the body, we use an indirect object pronoun and a definite article rather than a possessive form:

Él **me** barre **el** dormitorio.	*He's sweeping **my** room.*
Nos secan **las** toallas mojadas.	*They're drying **our** wet towels.*
Mamá va a cortar**te el** pelo.	*Mom's going to cut **your** hair.*

In each of these English sentences, ''for me, for us, for you'' is implied. In Spanish we must use the pronoun, but then we use ''the'' instead of ''my, our, your,'' etc.

PRÁCTICA

A Al contrario.   Alfredo le cuenta historias absurdas al nuevo estudiante, pero Sonia le dice la verdad. Sigue el modelo.

> el profesor Álvarez / dar mucha tarea
> ESTUDIANTE A *El profesor Álvarez te va a dar mucha tarea.*
> ESTUDIANTE B *Al contrario, no nos da mucha tarea.*

1. el profesor López / dar muchos exámenes
2. la profesora Gómez / hacer muchas preguntas
3. el profesor Ortiz / contar chistes
4. la profesora Fuentes / dar miedo
5. la profesora Molina / dar malas notas
6. el profesor Borau / prometer buenas notas
7. la profesora Núñez / traer churros
8. el profesor Suárez / vender pesos dominicanos

B Por favor.   Guillermo siempre quiere algo. Sigue el modelo.

> (yo) no encontrar un enchufe / ayudar
> ESTUDIANTE A *No encuentro un enchufe. Ayúdame, por favor.*
> ESTUDIANTE B *Bueno. Te ayudo.*

1. (yo) querer hablar contigo / llamar
2. (tú) nunca tener dinero / pagar
3. (yo) tener que salir temprano / despertar
4. (yo) poder hacer eso / mirar
5. (yo) ir a llegar tarde / esperar
6. (yo) tener algo importante que decirte / escuchar
7. (yo) nunca tener noticias de ti / escribir
8. (nosotros) no poder patinar porque el lago todavía no está congelado / creer

C Todos ayudan.   ¿Qué hace cada persona? Sigue el modelo.

> mi hermanita / lavar el coche / (a mí)
> *Mi hermanita me lava el coche.*

1. el médico / examinar los ojos / (a ti)
2. mi madre / preparar el almuerzo / (a nosotros)
3. mi hermana / hacer la cama / (a mí)
4. papá y mamá / comprar la ropa / (a nosotros)
5. (yo) / hacer la maleta / (a ti)
6. mi abuela / poner en orden los armarios / (a nosotros)
7. la Dra. Sánchez / poner inyecciones / (a mí)
8. papá / pagar las lecciones de tenis / (a ti)

Los complementos directos e indirectos: Repaso

Here are all of the direct and indirect object pronouns.

DIRECT OBJECT PRONOUNS

SINGULAR		PLURAL	
me	*me*	nos	*us*
te	*you*	os	*you*
lo	*him, you* (formal), *it*	los	*you, them* (masc. / masc. & fem.)
la	*her, you* (formal), *it*	las	*you, them* (fem.)

INDIRECT OBJECT PRONOUNS

SINGULAR		PLURAL	
me	*(to / for) me*	nos	*(to / for) us*
te	*(to / for) you*	os	*(to / for) you*
le	*(to / for) him, her, you* (formal), *it*	les	*(to / for) you, them*

1   All of these pronouns go before the main verb or are attached to an infinitive or an affirmative command.

2   When we use a noun as an indirect object, we usually also use the indirect object pronoun.

> **Le** doy la mostaza **a Mario.**   *I'm giving the mustard **to Mario.***
> **Les** escribo **a mis abuelos.**   *I'm writing **to my grandparents.***

3   We can emphasize the indirect object pronouns by using the preposition *a* + a prepositional pronoun.

> **¿A quién le** escriben?   ***To whom** are they writing?*
> **Te** escriben **a ti.**   *They're writing **(to) you!***

Remember that we usually use *le* and *les* with *¿a quién(es)?*

4 When a direct object is a personal possession or a part of the body, we use an indirect object pronoun and a definite article rather than a possessive adjective.

Les arreglo **la** aspiradora a Uds.   *I'm fixing **your** vacuum cleaner.*
Van a limpiar**nos la** estufa.   *They're going to clean **our** stove.*
Voy a lavar**les la** cara a los niños.   *I'm going to wash the children**'s** faces.*

Una venta de vacas en Padrón, España

Cómo Comprar
LOS ASADOS
DE CARNE
DE VACA

U.S. DEPARTMENT OF AGRICULTURE

PRÁCTICA

A **Lo hago ahora mismo.** Usa los dibujos y la lista de verbos para hacer ocho mandatos con *le, les, me* y *nos.* Luego usa el complemento directo apropiado (*lo, la, los* o *las*) para contestar. Sigue el modelo.

ESTUDIANTE A *Lávame la olla, por favor.*

o: *Lávanos la olla, por favor.*

o: *Lávale(s) la olla a papá (y a mamá), por favor.*

ESTUDIANTE B *Con mucho gusto. Voy a lavarla ahora mismo.*

abrir	cerrar	dibujar	limpiar	recoger
apagar	comprar	encender	mandar	secar
arreglar	decorar	enchufar	mostrar	tirar
calentar	desenchufar	lavar	prestar	traer

B **Hablemos de ti.**

1. ¿Les das regalos a tus amigos? ¿Cuándo? ¿Qué les das? ¿Qué clase de regalos te gusta recibir? ¿Qué clase de regalos te dan tus amigos?

2. ¿Qué cosas haces para tus mejores amigos o tu familia? ¿Qué hacen ellos para ti?

3. ¿Sales con tus amigos este fin de semana? ¿Adónde vas a ir? Cuéntales a los otros lo que quieres hacer.

APLICACIONES

¡Buen provecho!

Muchas personas quieren algo imposible. Ésta quiere ser astronauta. Aquélla quiere ser atleta. Otra quiere ser estrella de cine. Pero yo, Arturo Peret, estoy muy contento. ¡Soy un gran cocinero! Trabajo en un restaurante excelente. Preparo los platos más difíciles de comida española, mexicana
5 o americana. Sé preparar muchos platos diferentes de pollo, de carne o de pescado. ¡Todos son muy sabrosos! Mi paella, por ejemplo, es famosa. ¿Y mi gazpacho? ¡Pues, es el mejor de la ciudad!

Mi plato favorito es típico de la comida española: la fabada asturiana.[1] Es muy fácil prepararla. Los ingredientes que uso son: medio kilo de frijoles
10 blancos, un codito de jamón ahumado,[2] medio kilo de tocino,[3] una morci-lla,[4] dos papas, una cebolla, dos cucharadas[5] de aceite.

Pongo los frijoles, el jamón y el tocino en una olla con agua. Pongo la olla al[6] fuego. Hiervo todo por una hora. Corto la cebolla y la pongo en una sartén con el aceite. La cocino por tres minutos. Corto la morcilla y las
15 papas en partes pequeñas. Añado la cebolla, la morcilla y las papas a la olla con los frijoles. Lo cocino todo por quince minutos y ¡ya está![7] ¡Qué olor! ¡Qué sabor! ¡Buen provecho!

---

[1]**la fabada asturiana**   *bean and bacon soup from Asturias, a region of northern Spain*
[2]**el codito de jamón ahumado**   *smoked ham hock*   [3]**el tocino**   *bacon*
[4]**la morcilla**   *a kind of Spanish sausage*   [5]**la cucharada**   *spoonful*   [6]**a**   *here: on*
[7]**ya está**   *that's it*

Haciendo tortillas en Tonalá, México

ANTES DE LEER

As you read, find the answers to the following questions.
1. Sabes lo que quieren decir *cocinar* y *cocina*. ¿Qué quiere decir *cocinero, -a*?
2. ¿Qué quiere decir *medio kilo*? (Piensa en la expresión *media hora*.)
3. En tu opinión, ¿es fácil o difícil ser cocinero(a)? ¿Es un trabajo aburrido o divertido? ¿Por qué?

R
E
S
T
A
U
R
A
N
T
E

MENU
DE HOY
400

½ POLLO CON PATATA
AGUA-O-CORA-DE
CHAMPAN O VINO
350 PTAS

10
SOPA DE PESCADO

HUEVOS H LA PUSA

VERDURA SALTEADA

SPAGUETTI BOLOÑESA
20
ESTOFADO TERNERA

POLLO PROVENZAL

PULPO GALLEGO
POSTRE PAN VINO
AGUR CERVEZA TODO IN-
CLUIDO

ORIA
PRINCIPAL

Preguntas

Contesta según la lectura.

1. ¿Cómo prepara Peret la fabada asturiana? Pon los pasos (*steps*) en el orden correcto.
   a. Añade la cebolla y la morcilla a los frijoles.
   b. Pone la olla en la estufa.
   c. Después de poner todos los ingredientes juntos en la olla, lo cocina todo por quince minutos más.
   d. Corta la cebolla.
   e. Pone los frijoles, el jamón y el tocino en la olla.
   f. Mezcla la cebolla con el aceite en una sartén.
   g. Hierve los frijoles, el jamón y el tocino.
2. ¿Por qué está Arturo Peret tan contento?
3. ¿Tienes ganas de probar la fabada asturiana? ¿Por qué? ¿Cuál de los ingredientes te gusta más? ¿Cuáles no te gustan?
4. ¿Te gustan las salchichas? ¿Las prefieres poco o muy picantes? ¿Te parecen más o menos sabrosas que los perros calientes?
5. Cuando desayunas en un restaurante, ¿qué pides? Cuando pides huevos, ¿pides también salchichas o tocino? ¿Cuestan mucho más los platos de huevos cuando los pides con carne? ¿Más o menos cuánto cuesta un vaso pequeño de jugo de naranja? ¿Y un vaso grande?

En las Islas Baleares, España

En su casa, Buenos Aires, Argentina

EXPLICACIONES II

Mandatos afirmativos con *tú:*
Verbos irregulares

You know how to form *tú* commands for regular and stem-changing verbs. The following verbs have irregular affirmative *tú* commands.

ser → **sé**   tener → **ten**   hacer → **haz**   poner → **pon**

ir → **ve**   venir → **ven**   decir → **di**   salir → **sal**

Sé amable	*Be nice.*
Ve a la tienda, Luis.	*Go to the store, Luis.*
Ten cuidado, Felipe.	*Be careful, Felipe.*
Ven a las cinco, Ana.	*Come at five, Ana.*
Haz un dibujo, Ignacio.	*Make a drawing, Ignacio.*
Di lo que piensas.	*Say what you think.*
Pon la mesa, Clara.	*Set the table, Clara.*
Sal de allí, Pedro.	*Get out of there, Pedro.*

To nag or show impatience

To make polite requests to someone you know well

To explain why you want someone to do something

1 Because these irregular command forms all have only one syllable, the stress remains on the verb when we use them with an object pronoun. Thus we do not have to add a written accent.

Dinos la verdad, por favor.	*Tell us the truth, please.*
Hazlo ahora mismo.	*Do it right now.*

This is also true of regular *tú* commands that have only one syllable.

Velos un poco más tarde.	*See them a little later.*
Dame la linterna.	*Give me the flashlight.*

PRÁCTICA

A **¡Ya son las diez!** Francisco todavía está en la cama. Su mamá lo llama. Escoge el verbo correcto para completar cada frase. Usa mandatos con *tú*.

decir	ir	salir	tener
hacer	poner	ser	venir

1. Francisco, _____ de tu cuarto en seguida.
2. ¿A qué hora regresaste anoche? ¡_____ la verdad!
3. _____ aquí ahora mismo. Es la hora de desayunar.
4. ¡Francisco, por favor, _____ más ordenado!
5. Por favor, _____ la mesa.
6. Necesitamos pan fresco. _____ a la panadería, por favor.
7. Pero _____ cuidado en la calle.
8. Y después de regresar, por favor _____ tu cama.

B **¡Más rápido!** Tú eres muy amable cuando quieres algo, ¿verdad? Pero imagina que tienes un(a) amigo(a) que no es tan amable y que siempre da mandatos. Cambia según el modelo.

Luisa / hacer la ensalada
ESTUDIANTE A *Luisa, ¿puedes hacer la ensalada?*
ESTUDIANTE B *Luisa, haz la ensalada.*

1. Héctor / poner el ratón en la jaula
2. Manuel / decir esto en francés
3. Mónica / ser más generosa
4. Carlota / venir a la puerta
5. Vicente / hacer el asado en tu casa
6. Sonia / salir de la tienda
7. Roberto / ir al campamento
8. Luz / tener cuidado con esas joyas

C **Un día en el rancho.** Unos amigos visitan un rancho. Haz mandatos y añade el complemento directo o indirecto correcto. Sigue el modelo.

Aquí están las pilas. (Poner) _____ en el radio.
Aquí están las pilas. Ponlas en el radio.

1. Vamos a subir a la colina esta tarde. (Prestar) _____ las mochilas, por favor.
2. Nosotros queremos ir también. (Llevar) _____, por favor.
3. María y Luis quieren visitar el pueblo. (Decir) _____ dónde está.
4. Rosita tiene frío. (Poner) _____ ropa seca.

5. Me encanta el sabor del pollo asado. (Prometer) _____ que lo vas a preparar esta noche.
6. La sandía está estupenda. (Probar) _____, si quieres.
7. Estos perros calientes no tienen mucho sabor. (Poner) _____ más mostaza.
8. Tenemos mucha hambre. (Hacer) _____ unas salchichas con cebolla, por favor.

D Hablemos de ti.
1. ¿Qué mandatos te dan tus padres cuando sales por la noche con tus amigos?
2. ¿Qué mandatos le das a un(a) niño(a) pequeño(a) a quien cuidas?

ACTIVIDAD

Haz lo que te digo.   Think of five commands you might give a classmate. They should be things that can be done easily in the classroom. Then get together in a small group and take turns telling each other what to do and then doing what you have been told.

En la Universidad Javeriana, Colombia

APLICACIONES

REPASO

Mira las frases modelo. Luego cambia las frases que siguen al español según los modelos.

1. *Esta tarde voy de excursión al lago.*
   (Tonight she's going on vacation to the ranch.)
   (Tomorrow you (pl.) are going fishing in the river.)
   (This afternoon they're going shopping in the town.)

2. *¿Dónde está la tienda? Ahora la traen.*
   (Where's the watermelon? They're bringing it now.)
   (Where are the crackers? We're bringing them now.)
   (Where's the oil? I'm bringing it now.)

3. *Sus padres le dicen: "Descríbenos el olor."*
   (My mom says to me: "Turn off the lights for me.")
   (They tell me: "Buy her the olives.")
   (I say to you: (fam.) "Show me the path.")

4. *El campesino le dice a su compañero: "Tira las latas en el basurero."*
   (They tell their guest: "Light the lamp in the dining room.")
   (I tell Mom: "Have a picnic in the valley.")
   (She says to her nephew: "Boil the corn in the pot.")

5. *"Escúchame," dice el niño. "A mí me gustaría salir también."*
   ("Answer me," says the police officer (m.). "I'd like to know right now.")
   ("Show me," says the little girl. "I'd like to see too.")
   ("Tell us," says the pilot. "I'd like to land soon.")

(izquierda) En España;
(derecha) En Colombia

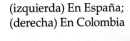

TEMA

Escribe las frases en español.

1. Today we're going camping in the valley.

2. "Where's the grill?" "I'm bringing it now."

3. My father says to me, "Bring me the can opener."

4. He says to my brother, "Put the batteries in the flashlights."

5. "Take me," thinks the cat. "I'd like to go too."

REDACCIÓN

Ahora escoge uno de los siguientes temas para escribir tu propio diálogo o párrafo.

1. Expand the *Tema* by writing a paragraph about the family's camping trip. Where are they going? What things are they taking to eat? What equipment do they have? Why do they like to go camping?

2. Write a dialogue between Luis and his little brother as they walk along a path near a lake. What kinds of animals do they see? Do they want to go swimming, or is the water too cold?

3. Write a simple recipe using *tú* commands.

Aplicaciones **161**

COMPRUEBA TU PROGRESO   CAPÍTULO 4

A   En el rancho
Escoge la respuesta correcta.

1. ¿Cómo te gusta la carne?
   a. Congelada.
   b. Poco cocida.
   c. Buen provecho.
2. ¿Dónde pongo la carne?
   a. En la mostaza.
   b. En la parrilla.
   c. En la piedra.
3. ¿Te gusta el paisaje?
   a. Sí, es muy hermoso.
   b. Sí, es muy sabroso.
   c. Sí, medio cocido.
4. ¿Está fresco el pescado?
   a. No, está congelado.
   b. No, está mojado.
   c. No, está pesado.
5. ¿Dónde trabajan los campesinos?
   a. Allá, en la rana.
   b. Allá, en el rancho.
   c. Allá, en la parrilla.

B   Preguntas
Mira los dibujos y contesta las preguntas. Usa frases completas.

1. ¿Qué ponemos en la mesa?

2. ¿Qué pones en la mochila?

3. ¿Qué me traes?

4. ¿Qué oyes?

5. ¿Qué haces?

6. ¿Qué hacen Uds.?

7. ¿Cuándo sales?

8. ¿Qué oyen Uds.?

C   Los mandatos
Haz mandatos según el modelo.

> decirme / la respuesta
> *Dime la respuesta. Dila.*

1. traerle / la linterna
2. ponernos / la mesa
3. buscarles / las aceitunas
4. hacerme / la cama
5. recogernos / las manzanas
6. mostrarme / el hielo
7. abrirles / los sacos de dormir
8. prepararles / la tienda de acampar

D   En casa
Haz mandatos según el modelo.

> lavar el pelo de Juanito
> *Lávale el pelo a Juanito.*

1. planchar la falda de Elena
2. enchufar la lámpara de papá
3. secar las camisas de Diego
4. limpiar el dormitorio de los abuelos
5. barrer el suelo de Elena
6. arreglar el proyector de los tíos

E   ¿Qué debo hacer?
Contesta con un mandato según el modelo.

> ¿Qué debo hacer? (un asado)
> *Haz un asado.*

1. ¿Cómo debo ser?   (amable)
2. ¿Cuándo debo venir?   (temprano)
3. ¿Qué debo decir?   (que salimos)
4. ¿Qué debo poner en la mesa?   (sal y pimienta)
5. ¿Cuándo debo salir?   (a las cinco)
6. ¿Adónde debo ir?   (pueblo)

VOCABULARIO DEL CAPÍTULO 4

Sustantivos

el abrelatas, *pl.* los abrelatas
el aceite
la aceituna
la actividad
el ajo
la araña
el asado
el campamento
el campesino, la campesina
la colina
el fuego
la galleta
el ganado
la hormiga
la lata
la linterna
la mosca
el mosquito
la mostaza
el olor
el paisaje
la parrilla
el perro caliente
la piedra
la pila
la pimienta
el pueblo
la rana
el rancho
el ratón, *pl.* los ratones
el sabor
el saco de dormir
la sal
la salchicha

la sandía
el sendero
la tienda (de acampar)
la tortilla
el valle
el vinagre

Adjetivos

asado, -a
congelado, -a
fresco, -a
mojado, -a
pesado, -a
sabroso, -a
seco, -a

Verbos

apagar
asar
calentar (e → ie)
cenar
desayunar
encender (e → ie)
hervir (e → ie)
llevar *(to take)*
probar (o → ue)
prometer
recoger (j) *(to pick)*

Expresiones

asar a la parrilla
bien / medio / poco cocido, -a
¡buen provecho!
hacer un asado
ir de camping
ir de pesca
por ejemplo

CAPÍTULO 5

UN DEPORTE AMERICANO

He's taking a shot, it's in the air, and . . . it's a goal! It's absolutely incredible, ladies and gentlemen! The Aztec Arrows have won again." There were no sportscasters in Mexico a thousand years ago, but if there had been, they might have sounded something like that as they breathlessly reported a game called *tlachtli,* the most popular sport of that time.

Tlachtli was something of a cross between basketball and soccer. The object of the game was very simple: to get a rubber ball through a stone ring that stuck out of the wall at each end of the court. But there was a catch: Players could use only their knees, thighs, and elbows. Little wonder that it took only one goal to win, or that games sometimes went on for days.

Tlachtli was played throughout the Aztec and Mayan regions of Mexico and Central America. The best-preserved court is located in Chichén Itzá, on Mexico's Yucatán Peninsula. The court is 168 meters long, and its stone rings are almost three meters above the ground (not as high as a basketball net, but high enough if you're trying to slam-dunk with your elbow).

Another thing that made the game difficult was the ball itself, which was made of solid rubber. It was so hard and heavy that players were often injured and sometimes even killed by it. To protect themselves from bruises, players wore gloves, armpads, helmets, and heavy leather aprons.

Some scholars believe that the game might have been part of a religious ceremony. According to the *Popol Vuh,* the sacred book of the Mayas, two mythical heroes once played a game of *tlachtli* against the gods of evil for control over the destiny of humankind. Fortunately, they won!

PALABRAS NUEVAS I

CONTEXTO
VISUAL

En el club de deportes

la carrera

el velero

la regata

la carrera

primero, -a

segundo, -a

tercero, -a   cuarto, -a

quinto, -a

sexto, -a

séptimo, -a

octavo, -a

noveno, -a   décimo, -a

último, -a

reír (e → i)

sonreír (e -

CONTEXTO
COMUNICATIVO

1   **El club deportivo** de nuestro barrio tiene un buen programa. Para **participar** en los deportes sólo hay que tener **el carné** del club.

Variaciones:
■ los deportes → las actividades

el club, pl. **los clubes**   *club*
deportivo, -a adj.   *sports*
participar   *to participate, to take part*
el carné   *membership or ID card*

el equipo perdedor

el tanteo

el equipo ganador

la ganadora

el ganador

el campeón
pl. los campeones

la campeona

la natación

el entrenador

la entrenadora

el empate

la nadadora

el nadador

2 MARIO   ¿Es ésta la primera regata?

SONIA   No, es la tercera pero es la mejor de todas.
Participan veleros de otros países.

MARIO   ¡Cómo me gustaría **navegar**!

navegar   *to sail*

■ primera → cuarta
■ la tercera → la quinta
■ la mejor → la más interesante

3 CLAUDIA ¿Vienes al partido con nosotros?

ERNESTO Sí. Dicen que **los visitantes** son formidables.

CLAUDIA Es verdad, pero **el equipo local** es excelente también.

■ es verdad → **de acuerdo**

el / la visitante *visitor; visiting team*

el equipo local *home team*

de acuerdo *right, okay, all right*

4 LEONOR ¡Uf! Estoy cansadísima. Hace una hora que practicamos para la carrera.

IGNACIO ¿Es muy **estricta** la Sra. Núñez?

LEONOR Sí. A veces nos asusta con su **voz fuerte** pero es una gran entrenadora. Aprendemos mucho de ella.

■ practicamos para la carrera → corremos

estricto, -a *strict*

la voz, pl. **las voces** *voice*

fuerte here: *loud*

5 RAQUEL El domingo juega Veracruz **contra** Los Leones **por** primera **vez**.

RODOLFO Va a ser un partido fantástico.

RAQUEL De acuerdo. Pero creo que Los Leones van a ganar **el campeonato,** porque son los mejores jugadores.

■ Veracruz → el equipo local

contra *against, versus*

por (primera / segunda / última, etc.) vez *for the (first / second / last, etc.) time*

el campeonato *championship*

6 LOLA Estás muy **activo** hoy. ¡Qué **milagro**!

LUIS Sí. Hace dos horas que limpio mi cuarto.

LOLA **¡Qué barbaridad!** Y todavía está desordenado.

■ está desordenado → no está en orden

activo, -a = enérgico, -a

el milagro *miracle*

¡qué barbaridad! *how awful! good grief!*

Natación en México

XX CAMPEONATO NACIONAL DE NATACION JUVENIL Y PRIMERA FUERZA

vea en competencia a los mejores nadadores del país

participan las selecciones de:

Cochabamba
Catavi Santa Cruz Sucre
Beni Corocoro La Paz

viernes 28 sabado 29 domingo 30
Hrs. 9.oo y 18.oo

PRÁCTICA

A El campamento de veraneo (*summer camp*). Antes de salir para el campamento, todos los chicos reciben una lista de "Actividades especiales." Imagina que recibes esta lista. Escoge dos actividades para cada una de las ocho semanas en que está abierto el campamento. Puedes escoger una actividad sólo una vez. Sigue el modelo.

> *La primera semana quisiera preparar un jardín*
> *y participar en carreras de bicicleta.*

preparar un jardín (*sólo en las dos primeras semanas*)
aprender a escribir a máquina (*dura cuatro semanas: desde la primera*
  semana hasta la cuarta, y desde la quinta hasta la octava)

aprender a tomar buenos apuntes	hacer canastas
estudiar piedras	leer cuentos de ciencia ficción
estudiar árboles y flores	leer revistas deportivas
estudiar pájaros	aprender a navegar
estudiar hormigas	aprender a patinar sobre hielo
estudiar peces, ranas y serpientes acuáticas	participar en regatas
aprender canciones folklóricas en varios idiomas	participar en carreras de bicicleta
dibujar paisajes	participar en carreras de natación
hacer lámparas con botellas	ir de pesca
	jugar a los bolos
	aprender juegos de naipes

B ¿Qué dicen? Completa cada frase con la palabra correcta.

1. El equipo local gana cada (*partido / club / carné*).
2. Nuestro equipo de natación tiene dos (*entrenadoras / regatas / voces*) muy buenas.
3. Necesitas mostrar tu (*carné / velero / carrera*) para entrar en el club.
4. Esperamos ganar (*la campeona / la jugadora / el campeonato*) de bolos.
5. El entrenador de los visitantes tiene (*una voz / un balón / un velero*) tan fuerte como un tren.
6. Esta noche es el (*estricto / activo / último*) partido del campeonato.
7. Creo que este equipo va a (*participar / navegar / patinar*) en el campeonato de fútbol.
8. Me gustaría aprender a (*navegar / reír / sonreír*) para poder participar en (*una regata / un empate / un tanteo*).
9. Mi hermano nunca practica deportes. Él es muy (*activo / estricto / perezoso*).

C ¡Qué barbaridad! ¿Qué dices tú en estas situaciones? Escoge una expresión apropiada de la lista. Usa cada expresión sólo una vez.

1. Tu equipo favorito pierde el partido.
2. Tu amiga gana el campeonato de natación.
3. Pierdes tu carné del club.
4. Ganas el partido de golf.
5. Tu entrenador dice que no puedes participar en la carrera.
6. Llueve y no hay partido.
7. El partido termina en un empate.
8. Tu velero llega en último lugar.
9. Tu escuela está en primer lugar del campeonato de ajedrez.

¡Felicitaciones!
¡Imagínate!
¡No me digas!
¡Por fin!
¡Por supuesto!
¡Qué barbaridad!
¡Qué lástima!
¡Qué lata!
¡Qué mala suerte!
¡Qué milagro!

D Hablemos de ti.

1. ¿A qué deportes eres aficionado(a)? ¿Cuál es tu deporte preferido? ¿Por qué?
2. ¿Prefieres participar en algunos deportes y en otros no? ¿Por qué? ¿Te gusta ir al estadio o prefieres mirar los partidos en la televisión? ¿Por qué?
3. ¿Tiene tu escuela un buen equipo de béisbol? ¿Y de básquetbol? ¿De qué color son los uniformes? ¿Ganan a menudo o generalmente pierden?
4. ¿Hay un club deportivo cerca de tu casa? ¿Vas allí a veces? ¿Puedes practicar natación allí?
5. En tu opinión, ¿cuál es el mejor equipo de fútbol americano? ¿Por qué es el mejor?
6. ¿Qué equipo va a ganar el campeonato de béisbol el próximo verano? ¿Por qué crees eso?

Juegos Panamericanos en Indianápolis y en Caracas

ACTIVIDAD

¿Por qué me llamas?   Write down half of a phone conversation. Write
only your responses to what the caller might be saying. Use two positive
and two negative exclamations from the list below.

¡Caramba!	¡Por fin!	¡Qué lata!
¿De veras?	¡Qué alivio!	¡Qué maravilla!
¡Espero que sí / no!	¡Qué barbaridad!	¡Qué milagro!
¡Imagínate!	¡Qué bueno!	¡Qué (mala) suerte!
¡Ojalá!	¿Qué importa?	¡Uf!

Leave a line or two blank before each exclamation. For example:

ESTUDIANTE A   . . .
ESTUDIANTE B   ¡Uf!
ESTUDIANTE A   . . .
ESTUDIANTE B   ¡Qué bueno!

Now exchange sheets with another student. Complete each other's
dialogues so that the responses are appropriate. A complete dialogue
might look like this:

ESTUDIANTE A   ¿Aló?
ESTUDIANTE B   Aló. Habla *(nombre)*. ¿Quieres ir a patinar esta tarde?
ESTUDIANTE A   ¡Uf!
ESTUDIANTE B   ¿Prefieres ver la regata entonces?
ESTUDIANTE A   ¡Qué bueno!
ESTUDIANTE B   Pero primero tengo que limpiar el sótano.
ESTUDIANTE A   ¡Qué lata!
ESTUDIANTE B   No importa. Voy a hacerlo en seguida.
ESTUDIANTE A   ¡Qué alivio!

When both conversations are complete, read them aloud together.

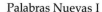

APLICACIONES

El deporte número uno

Sara llega a la casa de Alicia y en seguida empieza a hablar sobre el Campeonato Mundial[1] de fútbol que se celebra[2] este año.

SARA Hola, Alicia. ¿Qué te parece el Campeonato Mundial?

ALICIA ¡Fútbol! ¡Fútbol! ¿No quieres saber cómo estoy?

5 **SARA** ¡Qué emocionante! ¿verdad? ¿Quién crees que va a ganar el Campeonato? ¿México?

ALICIA Yo estoy muy bien, gracias. ¿Y tú?

SARA Si México sale[3] campeón, ¡vamos a celebrar todo el año!

ALICIA Y eso va a resolver[4] todos los problemas del país, ¿no?

10 **SARA** Pero, ¿no comprendes que el fútbol es muy importante? Contribuye[5] a la comunicación entre la gente de todos los países.

ALICIA ¡No contribuye nada a la comunicación entre nosotras! Bueno, ¿vamos al cine?

15 **SARA** Pero, ¿no sabes que hoy México juega contra Alemania?

ALICIA No. Tampoco quiero saberlo. Yo voy al cine.

[1]**mundial** adj. *world*   [2]**celebrarse** *to take place*   [3]**salir** here: *to end up as*
[4]**resolver** *to solve*   [5]**contribuir** *to contribute*

Preguntas
Contesta según el diálogo.

1. ¿Qué campeonato se celebra este año?   2. ¿A quién le gusta mucho el fútbol?   3. Según Sara, ¿qué va a pasar si México sale campeón? 4. ¿Qué piensa Alicia del fútbol?   5. ¿Qué país juega contra México? ¿Van Sara y Alicia juntas al partido? ¿Qué pasa entre las dos amigas? 6. ¿Por qué cree Sara que el fútbol es muy importante? ¿Estás de acuerdo? ¿Por qué? ¿Qué piensas de Alicia?   7. ¿Te gusta ver los juegos Olímpicos? ¿Prefieres los juegos de invierno o de verano? ¿Por qué? ¿Participas en algunos de estos deportes? ¿En cuáles?

Participación

Working with a partner, make up a phone conversation about a sports event such as the Super Bowl (*Campeonato de fútbol americano*) or the World Series (*Serie Mundial de béisbol*). Arrange with your partner to go to the game. Set the time, date, and place, and mention the teams that are playing. Which team do you think is going to win? Why?

Diego Maradona

Un partido de fútbol en Málaga, España

PALABRAS NUEVAS II

Otros deportes

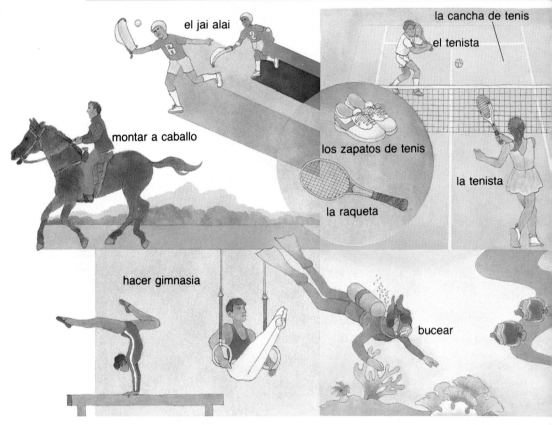

el jai alai

la cancha de tenis

el tenista

montar a caballo

los zapatos de tenis

la raqueta

la tenista

hacer gimnasia

bucear

CONTEXTO COMUNICATIVO

1 PILAR   **Anteayer** nadé tres horas sin parar.

TOMÁS   **¡Increíble!**

PILAR   Bueno, no es tan increíble. Hace muchos años que
practico la natación.

Variaciones:

■ nadé → esquié
la natación → el esquí

anteayer   *the day before
yesterday*
increíble   *incredible*

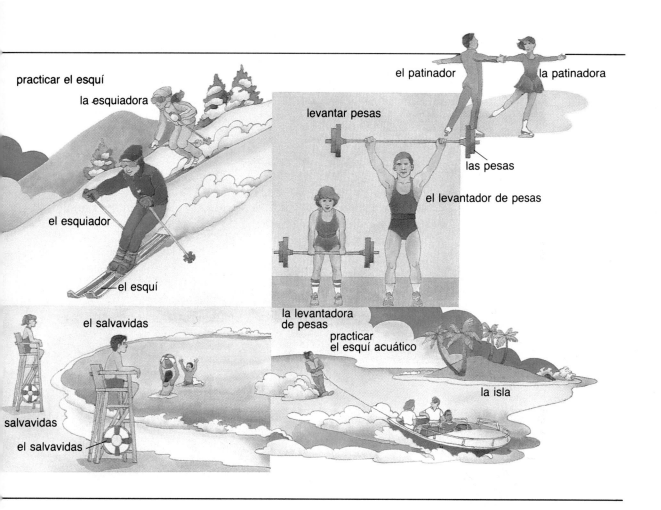

practicar el esquí

la esquiadora

el esquiador

el esquí

el patinador   la patinadora

levantar pesas

las pesas

el levantador de pesas

la levantadora de pesas

el salvavidas

salvavidas

el salvavidas

practicar el esquí acuático

la isla

2   SUSANA   ¿Vamos en velero **hasta** la isla?
    HORACIO   Sí. Pero debes llevar el salvavidas. Es muy
              importante usarlo, **¿no te parece?**
    SUSANA   Sí. Tienes razón.

■ vamos → damos un paseo
■ en velero → a navegar
■ tienes razón → estoy de acuerdo

hasta here: *to, out to, as far as*

¿no te parece? *don't you think so?*

EN OTRAS PARTES

También se dice *los tenis* y *las zapatillas de tenis*.

También se dice *el campo de tenis* y *la pista de tenis*.

PRÁCTICA

A   ¿Tenemos todo?   La familia Ayala es muy atlética. Van de vacaciones y quieren saber si llevan todo lo que necesitan. Pregunta y contesta según el modelo.

ESTUDIANTE A   *¿Tenemos todas las bicicletas?*
ESTUDIANTE B   *Sí, las tenemos.*

Nos gusta mucho jugar al béisbol.

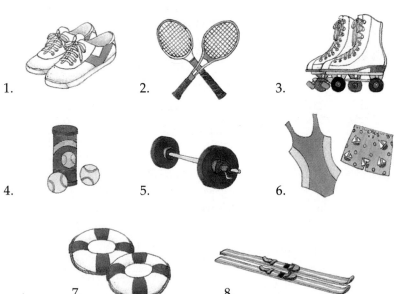

1.
2.
3.
4.
5.
6.
7.
8.

B **¿Qué le gusta hacer?** Mira los dibujos y describe lo que le gusta hacer a Juan José. Sigue el modelo.

En el otoño
En el otoño monta en bicicleta.

1. En el club

2. En el verano

3. En el invierno

4. En el lago

5. En el campo

6. Cuando hace fresco

7. En la primavera

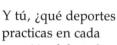

8. Cuando hace calor

Y tú, ¿qué deportes practicas en cada
9. estación del año?

C **Hablemos de ti.**

1. ¿Participas en carreras de bicicleta? ¿Generalmente, ganas o pierdes?

2. ¿Sabes patinar? ¿Dónde patinas? ¿Qué te gusta más, patinar sobre hielo o patinar sobre ruedas? ¿Por qué?

3. ¿Puedes levantar pesas en algún club deportivo cerca de tu casa? ¿Te gusta hacerlo? ¿Lo haces a menudo?

4. ¿Hay un equipo de gimnasia en tu escuela? ¿Cómo es? En tu opinión, ¿cuál es más difícil, hacer gimnasia o levantar pesas? ¿Hay que ser más fuerte para hacer gimnasia o para levantar pesas?

5. ¿A veces montas a caballo? ¿Dónde? ¿Montas generalmente el mismo caballo? ¿Cómo se llama? ¿De qué color es?

6. ¿Eres un(a) buen(a) nadador(a)? ¿Te gustaría trabajar como salvavidas? ¿Dónde? ¿Por qué?

7. ¿Quién es tu tenista favorito(a)? ¿Por qué? ¿Juegas tú al tenis? ¿Eres un(a) buen(a) tenista? ¿Dónde juegas? ¿Tienes que reservar la cancha de tenis para hacerlo?

ESTUDIO DE PALABRAS

Familias de palabras

Did you notice that the nouns *el patinador / la patinadora* are related to the verb *patinar?* Or that *el nadador / la nadadora* are related to the verb *nadar?* In Spanish the suffixes *-dor* and *-dora* added to a verb stem often indicate the person who performs an action. Sometimes suffixes name certain utensils or appliances: *el refrigerador* (from *refrigerar*), *la aspiradora* (from *aspirar*). Many English words that end in *-er* or *-or* end in *-dor* or *-dora* in Spanish.

What verbs do you think the following nouns are related to? What do you think these nouns mean?

    el trabajador   la pensadora   el corredor

What nouns have you learned that are related to each of these verbs?

tostar	borrar	lavar
calcular	computar	despertar

Antónimos

Escribe un antónimo para cada palabra en cursiva.

1. Es una persona muy *perezosa.*
2. El equipo *ganador* lleva el uniforme azul.
3. La *última* carrera empieza a las tres.

Palabras con varios sentidos

¿Cuál es la palabra?

1.

2.

En Barcelona, España

EXPLICACIONES I

Verbos con el cambio *e* → *i*

Remember that in some stem-changing verbs, the stem vowel changes
from *e* → *i* in all of the present-tense forms except *nosotros* and *vosotros*.

PEDIR*	
pido	pedimos
pides	pedís
pide	piden

◆ COMMUNICATIVE
OBJECTIVES

**To find out what people
want to order or what
they serve in a
restaurant**

**To describe amusing
situations**

All verbs of this type have infinitives that end in *-ir*. For example: *servir*,
vestir(se), and *repetir*. Which *e* in *repetir* changes to *i*?

1 *Reír* ("to laugh") and *sonreír* ("to smile") show the same *e* → *i* stem
change, but they have an accent mark on the *i* in all of their present-
tense forms.

REÍR		SONREÍR	
río	reímos	sonrío	sonreímos
ríes	reís	sonríes	sonreís
ríe	ríen	sonríe	sonríen

---

* Remember that *pedir* means "to ask for, to request, or to order (something)," *preguntar*
means "to ask (something)," and *hacer una pregunta* means "to ask a question."

Siempre les **piden** el coche los sábados.	*They always **ask** them **for** the car on Saturdays.*
Voy a **preguntar** dónde vive.	*I'm going to **ask** where she lives.*
Hacen tantas **preguntas**.	*They **ask** so many **questions**.*

Explicaciones I   179

PRÁCTICA

A En el restaurante y en un asado. Pregunta y contesta según los modelos.

en un restaurante		en un asado	
ESTUDIANTE A	*¿Qué pides cuando vas a un restaurante?*	ESTUDIANTE A	*¿Qué sirves cuando haces un asado?*
ESTUDIANTE B	*Generalmente pido . . .*	ESTUDIANTE B	*A menudo sirvo . . .*
ESTUDIANTE A	*¿Y qué pides de postre?*	ESTUDIANTE A	*¿Y qué sirves de postre?*
ESTUDIANTE B	*Pido . . .*	ESTUDIANTE B	*Sirvo . . .*

Un vendedor en Madrid

bistec	frutas y queso	pavo asado
carne asada	galletas y queso	perros calientes
chiles rellenos	hamburguesas	pescado frito
chuletas de cerdo	helado	pollo asado
chuletas de cordero	paella	pollo frito
empanadas de pollo	pan con ajo	salchichas
ensalada de . . .	papas fritas	sandía
flan	pastel de . . .	sopa de . . .

B Todavía en el restaurante y en el asado. Varios amigos hablan sobre lo que piden en un restaurante y lo que sirven en un asado. Usa la lista de la Práctica A para preguntar y contestar. Sigue el modelo.

en un restaurante		en un asado	
ESTUDIANTE A	*¿Qué piden cuando van a un restaurante?*	ESTUDIANTE A	*¿Qué sirven cuando hacen un asado?*
ESTUDIANTE B	*Generalmente pedimos . . .*	ESTUDIANTE B	*A menudo servimos . . .*
ESTUDIANTE A	*¿Y qué piden de postre?*	ESTUDIANTE A	*¿Y qué sirven de postre?*
ESTUDIANTE B	*Pedimos . . .*	ESTUDIANTE B	*Servimos . . .*

C **¿Ríen o sonríen?** ¿Qué hacen las siguientes personas en estas situaciones? Escoge el verbo apropiado. Sigue el modelo.

> sus padres
> *Sus padres ríen cuando Jorge cuenta un chiste.*
> o: *Sus padres sonríen cuando los niños tratan de asustarlos.*

1. mis padres
2. (yo)
3. nuestro(a) entrenador(a)
4. (tú)
5. mi novio(a) y yo
6. Uds.
7. el (la) profesor(a)
8. (nosotros)
9. todo el mundo

cuando / tratar de asustar (a alguien)
cuando / contar un chiste
cuando / dar una vuelta en la
    montaña rusa
cuando / salir bien en una prueba
cuando / sacar buenas notas
cuando / ganar el campeonato
cuando / tratar de levantar pesas
cuando / estar contento
cuando / hablar con el (la) salvavidas
cuando / ganar regatas
cuando / empezar a tocar el piano
cuando / ver una película cómica
cuando / oír el tanteo

Un atleta mexicano

Los números ordinales

◆ COMMUNICATIVE
OBJECTIVES

**To identify or point
things out in sequence**

To identify priorities

**To describe or organize
events or activities**

We use ordinal numbers to describe people or things in a series. When
we use them as adjectives, they agree in gender and number with the
nouns they describe, and they usually go before the noun. Remember
that *primero* and *tercero* drop the final *o* before a masculine singular noun.

Ésta es la **cuarta** regata del verano.	*This is the **fourth** boat race of the summer.*
Repite la **novena** palabra, por favor.	*Repeat the **ninth** word, please.*
Gané el **primer** partido.	*I won the **first** game.*
El **tercer** levantador de pesas es muy fuerte.	*The **third** weight lifter is very strong.*

When we abbreviate an ordinal number, we write the Arabic numeral
with a small letter *o* or *a* after the number and above it.

María es la **5ª** nadadora.	*María is the **5th** swimmer.*
Estoy en **4º** lugar.	*I'm in **4th** place.*

Una carrera en Honolulú

1   In Spanish we generally use ordinal numbers only from *primero*
through *décimo*. After *décimo* we use the cardinal numbers (*once, doce,*
etc.) after the noun.

Tenemos que leer desde la **primera** lección hasta la lección **quince**.	*We have to read from the **first** lesson to the **fifteenth** lesson.*
Su oficina está en el piso **veintitrés**.	*His office is on the **23rd** floor.*

2   With the names of kings and queens we write Roman numerals and
say them as ordinal numbers. But we do not say the definite article as
we do in English.

Isabel **II** *(segunda)* es la reina de Inglaterra.	*Elizabeth **II** (the second) is the queen of England.*
La hija de Fernando **V** *(quinto)* se llama Juana la Loca.	*The daughter of Ferdinand **V** (the fifth) is called Juana la Loca.*

3   A cardinal number comes before an ordinal number when both are
used together.

Necesitas leer **los dos primeros** capítulos para el examen.	*You need to read the **first two** chapters for the exam.*

PRÁCTICA

A **¿En qué lugar está . . . ?** Imagina que eres un(a) locutor(a) de deportes *(sports announcer).* Indica las posiciones de los diferentes coches que participan en la carrera. Sigue este modelo.

> *El coche* (color) *está en* (número) *lugar.*

B **¿Cuál es la fecha?** Primero, di estas fechas. Después, explícalas en español. Usa números cardinales y ordinales. Sigue el modelo.

> 5/12   *Es el cinco de diciembre.*
> *Es el quinto día del mes doce.*

1. 9/6
2. 26/11
3. 13/7

4. 8/1
5. 12/3
6. 15/9

7. 1/12
8. 4/2
9. 21/10

10. 31/5
11. 3/8
12. 17/4

Nominalización de adjetivos

◆ COMMUNICATIVE
OBJECTIVES
To point things out
To give advice
To state preferences

In Spanish we often avoid repeating a noun by using the definite article *el, la, los,* or *las* with an adjective or a prepositional phrase (*de inglés, de tenis,* etc.). The adjective agrees in gender and number with the noun that it replaces.

¿Quieres las bombillas amarillas?   *Do you want the yellow light bulbs?*
No, prefiero **las blancas**.   *No, I prefer **the white ones**.*

Terminamos el tercer capítulo.   *We're finishing the third chapter.*
Ya empiezo **el cuarto**.   *I'm already starting the **fourth one**.*

¿Te gustan las películas de terror?   *Do you like horror films?*
Sí, pero prefiero **las del oeste**.   *Yes, but I prefer **westerns**.*

PRÁCTICA

A De compras. El Sr. Barrios nunca va de compras solo porque nunca puede decidir qué comprar. Pregunta y contesta según el modelo.

> camisa roja / azul
> ESTUDIANTE A   *¿Cuál prefieres, la camisa roja o la azul?*
> ESTUDIANTE B   *Prefiero la azul.* (o: *la roja*)

1. anteojos de sol grandes / pequeños
2. chaqueta larga / corta
3. foto de la regata / de la carrera de caballos
4. manta nicaragüense / hondureña
5. abrigo gris / marrón
6. calcetines largos / cortos
7. suéter guatemalteco / mexicano
8. primer dibujo / último
9. coches alemanes / ingleses
10. aceitunas verdes / negras
11. zapatos de tenis americanos / franceses
12. voz de Plácido Domingo / de José Carreras

B Hablemos de ti.
1. ¿Cuáles son las tres primeras cosas que haces cuando llegas a casa?
2. ¿Cuál es tu primera clase del día? ¿Cuál es la última?
3. ¿A quién le pides dinero cuando lo necesitas? ¿Por qué escoges a esta persona?
4. ¿Cuáles son dos situaciones en que ríes? ¿Dos en que sonríes? Por ejemplo, ¿sonríes cuando un(a) amigo(a) te presenta a alguien?

APLICACIONES

Deportes de verano

En el verano, ¿participas en deportes como éstos? ¿Qué deportes puede la gente practicar en el mar? ¿Cuáles practicas tú? ¿Qué más hace la gente en la playa?

Emilia and Benjamín are at the seashore. Make up a dialogue in which they talk about water sports they enjoy. Are they on a team? Do their teams win often? You might want to use these words or phrases:

el campeón / la campeona	el empate	increíble
el campeonato (de . . .)	el tanteo	¿No te parece?

EXPLICACIONES II

El pretérito de los verbos que terminan en *-ar*

◆ COMMUNICATIVE
OBJECTIVE

To describe or report
events that happened in
the past

Remember that we use the preterite tense to talk about actions or events that occurred at a particular time in the past and have now ended. Here are all of the preterite forms for regular *-ar* verbs.

CANTAR	
cant**é**	cant**amos**
cant**aste**	cant**asteis**
cant**ó**	cant**aron**

Remember that the *yo* and *Ud. / él / ella* forms have an accent mark on the final vowel. Remember, too, that the *nosotros* form of regular *-ar* verbs is the same in the preterite and present tenses.

El pájaro rojo **cantó** anteayer por primera vez.	*The red bird **sang** for the first time the day before yesterday.*
Ayer **cantaron** los dos amarillos.	*Yesterday the two yellow ones **sang**.*

PRÁCTICA

A ¿Y ayer? Dos amigos hablan sobre lo que cada uno hizo ayer y anteayer. Sigue el modelo.

ESTUDIANTE A	*¿Qué hiciste ayer?*		**ESTUDIANTE A**	*¿Y anteayer?*
ESTUDIANTE B	*Ayer nadé.*		**ESTUDIANTE B**	*Anteayer buceé.*

1.

2.

3.   4.

5.   6.

B Las vacaciones de verano.   La Sra. Anaya quiere saber lo que hizo todo el mundo durante las vacaciones. Pregunta y contesta según el modelo.

> Uds. / descansar en la playa / nadar mucho
> ESTUDIANTE A   *¿Descansaron Uds. en la playa?*
> ESTUDIANTE B   *Sí. Y también nadamos mucho.*

1. Ud. / cantar con la banda otra vez / bailar en el espectáculo del parque de diversiones
2. (tú) / montar a caballo / ganar varias carreras de bicicletas
3. Rosa / patinar mucho sobre ruedas / caminar en el parque cada mañana
4. tú y tu familia / viajar a Puerto Rico / bucear en el Mar Caribe
5. tus tíos / alquilar un velero / participar en la regata por primera vez
6. Víctor / visitar a sus abuelos / dibujar el paisaje allí
7. tu hermanito / trabajar en el rancho / ayudar con el ganado
8. Armando y Enrique / montar mucho en bicicleta / levantar pesas todos los días
9. Uds. / participar en varias carreras / ganar muchas

Una mujer bucea en el Mar Caribe.

C ¿El año pasado? Usa un elemento de cada lista para describir lo que hizo todo el mundo. Usa el pretérito. Sigue el modelo.

> Mario y yo
> *Mario y yo buceamos en el lago anoche.*
> o: *Anoche Mario y yo buceamos en el lago.*

1. mi hermana
2. Carlos
3. mis primos
4. (yo)
5. Jorge y Eva
6. (nosotros)
7. (tú)
8. Luz
9. el equipo local

admirar el paisaje
bucear en el lago
cambiar de idea
cenar
desayunar
esquiar en el Perú
ganar el campeonato de
  natación
lavar las sábanas y fundas
levantar pesas
olvidar los salvavidas
prestar atención
quemar la comida
tomar muchos apuntes
visitar una exposición
  de arte panameño

anoche
anteayer
ayer
el año pasado
el mes pasado
el verano pasado
la semana pasada
por la mañana
por la tarde
por primera vez
temprano

Juegos Panamericanos, Indianápolis, 1987

(arriba) Jóvenes montan a caballo en Venezuela; (izquierda) Béisbol en los Juegos Panamericanos, Indianápolis, 1987

El pretérito del verbo *hacer*

The verb *hacer* is irregular in the preterite tense.

<table>
<tr><td colspan="2">HACER</td></tr>
<tr><td>hice</td><td>hicimos</td></tr>
<tr><td>hiciste</td><td>hicisteis</td></tr>
<tr><td>hizo</td><td>hicieron</td></tr>
</table>

◆ **COMMUNICATIVE OBJECTIVES**

To tell what people did or made

To interview someone

¿Qué **hiciste** ayer?   *What **did you do** yesterday?*
Asé pollo a la parrilla.   *I barbecued chicken.*

Note that in the *Ud. / él / ella* form, the *c* changes to *z* to maintain the soft *c* sound.

¿Quién **hizo** el pastel de chocolate?   *Who **made** the chocolate cake?*
Él lo **hizo**.   *He **made** it.*

PRÁCTICA

A   **¿Qué hizo cada uno?**   Imagina que asistes a una clase de trabajos manuales *(crafts)*. ¿Qué cosas hicieron los alumnos? Sigue el modelo.

(yo)
Hice una piñata.

1. (tú)

2. Juan

3. (nosotros)

4. Olga y Julia

5. Pedro y yo

6. Luisa

7. Cristina y tú

8. Daniel y Eugenio

9. (yo)

Explicaciones II   **189**

B Las vacaciones de invierno. La clase habla sobre lo que hizo todo el mundo durante las vacaciones de invierno. Haz preguntas. Luego escoge frases de la derecha para contestar.

(tú)

ESTUDIANTE A   *¿Qué hiciste?*
ESTUDIANTE B   *Esquié en las montañas.*

1. Uds.
2. tus primos
3. Federico
4. (tú)
5. tú y tu familia
6. Laura
7. los López
8. Ud., señor(a)

alquilar una casa en la isla San Padre
comprar ropa deportiva
esquiar en las montañas
hacer gimnasia
hacer un viaje al Caribe
montar a caballo
participar en el campeonato de esquí
pasar mucho tiempo en el club deportivo
patinar sobre hielo
trabajar y estudiar cada día
tratar de practicar español
visitar varios lugares interesantes

¡Somos todos ganadores!

C Un viaje. Un estudiante de Guyana, donde hablan inglés, tiene que escribir una composición sobre su viaje a la Argentina. Completa el párrafo con la forma correcta del pretérito de cada verbo.

El verano pasado mi familia y yo *(hacer)* un viaje a la Argentina. (Nosotros) *(pasar)* sólo una semana en Buenos Aires pero *(disfrutar)* mucho de nuestra visita. Es una ciudad moderna y muy interesante. El primer día (nosotros) *(caminar)* por la calle Florida y mamá *(comprar)*
5 regalos para toda la familia. Luego (nosotros) *(tomar)* un autobús y *(visitar)* el famoso Teatro Colón. Es un edificio bellísimo donde hay conciertos, ópera y baile. El segundo día (yo) *(visitar)* la Casa Rosada y *(caminar)* por la Plaza de Mayo. Esa tarde (yo) *(entrar)* en varias librerías de la avenida Santa Fe y *(tratar de)* hablar en español con la
10 gente. Papá y mamá *(caminar)* por el centro, donde *(cenar)* y *(escuchar)* tangos en un restaurante. El tercer día (nosotros) *(pasar)* la mañana en el Museo de Bellas Artes. Mis padres *(admirar)* mucho la exposición de arte argentino. Los últimos cuatro días en Buenos Aires (yo) no *(hacer)* mucho. (Yo) *(regresar)* a casa cansado pero muy contento.

D Hablemos de ti.

1. ¿Qué hiciste anoche?
2. ¿Qué hiciste el fin de semana pasado?
3. ¿Qué hiciste durante las vacaciones de invierno? ¿Y las de verano? ¿Hiciste algún viaje? ¿Lo hiciste en avión, en autobús, en tren o en coche? ¿Visitaste a alguien? ¿A quién?

ACTIVIDAD

Y ahora . . . los deportes.   You and a partner take the roles of a sportcaster and an athlete. The sportscaster should interview the athlete, basing the interview on these seven basic questions: Who, what, when, where, which, how, and why.

Entrevista (*interview*) con el jugador de golf, Chi Chi Rodríguez

REPASO

Mira las frases modelo. Luego cambia las frases que siguen al español según los modelos.

1. *Soy una persona muy atlética. Levanto pesas cuando puedo.*
   (We're (fem.) very energetic skiers. We practice skiing when(ever) we can.)
   (Roberto is not a very good swimmer. He wears a life preserver when(ever) he sails.)
   (Mrs. Gómez is a very good photographer. She takes pictures when(ever) she travels.)

2. *El mes pasado, patinamos sobre hielo en el lago.*
   (Last Monday I scuba dived with Paco in the ocean.)
   (Last Thursday you (fam.) changed your mind at 2:00.)
   (Last week you (fam.) and Luisa roller-skated at the club.)

3. *Anteayer, hicieron un picnic con los visitantes.*
   (Last night we made plans with the coaches (fem.).)
   (Last year you (fam.) took a trip to the island.)
   (This morning I asked questions about the sailboat.)

4. *Quizás pido una tienda de acampar grande.*
   (At 1:00 we request a free tennis court.)
   (Fortunately they serve tasty lamb chops.)
   (Now you (fam.) are asking for new tennis shoes.)

5. *Ayer hiciste la cama grande. Ahora descansas en la pequeña.*
   (Today we finished the fourth race. Tomorrow we run in the fifth.)
   (Yesterday afternoon they won the ninth boat race. Today they sail in the tenth.)
   (The day before yesterday I threw away the empty boxes. Now I'm looking (buscar) in the full ones.)

Una tenista de México

Estamos preparados para un partido de fútbol.

TEMA

Escribe las frases en español.

1. Marta is a very active girl. She practices sports whenever she can.

2. Last week she went horseback riding at the ranch.

3. The day before yesterday she did gymnastics at the club.

4. Now she's asking for a new tennis racquet.

5. Last week she won the first match. Tomorrow she takes part in the last one.

REDACCIÓN

Ahora escoge uno de los siguientes temas para escribir tu propio diálogo o párrafo.

1. Expand the *Tema* by telling what other sports Marta participated in recently. What other pieces of sports equipment does she own? Are they expensive? Does she have to ask her parents for money? What type of person do you think Marta is?

2. Write a paragraph about the sports you like or don't like. Tell why. Did your school win any championship last year? If so, which one? If not, how does your team rank compared to the teams of other schools?

3. Make up a dialogue in which you interview your favorite sports figure.

COMPRUEBA TU PROGRESO   CAPÍTULO 5

A   ¿Qué hacen?
Haz frases con las siguientes palabras.

1. mamá / siempre servir comida sabrosa
2. Tomás y tú / repetir a menudo las respuestas
3. (nosotros) / pedir más cacahuates
4. (tú) / servir paella por primera vez
5. (yo) / nunca repetir lo que decimos
6. Ud. / siempre pedir más que los otros

B   ¿Qué haces?
Completa cada frase con la forma correcta del verbo entre paréntesis.

1. ¿Por qué no *(sonreír)* cuando te saco una foto?
2. Cuando Daniel viene a casa, (nosotros) *(reír)* mucho.
3. Ellas *(reír)* cuando les cuento chistes.
4. María *(sonreír)* porque es la nueva campeona de natación.
5. Juan y Carlos son muy tímidos. Nunca *(sonreír)*.
6. Siempre *(sonreír)* cuando recibo cartas de mi hermano.

C   ¿Primero o segundo?
Contesta las preguntas.

1. ¿Qué tienes que leer? / 4º capítulo
2. ¿Quién es Mónica Santos? / 5ª nadadora
3. ¿Cuál es la fecha de hoy? / 1º de febrero
4. ¿Dónde vives? / 3ª casa de la esquina
5. ¿Dónde están las raquetas? / 2ª caja
6. ¿Dónde trabajas? / 9º piso

D   ¿Cuál prefieres?
Contesta cada pregunta con el antónimo correcto. Sigue el modelo.

> *¿Te gustan los cuentos largos?*
> *No, prefiero los cortos.*

1. ¿Te gustan los edificios altos?
2. ¿Te gustan los anillos grandes?

3. ¿Te gustan las películas serias?
4. ¿Te gustan los cuadros viejos?
5. ¿Te gusta el último velero?
6. ¿Te gusta el paisaje del este?

E   ¿Qué hicieron?
Di lo que hizo cada una de las siguientes personas. Usa la forma correcta del pretérito.

1. (yo)   2. Ud.

3. (nosotros)   4. (tú)

5. (ellos)   6. Uds.

F   Ayer por la mañana
Escribe las frases siguientes otra vez. Usa el pretérito y reemplaza *(substitute)* las palabras en cursiva por *(with)* las palabras entre paréntesis.

1. *Cada año* hacemos un viaje a San Juan.   (ya)
2. *Todos los días* hago la cama antes de salir de casa.   (esta mañana)
3. ¿Haces la maleta *hoy*?   (anoche)
4. *Ahora* la gente hace cola para comprar las entradas.   (anteayer)
5. *¿Siempre* hacen Uds. la tarea después de cenar?   (ayer)
6. *Hoy* hacemos un asado.   (el sábado pasado)

VOCABULARIO DEL CAPÍTULO 5

Sustantivos
el campeón (*pl.* los campeones), la campeona
el campeonato
la cancha de tenis
el carné
la carrera
el club, *pl.* los clubes
el empate
el entrenador, la entrenadora
el equipo local
el esquí
el esquí acuático
el esquiador, la esquiadora
el ganador, la ganadora
la isla
el jai alai
el levantador / la levantadora de pesas
el milagro
el nadador, la nadadora
la natación
el patinador, la patinadora
las pesas
la raqueta
la regata
el salvavidas, *pl.* los salvavidas (*life preserver*)
el salvavidas, la salvavidas
el tanteo
el/la tenista
el velero
el/la visitante
la voz, *pl.* las voces
los zapatos de tenis

Adjetivos
activo, -a
deportivo, -a
estricto, -a
fuerte (*loud*)
ganador, -a
increíble
perdedor, -a
último, -a

Números ordinales
segundo, -a
tercero (tercer), -a
cuarto, -a
quinto, -a
sexto, -a
séptimo, -a
octavo, -a
noveno, -a
décimo, -a

Verbos
bucear
navegar
participar
reír (e → i)
sonreír (e →i)

Adverbio
anteayer

Preposiciones
contra
hasta (*to, as far as*)

Expresiones
de acuerdo
hacer gimnasia
levantar pesas
montar a caballo
¿no te parece?
por + *número ordinal* + vez
¡qué barbaridad!

CAPÍTULO 6

UNA CARRETERA PARA LAS AMÉRICAS

How would you like to try a highway that passes through deserts, mountains, jungles, and plains? You can if you take the Pan American Highway from the United States to Chile.

La carretera panamericana is unique. A joint project of nineteen countries, it was begun in the 1920s and was largely completed by 1950. It is actually made up of numerous roads that crisscross Latin America, connecting the capitals of seventeen countries. All together, this famous highway is 47,516 kilometers long! (Though Canada and the United States are co-sponsors, they have never actually named any of their roads as part of the highway. But you can begin your trip at Nogales, Arizona, or El Paso, Eagle Pass, or Laredo, Texas.)

The roads of the Pan American Highway are often rather narrow, and they are not lined with gas stations, motels, and restaurants. Travelers often have to carry gas and food with them, because towns may be many hours apart. In some areas, this is the only route through dense jungles or high mountain ranges.

The highway is interrupted at only one point: the Darien Gap in Panama. The land there is so swampy, the rain forest so dense, and the mosquitoes so numerous that construction has never been completed. Cars can reach Colombia or Venezuela only by ferry.

Perhaps the most unusual attraction along the route is the *Pampa Colorada* (Red Plain) in Peru, where a series of canals were carved into the earth some 5,000 years ago. Viewed from the ground, these canals make no apparent sense; seen from a plane, they create an enormous picture of a man and several animals. Unlike the modern highway that passes by them, no one knows who built these, why, or how they created a master plan for something they were never able to see in its entirety.

◆ COMMUNICATIVE
OBJECTIVES

To buy a travel ticket

To discuss travel
arrangements

To ask questions at a
railroad station

To interview someone

PALABRAS NUEVAS I

En la estación de tren

CONTEXTO
VISUAL

ANDÉN 5

ANDÉN 6

el coche cama
pl. los coches cama

el coche comedor
pl. los coches comedor

BOLETOS

la ventanilla

el bolsillo

la pasajera

el inspector

el pasajero

la inspectora

el andén
pl. los andenes

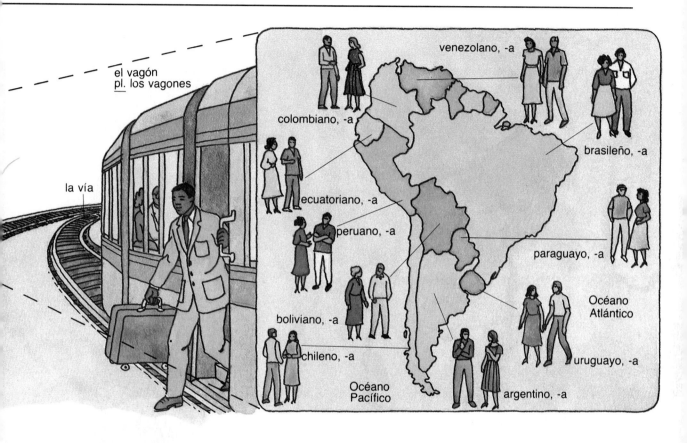

el vagón
pl. los vagones

la vía

colombiano, -a

venezolano, -a

brasileño, -a

ecuatoriano, -a

peruano, -a

paraguayo, -a

Océano
Atlántico

boliviano, -a

chileno, -a

uruguayo, -a

argentino, -a

Océano
Pacífico

CONTEXTO COMUNICATIVO

1 INÉS   Buenas tardes. Dos boletos **de primera clase** para
                  Santiago, por favor.

    VENDEDOR   **¿De ida** o **de ida y vuelta?**

    INÉS   De ida. ¿Cuánto es?

    VENDEDOR   Mil novecientos pesos.

Variaciones:

■ de primera clase → de segunda clase
   novecientos → quinientos

**de primera (segunda)
clase** *first (second) class*

de ida *one way*

de ida y vuelta *round trip*

Palabras Nuevas I   **199**

2   MÓNICA   ¡Vámonos! Ya **anunciaron la salida** del tren.

        JULIO   ¡Qué lata! No tengo tiempo para comprar una revista.

■ salida → **llegada**
■ una revista → un periódico

> **anunciar** *to announce*
> **la salida** here: *departure*
>
> **la llegada** *arrival*

3   MARIANA   Aquí estamos. ¡Por fin! **Tardamos** veinte minutos **en** llegar a la estación. ¿A qué hora llega el tren?

      FEDERICO   Acaban de anunciar que el tren de Guadalajara llega **con retraso.**

■ ¡por fin! → ¡qué alivio!
■ con retraso → **con media hora de retraso**

> **tardar (en + inf.)** *to take +* time *(+* verb)
>
> **con retraso** *late*
>
> **con (media hora de) retraso** *(a half hour) late*

4   SR. CASAS   ¿De qué andén sale el tren **local,*** Rosita?

      ROSA   Del 5, papá. Tenemos que **cruzar** el puente **sobre** las vías.

■ local → **expreso**

> **local** *local*
> **cruzar** *to cross*
> **sobre** here: *over*
>
> **expreso** *express*

5   RAFAEL   ¿Dónde **coloco** las maletas?

      ELISA   Debajo del asiento.

■ coloco → pongo

> **colocar** = poner

6   MARIO   ¿Fuiste a Lima?

      CLARA   Sí, fui el verano pasado.

      MARIO   ¿Fuiste sola?

      CLARA   No, mi hermana Silvia fue conmigo.

■ Lima → Cuzco
■ verano → año

* A local train is one that stops at all stations along a particular route. An express train stops only at the major, well-traveled stations.

7 **EDUARDO**   Acabo de leer una novela del profesor Ortiz. Él nos dice que muchos escritores son profesores **de profesión.**

TERESA   ¿De veras? ¿Te gustó el libro?

EDUARDO   Sí, **fue** muy emocionante. Ahora **comienzo a** leer una biografía de Felipe IV.

■ muy emocionante → fabuloso
■ comienzo → empiezo

la profesión, pl. **las profesiones** *profession*
de profesión *by profession*
fue here: preterite of **ser** *was*
comenzar (a + inf.) (**e → ie**) = empezar (a)

EN OTRAS PARTES

En México, la América Central y el Perú se dice *la bolsa.*

En España se dice *el revisor.*

En España se dice *la taquilla.*

el tren expreso

En España también se dice *el tren rápido.*

PRÁCTICA

A **Un viaje en tren.**   Imagina que un(a) amigo(a) acaba de llegar en tren y te habla de su viaje. Completa cada frase con la palabra o expresión correcta.

andén	expreso	pasajeros
boleto de ida y vuelta	inspector	retraso
coche comedor	llegada	ventanilla

Cuando llegamos a la estación fui a la _____ para comprar un _____ a Madrid. Esperé el tren con varios otros _____ en el _____ número 5. El tren _____ llegó a la estación con casi una hora de _____. Ya en el tren fui al _____ para almorzar. Una hora más tarde el _____ anunció
5 nuestra _____ a la estación Atocha en Madrid. Fue un viaje agradable.

B **¿Están Uds. juntos?** Dos amigos hacen un viaje juntos, pero tienen ideas diferentes. Contesta con lo contrario *(opposite)* según el modelo.

> ESTUDIANTE A *¿Está lleno el coche comedor?*
> ESTUDIANTE B *No, está vacío.*

1. ¿Compramos boletos de ida y vuelta?
2. ¿Nuestros asientos están en el último vagón?
3. ¿Viajamos en segunda clase?
4. ¿Tomamos el tren expreso?
5. ¿Está a la derecha el andén número 14?
6. ¿Llega a tiempo el tren?
7. ¿Anuncian las salidas?
8. ¿Suben al tren esos pasajeros?

(izquierda) En Buenos Aires

(derecha) En Málaga

C En la oficina de inmigración. Imagina que trabajas en la oficina de inmigración y que entrevistas *(interview)* a la gente que viene de varios países. Pregunta y contesta según el modelo.

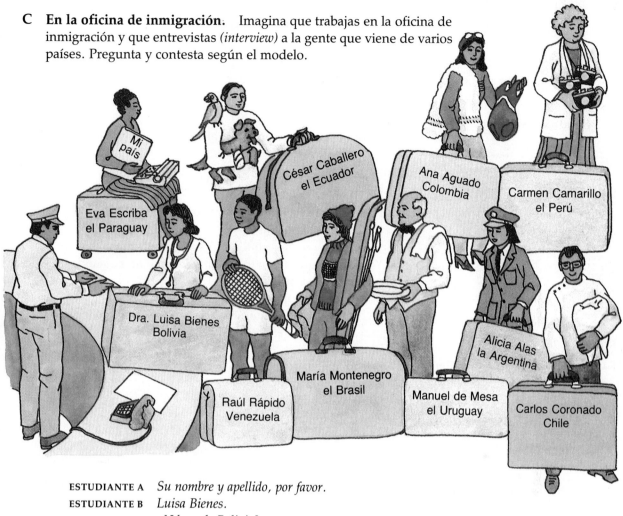

ESTUDIANTE A	*Su nombre y apellido, por favor.*
ESTUDIANTE B	*Luisa Bienes.*
ESTUDIANTE A	*¿Ud. es de Bolivia?*
ESTUDIANTE B	*Sí, soy boliviana.*
ESTUDIANTE A	*¿Y cuál es su profesión?*
ESTUDIANTE B	*Soy médica.*

D Hablemos de ti.

1. ¿Prefieres viajar en tren o en avión? ¿Por qué? ¿Hay una estación de tren en tu ciudad? ¿Dónde está? Descríbela.
2. ¿Generalmente llegas a la escuela a tiempo o con retraso? ¿Qué pasa cuando llegas con retraso? ¿Por qué no llegas siempre a tiempo?
3. ¿Cuánto tiempo tardas en llegar a la escuela? ¿Cómo vas allí?
4. ¿A qué hora comienzas a hacer tu tarea por la noche? Generalmente, ¿cuánto tiempo tardas en hacerlo?

APLICACIONES

Un viaje en tren

En Caracas, Venezuela

Dos amigos compran boletos para viajar en un tren que cruza los Andes.

IGNACIO   ¿Compramos boletos para el coche cama?

GREGORIO   No, hombre, eso es carísimo.

5   IGNACIO   Pero siempre hay mucha gente en este tren. Nunca tienes dos asientos juntos para acostarte bien. Si vamos en el coche cama, no llegamos cansados.

GREGORIO   Yo prefiero dormir en el hotel. Es mucho más cómodo y tenemos tiempo.

10   IGNACIO   Eres muy tacaño, Gregorio.

GREGORIO   ¿A mí me llamas tacaño, Ignacio? Fue tu idea tomar el tren local y no el expreso. El viaje va a durar tres horas más.

IGNACIO   Bueno, chico, de alguna manera[1] tenemos que
15   ahorrar[2] nuestro dinero.

GREGORIO   ¡Qué barbaridad!

---

[1] **de alguna manera** *somehow*   [2] **ahorrar** *to save*

Preguntas
Contesta según el diálogo.

1. ¿Por qué no quiere Gregorio comprar boletos para el coche cama?
2. ¿Por qué quiere Ignacio comprarlos? 3. ¿Dónde prefiere descansar Gregorio? ¿Por qué? 4. ¿Por qué dice Ignacio que Gregorio es tacaño? 5. Según lo que dicen Gregorio e Ignacio en las líneas 11–16, ¿cuál cuesta más, tomar el tren local o el tren expreso? ¿Por qué cuesta uno más que el otro? 6. En tu opinión, ¿cuál es más importante, la comodidad *(comfort)* o el tiempo que dura un viaje? ¿Por qué?

Tren en el Perú

Participación

Work with a partner to prepare a dialogue about taking a trip. Imagine that you are going by train. Where do you want to go? Do you prefer to take the local or the express train? Why? Do you want to be in the sleeping car? Why? Do you prefer to travel at night or during the day?

PALABRAS NUEVAS II

¿Tiene Ud. reservación?

CONTEXTO VISUAL

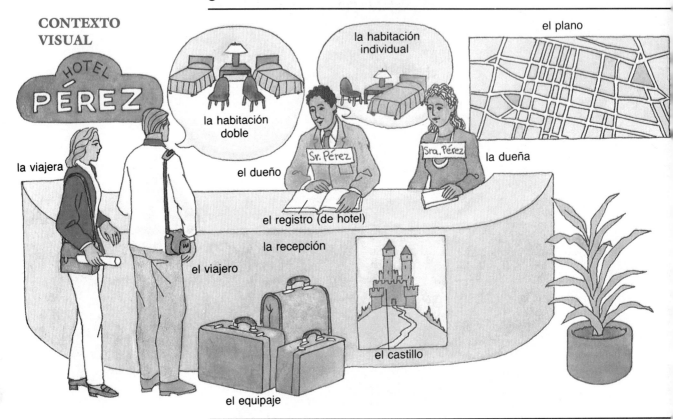

CONTEXTO COMUNICATIVO

1 En España hay muchas **pensiones*** buenas y baratas.
   También hay **paradores** que generalmente son edificios
   históricos muy viejos y muy bellos. Algunos de ellos son
   castillos.

   Variaciones:
   - buenas → cómodas
   - muy bellos → **maravillosos**

la pensión, pl. **las pensiones** *boardinghouse*
el parador *government-run inn*
histórico, -a *historic*
maravilloso, -a *marvelous, wonderful*

* A *pensión* is a boardinghouse where one can rent rooms for long or short periods of time
and have three meals a day. The meals are included in the price of the room.

| To make a hotel reservation | To locate a bank or currency exchange | To tell someone to do something |
| To register at a hotel | To exchange money or cash a traveler's check | To make polite requests |

la casa de cambio*

la tarjeta de crédito

el cheque de viajero

firmar

el billete

el cheque

Argentina	austral	El Salvador	colón	Paraguay	guaraní
Bolivia	peso	España	peseta	Perú	inti
Colombia	peso	Guatemala	quetzal	Puerto Rico	dólar
Costa Rica	colón	Honduras	lempira	República Dominicana	peso
Cuba	peso	México	peso	Uruguay	peso
Chile	peso	Nicaragua	córdoba	Venezuela	bolívar
Ecuador	sucre	Panamá	balboa		

2 DUEÑA   ¿Tiene Ud. una reservación?

SR. QUIROZ   Sí. Soy Rafael Quiroz.

DUEÑA   Aquí está, Sr. Quiroz. **¿Quiere** firmar el registro, por favor?

SR. QUIROZ   Muy bien. ¿Y dónde puedo **cobrar un cheque**?

DUEÑA   Hay un banco en la esquina.

¿quiere(n) + inf.? here: *will you . . . ?*

cobrar un cheque *to cash a check*

■ cobrar un cheque → cambiar unos billetes
  un banco → una casa de cambio

* Like banks, currency exchanges, found in all major cities, change foreign money into local money for travelers. They accept cash and traveler's checks but not personal checks.

3 DUEÑO   ¿Prefiere Ud. una habitación individual o doble?

JOSEFINA   Individual, por favor.

DUEÑO   ¿Va a **pagar al contado**?

JOSEFINA   No, prefiero usar un cheque de viajero.

■ un cheque de viajero → una tarjeta de crédito

pagar al contado   *to pay cash*

4 JULIA   ¿Va a hacer buen tiempo hoy?

NICOLÁS   No, el cielo no está muy **claro.** Creo que va a llover.

JULIA   ¡Caramba! Entonces hoy **no** podemos **ni** nadar **ni** remar.

■ no está muy claro → está bastante **oscuro**
■ el cielo no está muy claro → está nublado

claro, -a   *bright, clear*

no . . . ni . . . ni   *neither . . . nor, not . . . or*

oscuro, -a   *dark*

5 SR. AYALA   Los boletos cuestan casi seiscientas pesetas y **no** tengo **ni** un centavo.

SRA. AYALA   **Ni yo tampoco.** Pero puedo usar la tarjeta de crédito.

SR. AYALA   ¡Qué alivio!

■ ¡qué alivio! → ¡qué susto!

no . . . ni   *not even*

ni (yo) tampoco   *not either (I don't either), neither (neither do I)*

(izquierda) En un parador en Sigüenza, España; (derecha) En Torremolinos, España

EN OTRAS PARTES

la pensión

También se dice *la casa de huéspedes*.   También se dice *el cuarto sencillo*.

PRÁCTICA

A En la recepción.   Imagina que estás cerca de la recepción de un hotel. Oyes partes de varias conversaciones. Usa los dibujos para completar las frases.

1. Cuando viajo, siempre llevo mucha ropa. Por eso necesito tanto _____.
2. Si queremos saber adónde vamos, necesitamos un _____ de la ciudad.
3. Necesito cambiar unos dólares. ¿Dónde está la _____?
4. Cuando algo cuesta mucho mis padres generalmente pagan con una _____.
5. ¿Puede Ud. cambiar un _____ de cincuenta dólares?
6. Las _____ cuestan menos que las _____ porque son más pequeñas y tienen sólo una cama.
7. Cuando viajo siempre compro _____ porque no me gusta llevar mucho dinero.
8. Perdón, señor, ¿dónde está la _____? Necesito firmar el _____.

B En la pensión.   Imagina que hablas con la gerente de una pensión. De la lista a la derecha escoge la mejor respuesta para cada pregunta.

1. ¿Tiene Ud. una habitación libre con vista al mar?
2. ¿Tiene Ud. habitaciones individuales?
3. ¿Vienen muchos viajeros de Europa?
4. ¿Es Ud. la dueña?
5. ¿Puedo darle un cheque?
6. ¿Hay algún parador cerca de aquí?
7. ¿Hay una casa de cambio en este barrio?
8. ¿Tiene planos de la ciudad?

a. Sí, los tenemos y una guía excelente también.
b. Sí, hay uno en un castillo muy viejo.
c. No, señorita. Soy la gerente.
d. No, sólo dobles.
e. Lo siento. Hay que pagar al contado o con una tarjeta de crédito.
f. Sí, y hay muchos sudamericanos también.
g. No, pero hay un banco en la esquina.
h. Sí, tenemos dos. Pero no tienen balcón.

C En el club. Es una buena idea ser cortés *(polite)* con los clientes. Ayer dos amigos trabajaron en el club. Hoy sólo uno está todavía allí. Sigue el modelo.

> darme el carné
> ESTUDIANTE A *Dame el carné.*
> ESTUDIANTE B *¿Quiere Ud. darme el carné, por favor?*

1. firmar el registro en la recepción
2. leer el horario de actividades
3. hablar con el entrenador
4. anunciar el tanteo
5. dejar las toallas sucias aquí
6. colocar su ropa en este armario
7. sacar la bicicleta del pasillo
8. esperarme en la oficina.

D Hablemos de ti.
1. ¿Adónde te gustaría ir de vacaciones? ¿Al campo? ¿Al mar? ¿A las montañas? ¿Por qué?
2. ¿Cómo viajas cuando vas de vacaciones? ¿En coche? ¿En tren? ¿En avión? ¿Cuál prefieres? ¿Por qué?
3. ¿Viajas siempre con tu familia, o viajas a veces solo(a)? Si viajas con tu familia, ¿quién hace los planes de viaje? ¿Quién hace las reservaciones?
4. Imagina que haces un viaje. ¿Qué cosas llevas en el bolsillo? ¿En la cartera? ¿En el bolso? ¿En el equipaje?
5. ¿Te gusta quedarte en un hotel o motel? ¿Por qué? ¿Cuáles prefieres, moteles u hoteles? ¿Por qué?
6. Describe tu dormitorio. ¿Es grande o pequeño? ¿Es claro u oscuro? ¿Cuántas ventanas hay? ¿Tiene vista a la calle? ¿Al jardín? ¿Al patio?

En Costa Rica

ACTIVIDAD

¿Necesitas una habitación? Imagine that you and two partners have opened a *pensión*. Working together, write an advertisement or create a poster designed to encourage travelers to stay there. For example:

> **La Estrella**—la mejor pensión de (la ciudad). Tenemos veinte cuartos con baño privado. Todos los cuartos tienen vista al mar. Gratis para niños menores de 12 años. Puede pagar con tarjeta de crédito.

ESTUDIO DE PALABRAS

Sometimes in English we use only one word for more than one idea or object, where Spanish uses two different words. For example, both of these pictures mean "country" to an English speaker. To a Spanish speaker the pictures represent two very different ideas and words:

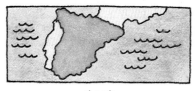
el país

el campo

What are these words?

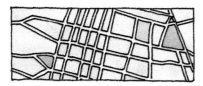

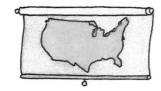

Sometimes it works the other way. English uses different words where in Spanish only one is used:

la entrada

la salida

Sinónimos:
Cambia las palabras en cursiva por sinónimos.

1. ¿Me puede decir cuándo va a *comenzar* la película?
2. Queremos reservar *un cuarto* para este fin de semana.
3. ¿Por qué *pones* las monedas en tu bolsillo?

Antónimos:
Escribe un antónimo para cada palabra en cursiva.

1. El cielo está muy *claro* hoy.
2. *Terminamos* el libro hoy por la mañana.
3. ¿Cuándo van a anunciar *la salida* del tren?
4. Los pasajeros llegaron *temprano*.

EXPLICACIONES I

El pretérito: Verbos que terminan en *-car*, *-gar* y *-zar*

◆ COMMUNICATIVE
OBJECTIVES

To describe or report events that happened in the past

To correct wrong assumptions

To describe a plane trip

In the preterite, verbs whose infinitive form ends in *-car*, *-gar*, and *-zar* have a spelling change in the *yo* form. All of their other preterite forms are regular.

-car (c → qu)
SACAR
¿Sacaste fotos ayer?   *Did you take any pictures yesterday?*
Sí, saqué muchas.   *Yes, I took a lot.*

-gar (g → gu)
PAGAR
¿Pagaste al contado?   *Did you pay in cash?*
No, pagué con un cheque.   *No, I paid with a check.*

-zar (z → c)
CRUZAR
¿Cruzaste la Calle 8?   *Did you cross 8th Street?*
Sí, la crucé.   *Yes, I crossed it.*

Here are the other verbs that you know that follow these patterns.

    -car: *buscar, colocar, explicar, practicar, secar,* and *tocar*

    -gar: *apagar, despegar, jugar, llegar,* and *navegar*

    -zar: *almorzar, aterrizar, comenzar,* and *empezar*

Remember that stem-changing *-ar* verbs do not have a stem change in the preterite.

Almuerzan en el coche comedor.   ***They're eating*** *in the dining car.*
Almorzaron en el coche comedor.   ***They ate*** *in the dining car.*

Los invitados **comienzan** a llegar a las ocho.   *The guests **begin** to arrive at 8:00.*

Los invitados **comenzaron** a llegar a las ocho.   *The guests **began** to arrive at 8:00.*

PRÁCTICA

A ¿Qué hizo la familia de Elena? Escoge palabras de cada columna para describir lo que hicieron Elena y su familia. Sigue el modelo.

Ayer por la tarde mi hermano colocó los muebles viejos en el sótano.

anoche	(yo)	almorzar en el centro
anteayer	mi hermano	buscar un plano de Quito
ayer por la mañana	mis padres	colocar los muebles
ayer por la tarde	mi hermanita	viejos en el sótano
esta mañana	Ricardo y yo	comenzar un libro
el lunes pasado	mi hermana y	nuevo
	su esposo	jugar a los bolos
	Ricardo y tú	sacar unas novelas
		históricas de la
		biblioteca
		secar la ropa
		practicar canciones
		folklóricas peruanas

B El viaje. Pedro acaba de regresar a casa después de pasar unos días con sus primos en otra ciudad. Sus padres le preguntan qué hizo. Pregunta y contesta según el modelo.

llegar con retraso a la estación / a tiempo
ESTUDIANTE A *¿Llegaste con retraso a la estación?*
ESTUDIANTE B *No. Llegué a tiempo.*

1. pagar el boleto con cheques de viajero / al contado
2. colocar las maletas en el pasillo / sobre el asiento
3. almorzar en el coche comedor / en mi vagón
4. practicar el inglés con los otros pasajeros / con el inspector
5. buscar a tus primos en el andén / afuera
6. comenzar la biografía de ese poeta colombiano / una novela chilena
7. tocar la guitarra frecuentemente / nunca
8. jugar al jai alai con tu primo / al tenis con él
9. cruzar muchos ríos grandes / sólo el río Paraná
10. navegar mucho / sólo una vez

Pasajeros en un vagón del metro de Caracas, Venezuela

C El viaje de Esteban.   Esteban escribe sobre su primer viaje a Caracas. Completa el párrafo con las formas correctas del pretérito.

Ayer por la mañana (yo) *(cruzar)* el Mar Caribe en avión. El avión *(despegar)* con unos minutos de retraso y el viaje *(tardar)* más de dos horas y media. Durante el viaje *(empezar)* a leer una novela venezolana y *(comenzar)* a escribirle una carta a mi abuela, pero no la *(terminar)*.

5 Unos muchachos que asisten a la Universidad de Miami *(hablar)* conmigo y me *(invitar)* a su casa este fin de semana. Al mediodía (yo) *(almorzar)*. Antes de aterrizar (yo) *(sacar)* varias fotos maravillosas de la ciudad de Caracas desde el avión. El avión *(aterrizar)* a la una. En el aeropuerto (yo) *(buscar)* mi equipaje y lo *(encontrar)* todo sin problema.

10 ¡Qué milagro! Luego yo *(tomar)* un taxi y *(llegar)* al hotel antes de las dos.

El pretérito de *ir* y *ser*

◆ COMMUNICATIVE OBJECTIVES

To compare trips and activities

To make excuses for others

To reminisce

The verbs *ir* and *ser* have identical forms in the preterite tense. The context makes the meaning clear.

INFINITIVOS   **ser / ir**

	SINGULAR		PLURAL	
1 (yo) **fui**	{ I was I went	(nosotros) (nosotras) **fuimos**	{ we were we went	
2 (tú) **fuiste**	{ you were you went	(vosotros) (vosotras) fuisteis	{ you were you went	
3 Ud.	{ you were you went	Uds.	{ you were you went	
(él) **fue**	{ he was he went	(ellos) **fueron**	{ they were they went	
(ella)	{ she was she went	(ellas)	{ they were they went	

Compare the following sentences.

Su esposo **fue** profesor en San Antonio.	*Her husband **was** a teacher in San Antonio.*
Su esposo **fue** a San Antonio.	*Her husband **went** to San Antonio.*

| Mi tío **fue** médico. | *My uncle **was** a doctor.* |
| Mi tío **fue** al médico. | *My uncle **went** to the doctor.* |

1 We can also use the preterite of *ir a* + infinitive to describe what someone went to do.

¿Adónde **fue papá**?	*Where **did Dad go**?*
Fue a firmar el registro.	*He **went to sign** the register.*
¿Adónde **fuiste**?	*Where **did you go**?*
Fui a navegar.	*I **went sailing**.*

PRÁCTICA

A **¿Adónde fueron?** Es lunes y un grupo de amigos habla sobre adónde fueron durante la semana de vacaciones. Sigue el modelo.

el 24 (yo)   Uds.

ESTUDIANTE A   *El 24 fui al teatro. Y Uds., ¿adónde fueron?*
ESTUDIANTE B   *Fuimos al museo.*

1. el lunes (yo)   él   2. el martes (yo)   tú

3. el miércoles (yo)   Marta   4. el jueves (yo)   ellos

5. el viernes (yo)   tú   6. el sábado (yo)   Daniel y tú

7. ayer (yo)   Uds.   8. anoche (yo)   José

B Actividades deportivas. ¿Qué fueron a hacer las siguientes personas? Sigue el modelo.

> los hermanos Ábalo / jugar al jai alai
> ESTUDIANTE A *¿Qué fueron a hacer los hermanos Ábalo?*
> ESTUDIANTE B *Fueron a jugar al jai alai.*

1. Leonor / montar a caballo
2. el Dr. Peralta y su hija / remar
3. Virginia y Sofía / bucear
4. el Sr. Fernández / patinar sobre ruedas
5. Uds. / levantar pesas
6. la familia Donoso / hacer gimnasia
7. la Dra. Vélez / jugar al golf
8. Ester y tú / montar en bicicleta
9. ¿y tú / ?

C Fotos de familia. Agustín y Carlota miran el álbum de fotos de su familia. Usa el pretérito de *ser* y sigue los modelos.

> una pensión muy cómoda
> *Fue una pensión muy cómoda.*
> nosotros / compañeros de clase
> *Nosotros fuimos compañeros de clase.*

1. un día muy oscuro
2. (tú) / un alumno excelente
3. la tía Marta / la dueña de esa tienda
4. mis mejores vacaciones
5. mi disfraz favorito
6. el Sr. Escobar / campeón de natación
7. (yo) / la ganadora de esa carrera
8. (nosotros) / los últimos en la regata

En Siquirres, Costa Rica

D Hablemos de ti.

1. ¿Dónde almorzaste ayer? ¿Con quién?
2. ¿Practicaste un deporte ayer? ¿Cuál?
3. ¿Adónde fuiste anoche? ¿Adónde fuiste el fin de semana pasado?
4. ¿Fuiste de compras la semana pasada? ¿Qué compraste? ¿Fuiste de excursión? ¿Adónde? ¿Con quién? ¿Cuánto tiempo duró la excursión?
5. ¿Fuiste de pesca o de camping el año pasado? ¿Adónde? ¿Con quién?

ACTIVIDAD

El último viaje   Get together with two or three students to talk about a trip each of you took. You might ask each other questions such as these:

¿Cuál fue el viaje más largo que hiciste?
¿Adónde fuiste?
¿Cuándo fuiste?
¿Quiénes fueron contigo?
¿Cómo fue el viaje?

Estudiantes en las Islas Canarias

APLICACIONES

¡Una noche en un castillo!

Querida[1] Sofía:

¡Hola! Aquí en España vemos muchas cosas fabulosas. ¡Imagínate! ¡Acabamos de pasar unos días en un castillo! Aterrizamos en España el viernes y papá anunció, "Vamos a quedarnos en un parador." Papá alquiló un
5 coche y viajamos dos horas por los campos[2] de Castilla.* Por fin, encontramos el castillo en un hermoso valle entre dos colinas.

Sofía, estos castillos históricos de España son fantásticos. No pierden nada de su aspecto[3] viejo, pero las habitaciones son cómodas, modernas y elegantes. La cama en la habitación individual es tan grande que mi herma-
10 na y yo podemos dormir juntas en ella. En las paredes todavía hay armas[4] viejas, pero afortunadamente nadie las usa. Son sólo una decoración. Nuestra habitación tiene vista a los jardines llenos de flores de muchos colores. Las rosas son increíbles. ¡Qué hermoso está todo! ¡Y qué buena idea es convertir un castillo en un hotel!

15 Recorrí[5] todo el parador. Desde una de las torres[6] miré el paisaje verde de Castilla. ¡Qué bonito! Pensé en las aventuras románticas del pasado, de la gente tan rica que antes vivieron aquí y de los reyes y reinas que la visitaron.

En unas horas voy a decirle adiós a mi castillo. Mamá no quiere volver a
20 casa. ¡Ni yo tampoco! Ahora te digo adiós a ti porque tengo que hacer las maletas. ¡Y tengo tanto equipaje! ¡Hay una maleta pequeña sólo para los recuerdos que compramos! Hasta luego.

Tu amiga,

Lupe

El Parador Carlos V
en España

---

[1]**querido, -a** *dear*   [2]**el campo** here: *field*   [3]**el aspecto** *appearance*
[4]**las armas** *weapons*   [5]**recorrí** (preterite of **recorrer**) *I went through*
[6]**la torre** *tower*

* La región central de España se llama Castilla. El nombre quiere decir "tierra de castillos."

Preguntas

Contesta según la lectura.

1. ¿Cómo viajan Lupe y su familia?
2. ¿En qué parte de España están?
3. ¿En qué clase de parador se quedan?
4. Describe el paisaje donde está el castillo.
5. Según Lupe, ¿cómo son las habitaciones?
6. Describe la habitación de Lupe. Compara esto a los muebles y decoraciones de una habitación en un hotel o motel que tú conoces.
7. ¿Qué vista tiene el cuarto?
8. ¿Por qué piensa Lupe en aventuras cuando está en el castillo?

(izquierda) Un parador en Alarcón, España; (abajo) El Parador Casa del Barón en Pontevedra, España

EXPLICACIONES II

El pretérito de *dar* y *ver*

◆ COMMUNICATIVE
  OBJECTIVES
  **To seek help in finding
  things**
  To report what you saw

Here are all of the preterite forms of *dar* and *ver*.

DAR		VER	
di	dimos	vi	vimos
diste	disteis	viste	visteis
dio	dieron	vio	vieron

PRÁCTICA

A ¡Tantos regalos! Los amigos de Marta hablan de los regalos que le dieron para sus quince años. Sigue el modelo.

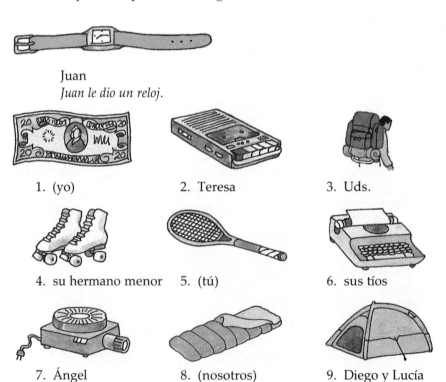

Juan
Juan le dio un reloj.

1. (yo)   2. Teresa   3. Uds.

4. su hermano menor   5. (tú)   6. sus tíos

7. Ángel   8. (nosotros)   9. Diego y Lucía

B De viaje. El avión de Alfredo despega en seis horas y él no puede encontrar nada. Le hace muchas preguntas a su hermano. Sigue el modelo.

> mi pasaporte
> ESTUDIANTE A   *¿Viste mi pasaporte?*
> ESTUDIANTE B   *No, no lo vi.*

1. mi cinturón argentino
2. mis cheques de viajero
3. mi cámara
4. mi paraguas
5. mi boleto
6. mi reloj
7. mis tarjetas de crédito
8. mis planos
9. la dirección de la pensión

C Todavía busca sus cosas. Cuando su hermano no puede ayudarlo, Alfredo les hace las mismas preguntas a sus padres. Sigue el modelo.

> mi pasaporte
> ESTUDIANTE A   *¿Vieron Uds. mi pasaporte?*
> ESTUDIANTE B   *No, no lo vimos.*

D Una visita al zoológico. Rosa les habla a sus amigos de su visita al zoológico. Completa las frases con la forma correcta del pretérito de cada verbo.

Ayer mi familia y yo *(ir)* al zoológico donde *(ver)* unos animales muy interesantes. Por ejemplo, mi hermana *(ir)* al jardín de los pájaros donde *(ver)* un pájaro maravilloso en una jaula grande. Ella le *(sacar)* muchas fotos.

5   Yo *(ir)* a ver los elefantes. Mis padres me *(dar)* dinero para comprar cacahuates para ellos. (Yo) *(ver)* un elefante pequeño con orejas enormes. Les *(dar)* a él y a los otros elefantes casi toda la bolsa de cacahuates.

    Mis padres y mi hermanito Pablo *(ir)* a la casa de los monos donde
10 *(ver)* unos monos muy graciosos. La guardiana les *(dar)* plátanos, lechuga y zanahorias. Después nosotros *(ir)* a una heladería. *(ser)* un día perfecto.

Palabras negativas

◆ COMMUNICATIVE
OBJECTIVES
To hedge or avoid
answering
To deny
To correct wrong
assumptions
To avoid giving
information

Remember that when we use a negative word we can either put it in front of the verb or put *no* before the verb and the negative word after.

Nunca fuimos a Alemania. ⎫
No fuimos **nunca** a Alemania. ⎭   We ***never*** *went to Germany.*

Nadie lo vio. ⎫
No lo vio **nadie**. ⎭   ***Nobody*** *saw him.*

Tampoco lo vi. ⎫
No lo vi **tampoco**. ⎭   *I didn't see him **either**.*

No me gusta **nada** aquí. ⎫
Nada me gusta aquí. ⎭   *I don't like **anything** here.*

We can also use another negative word before the verb instead of *no*.

Nunca veo a **nadie**.   *I **never** see **anyone**.*

1   Remember that *ningún* and *ninguna* are adjectives and agree with the noun they describe.

     No hay **ningún pasajero** en ese vagón.   *There aren't **any passengers** in that (train) car.*
     No tengo **ninguna tarjeta de crédito**.   *I don't have **any credit cards**.*

Remember that we use a singular noun in Spanish where English uses a plural noun.

2   *Ninguno, -a* is a pronoun that agrees in gender with the noun it refers to. We usually use it, too, in the singular.

     ¿Fuiste a muchos lugares interesantes?   *Did you go to many interesting places?*
     No, **no** fui a **ninguno**.   *No, I didn't go to **any**.*
     ¿Hiciste reservaciones?   *Did you make reservations?*
     No, **no** hice **ninguna**.   *No, I didn't make **any**.*

3   Remember that we use the personal *a* with *nadie* when it is a direct object. We also use the personal *a* before *ninguno, -a* when it is a direct object referring to people.

     No veo **a nadie** en la recepción.   *I don't see **anyone** at the reception desk.*
     No vi **a ninguno** de los dueños.   *I didn't see **any** of the owners.*

4 *Ni* means "neither," "nor," or "not even." We often use it with *tampoco* for emphasis.

No tengo **ni** un peso.	*I don't have **even** one peso.*
No quiero ir al museo.	*I don't want to go to the museum.*
¡**Ni** él **tampoco**!	***Neither** does he (He doesn't **either**)!*

5 *Ni . . . ni* means "neither . . . nor" or "not . . . or."

No como **ni** arroz **ni** papas.	*I eat **neither** rice **nor** potatoes.*
No me gusta **ni** esquiar **ni** patinar.	*I don't like skiing **or** skating.*

Here are all of the negative words you have learned.

nada	*nothing, not anything*
nadie	*no one, nobody, not anyone*
ni . . . ni	*neither . . . nor, not . . . or*
ningún, ninguna	*no, not any (adj.)*
ninguno, -a	*none, not any (pron.)*
nunca	*never*
tampoco	*neither, not either*

PRÁCTICA

A **No hice nada.** Javier nunca le dice nada a nadie. Esta vez hizo un viaje y sus amigos quieren saber qué pasó. Contesta cada pregunta con una palabra negativa. Sigue el modelo.

ESTUDIANTE A *¿Llevaste mucho equipaje?*
ESTUDIANTE B *No, no llevé nada.*

1. ¿Quién fue contigo?
2. ¿Cuántas tarjetas postales mandaste?
3. ¿Practicaste el esquí acuático muchas veces?
4. ¿Sacaste muchas fotos?
5. ¿Qué compraste?
6. ¿A quién viste en la playa?
7. ¿Fuiste de pesca muchas veces?
8. ¿Nadaste todos los días?
9. ¿Qué hiciste entonces?

B Ni . . . ni. Un amigo de Mauricio lo quiere conocer mejor. Le pregunta si hace varias cosas, pero él no hace ninguna de ellas. Pregunta y contesta según el modelo.

> hablar francés o italiano / inglés y español
> ESTUDIANTE A   *¿Hablas francés o italiano?*
> ESTUDIANTE B   *No hablo ni francés ni italiano. Hablo inglés y español.*

1. comer carne o pescado / verduras
2. leer novelas o biografías / revistas y periódicos
3. jugar al golf o al tenis / a los bolos
4. querer pagar al contado o con cheque / con tarjeta de crédito
5. estudiar química o física / biología
6. tomar café o chocolate / leche
7. ir al colegio a pie o en autobús / en coche
8. tener un perro o un gato / peces
9. pedir la comida argentina o la colombiana / la brasileña

C De paseo. Sonia y su hermana fueron a pasar el día en el centro. Cuando vuelven a casa, su madre les pregunta qué hicieron. Contesta según el modelo. Usa *ninguno* o *ninguna*.

> ¿Disfrutaron de la exposición de arte? (visitar)
> ESTUDIANTE A   *¿Disfrutaron de la exposición de arte?*
> ESTUDIANTE B   *¿Qué exposición de arte? No visité ninguna.*
> ESTUDIANTE C   *Ni yo tampoco.*

1. ¿Vieron la nueva fuente?   (ver)
2. ¿Les gustó el restaurante peruano?   (ver)
3. ¿Disfrutaron del espectáculo?   (ir)
4. ¿Fueron a la casa de cambio?   (ver)
5. ¿Disfrutaron de esa nueva película uruguaya?   (ir)
6. ¿Les gustó el museo?   (ir)
7. ¿Qué pensaron de las nuevas canchas de tenis en el parque?   (ver)
8. ¿Cuánto pagaron por los boletos de ida y vuelta?   (comprar)
9. En tu opinión, ¿qué hicieron las chicas? ¿Cómo pasaron el día? ¿Fueron de excursión al centro?

D **El viaje horrible.** Lourdes acaba de llegar a la estación de tren en un pueblo muy pequeño. Ella no tiene ningún plano y no puede encontrar nada. Contesta sus preguntas según el modelo.

> ¿Dónde está la ventanilla?
> *No hay ninguna ventanilla.*

1. ¿Dónde está la iglesia histórica?
2. ¿Puedo usar el teléfono?
3. ¿Cuándo sale el tren expreso?
4. ¿Dónde está la casa de cambio?
5. ¿Cómo puedo reservar un coche cama?
6. ¿Dónde están los horarios?
7. ¿Cuándo salen los trenes por la tarde?
8. ¿Dónde están las pensiones en este pueblo?

E **Hablemos de ti.**
1. ¿Qué regalos te dieron tus padres para tu último cumpleaños? ¿Y para la Navidad? ¿Qué les diste tú a ellos?
2. ¿Fuiste al cine el fin de semana pasado? ¿Con quién fuiste? ¿Qué película viste? ¿Cómo fue?
3. ¿Fuiste al centro el fin de semana pasado? ¿Con quién fuiste? ¿Qué hiciste? ¿Viste algo interesante?
4. En tu escuela, ¿cuántos alumnos llevan traje? ¿Cuántos llevan uniforme? ¿Corbata? ¿Sombrero?
5. ¿Te gusta limpiar el sótano o el garaje? ¿Lavar la ropa o planchar? ¿Limpiar las sartenes o cortar el césped?
6. ¿Eres desordenado(a)? ¿Cuándo pones tu dormitorio en orden? ¿Cómo lo haces?

ACTIVIDAD

Ni el uno ni el otro. Working with a partner, make up a list of a dozen things that you think no one likes to do. Afterwards, join another pair of students and give them some of your most undesirable choices. They should answer truthfully, but if you have made a good enough list, they probably won't like any of the possibilities. For example:

ESTUDIANTE A ¿Qué prefieren Uds., tirar la basura o lavar los platos?
ESTUDIANTE B No nos gusta ni tirar la basura ni lavar los platos.
ESTUDIANTE A ¿Qué quieren hacer, llevar cajas pesadas o correr hasta el aeropuerto?
ESTUDIANTE B No queremos ni llevar cajas pesadas ni correr hasta el aeropuerto.

REPASO

Mira las frases modelo. Luego cambia las frases que siguen al español según los modelos.

1. *Cuando jugaste al golf no viste nada ni a nadie.*
   (When I crossed at the corner I didn't see anything or anyone.)
   (When I looked for the conductor (m.) they didn't see anything or anyone.)
   (When I paid the owner (f.) we didn't see anything or anyone.)

2. *Sacaste los billetes y buscaste una casa de cambio.*
   (I took out the pen and signed a traveler's check.)
   (You (fam.) *paid the (restaurant) check and used a credit card.)*
   (They arrived at the campground and looked for their tent.)

3. *Sacó la guitarra y fue a tocar unas canciones.*
   (I turned off the light and went to cash a check.)
   (We took out the (street) map and went to find the post office.)
   (They looked for a broom and went to clean the boardinghouse.)

4. *Le dio el equipaje a su esposo. Luego encontró un sillón cómodo.*
   (They gave the travelers the schedules. Then they waited for the local train.)
   (I explained the problem to the passengers. Then we began the long trip.)
   (I put (colocar) our suitcases on the floor. Then we paid for the double room.)

5. *¡Qué barbaridad! Nunca hay ningún asiento libre en este vagón.*
   (How awful! There are never any Peruvian newspapers in this city.)
   (How sad! There's never any Brazilian food in these hotels.)
   (What a shame! There's never any express bus in this town.)

La Estación de Francia en
Barcelona, España

TEMA

Escribe las frases en español.

1. When Eva arrived at the station she didn't see anything or anyone.

2. She looked for the ticket window and bought a one-way ticket.

3. She crossed the tracks and went to wait for the train.

4. She gave the conductor her ticket. Then she looked for the dining car.

5. "What a drag! There's never any dining car on this train."

REDACCIÓN

Ahora escoge uno de los siguientes temas para escribir tu propio diálogo o párrafo.

1. Expand the *Tema* by writing several additional sentences. Give some background information on picture 1. Where is Eva coming from? Where do you think she's going? What is she going to do there?

2. Write a short paragraph about a real or imaginary train trip you took. Where did you go? What did you see from the window? Did the train arrive on time? Would you like to take another trip by train?

3. Make up a dialogue between the owner of a boardinghouse and a guest arriving at the reception desk.

A   Un viaje en tren

Escribe el siguiente párrafo. Usa el pretérito.

Llego a la estación con un poco de retraso y busco la ventanilla. Compro un boleto de ida y vuelta y cruzo la vía para ir al andén. Después de subir al tren, coloco el equipaje debajo del asiento. Le doy el boleto al inspector. Luego voy al coche comedor y almuerzo. Durante el viaje, practico el inglés con los otros pasajeros y saco unas fotos del campo. Llego a Córdoba a la una.

B   *Ser* e *ir*

Contesta cada pregunta con una frase completa en el pretérito. Sigue el modelo.

> ¿Siempre vas sola al club?   (anoche)
> *No, pero fui sola anoche.*

1. ¿Son Uds. siempre los primeros?   (ayer)
2. ¿Siempre es tan divertido el viaje?   (el mes pasado)
3. ¿Siempre son fáciles las pruebas?   (el año pasado)
4. ¿Vas de pesca cada semana?   (anteayer)
5. ¿Siempre va ella en el tren local?   (la última vez)
6. ¿Soy la única alumna ecuatoriana?   (en la otra clase)
7. ¿Siempre van Carlos y Ana a comprar las entradas?   (para este concierto)

C   *Dar* y *ver*

Contesta las preguntas en el pretérito. Usa complementos directos o indirectos. Sigue el modelo.

> ¿Vas a ver a José?
> *Ya lo vi.*
> ¿Vas a darle la cuenta?
> *Ya le di la cuenta.*

1. ¿Tus padres van a ver a Teresa? ¿Van a darle los esquís?
2. ¿Van Uds. a ver al dueño? ¿Van a darle el cheque?
3. ¿Los chicos van a ver al inspector? ¿Van a darle los boletos?
4. ¿Va a ver María a los tenistas? ¿Va a darles una lección?
5. ¿Va Ud. a ver a los niños? ¿Va a darles los salvavidas?
6. ¿Vas a ver al Sr. Núñez? ¿Vas a darle la habitación individual?

D   Los negativos

Contesta las preguntas. Usa *nada, nadie, nunca, ningún, ninguno, -a, ni . . . ni* o *tampoco.*

1. ¿Tienes muchas ideas buenas?
2. ¿Viste a los paraguayos o a los chilenos en el coche comedor?
3. ¿Compraste fruta en el mercado?
4. ¿Cuándo fuiste a Salamanca?
5. ¿Viste a tus primos o a tus tíos?
6. ¿Hay muchos turistas argentinos allí?
7. ¿Viste los cuadros viejos en el museo?
8. ¿A quién viste en la recepción?
9. No fui a la casa de cambio ayer. ¿Y Uds.?

VOCABULARIO DEL CAPÍTULO 6

Sustantivos
el andén, *pl.* los andenes
el billete
el bolsillo
la casa de cambio
el castillo
el coche cama, *pl.* los coches cama
el coche comedor, *pl.* los coches comedor
el cheque
el cheque de viajero
el dueño, la dueña
el equipaje
la habitación (individual / doble), *pl.* las habitaciones (individuales / dobles)
el inspector, la inspectora
la llegada
el parador
el pasajero, la pasajera
la pensión, *pl.* las pensiones
el plano
la profesión, *pl.* las profesiones
la recepción, *pl.* las recepciones
el registro (de hotel)
la salida *(departure)*
la tarjeta de crédito
el vagón, *pl.* los vagones
la ventanilla *(ticket window)*
la vía
el viajero, la viajera

Adjetivos
argentino, -a
boliviano, -a
brasileño, -a
claro, -a
colombiano, -a
chileno, -a
ecuatoriano, -a
expreso
histórico, -a
local
maravilloso, -a
oscuro, -a
paraguayo, -a
peruano, -a
uruguayo, -a
venezolano, -a

Verbos
anunciar
colocar
comenzar (a + *inf.*) (e → ie)
cruzar
firmar
tardar (en + *inf.*)

Preposición
sobre *(over)*

Conjunciones
ni . . . tampoco
(no . . .) ni
(no . . .) ni . . . ni

Expresiones
cobrar un cheque
con (+ *time* + de) retraso
de ida (y vuelta)
de primera / segunda clase
de profesión
pagar al contado
quiere + *inf.*

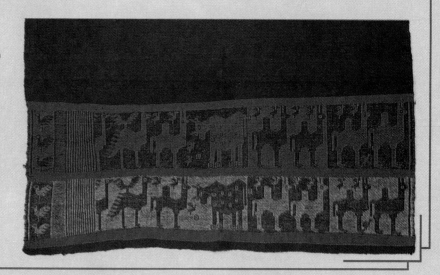

CAPÍTULO 7

VAMOS DE COMPRAS

In the past, if you had lived in San Juan, Puerto Rico, you would have gone to the central plaza in the heart of the city to shop and meet your friends in the open air. Today you would more likely go to the Plaza de las Américas. This ultramodern shopping center is the largest in the Caribbean. Whether you are shopping or just out for a walk, you can escape the heat and wander in air-conditioned comfort through this busy mall. There are locally owned specialty shops and major chain stores on the ground floor. On the third level, you'll find several restaurants, cafés, food shops, and a movie theater.

When shopping for food, there is no better place than the markets in la Plaza del Mercado in the Río Piedras district of the city. There, you'll find farmers from other parts of the island selling their produce just as they have done for centuries. While in the area, you can also buy handmade guitars, flutes, and drums in all shapes and sizes.

In El Viejo San Juan, you can explore the many craft shops and perhaps buy a beautifully carved wood sculpture, some lace or ornate needlework, or a colorfully painted mask made of coconut shells. In other shops in this old section of the city, you can find ceramics decorated with the traditional patterns of the native Taíno Indians: images of lizards and insects, stick figures, and geometric patterns.

For people who live in Puerto Rico's more remote areas, getting to the commercial center of San Juan can be a difficult trip. For them, the local open-air market remains the most important center of business and social activity.

231

◆ COMMUNICATIVE
OBJECTIVES

To buy cosmetics,
shaving necessities, etc.

To get a haircut

To hurry someone

To say what someone is
doing to or for
someone else

Pelo largo, pelo corto

CONTEXTO
VISUAL

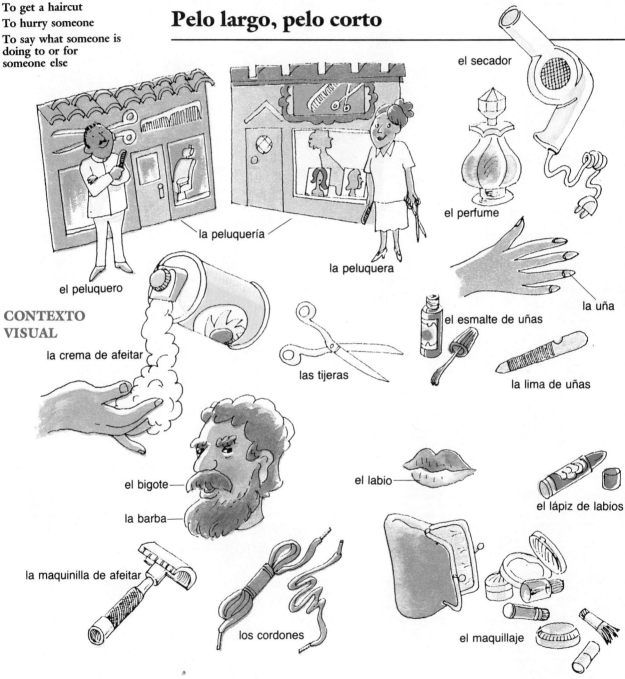

el secador

el perfume

la peluquería

la peluquera

el peluquero

la crema de afeitar

las tijeras

el esmalte de uñas

la uña

la lima de uñas

el bigote

la barba

el labio

el lápiz de labios

la maquinilla de afeitar

los cordones

el maquillaje

cortar el pelo

El peluquero le corta el pelo al niño.

cortarse el pelo

El niño se corta el pelo.

maquillar

Él maquilla a la actriz.

maquillarse

La actriz se maquilla.

afeitar

Él afeita al señor.

afeitarse

Él se afeita.

cortar las uñas

Su madre le corta las uñas a Paco.

cortarse las uñas

Paco se corta las uñas.

limar las uñas

Le lima las uñas también.

limarse las uñas

Se lima las uñas también.

limpiar

Le limpia los zapatos al señor.

limpiarse

Se limpia los zapatos.

atar

Luego le ata los cordones de los zapatos.

atarse

Se ata los cordones de los zapatos.

* *Cortar el pelo* means "to cut (someone's) hair." *Cortarse el pelo* can mean "to cut your own hair," but we usually use it to mean "to get a haircut."

CONTEXTO COMUNICATIVO

1 MARTA   No me gusta el color de este lápiz de labios. Es demasiado **rosado.**

    TERESA   ¿Y ése?

    MARTA   ¡Uf! Ése no está **de moda.** Es demasiado rojo.

    TERESA   ¡Ay! Siempre **te quejas de** todo.

Variaciones:
- lápiz de labios → esmalte de uñas
- rosado → anaranjado
- siempre te quejas de todo → nunca te gusta nada

> **rosado, -a** *pink*
>
> **la moda** *fashion*
> **de moda** *fashionable, in fashion*
> **quejarse (de) (yo me quejo, tú te quejas)** *to complain (about)*

2 MAMÁ   Hugo, son las siete. Tienes que **darte prisa.**

    HUGO   ¿Qué dices, mamá?

    MAMÁ   Hay que salir.

    HUGO   Sólo tengo que limpiarme los zapatos.

- limpiarme los zapatos → cortarme las uñas
- limpiarme los zapatos → atarme los cordones de los zapatos
- limpiarme → ponerme

> **darse prisa (yo me doy prisa, tú te das prisa)** *to hurry*

3 JUAN   **Me voy,** mamá.

    MAMÁ   ¿Vas a la peluquería? Tienes el pelo demasiado largo.

- me voy → voy a salir
- tienes el pelo demasiado largo → tienes que cortarte el pelo

> **irse (yo me voy, tú te vas)** *to leave, to go away*

4 CARMEN   La peluquera dice que mi pelo **castaño** es hermoso.

    PATRICIA   Estoy de acuerdo.

    CARMEN   Pero a mí me gusta el pelo negro.

- a mí me gusta → yo prefiero

> **castaño, -a** *chestnut-colored*

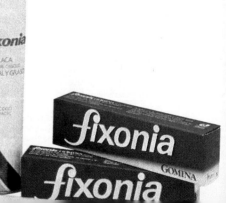

EN OTRAS PARTES

En México y en otros países se dice también *rasurarse*.

En México se dice *las agujetas*.

También se dice *el lápiz labial* o *la barra de labios*.

En el Caribe y en otros países se dice *la pintura de uñas*.

En México y en el Caribe se dice *pintarse*.

También se dice *el salón de belleza*.

También se dice *el barbero*.

También se dice *amarrarse los cordones de los zapatos*.

PRÁCTICA

A **¿Qué necesitas?** Di lo que necesitas para hacer las siguientes cosas. Pregunta y contesta según el modelo.

> cortarse el pelo
> ESTUDIANTE A *¿Qué necesitas para cortarte el pelo?*
> ESTUDIANTE B *Unas tijeras y un espejo.*

1. secarse el pelo
2. lavarse el pelo
3. afeitarse
4. cepillarse los dientes
5. bañarse
6. limarse las uñas
7. peinarse
8. maquillarse

B **Antes de la fiesta.**   ¿Qué hacen estas personas antes de la fiesta?
Pregunta y contesta según el modelo.

ESTUDIANTE A   *Rita, ¿qué haces?*
ESTUDIANTE B   *Me corto el pelo.*

Rita

1. Anita

2. Alfonso

3. Benjamín

4. Julia

5. Gerardo

6. Yolanda

7. Isabel

8. Papá

9. Luz

C **En la peluquería.** En la peluquería todo el mundo está ocupado. Pregunta y contesta según el modelo. ¡Cuidado! Algunas preguntas y respuestas necesitan el complemento indirecto *le*.

Fernando

ESTUDIANTE A *¿A quién le cortas el pelo?*
ESTUDIANTE B *Le corto el pelo a Fernando.*

1. Esperanza

2. el Sr. Márquez

3. la Sra. Muñoz

4. la Sra. Meléndez

5. el Sr. Arenas

6. Ernesto

7. Sonia

8. Felipe

D Hablemos de ti.

1. ¿Tienes el pelo largo o corto? ¿De qué color es? ¿Qué piensan tus padres? ¿Se quejan ellos de la moda de hoy?
2. ¿Te cortas el pelo a menudo? ¿Adónde vas para cortarte el pelo? ¿Te gusta el color de pelo que tienes? ¿Por qué?
3. Si eres una chica, ¿te gusta el maquillaje y el lápiz de labios? ¿Por qué? ¿Usas esmalte de uñas? ¿De qué color? ¿Qué perfume te gusta más? Si eres un chico, ¿te gusta la barba o el bigote? ¿Qué clase de barba o de bigote te gusta más? ¿El bigote pequeño o grande, largo o corto? ¿La barba corta o larga?
4. ¿Te quejas mucho? ¿De qué te quejas? ¿De qué se quejan tus padres? ¿Y tus amigos?
5. ¿Tienes que darte prisa a menudo? ¿Cuándo? ¿Por qué?
6. ¿Te gusta vestirte de moda? ¿Por qué? ¿Qué clase de ropa está de moda ahora? ¿Qué colores están de moda este año?

Un mostrador de maquillaje en Madrid, España

APLICACIONES

En la peluquería

Un señor calvo[1] y su hija de diez años entran en una peluquería.

PELUQUERA	Buenos días.
PADRE	Buenos días, señora. Mi hija quiere cortarse el pelo.
PELUQUERA	¿Qué corte de pelo[2] te gusta?
HIJA	El corte que está de moda, corto y muy rizado.[3]
PADRE	Pero hija, tu pelo es hermoso.
HIJA	Papá, a mí me gusta el pelo rizado. Mamá lo tiene rizado.
PADRE	Sí, lo sé. Pero tú no eres mamá.
HIJA	No te entiendo. Siempre te quejas de las cosas que me gustan a mí. Todas mis amigas tienen el pelo corto. También usan maquillaje para los ojos, esmalte de uñas, lápiz de labios . . .
PADRE	¡Cómo! ¿Las chicas de diez años usan lápiz de labios? Tú no necesitas maquillaje porque ya eres bonita. También tienes un hermoso pelo largo. Vámonos. *(a la peluquera)* Lo siento, señorita.
PELUQUERA	No importa, señor.
HIJA	¡Qué lata! ¿Por qué siempre cree la gente sin pelo que es mejor tener mucho pelo?

5

10

15

20

---

[1]**calvo, -a** *bald*   [2]**el corte de pelo** *haircut*   [3]**rizado, -a** *curly*

Preguntas

Contesta según el diálogo.

1. ¿Dónde están el padre y la hija y qué hacen allí? 2. ¿Qué no quiere el padre? ¿Por qué? 3. ¿Por qué quiere la hija tener el pelo corto y rizado? ¿Cómo lo tienes tú? ¿Y tus amigas? 4. ¿Qué piensa el padre de las niñas de diez años que usan maquillaje? ¿Estás de acuerdo con lo que él dice? ¿Por qué sí o por qué no? 5. ¿Por qué crees tú que el padre admira tanto *(so much)* el pelo largo? En tu opinión, ¿tiene razón la hija cuando dice que su padre admira el pelo largo porque él no tiene pelo? 6. ¿Puedes describir al padre y a la hija? Usa tu imaginación.

Participación

Work with a partner to create a dialogue between a hairdresser or barber and a client. What kinds of questions does the barber or hairdresser ask? What does the client need or want? How does the client want his or her hair done?

PALABRAS NUEVAS II

To understand ads

To find one's way
around a department
store

To discuss sales and
bargains

To compliment

To complain about
prices

To buy clothing

To make sure a
purchase can be
returned

En el almacén

**CONTEXTO
VISUAL**

HOY LIQUIDACIÓN

el letrero

el cajero

la cajera

la escalera
mecánica

la caja

la vitrina

CONTEXTO
COMUNICATIVO

1 MARÍA   Ayer fui a **una liquidación** en el almacén
Blanco y Negro.

    LUZ   Me gusta mucho el **departamento** de ropa
deportiva. ¿Compraste algo allí?

    MARÍA   Sí, fui a la planta baja y encontré unas ollas
muy baratas.

Variaciones:

- una liquidación → una venta
- unas ollas → una lavadora y una secadora
- unas ollas muy baratas → un secador muy barato

la liquidación, las liquidaciones
(clearance) sale

el departamento *department*

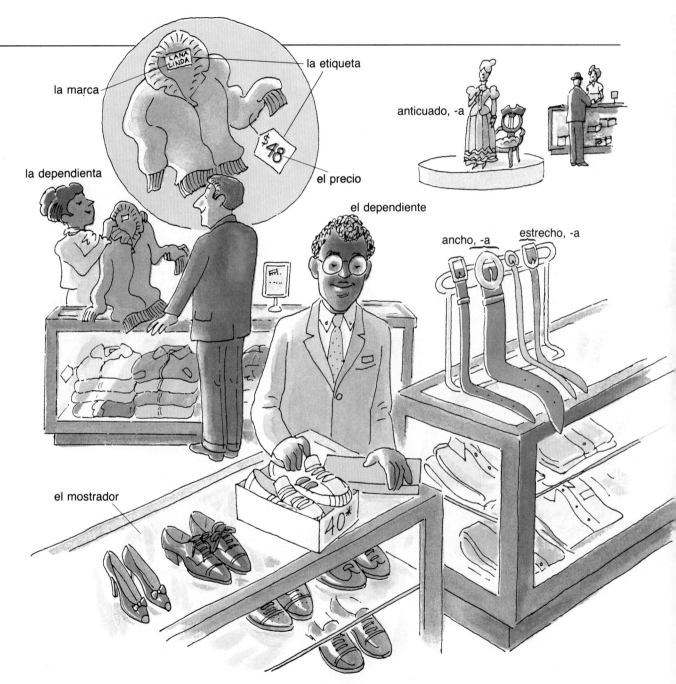

la marca

la etiqueta

la dependienta

el precio

anticuado, -a

el dependiente

ancho, -a

estrecho, -a

el mostrador

LANA LINDA

$48

40*

* Clothing sizes differ from country to country. For a chart of sizes in Spain see page 247.

Palabras Nuevas II   243

2

MARÍA	No quiero este vestido.
DEPENDIENTE	Pero es muy **elegante** y le **queda** muy bien.
MARÍA	Sí, y también **cuesta un ojo de la cara.**

- vestido → traje
- cuesta un ojo de la cara → es carísimo

elegante   *elegant*
quedar   *to fit, to look (good) on*
costar un ojo de la cara   *to cost an arm and a leg*

3

PEPE	Carlos, el almacén Blanco y Negro anuncia **miles de gangas. La mayoría de** su ropa está **en venta.**
CARLOS	Entonces debo darme prisa. Necesito zapatos.
PEPE	¿Qué **número**?
CARLOS	El 41.

- miles de → millones de
- miles de → docenas de

miles (de)   pl. of **mil**
la ganga   *bargain*
la mayoría de   *most (of), the majority of*
en venta   here: *on sale*
el número   *(shoe) size*

4

ALICIA	Quisiera comprar una camisa **talla** 40.
DEPENDIENTA	¿Quiere Ud. **probarse** esta rosada que está muy de moda?
ALICIA	No gracias. Es para un regalo. ¿Cuánto cuesta? Pienso **gastar alrededor de** $ 20,00.*
DEPENDIENTA	Ésta cuesta sólo $ 18,00. Con **el impuesto**† $ 19,80 *(diecinueve dólares con ochenta centavos).* Si a ella no le queda bien puede **devolverla.**

- que está muy de moda → **hecha** en México
- está muy de moda → es muy **distinta de** las otras
- pienso → no quiero
  alrededor de → más de
- si a ella no le queda bien → si a ella no le gusta

la talla   *(clothing) size*
probarse (o → ue)   *to try on*

gastar   *to spend*
alrededor de   *around, about*
el impuesto   *tax*
devolver (o → ue)   *to return (something), to give back, to take back*

hecho, -a   *made*
distinto, -a (de)   *different (from)*

5

DOLORES	¿Conoces a Raúl Silva?
LEONARDO	¡Por supuesto! **Nos** vemos casi todos los días.

- conoces → conocen ellos
  nos vemos → **se** ven

nos   here: *each other*

se   here: *each other*

---

* In Spanish-speaking countries they usually use a period in numbers where we use a comma. Where we use a period, they use a comma: $ 10.000.000,00 = *diez millones de dólares con cero centavos.*

† In Spanish-speaking countries the tax is often not a separate sales tax, but a value-added tax. The tax is already included in the sales price.

EN OTRAS PARTES

devolver

En España se dice *el escaparate*. También se dice *la vidriera*.

En México se dice *regresar*.

En una tienda de discos de Caracas, Venezuela

PRÁCTICA

A **Me encanta ir de compras.**   Escoge las palabras correctas para completar el párrafo.

Hoy tengo que darme *(prisa / moda / maquillaje)* porque hay una gran *(etiqueta / marca / liquidación)* en la tienda La Mundial. A menudo esta tienda tiene *(gangas / vitrinas / tijeras)* fantásticas y todo está baratísimo. Cuando llego, busco la escalera *(distinta / mecánica /*
5 *anticuada)* y voy al *(letrero / departamento / impuesto)* de ropa deportiva. Veo unas blusas baratas y bonitas. Me *(ata / maquilla / pruebo)* una azul y una amarilla. La blusa azul me *(queda / quema / devuelve)* muy bien. Quiero comprarla pero el cajero me dice que el precio en la *(etiqueta / talla / marca)* no es correcto. ¡Yo no quiero *(costar / gastar / cortar)*
10 3.000 pesetas! Pongo la blusa en *(la moda / el mostrador / el secador)* y voy a buscar una falda. Le pido a la *(dependienta / peluquera / camarera)* una falda roja, pero me dice que no tienen ninguna en mi *(número / talla / marca)*. ¡Caramba! ¡Qué mala suerte tengo hoy!

Si piensas diferente, vístete diferente.

Exprésate con

B **¿Qué dices?** Imagina que estás en un almacén con un(a) amigo(a). Escoge la respuesta correcta para cada pregunta.

1. ¿Hay ascensor?
2. ¿Cuánto es el impuesto?
3. ¿Pago en este piso?
4. ¿Qué hago si a ella no le gusta esta pulsera?
5. ¿Qué dice esta etiqueta? No puedo leerla.
6. ¿En qué piso está el departamento de perfumes?
7. Mira esos precios. ¿Qué pasa entonces?
8. ¿Cómo te quedan esos zapatos? Me parecen un poco anchos.
9. ¿Está de moda este traje?
10. ¿Es dependiente ese hombre?

a. No, son muy cómodos.
b. Sí, en la caja número 4.
c. No sé. A mí me parece un poco anticuado.
d. Alrededor de $ 1,60.
e. Hay una liquidación hoy.
f. No, es cajero.
g. No, pero hay una escalera mecánica.
h. Puede devolverla.
i. Hecho en Guatemala.
j. En la planta baja, cerca del mostrador de maquillaje.

En España

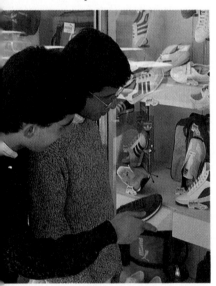

C **Hablemos de ti.**
1. ¿Te gusta ir a las liquidaciones? ¿Por qué? ¿Te gusta ir de compras? ¿Te gusta mirar las vitrinas sin comprar nada?
2. ¿Tienes una marca favorita de ropa? ¿Cuál es? ¿Es ropa elegante o deportiva?
3. ¿Llevas ropa o zapatos hechos en otros países? ¿Sabes dónde fue hecha la ropa que llevas hoy?
4. ¿A veces devuelves regalos que recibes? ¿Por qué los devuelves? ¿Qué clases de regalos te gustan recibir?
5. ¿Siempre te pruebas la ropa antes de comprarla? ¿Por qué?
6. Cuando vas al cine, ¿gastas mucho dinero? ¿Pagas mucho por una entrada? ¿Cuánto? ¿Compras palomitas o dulces? ¿Cuánto cuestan? ¿Compras refrescos? ¿Grandes o pequeños? ¿Cuánto pagas por ellos? En total, ¿más o menos cuánto gastas cuando vas al cine?

En el almacén Get together in groups of two or three students to set up a shopping trip. One or two people are the *clientes* and the other is the *dependiente(a)* / *cajero(a)*. The *clientes* should first write down how many thousand pesetas they have. After deciding on an item to buy, they ask for it, specifying such things as the desired style, size, and color. Price should also be discussed. The *dependiente(a)* should ask questions to get more information. Use the chart of sizes, and you may want to use some of the following phrases:

DEPENDIENTE(A)
¿Qué desea(n) Ud(s).?
¿Cuál es su talla / número?
¿Qué color prefiere(n) Ud(s).?
¿Le(s) queda(n)?
¿Quiere(n) Ud(s). probarse el / la . . . ?

CLIENTE(S)
¿Cuánto cuesta(n)?
¿Puedo probarme el / la . . . ?
¿Dónde pago?
¿Puedo pagar con cheques de viajero? ¿Tarjeta de crédito?
¿Hay que pagar al contado?
¿Cuánto es el impuesto?

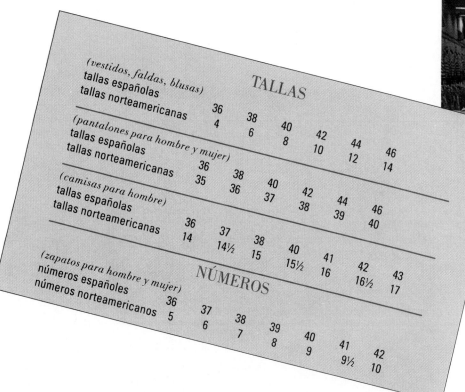

En Puerto Rico

TALLAS

(vestidos, faldas, blusas)						
tallas españolas	36	38	40	42	44	46
tallas norteamericanas	4	6	8	10	12	14

(pantalones para hombre y mujer)						
tallas españolas	36	38	40	42	44	46
tallas norteamericanas	35	36	37	38	39	40

(camisas para hombre)							
tallas españolas	36	37	38	40	41	42	43
tallas norteamericanas	14	14½	15	15½	16	16½	17

NÚMEROS

(zapatos para hombre y mujer)						
números españoles	36	37	38	39	40	41	42
números norteamericanos	5	6	7	8	9	9½	10

ESTUDIO DE PALABRAS

You have already seen several verb and noun pairs that have a common root. For example, *el vendedor* is related to the verb *vender*, and *el anuncio* is related to *anunciar*. In this chapter you learned several more noun and verb pairs:

What nouns are related to these verbs?

limarse   maquillarse

To what verbs are these nouns related?

el secador   el mostrador   el peine   el cepillo   la ducha

Sinónimos:
Cambia las palabras en cursiva por sinónimos.
1. La tienda de la esquina tiene una gran *venta*.
2. Quiero comprar perfume. ¿Dónde están *los vendedores*?
3. La peluquera espera *salir* a las tres.

Antónimos:
Cambia las palabras en cursiva por antónimos.
1. Esa escalera mecánica es muy *moderna*.
2. Estos pasillos son muy *estrechos*.

De compras en San Juan, Puerto Rico

EXPLICACIONES I

Los verbos reflexivos

You know that a reflexive verb has two parts—a reflexive pronoun and a verb form. The reflexive pronoun refers to the subject of the sentence. Look at the difference between these reflexive and nonreflexive verbs.

Baño al perro.	*I'm bathing the dog.*
Me baño.	*I'm taking a bath* (= *bathing myself*).
Acuesto a los niños.	*I'm putting the children to bed.*
Me acuesto.	*I'm going to bed* (= *putting myself to bed*).

Here are all of the present-tense forms of the verb *levantarse*, "to get up."

LEVANTARSE	
me levanto	**nos** levantamos
te levantas	os levantáis
se levanta	**se** levantan

1   Remember that except for *se*, all of the reflexive pronouns have the same forms as the direct and indirect object pronouns. They generally come before the verb, or they may be attached to an infinitive.

> **Me** voy a **poner** la blusa gris. ⎫
> Voy a **ponerme** la blusa gris. ⎬ *I'm going **to put on** the gray blouse.*

2   Remember that with reflexive verbs we usually use the definite article with parts of the body or articles of clothing. Even when we are talking about more than one person we use the singular form unless the objects come in pairs *(calcetines, manos)* or are logically plural *(pantalones, dientes).*

> **Nos** afeitamos **la barba.** — *We're shaving **our beards.***
> **Se** ponen **la chaqueta.** — *They're putting on **their jackets.***
> **Se** liman **las uñas.** — *They're filing **their nails.***

3   Sometimes we use the reflexive pronouns *se* and *nos* to express the idea of "each other."

> **Nos escribimos** a menudo. — *We **write to each other** often.*
> **Se entienden** bien. — *They **understand each other** well.*

◆ COMMUNICATIVE OBJECTIVES

To describe daily routine

To point out things people do for each other

To interview someone

4 Some verbs have a change in meaning when we use them reflexively.

Nicolás **va a** la peluquería.   Nicolás **goes** to the barber shop.
Se va a las tres.   He **leaves** at 3:00.

Duermo bien en esa cama.   I **sleep** well in that bed.
Me duermo fácilmente.   I **fall asleep** easily.

Él **llama a** Clara todos los días.   He **calls** Clara every day.
Se llama Clara Bermúdez.   **Her name is** Clara Bermúdez.

¿Puedo **probar** la sopa?   May I **taste** the soup?
¿Puedo **probarme** ese vestido?   May I **try on** that dress?

PRÁCTICA

A **¿Qué hacen?**   Describe lo que hacen estas personas. Usa verbos reflexivos o no reflexivos según los dibujos. Sigue los modelos.

Despierta a su hijo.   *Se despierta.*

1.   2.   3.   4.

5.   6.   7.   8.

B **¿Cuándo?**   Imagina que un niño muy joven viene a visitarte y quiere saber tu rutina diaria *(daily routine)*. Por ejemplo:

despertarse
ESTUDIANTE A   *¿Cuándo te despiertas?*
ESTUDIANTE B   *Me despierto alrededor de las siete.*
    o: *Me despierto cuando oigo el despertador.*

1. levantarse
2. bañarse o ducharse
3. cepillarse los dientes
4. vestirse
5. lavarse las manos
6. peinarse
7. irse para la escuela
8. acostarse

C Visitantes de Guanajuato. Imagina que tu clase de español entrevista *(interviews)* a unas visitantes de Guanajuato, México. Pregunta y contesta según el modelo.

> ¿cuándo? / levantarse / muy temprano
>
> ESTUDIANTE A *¿Cuándo se levantan Uds.?*
> ESTUDIANTE B *Nos levantamos muy temprano.*

1. ¿cuánto tiempo / quedarse en los Estados Unidos? / una semana
2. ¿dónde / quedarse? / en una pensión en el centro
3. ¿a qué hora / despertarse? / alrededor de las 7:30
4. ¿de qué / quejarse? / del horario
5. ¿darse prisa todo el tiempo? / sí, siempre
6. ¿divertirse? / sí, . . . mucho
7. ¿cuándo / acostarse? / alrededor de la medianoche
8. ¿dormirse fácilmente? / en seguida
9. ¿cuándo / irse para Guanajuato? / el domingo por la tarde

D Hay que ayudar a los niños. Describe lo que hacen estas personas. Usa verbos reflexivos o no reflexivos según los dibujos. Sigue el modelo.

Se lavan la cara.   *Les lavan la cara a sus hijas.*

1.   2.

3.   4.

E Nos conocemos muy bien. Varios amigos se hacen preguntas para conocerse mejor. Sigue el modelo.

> Uds. / conocer bien / muy bien
> ESTUDIANTE A *¿Se conocen bien Uds.?*
> ESTUDIANTE B *Sí, nos conocemos muy bien.*

1. José y tú / escribir / a menudo
2. Uds. / prestar ropa / siempre
3. María, Inés y tú / visitar / todos los meses
4. las hermanas Ochoa y tú / entender bien / muy bien
5. Uds. / ayudar en la escuela / muchas veces
6. tú y tu novia / llamar por teléfono / todos los días
7. Uds. / ver / durante el verano / a menudo
8. Marta y tú / mandar tarjetas postales / frecuentemente

F ¿Reflexivo o no? Completa las frases con la forma correcta del verbo reflexivo o no reflexivo.

1. Mi hermanito siempre *(dormir / dormirse)* en seguida después de acostarse.
2. Luisa quiere *(probar / probarse)* una nueva marca de maquillaje.
3. ¿Por qué no *(probar / probarse)* (tú) los guisantes?
4. ¿A qué hora (nosotros) *(ir / irse)* del campamento?
5. La mayoría de las veces él *(ir / irse)* a la peluquería conmigo.
6. Este lápiz de labios *(llamar / llamarse)* "Fuego rosado."
7. ¿(Tú) *(llamar / llamarse)* al dependiente?
8. (Yo) *(poner / ponerse)* el secador en la maleta.
9. Guillermo quiere *(poner / ponerse)* un traje elegante para la fiesta.

Mandatos con pronombres reflexivos

◆ COMMUNICATIVE OBJECTIVES

To refuse to do something

To tell a child what to do

Just as with other object pronouns, we attach reflexive pronouns to affirmative *tú* commands. When we attach a reflexive pronoun to a command form of more than one syllable, we place a written accent mark over the stressed syllable.

Ponte el traje de baño nuevo.	*Put on your new bathing suit.*
Vete ahora.	*Leave now.*
Quítate la chaqueta si tienes calor.	*Take off your jacket if you're warm.*
Córtate el pelo pronto.	*Get your hair cut soon.*
Levántate, por favor.	*Get up please.*

PRÁCTICA

A ¡Qué niño tan antipático! Imagina que eres el padre o la madre de un niño obstinado *(stubborn)*. Haz mandatos y contesta según el modelo.

> cortarse el pelo
>
> ESTUDIANTE A *Córtate el pelo.*
> ESTUDIANTE B *No quiero cortarme el pelo.*

1. limpiarse las uñas
2. lavarse el pelo
3. ponerse la bufanda
4. cepillarse los dientes
5. darse prisa
6. irse ahora mismo
7. quitarse las botas mojadas
8. probarse los zapatos nuevos
9. atarse los cordones de los zapatos
10. acostarse temprano
11. quedarse en el comedor
12. despertarse ahora mismo

B Hablemos de ti.

1. Describe lo que haces por la mañana. ¿Cuándo te despiertas? ¿Prefieres bañarte o ducharte? ¿Cuánto tiempo tardas en vestirte? Si tienes que darte prisa, ¿puedes vestirte en cinco minutos?
2. ¿Qué haces los sábados o los domingos que no haces durante los otros días de la semana? ¿Cómo te diviertes? ¿Te pones ropa distinta los fines de semana? ¿Cómo es?
3. ¿Te gusta levantarte temprano o tarde? ¿Por qué? ¿Cuántas horas duermes generalmente? ¿Prefieres la mañana o la noche? ¿Por qué?
4. ¿Te acostaste tarde o temprano anoche? ¿Por qué?
5. ¿Cuántos años hace que sabes atarte la corbata? ¿Y atarte los cordones de los zapatos?
6. ¿Te quejaste de algo esta mañana? ¿De qué?
7. ¿Cuáles son algunos de los mandatos que te da tu papá? ¿Tu mamá? ¿Tus profesores? ¿Tus entrenadores o entrenadoras?

ACTIVIDAD

¡Despiértate! Get together with two or three students for this variation of charades. One person starts by pointing at someone in the group and giving a command that includes a reflexive verb. That person pantomimes the action, and then everyone mentions something the mimer needs. For example, if the person pantomimes combing his or her hair, people might say things like *necesita un peine, necesita un espejo,* and so on. Continue until everyone has given two commands and pantomimed two actions.

APLICACIONES

La liquidación

Después de las cinco el almacén está lleno de gente. ¿Qué precio ves en la caja? ¿Cuántas personas suben por la escalera mecánica? ¿Qué está en liquidación?

Enrique bought a shirt from this department store two days ago. Create a dialogue in which he asks the saleswoman if he can return it. Give the reason why. You may want to use these words or phrases:

devolver	la talla	distinto, -a
probarse	ancho, -a	estrecho, -a
quejarse de	anticuado, -a	sucio, -a

EXPLICACIONES II

Los números de 100 a 1.000.000

1 You know how to count by hundreds.

100 cien(to)	400 cuatrocientos, -as	700 setecientos, -as
200 doscientos, -as	500 quinientos, -as	800 ochocientos, -as
300 trescientos, -as	600 seiscientos, -as	900 novecientos, -as

You also know how to say all numbers up to 999. Look at the following examples:

211 doscientos once	567 quinientos sesenta y siete
817 ochocientos diecisiete	999 novecientos noventa y nueve

2 Notice the use of *mil* in the following sentences.

Mis abuelas llegaron a los Estados Unidos en **mil ochocientos noventa y tres.**

*My grandparents arrived in the United States in **1893.***

En esta biblioteca hay más de **diez mil quinientos** libros.

*There are more than **10,500** books in this library.*

We use the plural form *miles* in the same way that we use "thousands" in English.

Hay **miles** de personas en el parque.

*There are **thousands** of people in the park.*

3 Remember that after *millón* and *millones* we use *de* before a noun.

Esta ciudad tiene casi **un millón de** habitantes.

*This city has almost **a million** inhabitants.*

La Argentina tiene cerca de **treinta millones de** habitantes.

*Argentina has close to **thirty million** inhabitants.*

While we usually use the singular in English, in Spanish we use the plural form *millones* for everything over one million.

◆ COMMUNICATIVE OBJECTIVES

To give exact dates

To tell how much expensive items cost

PRÁCTICA

A **¿Cuál es la fecha de la independencia?** Los estudiantes de la clase de historia aprenden de memoria el año de la independencia de varios países. Sigue el modelo.

> la Argentina / 1810
> *la Argentina, mil ochocientos diez*

1. Chile / 1818
2. México / 1821
3. el Uruguay / 1825
4. el Ecuador / 1830
5. Cuba / 1898
6. Panamá / 1903
7. los Estados Unidos / 1776
8. la mayoría de los países centroamericanos / 1838 y '39

B **¿Cuánto tiene cada uno?** Antes de irse a casa, cada cajero del banco tiene que contar el dinero que hay en su caja: los billetes, las monedas, los cheques y los cheques de viajero. ¿Más o menos cuánto tiene cada uno? Sigue el modelo.

> el primer cajero / casi $ 30.000
> *El primer cajero tiene casi treinta mil dólares.*

1. el segundo cajero / más de $ 70.000
2. el tercer cajero / casi $ 40.000
3. el cuarto cajero / casi $ 1.000.000
4. el quinto cajero / más de $ 250.000
5. el sexto cajero / alrededor de $ 400.000
6. el séptimo cajero / cerca de $ 3.000.000
7. el octavo cajero / más de $ 700.000
8. el noveno cajero / alrededor de $ 25.000
9. el décimo cajero / menos de $ 10.000

Un banco en Santa Cruz, Bolivia

El pretérito de los verbos que terminan en *-er* e *-ir*

Review the preterite forms of regular *-er* and *-ir* verbs. Remember that the endings are the same for both types of verbs.

COMER		VIVIR	
comí	comimos	viví	vivimos
comiste	comisteis	viviste	vivisteis
comió	comieron	vivió	vivieron

Ayer **comimos** en la pensión.   *Yesterday we **ate** at the boardinghouse.*
Jaime **vivió** en Bolivia el año pasado.   *Jaime **lived** in Bolivia last year.*

Note that stem-changing *-er* verbs do not have the stem change in the preterite.

¿**Enciendo** ahora la estufa?   ***Shall I light** the stove now?*
No, ya la **encendí**.   *No, I already **lit** it.*

PRÁCTICA

A   Ya es lunes.   Di lo que hicieron estos chicos durante el fin de semana. Sigue el modelo.

> Pedro / asistir a un concierto de música clásica
> *Pedro asistió a un concierto de música clásica.*

1. Carlos / devolver un secador descompuesto
2. Ellos / salir para la peluquería antes del mediodía / y no volver hasta las seis
3. Uds. / escoger una botella de perfume para el santo de Alicia
4. Mis amigos / ver una película de ciencia ficción
5. Susana / correr en una carrera / y perder
6. Juan / escribir letreros y etiquetas para la liquidación en la tienda de su mamá
7. Pablo y Ramón / comer en un restaurante dominicano
8. Cristina / recoger revistas viejas / y venderlas
9. Y tú, ¿qué hiciste?

B **¿Lo hiciste o no?**   Pregúntale a un(a) compañero(a) si hizo las siguientes cosas ayer. Sigue el modelo.

> asistir a clase
> ESTUDIANTE A   *¿Asististe a clase?*
> ESTUDIANTE B   *Sí, asistí a clase.*
> o: *No, no asistí a clase.*

1. comprender todas las preguntas de la tarea de español
2. entender todos los problemas de matemáticas
3. escribir algo a máquina
4. devolver algunos libros a la bibliotecaria
5. aprender algo nuevo en esta clase
6. recibir una carta o tarjeta postal
7. perder algo importante
8. salir temprano de la escuela
9. volver tarde a casa

C **¿Lo hicieron o no?**   Ahora usa los elementos de la Práctica B para preguntar y contestar según el modelo.

> asistir a clase
> ESTUDIANTE A   *¿Asistieron Uds. a clase?*
> ESTUDIANTE B   *Sí, asistimos a clase.*
> o: *No, no asistimos a clase.*

Actor maquillándose

El pretérito de los verbos reflexivos

We form the preterite of reflexive verbs in the same way that we form the preterite of nonreflexive verbs. The reflexive pronoun comes before the verb just as in the present tense.

No **me duché, me bañé.**   *I didn't take a shower; I took a bath.*
¿A qué hora **se acostaron** Uds.? *What time did you go to bed?*
Nos fuimos temprano.   *We left early.*

◆ COMMUNICATIVE OBJECTIVES

To tell what happened in the past

To describe preparations for an event

PRÁCTICA

A En el teatro. ¿Qué hicieron los actores y las actrices antes y después de la obra de teatro? Completa el párrafo con la forma correcta de los verbos en el pretérito.

A las siete y cuarto, los cuatro actores *(llegar)* al teatro. Las dos actrices *(probarse)* los vestidos y *(escoger)* sus joyas elegantes. Luego *(cortarse)* y *(limarse)* las uñas y después *(maquillarse).* El maquillaje les *(quedar)* muy bien.

5 Los dos actores *(afeitarse)* y *(peinarse.)* También ellos *(ayudarse)* a ponerse la barba y el bigote y a maquillarse. Todos *(darse prisa).* La obra *(comenzar)* exactamente a las ocho.

Después de la obra, los actores y las actrices *(quitarse)* el maquillaje y *(lavarse)* la cara con mucho jabón. Alrededor de las once, todos *(irse)*
10 del teatro.

B Hablemos de ti.
1. ¿Saliste este fin de semana? ¿Con quién? ¿Qué hicieron Uds.?
2. Hoy por la mañana, ¿te levantaste temprano o tarde? ¿A qué hora? ¿Te bañaste o te duchaste? ¿Te cepillaste los dientes? ¿Qué marca de pasta dentífrica usaste?
3. ¿A qué hora desayunaste esta mañana? ¿Qué comiste? ¿Qué bebiste? ¿Quién preparó la comida? ¿A qué hora cenaste anoche? ¿Qué hiciste después? ¿Miraste la televisión? ¿Qué programas viste?

APLICACIONES

Mira las frases modelo. Luego cambia las frases que siguen al español según los modelos.

1. *Armando fue a la peluquería del hotel para cortarse la barba.*
   (They went to the office bathroom to wash their hands.)
   (We went to the school gym to take off our uniforms.)
   (You (fam.) went to Ana's room to file your nails.)

2. *Después de maquillarse los ojos, usó el esmalte de uñas.*
   (Before leaving the store, they returned the shaving cream.)
   (After trying on the dress, she bought a lipstick.)
   (After shaving your mustache, you (fam.) threw away the razor.)

3. *La dependienta le preguntó: "¿Quiere también ponerse estos zapatos?"*
   (His mother asked him: "Can you (fam.) also tie your laces?")
   (He asked them: "Do you also want to take off your glasses?")
   (María asked me: "Should you (fam.) also cut your nails?")

4. *Su mamá le dice: "Es muy tarde. Cepíllate los dientes y apaga la luz."*
   (She says to me: "It's very wide (fem.). Take off the skirt and look for your size.")
   (I say to Daniel: "It's rather late. Wash your hair and use the hair dryer.")
   (I say to her: "They're too narrow (fem.). Try on these shoes and return the sandals.")

5. *¡Qué milagro! Vendiste más de un millón de secadores.*
   (What a drag! They returned about 1,100 scissors.)
   (How lucky! She wrote more than 1,500 labels.)
   (What a shame! We sold fewer than a thousand cash registers.)

Peluquería en Guatemala

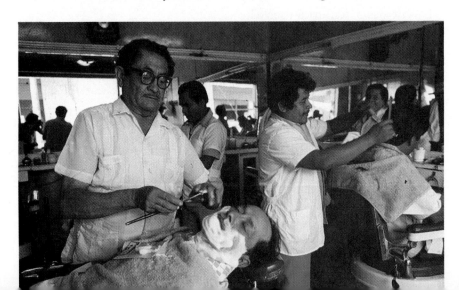

Escribe las frases en español.

1. Consuelo went to the neighborhood beauty shop to have her hair cut.

2. Before having her hair cut, she looked at the fashion (pl.) magazines.

3. The hairdresser asked her: "Do you also want to try (on) this makeup?"

4. Consuelo's friend says to her: "It's very late. Hurry up and pay the bill."

5. "Good grief! I spent more than 1,500 pesos!"

REDACCIÓN

Ahora escoge uno de los siguientes temas para escribir tu propio diálogo o párrafo.

1. Write a paragraph describing what you or a member of your family does to get ready in the morning.

2. Create a dialogue between two friends in a department store that is having a sale. To which departments do they go? What do they try on? Do they buy anything?

3. Imagine that someone you know is working as a salesclerk at a neighborhood clothing store. Write a paragraph describing what he or she does during a typical day. What are the customers like? Does your friend like the work? Does he or she complain about anything?

A   En la tienda

Escoge la palabra correcta para completar cada frase.

dependiente	el impuesto
la escalera mecánica	el letrero
la etiqueta	un ojo de la cara
ganga	talla

1. Estos jeans son muy baratos. ¡Qué _____!
2. El ascensor está descompuesto. Hay que buscar _____.
3. El precio de la ropa está en _____.
4. No puedo leer _____. Es muy pequeño.
5. Tengo que devolver esta camisa. No es mi _____.
6. Él es _____ en una tienda de música.
7. ¡Qué caro es! Cuesta _____.
8. Luis dice que _____ va a ser más de 1.100 pesos.

B   Por la mañana

Forma frases. Usa la forma reflexiva correcta del presente.

1. Ana / cepillarse el pelo
2. (tú) / limarse mucho las uñas
3. mi hermano / probarse la corbata nueva
4. (nosotros) / vestirse de prisa
5. (yo) / maquillarse muy despacio
6. Carmen / atarse los cordones de los zapatos
7. mis hermanas / irse temprano
8. Luis y yo / quejarse de todo

C   ¿Qué hace?

Di lo que hace Laura con las siguientes cosas. Sigue el modelo.

Se lava la cara y las manos.

 1.   2.   3.

4.   5.   6.

D   Lo que van a hacer

Haz frases según el modelo.

(él) / afeitarse por la mañana
Tiene que afeitarse por la mañana.

1. (yo) / irse en dos minutos
2. mi tío / cortarse el bigote
3. Ud. / darse prisa
4. (yo) / ponerse el vestido rosado
5. (nosotros) / quejarse de esa cajera
6. (tú) / probarse los pantalones
7. mis hermanas / limarse las uñas
8. (ellos) / acostarse después de la cena

E   Los mandatos

Haz mandatos afirmativos con *tú*.

1. irse ahora mismo
2. ponerse el esmalte de uñas
3. lavarse bien las manos
4. afeitarse antes de salir
5. cortarse el pelo
6. maquillarse en el baño

F   El pretérito

Completa cada frase con la forma correcta del verbo en el pretérito.

1. ¿A qué hora _____ (tú) anoche?   (*salir*)
2. ¿_____ Uds. a menudo?   (*escribirse*)
3. (Yo) _____ eso el año pasado.   (*aprender*)
4. ¿Lo _____ Ud. al dependiente?   (*devolver*)
5. (Nosotros) _____ muchas gangas.   (*escoger*)
6. ¿Quién _____ el plato?   (*romper*)
7. ¿_____ (tú) el letrero?   (*entender*)
8. Elena me _____ un lápiz de labios nuevo.   (*prometer*)
9. (Nosotros) _____ en la farmacia.   (*verse*)
10. (Yo) _____ del departamento a las tres.   (*irse*)

VOCABULARIO DEL CAPÍTULO 7

Sustantivos
la barba
el bigote
la caja *(cash register)*
el cajero, la cajera
los cordones (de los zapatos)
la crema de afeitar
el departamento
el dependiente, la dependienta
la escalera mecánica
el esmalte de uñas
la etiqueta
la ganga
el impuesto
el labio
el lápiz de labios
el letrero
la lima de uñas
la liquidación, *pl.* las
    liquidaciones
el maquillaje
la maquinilla de afeitar
la marca
la moda
el mostrador
el número *(shoe size)*
la peluquería
el peluquero, la peluquera
el perfume
el precio
el secador
la talla
las tijeras
la uña
la vitrina

Adjetivos
ancho, -a
anticuado, -a
castaño, -a
distinto, -a (de)
elegante
estrecho, -a
hecho, -a
rosado, -a

Verbos
afeitar(se)
atar
devolver (o → ue)
gastar
irse
maquillar(se)
probarse (o → ue)
quedar
quejarse (de)

Pronombres reflexivos
nos *(each other)*
se *(each other)*

Preposición
alrededor de

Expresiones
atar(se) la corbata / los cordones
    de los zapatos
cortar(se) el pelo / las uñas
costar un ojo de la cara
darse prisa
de moda
en venta *(on sale)*
limar(se) las uñas
limpiar(se) los zapatos / los
    anteojos
la mayoría de
miles (de)

CAPÍTULO 8

MÉXICO, D.F.

What do you think it's like to live in the oldest city in the Americas? Mexico City has been inhabited since 1325. In that year the Aztecs founded the city they called Tenochtitlán on an island in the middle of *el lago de Texcoco*. As the population grew, they created more land by layering mud and aquatic plants on woven frames, and by the time the Spanish explorers arrived in 1519, they found a magnificent city of houses, pyramids, and temples. In conquering the Aztecs, they destroyed much of the Indian civilization and then built their own colonial city on top of the ruins. In the 1600s the Spaniards drained Texcoco, and now the *Distrito Federal*, or D.F., has almost completely covered the dry lake bed.

The people of Mexico City live with the past on a daily basis. Nowhere is the contrast between old and new more evident than in *la Plaza de las Tres Culturas*, not far from the heart of downtown Mexico City. There you can see the ruins of a fourteenth-century Aztec pyramid next to a sixteenth-century Spanish church and, towering over both, a twentieth-century office building. Below ground, if you ride certain routes on the very efficient and quiet Mexico City subway system, you will pass pyramids and glass cases displaying Aztec artifacts that were discovered when workers excavated the subway tunnel.

By the time the Pilgrims landed at Plymouth Rock in 1620, Mexico City was a thriving center of more than 100,000 inhabitants. It was the home of the printing press and mint, as well as one of the first universities in the Americas. Today, with a population of 9 million, and with 5 million more in the suburbs and outlying areas, Mexico City is the second-largest and most rapidly growing metropolitan area in the world.

To tell someone to be
patient or careful

To borrow/drive a car

To give someone
directions

To be a backseat driver

CONTEXTO
VISUAL

PALABRAS NUEVAS I

Las reglas de tráfico

la carretera

el parquímetro

el semáforo

el cruce (de calles)

el paso de peatones

la conductora

el conductor

el peatón
pl. los peatones

ALTO

las señales de tráfico

* In Spain and many other countries, the word STOP appears on stop signs. In some
countries of Latin America (Colombia, for example) they use PARE. In others, such as
Mexico, they use ALTO.

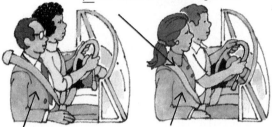

el cinturón de seguridad
pl. los cinturones de seguridad

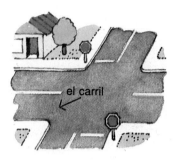

el carril

el instructor   la instructora   tocar la bocina

CONTEXTO COMUNICATIVO

1 NORMA Estoy **nerviosa.** Hoy voy a tomar el examen para **obtener un permiso de manejar.**

MATEO Pero manejas bien y aprendiste **las reglas** de **tráfico.**

NORMA Pero, ¿qué va a pasar si salgo mal en el examen?

MATEO **No seas** tan pesimista, Norma. Si manejas **con cuidado** vas a salir muy bien en el examen.

Variaciones:
- nerviosa → preocupada
- no seas tan pesimista → sé más optimista

2 IGNACIO No seas tan **impaciente.**

BEATRIZ Lo siento, Ignacio, pero **tengo prisa.**

IGNACIO Nunca **respetas la velocidad máxima.** Si tú no tienes cuidado, ese policía te va a **poner una multa.**

- no seas tan impaciente → sé más **paciente**
- no seas tan impaciente → no puedes **estacionar** aquí
  la velocidad máxima → las señales de tráfico

nervioso, -a *nervous*
obtener (yo obtengo, tú obtienes) *to get, to obtain*
el permiso de manejar *driver's license*
manejar *to drive*
la regla *rule, law*
el tráfico *traffic*
no seas (negative **tú** command form of **ser**) *don't be*
con cuidado *carefully*

impaciente *impatient*
tener prisa *to be in a hurry*
respetar *to respect, to obey*
la velocidad máxima *speed limit*
poner una multa *to give a ticket*
la multa *fine; (traffic) ticket*
paciente *patient*
estacionar *to park*

3 RAQUEL   Por favor, **¿queda por aquí** la estación de tren?

MANUEL   No, **por allí.** Ud. tiene que **dar la vuelta.**

■ queda → está

■ la estación del tren → la casa de cambio

4 ARMANDO   **¿Doblo** a la izquierda para llegar al parador?

BÁRBARA   No. Continúa **todo derecho.** Pero ten cuidado. La calle es muy estrecha y es bastante **peligrosa.**

■ a la izquierda → en la esquina

■ es muy estrecha → no es muy ancha

5 FELIPE   Mamá, tengo que ir a la biblioteca. ¿Me puedes llevar en coche?

MAMÁ   Pero hijo, ¿no ves que estoy ocupada? Tienes que caminar sólo quince **cuadras.**

FELIPE   ¡Quince cuadras! ¡Qué lata!

MAMÁ   ¡Qué niño tan perezoso!

■ la biblioteca → el club

■ ¡qué lata! → ¿no quieres cambiar de idea?

quedar   here: *to be (located)*

por aquí   *around here, over here, this way*

por allí   *around there, over there, that way*

dar la vuelta   here: *to turn around, to go around*

doblar   *to turn*

(todo) derecho   *straight ahead*

peligroso, -a   *dangerous*

la cuadra   *(city) block*

EN OTRAS PARTES

También se dice *el crucero, la bocacalle* y *la encrucijada.*

También se dice *el claxon.*

En España se dice *aparcar.*

También se dice *el chofer.*

manejar

También se dice *conducir.*

el permiso de manejar

En España se dice *el carné, la licencia* y *el permiso de conducir.*

doblar

También se dice *torcer.*

PRÁCTICA

A **¿Por qué?** Cuando Javier maneja el coche sus hermanitos le hacen muchas preguntas. Completa cada una de sus respuestas con la palabra correcta.

1. ¿Dónde cruzan las personas? En *(el carril / la carretera / el paso)* de peatones.
2. ¿Por qué toca ese hombre la bocina? Él es muy *(impaciente / perezoso / peligroso)*.
3. ¿Por qué doblas? Porque quiero ir a aquella tienda y acabo de ver *(un carril / un parquímetro / una regla)*.
4. ¿Cómo se llaman esas luces rojas y verdes? Es *(un semáforo / una cuadra / una multa)*.
5. ¿Dónde vas a doblar? En *(la multa / el tráfico / el cruce de calles)*.
6. ¿Por qué estás tan nervioso? Porque la bocina no *(funciona / dobla / maneja)*.
7. ¿Cómo son los instructores que dan clases de manejar? La mayoría de ellos son muy *(nerviosos / pacientes / peligrosos)*.
8. ¿Cuál es la primera cosa que te dice el instructor? Ponte *(el parquímetro / el cinturón de seguridad / el permiso de manejar)*.
9. ¿Por qué manejas siempre tan despacio? Porque yo *(obtengo / llevo / respeto)* todas las reglas de tráfico.
10. ¿Puedes llevarnos a la casa de Anita esta tarde? No, su casa *(dobla / queda / estaciona)* demasiado lejos de aquí.

Un policía poniendo multa en México

B La lección de manejar.   El Sr. Alvarado le dio a su hijo una lección de manejar. Completa las frases con las palabras de la columna a la derecha.

1. Es peligroso por aquí. ¡Maneja _____!
2. ¡Más despacio! El policía te va a _____.
3. Hay que _____ las señales de tráfico.
4. Siempre hay que parar cuando hay _____ en el paso de peatones.
5. ¿Por qué doblas? Para llegar a la carretera hay que _____.
6. Es peligroso ir más rápido que la _____.
7. Para doblar a la derecha, debes estar en el otro _____.
8. Dobla aquí. Hay parquímetros a la _____.
9. Hay mucho tráfico allí porque el _____ no funciona.
10. ¿Me puedes _____ a casa ahora? Necesito descansar.

carril
con cuidado
continuar todo derecho
gente
llevar
poner una multa
respetar
semáforo
velocidad máxima
vuelta de la esquina

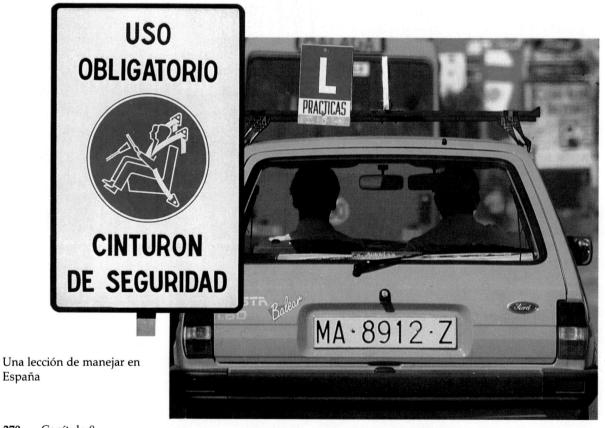

Una lección de manejar en España

C Hablemos de ti.

1. ¿Cuántas personas manejan en tu familia? ¿Quién es el mejor conductor de tu familia? ¿Por qué? ¿Qué debes hacer para ser un(a) buen(a) conductor(a)?
2. ¿Sabes manejar? Si no manejas, ¿quién te lleva a lugares lejos de tu casa?
3. ¿Crees que es fácil o difícil el examen que hay que tomar para obtener el permiso de manejar? ¿Por qué? En el estado donde vives, ¿cuántos años debes tener para obtener el permiso de manejar? En tu escuela, ¿hay clases para aprender a manejar? ¿Cómo son?
4. ¿Siempre respetas las señales de tráfico cuando montas en bicicleta? ¿Qué pasa si no las respetas?
5. Cuando cruzas la calle, ¿siempre usas el paso de peatones? ¿Siempre respetas las señales de tráfico para peatones? ¿Cuáles no respetas? ¿Por qué?

APLICACIONES

Una lección de manejar

En Madrid, España

El instructor le da a Ramón su primera lección de manejar. Acaban de subir al coche.

INSTRUCTOR Primera lección, Ramón: Hay que ponerse el cinturón de seguridad. No vayas[1] rápido. Mira
5   siempre adelante,[2] pero presta atención a los otros coches, a los semáforos, a los peatones, a las . . .

RAMÓN Pero, Sr. López, eso es mucho, yo . . .

INSTRUCTOR No, Ramón. Eso es muy poco. Pero podemos empezar ahora. Aquí tienes la llave.
10   *(Varios minutos después . . .)*

INSTRUCTOR No vayas tan rápido. Continúa todo derecho hasta la próxima señal de . . . ¡Cuidado, Ramón, la bicicleta!

RAMÓN ¿Qué pasó, Sr. López? Yo no vi nada.

15 INSTRUCTOR ¡Claro que no! Te dije[3] que tienes que mirar siempre adelante. Pero hay que saber lo que pasa a tu derecha, a tu izquierda . . .

RAMÓN Sí, señor, pero no sea[4] impaciente.

INSTRUCTOR Está bien, Ramón. Ahora continúa hasta la esquina.
20   Para. Bueno. Puedes doblar si no viene otro coche.

RAMÓN Señor López, ¿cuándo voy a saber manejar?

INSTRUCTOR Muy pronto, Ramón. Sólo tienes que manejar con cuidado, conocer las reglas de tráfico, aprender a doblar y a estacionar bien . . .

---

[1]**no vayas** *don't go*   [2]**adelante** *forward*   [3]**dije** (preterite of **decir**) *told*
[4]**no sea** (negative Ud. command form of **ser**) *don't be*

Preguntas

Contesta según el diálogo.

1. Cuando la gente sube a un coche, ¿qué debe hacer primero? ¿Haces eso tú?   2. ¿Cómo puedes mirar siempre adelante y también prestar atención a otras cosas? ¿Por qué crees que Ramón dice que es mucho? 3. ¿Por qué no vio Ramón la bicicleta?   4. ¿Por qué está impaciente el Sr. López?   5. ¿Cómo crees que está Ramón después de su primera lección?   6. En tu opinión, ¿qué debe hacer Ramón para aprender a manejar?   7. ¿Cuándo piensas aprender a manejar? ¿O ya sabes? ¿Quién te enseñó o cómo piensas aprender?   8. ¿Por qué quiere casi todo el mundo en los Estados Unidos aprender a manejar? En tu opinión, ¿cómo es la vida diaria *(daily)* para la gente que no sabe manejar?

Participación

Work with a partner to make up a dialogue in which you give directions about how to get to each other's house.

◆ COMMUNICATIVE
OBJECTIVE
To tell what is wrong
with a car

PALABRAS NUEVAS II

En la estación de servicio

**CONTEXTO
VISUAL**

el accidente

el mecánico

la mecánica

el coche deportivo

la gasolina

**CONTEXTO
COMUNICATIVO**

1 CARMEN ¿Puedo usar el coche hoy?

   PAPÁ Sí, pero tienes que **llenar** el tanque.

   CARMEN ¿No compraste gasolina ayer?

   PAPÁ No, me olvidé de hacerlo.

Variaciones:

■ el coche → la moto

llenar *to fill (up)*

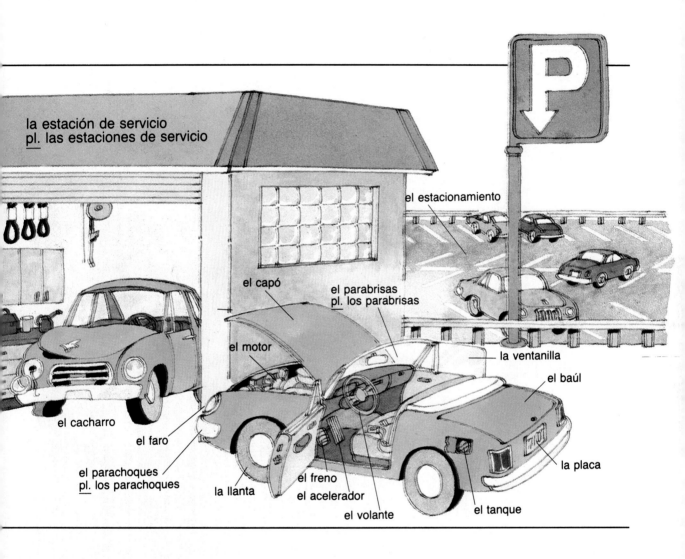

la estación de servicio
pl. las estaciones de servicio

el estacionamiento

el capó

el parabrisas
pl. los parabrisas

el motor

la ventanilla

el baúl

el cacharro

el faro

el parachoques
pl. los parachoques

la llanta

el freno

el acelerador

el volante

el tanque

la placa

2 ALFONSO ¿De quién es ese coche deportivo? **El tuyo** es
mucho más viejo, ¿verdad?

CECILIA Sí, **el mío** es un cacharro. A veces no **arranca.**

ALFONSO ¿Y qué dice tu mecánico?

CECILIA Que necesito un coche nuevo.

■ el tuyo → tu coche
■ el mío → mi coche
un coche nuevo → uno nuevo

el tuyo, la tuya *yours*

el mío, la mía *mine*
arrancar *to start (a car)*

3 CLARA   ¡Cuidado, Jaime! Casi **chocaste con** esa moto. ¡No seas tan **distraído**!

JAIME   Yo no soy distraído. Ese hombre no sabe manejar.

- esa moto → ese camión
- ¡no seas tan distraído! → ¡presta atención!
- ese hombre → ese conductor

chocar (con)   *to hit (something), to bump (into), to crash (into)*
distraído, -a   *absent-minded*

4 LUISA   Roberto, **aceleras** demasiado.

ROBERTO   ¿Por qué estás tan nerviosa? Este coche tiene buenos frenos.

LUISA   Sí, pero a veces no tienes tiempo para parar.

- aceleras demasiado → manejas demasiado rápido
- nerviosa → asustada

acelerar   *to speed up, to accelerate*

EN OTRAS PARTES

También se dice *el neumático* y *la goma*.

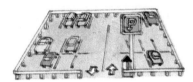

En España se dice *el aparcamiento* o *el parqueo*.

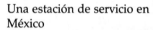

Una estación de servicio en México

En muchos países se dice *la gasolinera*.

También se dice *la cajuela, la maletera, el maletero* y *el portaequipaje(s)*.

En España se dice *la (placa de) matrícula*. En Cuba se dice *la chapa*.

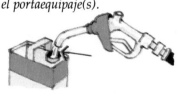

En la Argentina se dice *la nafta*.

PRÁCTICA

A Mecánicos. En la clase para aprender a manejar el instructor le dice a cada estudiante lo que tiene que hacer. ¿Qué mandato le da a cada estudiante? Sigue el modelo.

 Mario / apagar
Mario, apaga el radio.

1. Rosa / encender

2. Diego / examinar

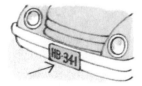

3. Esteban / limpiar

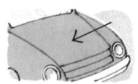

4. Sara / levantar

5. Ana / tomar

6. Jorge / llenar

7. Tomás / abrir

8. Ester / lavar

9. Vicente / encender

En Bogotá, Colombia

B **Un viaje difícil.** Raúl y Pilar fueron al aeropuerto a buscar a sus padres, pero fue un viaje lleno de problemas. Completa las frases con el pretérito del verbo correcto. Sigue el modelo.

> Primero, el coche no (*arrancar / estacionar / chocar*).
> *Primero, el coche no arrancó.*

1. Segundo, Raúl (*respetar / olvidar / doblar*) el permiso de manejar.
2. Tercero, él no (*manejar / llenar / gastar*) el tanque.
3. Cuarto, Raúl y Pilar no (*encontrar / tocar / llevar*) una estación de servicio.
4. Quinto, Raúl no (*cruzar / respetar / acelerar*) la velocidad máxima.
5. Sexto, los frenos no (*llenar / manejar / funcionar*) bien.
6. Séptimo, Raúl y Pilar no (*doblar / quedar / tardar*) a tiempo.
7. Octavo, Raúl (*chocar / encontrar / cruzar*) con otro coche.
8. Noveno, Raúl y Pilar (*devolver / estacionar / llegar*) al aeropuerto con mucho retraso.

C **¿Qué es?** Los estudiantes que toman el examen para obtener el permiso de manejar tienen que identificar las partes del coche. Identifica cada parte en español.

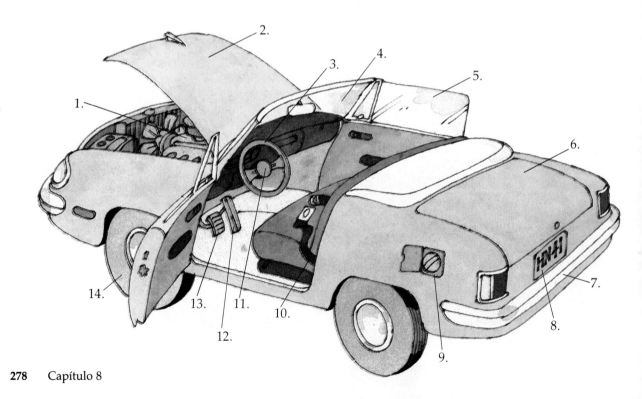

D Hablemos de ti.

1. ¿Tiene coche tu familia? ¿Cómo es? ¿De qué color es? ¿Puedes describir tu coche favorito?
2. ¿Prefieres los coches pequeños o los grandes? ¿Por qué? ¿Prefieres los coches con baúles grandes o pequeños? ¿Por qué? Para ti, ¿cuál es la cosa más importante que un coche debe tener?
3. ¿Prefieres los coches deportivos o los cacharros? ¿Por qué?

ACTIVIDAD

Un coche nuevo. With a partner, create and draw a picture of a new, advanced car and label all the parts. Then get together with other pairs of students and describe your car, explaining any unusual features you came up with.

ESTUDIO DE PALABRAS

Palabras compuestas:

A word that is made by combining two or more other words is called a compound word: For example, thumbnail, snowman, brother-in-law.

Spanish, too, has *palabras compuestas.* Can you tell what two words are combined to make each of these compound words?

el parabrisas	el tocadiscos	el salvavidas
el parachoques	el lavaplatos	el paraguas
el abrelatas	el sujetapapeles	el sacapuntas

You know what most of those individual words mean. What do you think *brisa, choque, sujetar, salvar,* and *sacar + punta* mean?

Antónimos

Cambia las palabras en cursiva por un antónimo.

1. Nuestro instructor es una persona muy *paciente.*
2. La estación de servicio queda por *aquí.*
3. *Los conductores* deben respetar las reglas de tráfico.
4. Pon el pie en *el freno* para *parar.*

EXPLICACIONES I

Los mandatos negativos con *tú*

◆ COMMUNICATIVE
OBJECTIVES

To tell people not to do
things

To request and give
advice

To contradict

To show impatience

You know that to form regular affirmative *tú* commands we simply use
the *Ud.* / *él* / *ella* form of the present tense. To tell someone *not* to do
something we use a negative command, which has a very different form.

Habla con el mecánico, Luis.   *Talk to the mechanic, Luis.*
No hables ahora, Luis.   *Don't talk now, Luis.*

To form negative *tú* commands with regular verbs, we drop the *o* of the
present-tense *yo* form and add the following endings. For -*ar* verbs we
add -*es*; for -*er* and -*ir* verbs we add -*as*.

CANTAR	cantø → cant + **es**	**No cantes** ahora.	*Don't sing now.*
COMER	comø → com + **as**	**No comas** eso.	*Don't eat that.*
ABRIR	abrø → abr + **as**	**No abras** esto.	*Don't open this.*

1 Stem-changing verbs follow the same rule.

o → ue
CONTAR
cuentø → cuent + **es**   **No cuentes** todavía. *Don't count yet.*

e → ie
ENCENDER
enciendø → enciend + **as**   **No enciendas** eso.   *Don't light that.*

e → i
REPETIR
repitø → repit + **as**   **No repitas** eso.   *Don't repeat that.*

2 Verbs ending in -*car*, -*gar*, and -*zar* have the following spelling changes
in order to maintain the original sound.

-car (c → qu)
TOCAR
tocø → toqu + **es**   **No toques** el piano.   *Don't play the piano.*

-gar (g → gu)
LLEGAR
llegø → llegu + **es**   **No llegues** tarde.   *Don't arrive late.*

-zar (z → c)
CRUZAR
cruzø → cruc + **es**   **No cruces** aquí.   *Don't cross here.*

En Panamá

3 Remember that verbs ending in *-ger* already have a spelling change in the *yo* form.

ESCOGER

escoj̸ø → escoj + **as**   **No escojas** todavía.   *Don't choose yet.*

RECOGER

recoj̸ø → recoj + **as**   **No recojas** eso.   *Don't pick that up.*

PRÁCTICA

A   ¡No, no, no!   Imagina que cuidas a un(a) niño(a) que siempre quiere hacer cosas que no debe hacer. Tú le dices que no. Sigue el modelo.

> atar eso
> *No ates eso.*

1. patinar en el pasillo
2. bajar al sótano
3. desenchufar la tostadora
4. llenar ese vaso
5. cortar el cordón eléctrico
6. enchufar el proyector
7. bañar al gato
8. tirar esas salchichas
9. asustar a los peces
10. afeitar al perro

B   De camping.   Imagina que vas de camping con dos amigos. Cuando les preguntas qué debes hacer, ellos nunca están de acuerdo. Sigue el modelo.

> abrir las latas
> **ESTUDIANTE A**   *¿Abro las latas?*
> **ESTUDIANTE B**   *Sí, ábrelas ahora.*
> **ESTUDIANTE C**   *No, no abras las latas todavía.*

1. barrer la tienda de acampar
2. encender el fuego
3. hervir el agua
4. añadir el ajo
5. servir el pescado
6. comer el postre
7. devolver las linternas
8. recoger los platos

Delante del Palacio Municipal en la Plaza Bolívar de Caracas, Venezuela

C **El pasajero nervioso.** Paco acaba de obtener el permiso de manejar. ¿Qué consejos (advice) le da su hermano mayor? Escoge una expresión de la lista de la derecha. Sigue el modelo.

> pagar demasiado por la gasolina
> *¡Oye! No pagues demasiado por la gasolina.*

1. apagar el motor antes de parar
2. comenzar a llenar el tanque
3. chocar con el parquímetro
4. tocar la bocina tan frecuentemente
5. cruzar cuando hay gente en el paso de peatones
6. colocar las llaves en el baúl
7. empezar a doblar todavía
8. explicar todas las reglas
9. jugar con el cinturón de seguridad

¡ay, chico!
¡caramba!
¡cuidado!
¡oye!
por favor
¡qué barbaridad!
¡qué susto!
¡uf!

D **No puedes hacerlo.** ¿Qué quieren decir estas señales nuevas?

No bailes.

1.   2.   3.

4.   5.   6.

7.   8.   9.

Otros mandatos negativos con *tú*

1 All verbs whose present-tense *yo* form ends in *-go* form their negative *tú* commands according to the regular rule. We drop the *o* and add *-es* for *-ar* verbs and *-as* for *-er* / *-ir* verbs.

◆ COMMUNICATIVE OBJECTIVES

To give advice

To suggest alternative actions

To tell people what to do and what not to do

TENER

tengø → **teng** + **as**   **No tengas miedo.**   *Don't be afraid.*

VENIR

vengø → **veng** + **as**   **No vengas** solo.   *Don't come alone.*

DECIR

digø → **dig** + **as**   **No digas** eso.   *Don't say that.*

HACER

hagø → **hag** + **as**   **No hagas** nada más.   *Don't do anything more.*

TRAER

traigø → **traig** + **as**   **No traigas** eso.   *Don't bring that.*

PONER

pongø → **pong** + **as**   **No pongas** eso allí.   *Don't put that there.*

SALIR

salgø → **salg** + **as**   **No salgas** ahora.   *Don't leave now.*

2 The following verbs have irregular negative *tú* command forms.

DAR   → **No des la vuelta** aquí.   *Don't turn around here.*
ESTAR → **No estés** tan nervioso.   *Don't be so nervous.*
IR   → **No vayas** al cine.   *Don't go to the movies.*
SER   → **No seas** tímido.   *Don't be shy.*

PRÁCTICA

A En la feria.   Imagina que estás en la feria y visitas a una adivinadora *(fortune teller)*. ¿Qué consejos *(advice)* te da? Sigue el modelo.

hacer un viaje mañana
No hagas un viaje mañana.

1. poner dinero en el banco esta semana
2. salir sin visitar todos los puestos
3. tener miedo de decir la verdad
4: hacer planes para el jueves
5. salir el sábado por la noche
6. decir a tus amigos lo que te cuento
7. traer cheques de viajero la próxima vez
8. venir aquí sin dinero

B En casa. ¿Qué le dice Bernardo a su hermanito? Sigue el modelo.

> dar un paseo ahora / hacer la tarea
> *No des un paseo ahora. Haz la tarea.*

1. ser tan distraído / mirar el semáforo
2. ir al parque todavía / cortar el césped
3. dar de comer al perro / cenar tú primero
4. ser tan impaciente / terminar tu cena
5. estar tan triste / sonreír un poco
6. poner los pies en la mesa / ser bueno
7. ir a la calle / venir conmigo
8. dar excusas tontas / salir a tiempo
9. estar tan asustado / ser más valiente

C ¡Escúchame! La abuela de Diego siempre le dice qué hacer. ¿Qué le dice? Sigue el modelo.

> tener miedo / cuidado
> *No tengas miedo. Ten cuidado.*

1. hacer eso / cola
2. estar preocupado / contento
3. ir solo / con los otros
4. venir hoy / mañana
5. decir eso / la verdad
6. ser tonto / listo
7. salir ahora / más tarde
8. traer regalos / comida

D Hablemos de ti.
1. Cuando comes con tus padres, ¿qué clase de mandatos te dan?
2. Si tienes que estudiar para un examen, ¿qué no debes hacer, según tus padres?
3. En la escuela, ¿qué no debes hacer? ¿Qué te dicen tus profesores? ¿Qué te dicen tus compañeros?
4. Si un(a) amigo(a) aprende a manejar, ¿qué no debe hacer? ¿Qué le dices tú?

En el Paseo de la Reforma, México

APLICACIONES

Marta, la mecánica

A Marta no le interesan ni la ropa nueva ni la música popular. A ella sólo le encanta los coches. Cuando Marta era[1] muy pequeña, le gustaba[2] jugar con los cochecitos.[3] Más tarde, cuando aprendió a leer, comenzó a buscar libros y revistas sobre los coches. Entonces empezó a ayudar a su padre a
5   arreglar el cacharro viejo de la familia.

Cuando el padre de Marta compró un coche nuevo, le dio el cacharro a ella, y desde ese momento Marta pasó todo su tiempo libre con ese coche viejo. Era su pasatiempo favorito. Trabajó días y semanas con el motor. ¡Quién sabe cuántas partes le[4] cambió!
10 Después de arreglar el motor, compró de segunda mano[5] los parachoques y las llantas de coches de otros modelos. Luego fue necesario comprar frenos nuevos. Su padre le prestó el dinero y su hermano la ayudó a poner todo en su lugar. Por fin el cacharro funcionó maravillosamente. Pero, era tan feo que la madre de Marta la ayudó a pintarlo.[6] Y ahora la gente no
15 puede creer lo que ve. No es un cacharro. ¡Es casi como un coche deportivo!

---

[1]**era** (from **ser**)   *was*   [2]**le gustaba** (from **gustar**)   *she used to like*
[3]**los cochecitos**   *toy cars*   [4]**le**   here: *on it*   [5]**de segunda mano**   *second-hand*
[6]**pintar**   *to paint*

Preguntas

Usa las frases de la columna de la derecha para completar las de la izquierda. Luego pon las frases completas en el orden correcto.

1. A Marta le encantan . . .
2. Nadie . . .
3. Marta trabaja con su cacharro . . .
4. El papá de Marta . . .
5. Su hermano y ella . . .
6. Le gusta leer . . .
7. Marta y su mamá . . .
8. Tiene que comprar . . .

a. lo pintan.
b. ponen todo en orden.
c. frenos nuevos.
d. sobre los coches.
e. puede creer que esto era un cacharro viejo.
f. por mucho tiempo.
g. todos los coches.
h. obtiene un coche nuevo.

ANTES DE LEER

1. ¿Te gustaría tener un cacharro? ¿Por qué?
2. ¿A veces tratas de arreglar cosas viejas o descompuestas? ¿Funcionan después?
3. Si algo no funciona, ¿crees que es mejor tirarlo o tratar de arreglarlo? ¿Por qué?

En Madrid, España

EXPLICACIONES II

Los adjetivos posesivos

Remember that possessive adjectives agree in number with the nouns they describe.

$$\textbf{mi / tu / su} \begin{cases} \text{instruct}\textbf{or} \\ \text{instruct}\textbf{ora} \end{cases} \qquad \textbf{mis / tus / sus} \begin{cases} \text{instruct}\textbf{ores} \\ \text{instruct}\textbf{oras} \end{cases}$$

Nuestro and *vuestro* agree in gender as well as number.

nuestr**o** entrenad**or**   nuestr**os** entrenad**ores**
nuestr**a** entrenad**ora**   nuestr**as** entrenad**oras**

1 Since *su* and *sus* have many meanings, for clarity or emphasis we can use a prepositional phrase instead.

$$\textbf{de} \begin{cases} \text{Ud.} \\ \text{él} \\ \text{ella} \end{cases} \qquad \textbf{de} \begin{cases} \text{Uds.} \\ \text{ellos} \\ \text{ellas} \end{cases}$$

¡**Sus** cuadros son maravillosos!	*(His / Her / Your / Their)* paintings *are marvelous.*
¿Los cuadros **de ellos**?	***Their** paintings?*
No, los cuadros **de Ud.**	*No, **your** paintings.*

2 Like English, Spanish has another set of possessive adjectives that come *after* the noun. Compare these pairs of sentences.

Es **mi** prima.	*She's **my** cousin.*
Es una prima **mía.**	*She's a cousin **of mine.***
Invito a **nuestros** amigos.	*I'm inviting **our** friends.*
Invito a unos amigos **nuestros.**	*I'm inviting some friends **of ours.***

We also use these forms for emphasis. Note that they agree in number and gender with the nouns they refer to.

Here are the possessive adjectives that follow a noun.

mío(s), mía(s)	*my, (of) mine*	**nuestro(s), nuestra(s)**	*our, (of) ours*
tuyo(s), tuya(s)	*your, (of) yours*	vuestro(s), vuestra(s)	*your, (of) yours*
suyo(s), suya(s)	*your, (of) yours* *his, (of) his* *her, (of) hers*	**suyo(s), suya(s)**	*your, (of) yours* *their, (of) theirs*

3 To clarify or emphasize, we can use *de* + a prepositional pronoun instead of a form of *suyo.*

¿Es el boleto **suyo**? *Is it (**his / her / your / their**) ticket?*
Sí, es el boleto **de ella**. *Yes, it's **her** ticket.*

4 We can also use these forms of the possessive adjectives after *ser.*

¿De quién es este velero? *Whose sailboat is this?*
Es nuestro. ***It's ours.***

Esas placas son **tuyas,** ¿verdad? *Those license plates are **yours,** right?*
Sí, **son mías.** *Yes, **they're mine**.*

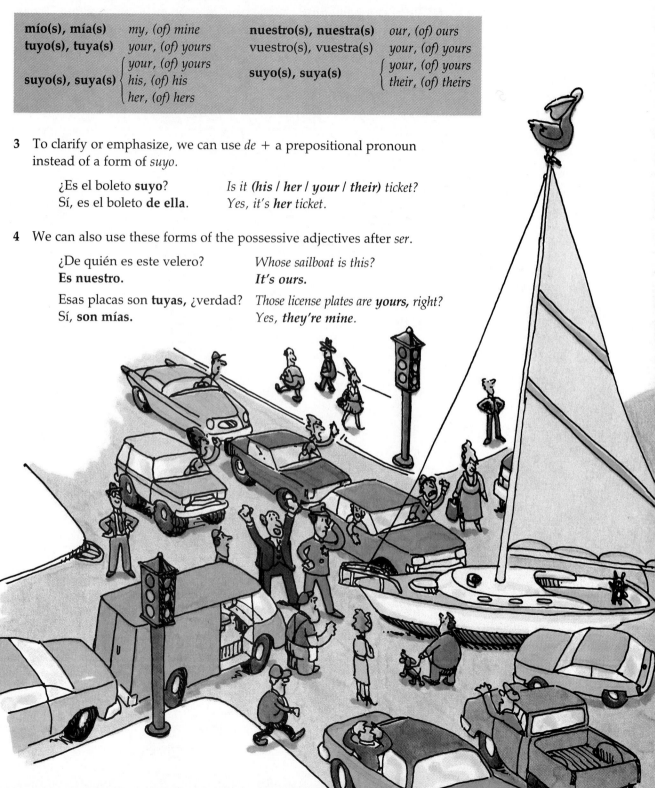

PRÁCTICA

A En el campamento. Varias familias están en el campamento. Todas sus cosas están mezcladas *(mixed up)*. ¿De quiénes son estas cosas?

ESTUDIANTE A   *Estos peines son tuyos, ¿verdad?*
ESTUDIANTE B   *No, no son míos. Son de ellas.*

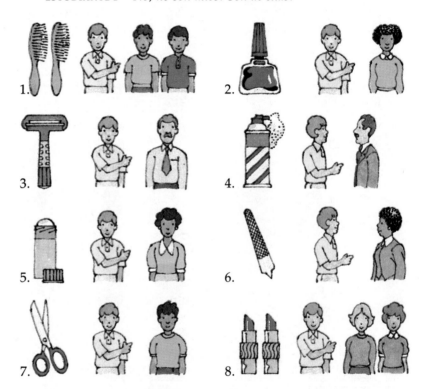

B En la aduana *(customs).* Imagina que tú y tu familia regresan de México y pasan por la aduana. ¿Qué les pregunta el inspector? ¿Qué le contestan Uds.? Sigue el modelo.

ESTUDIANTE A   *¿Es suyo este equipaje?*
ESTUDIANTE B   *Sí, es nuestro.*

1. diapositivas
2. plancha
3. boletos

4. raquetas de tenis
5. maquillaje
6. cheques de viajero

7. perfumes
8. canasta
9. secador

C ¿Con quién van? Hay una gran fiesta este fin de semana.
¿Con quién va cada persona? Sigue los modelos.

> Carolina / un primo
>
> ESTUDIANTE A *¿Con quién va Carolina?*
> ESTUDIANTE B *Va con un primo suyo.*
>
> Uds. / una prima
>
> ESTUDIANTE A *¿Con quién van Uds.?*
> ESTUDIANTE B *Vamos con una prima nuestra.*

1. (tú) / una amiga
2. Raquel / unos amigos
3. Uds. / un sobrino
4. Enrique / unas primas
5. Ud. / unos alumnos
6. tú y Javier / unas compañeras
7. Nicolás y Ángel / unas invitadas
8. Leonor y David / una tía

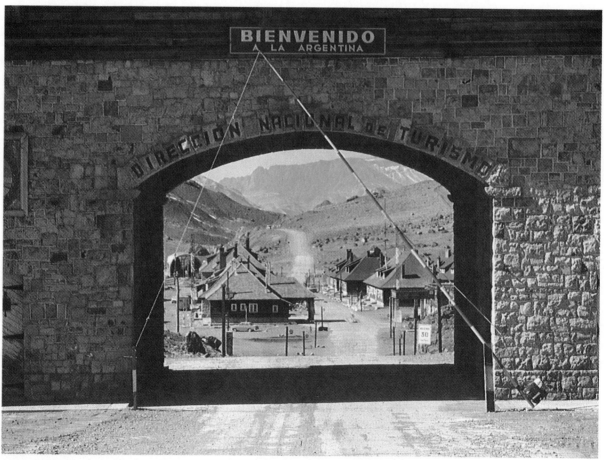

Entre la Argentina y Chile

Los pronombres posesivos

◆ COMMUNICATIVE
OBJECTIVES
**To divide things up
among people**
**To categorize according
to ownership**
**To compare and
contrast**

A possessive pronoun takes the place of a noun and a possessive adjective.

Me quedo en mi carril y tú te quedas en **el tuyo**. *I'll stay in my lane and you stay in **yours**.*

Nuestras maletas están en el baúl. ¿Tiene Eva **la suya**? *Our suitcases are in the trunk. Does Eva have **hers**?*

To form a possessive pronoun, we simply put the appropriate definite article before the long form of the possessive adjective. For example: *el mío, la mía, los míos, las mías.* Remember that after the verb *ser* we say *es mío, es tuya,* etc., without the definite article.

PRÁCTICA

A **¿Me prestas . . . ?** Imagina que estás en el club deportivo y le pides a tu compañero(a) varias cosas suyas. Sigue el modelo.

toalla
ESTUDIANTE A *No encuentro mi toalla. ¿Me prestas la tuya?*
ESTUDIANTE B *¿La mía? Está bien.*
o: *¿La mía? No, no puedo.*

1. anteojos de sol
2. sombrilla
3. secador
4. calcetines limpios
5. raqueta
6. revistas de deportes
7. cinturón
8. pelotas de tenis

B **¡El nuestro también!** Varios alumnos hablan de sus escuelas. Sigue el modelo.

equipo de béisbol / formidable
ESTUDIANTE A *Nuestro equipo de béisbol es formidable.
¿Y el suyo?*
ESTUDIANTE B *El nuestro también.*

1. profesores / excelente
2. biblioteca / enorme
3. entrenador de natación / muy estricto
4. clases de historia / interesante
5. bailes / fabuloso
6. gimnasio / magnífico
7. laboratorios / muy moderno
8. directora / muy simpático
9. club de español / popular

C ¡Qué hotel! El dueño de este hotel nunca sabe dónde están las cosas. Pregunta y contesta según el modelo.

> el equipaje del Sr. Palacios / en su cuarto
> ESTUDIANTE A *¿Dónde está el equipaje del Sr. Palacios?*
> ESTUDIANTE B *El suyo está en su cuarto.*

1. el pasaporte de la Dra. Ramos / con los otros pasaportes
2. las mantas de estas señoras / en el armario del cuarto de ellas
3. la máquina de escribir del gerente / descompuesta y no funciona
4. la cuenta del Sr. Vidal / aquí en la recepción
5. el horario de la gerente / allá en la pared
6. los cheques de viajero del profesor Vidal / en su mano
7. el equipaje de la familia Vidal / en el estacionamiento
8. las llantas nuevas del coche del guía / en el sótano con las otras nuevas

D Hablemos de ti.
1. ¿Les prestas tu ropa a tus hermanos o amigos? ¿Qué les prestas? Y ellos, ¿te prestan la suya? ¿Qué te prestan?
2. Si tienes amigos en otra escuela, ¿cómo es la escuela de ellos? ¿Puedes compararla con la tuya?
3. ¿Son estrictos los padres de tus amigos? Y los tuyos, ¿cómo son? ¿Quiénes son más estrictos, los tuyos o los suyos?
4. ¿Viven algunos de tus amigos en otra ciudad? ¿Cuál? ¿Dónde crees que es más divertido vivir, en la ciudad tuya o en la suya? ¿Por qué? Si conoces la ciudad de ellos, ¿cómo es? ¿Cómo es la tuya?

ACTIVIDAD

Los míos también Get together in groups of three or four. Thinking of an article of clothing (pants, for example), one person begins by saying *Los míos son azules.* A second person, who thinks he or she knows what is being referred to, might say *Los míos también* or *Los míos son negros* or, pointing to another group member, *Los suyos también.* If the second person answers correctly, the first student says, for example, *Sí, los tuyos también.* If the answer is incorrect, the first student might say *No, los tuyos no son azules. Son marrones.* The first person to guess what the article of clothing is begins the next round.

APLICACIONES

REPASO

Mira las frases modelo. Luego cambia las frases que siguen al español según los modelos.

1. *Cristina para en la estación de servicio. Tiene cuidado.*
   (We stop at traffic signs. We're lucky.)
   (They cross at the crosswalk. They're careful.)
   (I speed up in the left-hand lane. I'm in a hurry.)

2. *"¿Dónde compró Ud. esas llantas suyas?" le pregunta el mecánico.*
   ("When did you (formal) clean that car of yours?" I ask the driver.)
   ("Where did you cash those checks of yours?" your mom asks you (fam.).)
   ("When did you pay that fine of mine?" she asks us.)

3. *"No salgas tan temprano," digo yo.*
   ("Don't turn so slowly," says the instructor.)
   ("Don't be so impatient," says the librarian (fem.).)
   ("Don't arrive too late," says my father.)

4. *Luego le dice: "Sé amable. No hagas esas preguntas."*
   (Then we say to him: "Be smart. Don't repeat that joke.")
   (Later the teacher (masc.) says to her: "Be good. Don't lose those notes.")
   (Now I say to him: "Be optimistic. Don't say those things.")

5. *"Olvidé las llaves," dice mi hermano. "¿Tienes las tuyas?"*
   ("I didn't use your perfume," says her niece. "I prefer hers.")
   ("Did you (pl.) lose your hair dryer?" we ask. "Do you want ours?")
   ("Did you (formal) break your racket?" the coach asks. "Do you want mine?")

Lavando el coche en
Málaga, España

TEMA

Escribe las frases en español.

1. Carlota and her mother are in the department store parking lot. They're in a hurry.

2. "Where did you park that jalopy of yours?" her mother asks her.

3. "Don't drive so fast," says her mother.

4. Then she says to her: "Be patient. Don't honk that horn."

5. "I forgot my purse," Carlota says. "Do you have yours?"

REDACCIÓN

Ahora escoge uno de los siguientes temas para escribir tu propio diálogo o párrafo.

1. Expand the *Tema* by writing a paragraph about Carlota. How does she drive? Does she wear a seatbelt? Does she obey all the traffic laws? In your opinion, is she a good driver?

2. Write a paragraph in which you describe your ideal car. Is it a sports car? A jalopy? Describe the way it looks outside and inside. Who fixes it when it doesn't run well?

3. Imagine that you are teaching someone to drive. List at least three things you would tell your student to do and three things not to do.

A El coche

Haz mandatos con *tú* según el dibujo. Sigue el modelo.

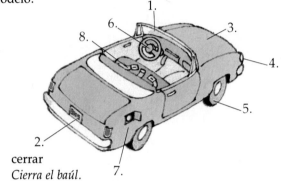

cerrar
Cierra el baúl.

1. limpiar
2. leer
3. abrir
4. encender
5. cambiar
6. tocar
7. llenar
8. ponerse

B No hagas lo que no quieres hacer

Haz mandatos con *tú* según el modelo.

No quiero estar tan nervioso.
Pues, no estés tan nervioso.

1. No quiero comprar el regalo.
2. No quiero recoger los platos.
3. No quiero jugar al ajedrez.
4. No quiero tocar el piano.
5. No quiero hacer nada.
6. No quiero tener prisa.
7. No quiero decir eso.
8. No quiero dar la vuelta.
9. No quiero ir al teatro.
10. No quiero ser antipático.

C ¿Debo hacerlo o no?

Haz mandatos afirmativos o negativos con *tú* según la situación. Sigue el modelo.

manejar rápido cerca de la escuela
¡No manejes rápido cerca de la escuela!

1. comer dulces antes del almuerzo
2. respetar las reglas de tráfico
3. cruzar en el paso de peatones
4. correr por los pasillos de la escuela
5. tocar la bocina cerca del hospital
6. abrir el capó en la carretera
7. llenar el tanque con gasolina
8. chocar con ese coche

D ¿A quiénes van a invitar?

Di a quién(es) van a invitar estas personas. Usa el adjetivo posesivo correcto. Sigue el modelo.

yo / amigo
Yo voy a invitar a un amigo mío.

1. María/compañera
2. Eugenio y Luis / amigos
3. Dolores y Silvia / profesor
4. nosotros / primas
5. tú / compañeros
6. Ud. / sobrina
7. Eugenio / amigas
8. Teresa y yo / tía

E ¿Dónde están?

Usa el pronombre posesivo correcto y las palabras entre paréntesis para contestar las preguntas. Sigue el modelo.

¿Dónde está el permiso de manejar de Carlos? (en la mesa)
El suyo está en la mesa.

1. ¿Dónde están las llantas del mecánico? (en el garaje)
2. ¿Dónde están mis tijeras? (en el armario)
3. ¿Dónde está la pantalla de Laura? (en el baúl)
4. ¿Dónde están los patines de Uds.? (en el suelo)
5. ¿Dónde están tus tarjetas de crédito? (en la cartera)
6. ¿Dónde está la pensión de Uds.? (cerca del estacionamiento)
7. ¿Dónde está el coche cama de Enrique? (detrás del coche comedor)
8. ¿Dónde está la habitación de Ud.? (en el primer piso)

VOCABULARIO DEL CAPÍTULO 8

Sustantivos
el accidente
el acelerador
el baúl
la bocina
el cacharro
el capó
la carretera
el carril
el cinturón de seguridad, *pl.* los
    cinturones de seguridad
el coche deportivo
el conductor, la conductora
el cruce (de calles)
la cuadra
el estacionamiento
la estación de servicio, *pl.* las
    estaciones de servicio
el faro
el freno
la gasolina
el instructor, la instructora
la llanta
el mecánico, la mecánica
el motor
la multa
el parabrisas, *pl.* los parabrisas
el parachoques, *pl.* los
    parachoques
el parquímetro
el paso de peatones
el peatón, *pl.* los peatones
el permiso de manejar
la placa
la regla
el semáforo
la señal de tráfico
el tanque
el tráfico
la velocidad máxima
la ventanilla *(car window)*
el volante

Adjetivos
distraído, -a
impaciente
nervioso, -a
paciente
peligroso, -a

Adjetivos posesivos
mío, -a
nuestro, -a
suyo, -a
tuyo, -a

Pronombres posesivos
el mío, la mía; los míos, las mías
el nuestro, la nuestra; los
    nuestros, las nuestras
el suyo, la suya; los suyos, las
    suyas
el tuyo, la tuya; los tuyos, las
    tuyas

Verbos
acelerar
arrancar
chocar (con)
doblar
estacionar
llenar
manejar
obtener
quedar *(to be located)*
respetar

Expresiones
con cuidado
dar la vuelta *(to turn around)*
poner una multa
por aquí/allí
tener prisa
tocar la bocina
(todo) derecho

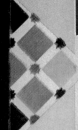

LA BUENA SALUD

Like their neighbors to the north, Latin Americans have in recent years discovered the benefits of keeping fit. Office workers who spend their days behind desks have every reason to be concerned about their health. So in the early morning, when the air is cool and not yet filled with exhaust fumes, a large number of people can be seen jogging in city streets and parks.

Many gyms and health clubs have opened in the larger Latin American cities, where few if any existed before. Men and women whose only exercise used to consist of going for a stroll or dancing on weekends now show up at the clubs several times a week for an hour or so of aerobics or other kinds of workouts.

At the same time, team sports are on the rise, along with athletics in general. Quite a few schools and universities have developed track and field programs. Of course team sports have long been popular, especially soccer, baseball, and volleyball. But they have not often been as popular a school activity as in the United States. Instead, like boxing, tennis, cycling, and so on, they have been sponsored by *clubes deportivos*.

The growing interest in fitness and good health has also helped to change eating habits in Spanish-speaking countries. Traditionally, meals there have been composed of four or five separate dishes—a soup, rice or potatoes, meat or fish, a vegetable or salad, and dessert. But for many people today, such meals seem too large and heavy, especially at midday. Though this tradition continues in smaller towns, health-conscious city dwellers are turning to lighter, simpler meals that take full advantage of the rich variety of fruits, grains, and vegetables that Latin America produces.

PALABRAS NUEVAS I

Estoy a dieta

la balanza

pesar

la fresa

la pera

los espárragos

el durazno

las espinacas

la cereza

el aguacate

las uvas

la papaya

el coco

la toronja

la miel

la col

la piña

◆ COMMUNICATIVE
OBJECTIVES

To order a meal
To give advice
To tell one's weight

To give instructions for
preparing a dish
To plan a menu
To express extreme
hunger or thirst

To find out what's
available in a restaurant

la langosta

el camarón
pl. los camarones

el cereal

hacer ejercicio

pesarse

CONTEXTO COMUNICATIVO

1 CARLOS ¡**Me muero** de hambre! ¿Cuál es **el plato del día**?

CAMARERO **Mariscos** o ensalada de espinacas.

CARLOS Quisiera la ensalada de espinacas, por favor. No tiene muchas **calorías.**

Variaciones:
- mariscos → camarones
- quisiera → me gustaría

morirse (o → ue) *to die*
el plato del día *special of the day*
los mariscos *seafood, shellfish*
las calorías *calories*

2 JORGE Para tener buena **salud** necesitas una **dieta sana.**

INÉS También debes hacer ejercicio.

- una dieta sana → comer bien
- ejercicio → gimnasia

la salud *health*
la dieta *diet*
sano, -a *healthy*

3 ANDRÉS Voy a **estar a dieta** hasta el sábado. Tengo que **aumentar de peso** para el partido.

TERESA ¡Ay, qué lata! ¿Cuánto pesas?

ANDRÉS Cincuenta kilos. Soy el jugador más pequeño del equipo.

- aumentar de peso → **bajar de peso**
  cincuenta kilos → ochenta kilos
  pequeño → grande

estar a dieta *to be on a diet*
aumentar de peso *to gain weight*
el peso *here: weight*

bajar de peso *to lose weight*

4 SR. MILLER ¿Cómo preparo **el guacamole**?

SRA. LÓPEZ **Mezcle** dos aguacates, un tomate, una cebolla y un chile verde. Luego **añada** un poco de limón.

SR. MILLER ¿Y **mayonesa**?

SRA. LÓPEZ No, nunca.

■ preparo → hago

el guacamole *guacamole, a Mexican avocado spread or salad*

mezcle (**Ud.** command form of **mezclar**) *mix*

añada (**Ud.** command form of **añadir**) *add*

la mayonesa *mayonnaise*

EN OTRAS PARTES

En España y el Caribe se dice *el melocotón.*

También se dice *el ananá* o *el ananás.*

También se dice *el pomelo.*

En la América del Sur se dice también *la palta.*

En la América del Sur se dice también *la frutilla.*

Un mercado en Colima, México

Capítulo 9

PRÁCTICA

A ¡Buen provecho!   Contesta las preguntas. Usa frases completas.

1. ¿Qué pesas?   2. ¿Qué lavas?   3. ¿De qué sabor es el helado?

4. ¿Qué hierves?   5. ¿Qué pones en la ensalada?

6. ¿Qué frutas te gustan?   7. ¿Qué quieres de postre?   8. ¿Qué cortas?

9. ¿Qué clase de jugo pides?   10. Para empezar, ¿qué quieres?

Una vendedora de piñas en Cartagena, Colombia

B ¿Qué van a comer?   Varias personas están en un restaurante. ¿Qué dicen? Completa cada frase con la palabra correcta.

1. No añado azúcar al té. Prefiero usar la *(col / miel / pera).* Es más sana.
2. Generalmente desayuno con *(cereal / coco / cereza)* y café.
3. No quiero dulces, gracias. Estoy a *(pie / dieta / tiempo).*
4. ¿Quieres el sandwich de jamón con mostaza o con *(mariscos / mayonesa / espinacas)*?
5. La ensalada de *(espárragos / mariscos / toronjas)* tiene langosta y camarones.
6. Si quieres saber cuánto pesas, usa *(la dieta / las calorías / la balanza).*
7. Hijo, me pareces un poco delgado. Debes *(bajar / aumentar / subir)* de peso.
8. Si no almuerzo pronto, me voy a *(morir / pesar / aumentar)* de hambre.

C ¿Qué clase de palabra es? En cada grupo de palabras hay una que no debe estar. ¿Cuál es? Búscala y luego úsala en una frase completa.

1. a. calorías   b. balanza   c. coles   d. peso
2. a. coco   b. langosta   c. camarones   d. mariscos
3. a. plato del día b. durazno   c. plátano   d. manzana
4. a. cuchillo   b. cuchara   c. cereza   d. tenedor
5. a. mantequilla b. espárragos   c. miel   d. mermelada
6. a. piña   b. mantel   c. taza   d. servilleta
7. a. burrito   b. empanada   c. taco   d. mayonesa
8. a. cereza   b. toronja   c. flan   d. fresa
9. a. jugo   b. guacamole   c. leche   d. agua mineral
10. a. espinacas   b. uvas   c. verduras   d. espárragos

D Hablemos de ti.
1. ¿Qué hay que hacer para tener buena salud?
2. Para aumentar de peso, ¿qué hay que comer? ¿Y para bajar de peso? ¿Es bueno para la salud bajar rápidamente de peso? ¿Por qué?
3. Cuando vas a la tienda de comestibles, ¿qué compras? ¿Generalmente haces una lista? ¿Por qué?
4. ¿Qué frutas y verduras te gustan más? ¿Cuáles te gustan menos? ¿Las prefieres frescas, congeladas o enlatadas (= en lata)?
5. ¿Haces ejercicio? ¿Cuándo? ¿Dónde? ¿Cuántas veces lo haces cada semana?

Un mercado en Valencia, España

Seguimos dando al menor precio el mejor marisco
MARISCADERIA LA BOMBILLA
Blas de la Serna, 2
Reserve su mesa en el Tfno.: 235073

¡Qué comida tan sabrosa!　Imagine that you are opening a new restaurant. What dishes will you serve? Work in pairs to create a menu. Include the food headings below and fill in several choices under each. Then switch menus with another pair and play the parts of a waiter or waitress and a customer.

Sopas	Carnes	Frutas y postres
Ensaladas	Pescado y mariscos	Bebidas frías
Plato(s) del día	Verduras	Bebidas calientes

Una vitrina en Santiago, Chile

APLICACIONES

La dieta ideal

En la cafetería de una escuela en Los Ángeles.

RICARDO   ¿Sabes cuál es el plato del día? Me muero de hambre.

CONSUELO   Salchichas fritas con salsa de tomate y con espaguetis.

RICARDO   ¡Mmm, qué sabroso!

5   CONSUELO   Pues hace mucho tiempo que traigo mi propia[1] comida.

RICARDO   ¿Ah sí? ¿Por qué?

CONSUELO   Porque así[2] como lo que me gusta y también como mejor.

RICARDO   No me digas que quieres bajar de peso.

10   CONSUELO   Claro que no. Mi peso está bien así. Pero prefiero comer frutas y verduras, y sólo un poco de carne.

RICARDO   Yo no tengo tiempo para preparar comidas. Por la mañana siempre me muero de sueño.

CONSUELO   Y ahora te mueres de hambre.

15   RICARDO   Sí, pero no pienso comer una ensalada de frutas. Siempre tengo ganas de comer el plato del día, como hamburguesas, papas fritas, pollo frito, carne misteriosa,[3] ¡pizza!

CONSUELO   ¡Uf! Somos muy distintos, tú y yo.

---

[1]**propio, -a**   *own*   [2]**así**   *this way*   [3]**la carne misteriosa**   *mystery meat*

Preguntas

Contesta según el diálogo.

1. ¿De qué hablan Ricardo y Consuelo?   ¿Qué piensas tú del plato de ese día?   2. ¿Come Consuelo la comida de la cafetería? ¿Por qué? ¿Qué come ella? ¿Por qué? ¿Quién le prepara la comida a Consuelo?   3. ¿Por qué no tiene tiempo Ricardo por las mañanas? ¿Qué prefiere comer él?   4. ¿Con quién estás de acuerdo, con Ricardo o con Consuelo? ¿Por qué? Describe la dieta ideal para ti.

Cocinando comida mexicana en Texas

Participación

Work with a partner to prepare a dialogue in which you discuss a menu for a party or picnic. Afterwards, make a shopping list. For example, if you are going to make a fruit salad, what fruits do you need?

To make a doctor's
appointment
To describe symptoms
To sympathize and
encourage

CONTEXTO
VISUAL

PALABRAS NUEVAS II

Una visita al médico

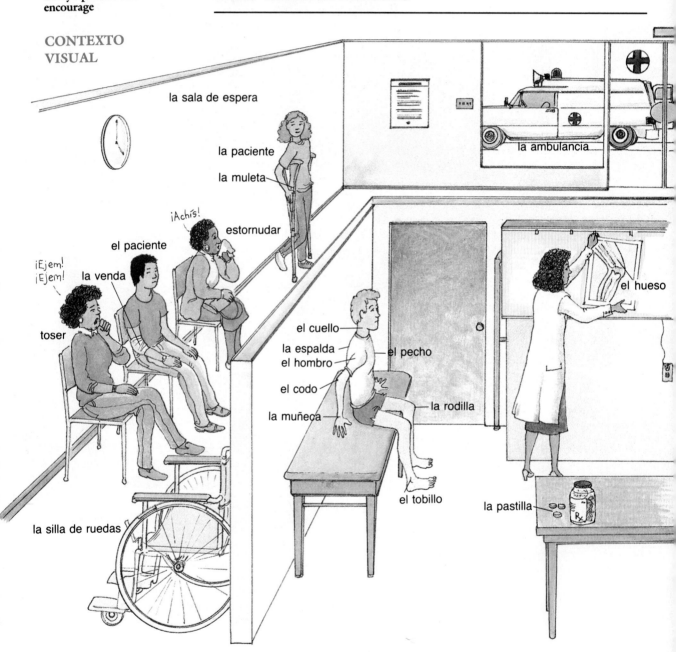

la sala de espera

la paciente

la muleta

la ambulancia

¡Achís!

estornudar

el paciente

¡Ejem!
¡Ejem!

la venda

toser

el cuello

la espalda
el hombro

el pecho

el codo

la muñeca

la rodilla

el hueso

el tobillo

la pastilla

la silla de ruedas

CONTEXTO
COMUNICATIVO

1 BENJAMÍN   **¿Qué tienes,** Lucía? Estás muy **pálida.**

LUCÍA   Tengo un resfriado. Estornudo mucho y estoy tan cansada que no puedo hacer nada.

BENJAMÍN   ¡Qué lástima!

Variaciones:
- un resfriado → gripe
- estornudo → toso

¿qué tienes / tiene Ud.?   *what's wrong with you?*
pálido, -a   *pale*

2 PABLO   Mamá, me muero de sed.

MAMÁ   ¡Pobrecito! Tienes fiebre. Te voy a traer un vaso de agua.

PABLO   Voy a **mejorarme** pronto, ¿verdad?

MAMÁ   ¡Claro que sí, hijito! Pero tienes que quedarte en cama **por** varios días.

- me muero de → tengo mucha
- un vaso de agua → un jugo de naranja
- pronto → antes del partido

mejorarse   *to get better, to improve*
por   *for (+ time)*

3 SRA. LÓPEZ   Habla la Sra. López. ¿Está* la doctora Vargas?

SECRETARIA   Está en **la clínica.** ¿Es **un caso de urgencia**?

SRA. LÓPEZ   Sí. Es mi hijo mayor. Creo que **se rompió** el brazo.

- la clínica → el hospital
- se rompió → **se lastimó**
- el brazo → el tobillo
- se rompió el brazo → tiene un hueso **roto**†

la clínica   *clinic*
un caso de urgencia   *an emergency (case)*
romperse   *to break (a bone)*
lastimarse   *to hurt (a part of one's body)*
roto, -a   *broken*

---

* We can use *estar* by itself to mean "to be there" or "to be in."

† We use *roto, -a* with bones or with things that break or shatter. We use *descompuesto, -a* to mean "broken" in the sense of not working: *La lavadora no funciona. Está descompuesta.*

4

MÉDICA	¿Cómo **te sientes,** Julio?
JULIO	Todavía me duele la rodilla.
MÉDICA	Entonces te voy a **recetar** unas pastillas.

- la rodilla → la pierna
- unas pastillas → esta **medicina**
- recetar unas pastillas → cambiar las vendas

5

MÉDICO	Felicitaciones, Sr. Gómez. Ud. **ya** está sano.
SR. GÓMEZ	¡Qué maravilla! ¿Ya no tengo que estar a dieta?
MÉDICO	No, pero **recomiendo** que coma* más verduras y menos carne.
SR. GÓMEZ	Sí, doctor. Espero que mi familia comprenda.* A ellos les gusta mucho la carne.

- sano → bien
- recomiendo → quiero
- espero que → ojalá que

sentirse (e → ie) *to feel*

recetar *to prescribe*

la medicina *medicine*

ya here: = ahora

recomendar (e → ie) *to recommend, to advise*

PRÁCTICA

A ¿Cómo te sientes? Después del partido de fútbol, a todos los jugadores les duele algo. Pregunta y contesta según el modelo.

ESTUDIANTE A *¿Cómo te sientes?*
ESTUDIANTE B *Me siento mal. Me duele el pie.*

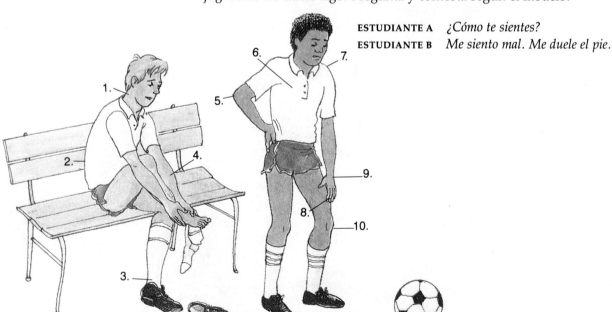

* These forms of *comer* and *comprender* are called "subjunctive." Their English equivalents are the same as *Ud. come* and *mi familia comprende.*

B **Un caso de urgencia.** Escoge una palabra o expresión de cada uno de los tres grupos para hacer frases.

1. el médico	estar	a la gente	la muñeca
2. el paciente	estornudar	enferma	pálido(a)
3. el enfermero	examinar(le)	a la gente al	peor
4. la ambulancia	llevar	hospital	sano(a)
5. la sala de	ponerle	la espalda	el tobillo
espera	recetarle	fiebre	un hueso roto
6. la paciente	romperse	gripe	una inyección
7. el muchacho	sentirse	llena de gente	una silla de
8. la médica	tener	mejor	ruedas
9. la clínica	toser	menos	una venda
	usar	mucho	unas pastillas
		muletas	

C **Hablemos de ti.**

1. ¿Qué haces cuando no te sientes bien? Y después de hacerlo, ¿te sientes mejor?
2. ¿Qué te duele si comes demasiado? ¿Qué partes del cuerpo te duelen después de practicar deportes o hacer ejercicio?
3. ¿Cuándo estornudas y toses? ¿Qué tomas para mejorarte? ¿Qué te receta el médico o la médica cuando tienes gripe o un resfriado? ¿Cuándo vas al médico o a la médica?
4. Cuando vas al médico, ¿generalmente está llena de gente la sala de espera? ¿Más o menos cuánto tiempo tienes que esperar?
5. ¿Te rompiste un hueso alguna vez *(once)*? ¿Qué hiciste? ¿Te llevaron a un hospital?
6. ¿Qué haces cuando te lastimas un brazo o una pierna? ¿Qué haces cuando te cortas un dedo?

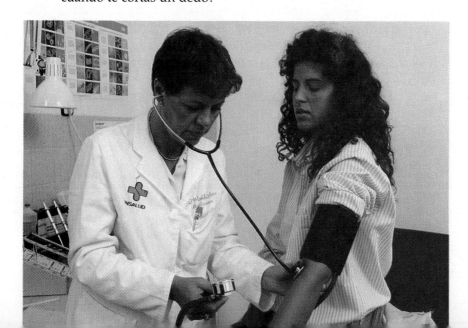

Con la médica en España

ESTUDIO DE PALABRAS

Many languages that the native Indians spoke when Europeans first arrived in the Americas are still spoken today. In Mexico about one million people speak Náhuatl, the language of the Aztecs. More than two million Mexicans and Guatemalans speak one or another of the Mayan languages, the most important of which are Quiché, Cakchiquel, Mam, Kekchí, Yucatec, Tzeltal, and Tzotzil. In South America about six million people in the region of Peru and Bolivia speak either Quechua, the language of the Incas, or Aymará. In Paraguay most of the population is bilingual, speaking both Spanish and Guaraní.

The Spaniards borrowed many words from these native languages, often because the words named things that the Europeans had never seen before, such as *papaya* (from a Caribbean language), *aguacate*, and *guacamole* (both from Náhuatl). Other borrowed words include the Quechua words *cancha, llama,* and *papa;* the Náhuatl words *cacahuate, coyote, chile, chocolate, tiza,* and *tomate;* the Caribbean words *maíz* and *caimán;* and *poncho,* from Araucano, a language of southern Chile. Still later, of course, English speakers borrowed many of these words from Spanish.

These Spanish words came from Indian languages. What do you think they mean?

canoa   caníbal   hamaca   huracán   chicle

Familias de palabras

Completa las frases con la forma correcta de la palabra apropiada.

1. peso, pesas, pesarse
   Después de comenzar a levantar _____, probablemente vas a aumentar de _____. Debes _____ cada dos o tres días.
2. calor, calorías, calentar, caliente
   No _____ (tú) la sopa porque no me gusta tomar sopa _____ cuando hace _____, y esa sopa tiene muchas _____.
3. médica, medicina
   La _____ les da _____ a los pacientes.
4. receta, recetar
   Ayer el médico me _____ unas pastillas pero perdí la _____.
5. mejorarse, mejor
   Lucía _____ la semana pasada y ya está _____.
6. espera, esperar
   Tenemos que _____ en la sala de _____.
7. mar, mariscos
   Los _____ viven en el _____.

EXPLICACIONES I

Mandatos con *Ud.* y *Uds.*

You know how to give a command to someone you address as *tú*. Here is how we give commands to more than one person and to people we address as *Ud*.

◆ COMMUNICATIVE OBJECTIVES

To tell people what to do and what not to do

To supervise others

To warn people or give them advice

1 To form *Ud.* commands with regular verbs, we drop the *-o* of the present-tense *yo* form and add the following endings. For *-ar* verbs we add *-e*; for *-er / -ir* verbs we add *-a*.

CANTAR

cantø → cant + **e**   **Cante** una canción.   *Sing a song.*

COMER

comø → com + **a**   **Coma** las uvas.   *Eat the grapes.*

ABRIR

abrø → abr + **a**   **Abra** la boca.   *Open your mouth.*

2 To form *Uds.* commands with regular verbs, we add *-en* to the stem for *-ar* verbs and *-an* for *-er / -ir* verbs.

CANTAR

cantø → cant + **en**   **Canten** más fuerte.   *Sing louder.*

COMER

comø → com + **an**   **Coman** la col.   *Eat the cabbage.*

ABRIR

abrø → abr + **an**   **Abran** los ojos.   *Open your eyes.*

We just add *no* before these commands to make them negative.

No cante(n) ninguna canción.   *Don't sing any songs.*
No coma(n) las uvas.   *Don't eat the grapes.*
No abra(n) los ojos.   *Don't open your eyes.*

3 Stem-changing verbs follow the same rule.

o → ue

CONTAR
cuentø + **e(n)**

$\left.\begin{array}{l}\textbf{Cuente}\\\textbf{Cuenten}\end{array}\right\}$ el dinero.   *Count the money.*

e → ie

ENCENDER
enciendø + **a(n)**

$\left.\begin{array}{l}\textbf{Encienda}\\\textbf{Enciendan}\end{array}\right\}$ la luz.   *Turn on the light.*

e → i

REPETIR
repitø + **a(n)**

$\left.\begin{array}{l}\textbf{No repita}\\\textbf{No repitan}\end{array}\right\}$ eso.   *Don't repeat that.*

4 Verbs ending in -*car*, -*gar*, and -*zar* have spelling changes to keep the original sound.

-car (c → qu)

BUSCAR
buscø → busqu + **e(n)**

$\left.\begin{array}{l}\textbf{Busque}\\\textbf{Busquen}\end{array}\right\}$ al gato.   *Look for the cat.*

-gar (g → gu)

PAGAR
pagø → pagu + **e(n)**

$\left.\begin{array}{l}\textbf{No pague}\\\textbf{No paguen}\end{array}\right\}$ la cuenta.   *Don't pay the check.*

-zar (z → c)

CRUZAR
cruzø → cruc + **e(n)**

$\left.\begin{array}{l}\textbf{Cruce}\\\textbf{Crucen}\end{array}\right\}$ conmigo.   *Cross with me.*

Remember that verbs ending in -*ger* already have a spelling change in the *yo* form.

ESCOGER
escojø → escoj + **a(n)**

$\left.\begin{array}{l}\textbf{Escoja}\\\textbf{Escojan}\end{array}\right\}$ las peras.   *Choose the pears.*

5 For verbs whose present-tense *yo* form ends in -*go* or -*zco*, we drop the -*o* and add -*a(n)*.

DECIR
digø → dig**a(n)**

$\left.\begin{array}{l}\textbf{Diga}\\\textbf{Digan}\end{array}\right\}$ la verdad.   *Tell the truth.*

TRAER
traigø → traig**a(n)**

$\left.\begin{array}{l}\textbf{Traiga}\\\textbf{Traigan}\end{array}\right\}$ el coco.   *Bring the coconut.*

CONOCER
conozcø → conozc**a(n)**

$\left.\begin{array}{l}\textbf{Conozca}\\\textbf{Conozcan}\end{array}\right\}$ su país.   *Know your country.*

En el mercado libre
de Chacao, Caracas,
Venezuela

6 The following verbs have irregular *Ud(s).* command forms.

DAR	**Dé** **Den** } la respuesta.	*Give the answer.*
ESTAR	**Esté** **Estén** } aquí mañana.	*Be here tomorrow.*
IR	**Vaya** **Vayan** } a la clínica.	*Go to the clinic.*
SABER	**Sepa** **Sepan** } esto para la prueba.	*Know this for the exam.*
SER	**Sea** amable. **Sean** amables.	*Be nice.*

7 We sometimes use *Ud.* or *Uds.* with commands for politeness or emphasis.

No puedo ir. **Vaya Ud.** *I can't go. You go.*
Vuelvan Uds. mañana. *Come back tomorrow.*

Con la médica en la Argentina

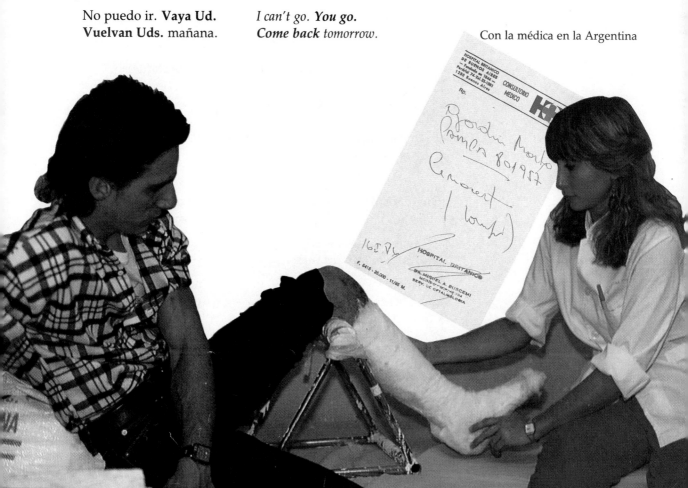

PRÁCTICA

A En el restaurante.   La Sra. Gómez trabaja en un restaurante. La dueña le dice qué hacer. Da mandatos según el modelo.

> usar los platos azules
> *Use los platos azules, por favor.*

1. planchar las servilletas
2. cambiar los manteles
3. cortar el pan
4. preparar la mayonesa
5. lavar las cacerolas
6. desenchufar la tostadora
7. llamar a la cajera
8. descansar un poco
9. contestar el teléfono
10. limpiar los camarones
11. probar este aguacate
12. calentar las espinacas

B En la oficina.   El Sr. Mandamás siempre les dice a todos los dependientes lo que tienen que hacer. Da mandatos con *Ud.* según el modelo.

> ¡Qué sucio está todo! (barrer la oficina)
> *Barra la oficina.*

1. ¡Hace calor aquí! (abrir las ventanas)
2. Esta carta es demasiado larga. (escribir otra)
3. No lo oigo. (leer los precios otra vez)
4. Ya no hay tiempo para almorzar. (comer más tarde)
5. El ascensor está descompuesto. (subir la escalera)
6. Ya no hay sellos. (correr al correo)
7. Esto no es lo que pedí. (devolver este paquete)
8. No hay mucha luz aquí. (encender esa lámpara)
9. Le conté un chiste. (sonreír)

C ¡Qué perezoso!   Fernando es el mayor y siempre les dice a sus hermanos qué hacer. Da mandatos según el modelo.

> apagar los faros
> *Apaguen Uds. los faros.*

1. recoger los papeles
2. buscar en el baúl
3. secar el parabrisas
4. pagar la gasolina y el aceite
5. no tocar la bocina
6. cruzar en la esquina
7. no jugar con el freno
8. no almorzar en el coche
9. no decir nada
10. traer las placas
11. no poner nada sobre el capó
12. conocer las reglas de tráfico

D ¿Qué más les digo? Los Jiménez se van de vacaciones por una semana. Antes de irse, dejan una lista de las cosas que sus hijas tienen que hacer y lo que no deben hacer. ¡Cuidado! Algunos mandatos deben ser afirmativos y otros negativos. Sigue el modelo.

> hacer mucho desorden
> *No hagan mucho desorden.*

1. tocar el piano muy fuerte
2. empezar su tarea a las diez de la noche
3. apagar el radio antes de salir
4. perder las llaves
5. volver a casa después de las clases
6. dar de comer al pájaro
7. ser amables con la tía Ana
8. hacer su tarea antes de mirar la tele
9. estar demasiado tiempo en la piscina
10. ir al cine más de una vez
11. recoger la ropa sucia
12. saber lo que tienen que saber para los exámenes

E Hablemos de ti.

1. ¿Qué les dice su profesor(a) a Uds. cuando empieza la clase de español? ¿Y cuando termina? ¿Qué les dice cuando Uds. hablan demasiado en clase? ¿Y cuando Uds. no saben la respuesta correcta?
2. ¿Te gustaría algún día decirles a los adultos lo que deben hacer? ¿Qué te gustaría decirles? ¿Por qué?
3. En los parques hay letreros que dicen lo que no debemos hacer allí. ¿Qué dicen?
4. En las carreteras hay letreros que nos dicen lo que debemos y no debemos hacer. ¿Qué nos dicen?

Un mercado en Granada, España

APLICACIONES

En la clínica

Muchos pacientes vienen a la clínica. Están en la sala de espera. ¿Cuántas personas esperan? ¿Por qué viene cada uno a ver a la médica?

Javier hurt his leg while playing basketball. Create a dialogue in which he and the doctor discuss his condition. You may want to use some of these words:

descansar	quedarse en cama	el hueso	la venda
doler	recetar	las muletas	pálido
lastimarse	sentirse bien / mal	las pastillas	roto

EXPLICACIONES II

El subjuntivo

Up to now you have been using verbs in the present and preterite tenses of the *indicative mood*. We use the indicative mood to talk about facts or actual events.

Limpian su cuarto.
Rita **gana** todas las carreras.
No se despiertan temprano.

They're cleaning their room.
Rita wins all the races.
They don't wake up early.

The following sentences use the *subjunctive mood*. What differences do you see between the indicative and the subjunctive?

◆ COMMUNICATIVE OBJECTIVES

To express hopes and wishes about other people

To make recommendations and suggestions

To make excuses

To explain what others want

Su mamá **quiere que limpien** el cuarto.
*Their mother **wants them to clean** their room.*

Raúl **espera que Rita gane** la carrera.
*Raúl **hopes Rita wins** the race.*

¡**Ojalá que no se despierten** temprano!
*I **hope they don't wake up** early!*

We use the subjunctive to tell what someone *wants, wishes,* or *hopes* that someone else will do. We also use the subjunctive to tell what someone *asks, tells,* or *recommends* that someone else do.

El cliente **le pide al camarero que llene** su vaso.
*The customer **is asking the waiter to fill** his glass.*

Un restaurante en Nueva York

La profesora **le dice a Pablo que lea.**
*The teacher **is telling Pablo to read.***

El médico **le recomienda a Susana que descanse** más.
*The doctor **advises Susana to rest** more.*

Notice that these are like commands: "Fill the glass, please," "Read, Pablo," "Rest more, Susana." In fact, sometimes we speak of them as "implied" or "indirect" commands.

1 We form the present subjunctive of most *-ar*, *-er*, and *-ir* verbs the same way we form *Ud(s.)* and negative *tú* commands. We drop the *-o* of the present-tense indicative *yo* form and add the subjunctive endings.

INFINITIVO **-ar**

	SINGULAR	PLURAL
1	que (yo) cant**e**	que (nosotros) que (nosotras) } cant**emos**
2	que (tú) cant**es**	que (vosotros) que (vosotras) } cant**éis**
3	que Ud. que él que ella } cant**e**	que Uds. que ellos que ellas } cant**en**

INFINITIVO **-er / -ir**

	SINGULAR	PLURAL
1	que (yo) com**a** / viv**a**	que (nosotros) que (nosotras) } com**amos** / viv**amos**
2	que (tú) com**as** / viv**as**	que (vosotros) que (vosotras) } com**áis** / viv**áis**
3	que Ud. que él que ella } com**a** / viv**a**	que Uds. que ellos que ellas } com**an** / viv**an**

La doctora Antonia Novello, ministra de Salud Pública de los Estados Unidos

2 Compare these sentences.

Elena **quiere manejar.**	*Elena **wants to drive.***
Elena **quiere que Ud. maneje.**	*Elena **wants you to drive.***

In the first sentence, Elena wants to drive herself, so we use the infinitive after *quiere*. In the second sentence, she wants someone else to drive, so we use the subjunctive.

Sentences that use the subjunctive usually have two parts connected by *que*. Each part has a different subject *(Elena / Ud.)* The part that begins with *que* contains the subjunctive. What do you think the following sentences mean?

Raúl **espera ganar.**	Raúl **espera que ganemos.**
¿No **quieres manejar** hoy?	¿**Me pides que yo maneje** hoy?
Quiero abrir la puerta.	**Te digo que abras** la puerta.

We always use the subjunctive after **ojalá que,** never the infinitive.

Ojalá que yo gane el campeonato.	*I hope I win the championship.*
Ojalá que regresen pronto.	*I hope they come back soon.*

PRÁCTICA

A **Con tantas ideas, no hay tiempo para estudiar.** Gloria debe estudiar para un examen, pero piensa siempre en otras cosas. ¿En qué piensa? Usa *ojalá que* y sigue el modelo.

En una farmacia en Caracas, Venezuela

> Julio / mejorarse pronto
> *Ojalá que Julio se mejore pronto.*

1. (él) / no lastimarse otra vez
2. el médico / recetarle algo bueno
3. (nosotros) / visitar al abuelo este fin de semana
4. (ellos) / arreglar mi pulsera
5. los profesores / no preguntar nada difícil
6. Julio / estudiar
7. la profesora de geometría / anunciar que no vamos a tener un examen
8. (nosotros) / terminar este libro pronto

FARMACIA LANZAS
CALLE PRECIADOS, 35
LUN, 3 AGO 1987
HORA 18:47
PESO KG
92.700
TF/2480116-MADRID-13

B ¡A mis padres no les gusta nada! Hay muchas cosas que nuestros padres no quieren que hagamos. Pregunta y contesta según el modelo.

ESTUDIANTE A *¿Quieres bucear?*
ESTUDIANTE B *No, mis padres no quieren que yo bucee.*

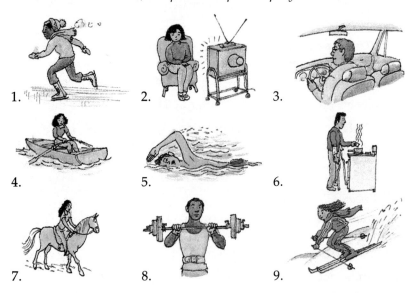

C Cartas de mamá y papá. Los padres de Rogelio, Fernando y Raquel viajan por el Canadá. Los hermanos reciben muchas tarjetas postales con muchos consejos *(advice)*. Pregunta y contesta según el modelo.

mamá / decirnos / asistir a la escuela todos los días
ESTUDIANTE A *¿Qué más dice mamá?*
ESTUDIANTE B *Nos dice que asistamos a la escuela todos los días.*

1. papá / recomendar / Raquel / comer más espinacas y lechuga
2. mamá / decirle a Fernando / aprender a atarse la corbata
3. mamá y papá / pedir / yo / escribirles una carta
4. mamá / pedir / (nosotros) / barrer el garaje
5. papá / decirle a Raquel / no correr demasiado
6. mamá y papá / recomendar / (nosotros) / leer más libros
7. mamá / decirle a Fernando / no romper el proyector que le mandaron
8. papá / pedir / yo / beber más leche y menos refrescos

El subjuntivo: Continuación

Most verbs form the present subjunctive in the same way we form *Ud(s)*. and negative *tú* commands.

1 Verbs whose infinitives end in *-car*, *-gar*, and *-zar* have the spelling change in all of their present subjunctive forms.

-car (c → qu)

TOCAR

No tocamos la guitarra.	*We aren't playing the guitar.*
No quieren que toquemos.	*They don't want us to play.*

-gar (g → gu)

PAGAR

Pago al cajero.	*I pay the cashier.*
Mamá **pide que yo pague** al cajero.	*Mom asks me to pay the cashier.*

-zar (z → c)

CRUZAR

¿Siempre cruzas en el paso de peatones?	*Do you always cross at the crosswalk?*
Espero que siempre **cruces** en el paso de peatones.	*I hope you always cross at the crosswalk.*

And verbs that end in *-ger* have the *j* of the present-tense *yo* form: *¡Ojalá que me escojan!*

2 Irregular verbs whose present indicative *yo* form ends in *-o* keep the change in all of their present subjunctive forms.

Esperamos que el guía **conozca** este barrio.	*We hope the guide knows this neighborhood.*
Quiero que me **digas** la verdad.	*I want you to tell me the truth.*
Ojalá que obtengan algo agradable.	*Let's hope they get something nice.*

3 Stem-changing *-ar* and *-er* verbs have the stem change in all except the *nosotros* and *vosotros* forms.*

Espero que la entrada **no cueste** mucho.	*I hope the ticket doesn't cost much.*
Nos **pide que contemos** lo que pasó.	*He asks us to tell what happened.*

* Stem-changing *-ir* verbs are different. We will discuss them in Chapter 10.

◆ COMMUNICATIVE OBJECTIVES

To express wishes
To ask for reassurance
To reassure someone
To ask for and give reasons

De compras en un supermercado de Caracas, Venezuela

PRÁCTICA

A ¿Eres optimista? Algunas personas esperan cosas. Otras están seguras. Sigue el modelo.

> sacar fotos claras
> ESTUDIANTE A   *Espero que saquemos fotos claras.*
> ESTUDIANTE B   *Siempre sacamos fotos claras.*

1. navegar en la regata
2. empezar bien
3. llegar temprano
4. comenzar antes de las tres
5. tocar bien la noche del concierto
6. pagar al contado
7. aterrizar a tiempo
8. escoger buenos asientos
9. sacar unas biografías de la biblioteca
10. recoger cerezas

B Otra vez. Vuelve a hacer la Práctica A según el nuevo modelo.

> sacar fotos claras
> ESTUDIANTE A   *¡Ojalá que yo saque fotos claras!*
> ESTUDIANTE B   *Siempre sacas fotos claras.*

C ¿Por qué entonces? Luis siempre quiere comprender por qué tiene que hacer algunas cosas. Pregunta y contesta según el modelo.

> ¿cerrar la puerta? / oír lo que dicen los otros
> ESTUDIANTE A   *¿Por qué quieres que yo cierre la puerta?*
> ESTUDIANTE B   *Porque no quiero que oigas lo que dicen los otros.*

1. ¿poner el dinero en mi bolsillo? / perderlo
2. ¿volver pronto? / almorzar muy tarde
3. ¿salir tan pronto? / encontrar tus regalos
4. ¿encender la calefacción? / tener frío
5. ¿contar mi dinero? / traer más de $20,00
6. ¿volver ahora? / venir conmigo
7. ¿probarme la camisa? / devolverla más tarde
8. ¿acostarme? / jugar más a los naipes

D Y los otros también. Los hermanitos de Luis también quieren comprender por qué deben hacer cosas. Pregunta y contesta.

> ¿cerrar la puerta? / oír lo que digo
> ESTUDIANTE A   *¿Por qué quieres que cerremos la puerta?*
> ESTUDIANTE B   *Porque no quiero que oigan lo que digo.*

1. ¿poner los sellos en el escritorio? / perderlos
2. ¿devolver la cartera? / pensar que es suya

3. ¿salir contigo? / buscar tus regalos de Navidad
4. ¿encender el aire acondicionado? / tener calor
5. ¿acostarnos? / hacer ruido
6. ¿traer nuestros carnés? / venir sin ellos
7. ¿probar la sopa? / decir más tarde que no les gusta
8. ¿tener cuidado? / chocar con los muebles

E   ¡Qué lata!   El padre de Raúl y Esperanza dejó una carta en la cocina.
Complétala con la forma correcta de cada verbo. Usa el infinitivo, el
indicativo o el subjuntivo.

Raúl,
  Sabes que (yo) *(tener que)* salir por unos días. Durante este tiempo
quiero que (tú) *(cuidar)* a tu hermanita y que la *(llevar)* a jugar a la casa
de Susana. Te pido que no *(regresar)* tarde por la noche. No quiero que
5 tú y tus amigos *(tocar)* música hasta las dos o las tres de la mañana,
para no *(despertar)* a la niña. Tampoco quiero que Uds. *(montar)* en
bicicleta en el jardín. Les recomiendo que no le *(prestar)* nada al
Sr. Aguilera, porque él nunca *(devolver)* las cosas. Espero que tú y
Esperanza *(asistir)* todos los días a la escuela y que *(preparar)* las tareas.
10 Ojalá que yo no *(encontrar)* la casa en un gran desorden.

Hasta pronto,
Papá

F   Hablemos de ti.
1. ¿Qué quieren tus padres que hagas después de regresar de la
   escuela? ¿Por qué? Y tú, ¿qué prefieres hacer? ¿Por qué?
2. ¿Tus padres te dicen a menudo que pongas en orden tu cuarto?
   ¿Te piden que hagas otras cosas en casa? ¿Qué te piden que hagas?
3. ¿Qué cosas no quieren tus padres que tú y tus hermanos o tú y tus
   amigos hagan? ¿Por qué? ¿Qué les dicen?

ACTIVIDAD

¡Ojalá!   On separate slips of paper, write four things that you hope will
or will not happen. In small groups, take turns picking them and reading
them aloud. Try to guess who wrote each one and explain why you think
so. For example:

Ojalá que no llueva el sábado.
(*Nombre* lo escribió porque le gusta jugar al tenis los fines de semana.)

Espero que alguien me invite a una fiesta.
(*Nombre* lo escribió porque siempre quiere ir a fiestas.)

APLICACIONES

REPASO

Mira con cuidado las frases modelo. Luego cambia las siguientes frases al español según los modelos.

1. *Los pacientes esperan en la clínica del barrio.*
   (The doctor is with an emergency case.)
   (Someone sneezes during the play.)
   (She's sleeping in the wheelchair.)

2. *La enfermera le dice: "Quiero que Ud. aumente de peso."*
   (The boy says to us: "I hope my cat comes down from the tree.")
   (I say to her: "I hope you (fam.) change your mind.")
   (We tell them: "We don't want you (pl.) to answer in a hurry.")

3. *La médica le dice a Ud. que traiga más agua y jugos.*
   (We ask Mom to get more peaches and grapes.)
   (He asks me to bring more cabbage and spinach.)
   (They tell us to bring more shrimp(s) and lobster(s).)

4. *Limpie, barra y pase la aspiradora. Haga las camas ahora mismo.*
   (Skate (pl.), ski, and eat salads. Do (pl.) gymnastics often.)
   (Listen (formal), learn, and take notes. Don't ask questions every minute.)
   (Pick up (pl.), wash, and dry the clothes. Don't prepare dinner yet.)

5. *Y no vaya a la recepción, Sr. Gálvez.*
   (And don't come back (formal) to the dance, Julio.)
   (And don't leave (pl.) the boardinghouse, girls.)
   (And don't weigh (formal) the patients, ma'am.)

Haciendo ejercicio en
Palma de Mallorca, España

Escribe las frases en español.

1. My brother and I are in the waiting room.

2. The doctor says to us: "I want you to lose weight."

3. "I'm asking you to eat more fruit and vegetables."

4. "Swim, run, and lift weights! Exercise every day!"

5. "And don't go to the ice-cream parlor, boys."

REDACCIÓN

Ahora escoge uno de los siguientes temas para escribir tu propio diálogo o párrafo.

1. Expand the *Tema* by writing about the boys' visit to the doctor. The doctor wants them to eat some foods (list three) and not others (list three). The doctor also wants them to do certain activities (list three). He wants them to visit him again after six months.

2. Have you ever broken any bones? If so, write a paragraph about your experience. What did you break, and how did it happen? Did you go to the emergency room *(la sala de emergencia)*? Did the doctor prescribe any medicine? Did you stay in bed or use crutches or a wheelchair? How do you feel now?

3. Imagine that you are a doctor telling a patient how to stay healthy. Using the *Ud.* command form, tell the person to do six health-maintaining activities.

COMPRUEBA TU PROGRESO   CAPÍTULO 9

A   ¿Qué hacemos?
Usa mandatos afirmativos o negativos con *Ud.* o *Uds.* para contestar. Sigue los modelos.

> No queremos bajar de peso.
> *Pues, no bajen de peso.*
> Quiero cantar un poco.
> *Pues, cante un poco.*

1. No queremos contar nada.
2. Queremos jugar al ajedrez.
3. No queremos vivir en la ciudad.
4. Quiero descansar.
5. No quiero beber mucho.
6. Queremos volver pronto.
7. Quiero empezar ahora.

B   En la cocina
Da mandatos con *Ud.* o *Uds.* Sigue el modelo.

> Sra. González / hacer el guacamole
> *Sra. González, haga el guacamole.*

1. Srta. Méndez / tener cuidado con el horno
2. chicos / no venir tarde
3. Sra. Vidal / traer más fresas y duraznos
4. Sr. Giles / poner estos camarones en el fregadero
5. Isabel y Claudia / no hacer sopa todavía
6. Srta. Porras / no decir que no
7. señoras / salir de la cocina

C   En la clínica
Haz mandatos con *Ud.* o *Uds.* Sigue el modelo.

> estar a dieta sólo por una semana (Uds.)
> *Estén a dieta sólo por una semana.*

1. dar estas pastillas al médico   (Ud.)
2. ir en la ambulancia con el paciente   (Uds.)
3. ser paciente y esperar media hora más   (Ud.)
4. estar en la sala de espera temprano   (Ud.)
5. dar estas vendas al enfermero   (Uds.)
6. ir de prisa a la habitación número 34   (Ud.)
7. ser generosos y ayudar en la clínica   (Uds.)

D   ¿Qué quieres?
Completa cada frase con la forma correcta del verbo.

1. Diego quiere que el médico le *(examinar)* la rodilla.
2. La enfermera quiere que (yo) *(abrir)* la boca.
3. Papá nos recomienda que *(estacionar)* aquí.
4. Quieren que (tú) *(anunciar)* el tanteo.
5. Ojalá que Uds. no *(estornudar)* mucho durante el espectáculo.
6. Todos esperan que (yo) no *(toser)* mucho.
7. Mis padres nos piden que *(asistir)* al concierto.
8. La profesora de gimnasia quiere que todos *(correr)* un poco cada día.

E   ¿Qué quiere el médico?
Escribe cada frase otra vez. Empieza con la expresión entre paréntesis.

1. Descansamos más.   (la médica quiere que)
2. Uds. caminan con muletas.   (el Dr. Suárez les recomienda que)
3. Ella no toma más pastillas.   (ojalá que)
4. Uds. no se lastiman.   (la profesora espera que)
5. La ambulancia llega pronto.   (ojalá que)
6. Elena se mejora en seguida.   (sus padres quieren que)

F   ¿Cuál es correcto?
Escoge la forma correcta del verbo.

1. Quiero que (tú) _____ el periódico.
   a. leer   b. lees   c. leas
2. No quiero _____ tan temprano.
   a. comer   b. comes   c. comas
3. La médica recomienda que (yo) _____ más.
   a. pesarme   b. me peso   c. me pese
4. Ellos quieren _____ a su hijo.
   a. visitar   b. visitan   c. visiten
5. Paco espera que Uds. no _____ el dinero.
   a. perder   b. pierden   c. pierdan
6. Queremos _____ en autobús.
   a. viajar   b. viajamos   c. viajemos

VOCABULARIO DEL CAPÍTULO 9

Sustantivos
el aguacate
la ambulancia
la balanza
las calorías
el camarón, *pl.* los camarones
un caso de urgencia
el cereal
la cereza
la clínica
el coco
el codo
la col
el cuello
la dieta
el durazno
la espalda
los espárragos
las espinacas
la fresa
el guacamole
el hombro
el hueso
la langosta
los mariscos
la mayonesa
la medicina
la miel
la muleta
la muñeca
el/la paciente
la papaya
la pastilla
el pecho
la pera
el peso *(weight)*
la piña
el plato del día
la rodilla
la sala de espera
la salud

la silla de ruedas
el tobillo
la toronja
las uvas
la venda

Adjetivos
pálido, -a
roto, -a
sano, -a

Adverbio
ya *(now)*

Preposición
por *(for)*

Verbos
estornudar
lastimarse
mejorarse
morirse (o → ue)
pesar(se)
recetar
recomendar (e → ie)
romperse
sentirse (e → ie)
toser

Expresiones
aumentar / bajar de peso
estar a dieta
hacer ejercicio
¿qué tienes / tiene Ud.?

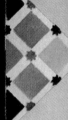

CAPÍTULO 10

HOLA, ¿QUIÉN HABLA?

Suppose you're in Madrid on vacation and want to call home. Just look around the center of the city and you will find special phone booths that can be used for transatlantic calls as well as for local ones. The booths have lists of international area codes, instructions in several languages, and digital meters that register when to put in more coins. It's almost as easy as calling next door.

If you don't happen to have a pocketful of coins, you can go to the phone company office just off the Gran Vía and call from the public long-distance center. An operator will place your call and send you to a booth. Afterward you pay a cashier.

In most cities of the Spanish-speaking world, however, public phones are still limited to local calls. And international calls, even from a long-distance center, may turn out to be very complicated. If you phone the United States from Paraguay, for example, your call will head south first because it must be routed through Buenos Aires.

Public telephones in some countries require the use of a special token, or *ficha*. You can usually buy *fichas* at the post office, newsstands, or at any store or business that has a public phone.

Private telephones are not as common in Spanish-speaking countries as they are in the United States. The larger cities are growing so quickly that the phone companies cannot keep up with the demand. In small towns, people have no real need for telephones because they see each other every day. And since in very small towns of the Hispanic world people still often spend their lives where they were born, phones are not needed for families to stay in touch.

329

PALABRAS NUEVAS I

¿De parte de quién?

descolgar (o → ue)

el operador

Olga:
El Sr. Gómez llamó a
las 10:15.

el recado

la operadora

caer

colgar (o → ue)

caerse

To make a phone call or
to answer a phone

To make a long-distance
call

To give a phone number

To leave a message

To respond to someone
dialing a wrong number

To explain how to use a
public phone in the U.S.

To spell a name

CONTEXTO COMUNICATIVO

1 VÍCTOR   ¿Aló? ¿Quién habla?

ELISA   Elisa.

VÍCTOR   Ah, Elisa, **¿qué hay?**

ELISA   Tengo **un chisme** increíble.

VÍCTOR   No hables **en voz** tan **baja.**

ELISA   No quiero que los otros me oigan.

Variaciones:

■ un chisme → **una noticia**

■ no hables en voz tan baja →habla **en voz** más **alta**

■ en voz tan baja → tan **lentamente**
    no quiero que los otros me oigan → quiero que oigas cada
    palabra

¿qué hay? *what's new?*

el chisme *piece of gossip;*
    pl. *gossip*

en voz baja *softly, in a low voice*

la noticia *piece of news, news*
    item

en voz alta *in a loud voice; out*
    loud

lentamente = despacio

2 CLARA   Quiero hacer **una llamada de larga distancia** a
    Buenos Aires. Es una **llamada por cobrar.**

OPERADORA   El número y su nombre, por favor.

CLARA   54–1–89–45–16.* Clara Morales.

OPERADORA   Lo siento, pero las líneas están ocupadas. Por
    favor, cuelgue y **vuelva a**[†] llamar más tarde.

■ vuelva a llamar más tarde → llame otra vez

la llamada *call*
de larga distancia *long-distance*
la llamada por cobrar *collect*
    call

volver (o → ue) a + inf. *to (do*
    something) again, to re- (+ verb)

3 SRA. IBARRA   ¿Puedo hablar con la Sra. López?

SECRETARIO   **¿De parte de quién?**

SRA. IBARRA   De la Sra. Ibarra.

SECRETARIO   Un momento, por favor . . . La Sra. López no
    está. ¿Quiere Ud. dejar un recado?

SRA. IBARRA   **Tenga la bondad de** decirle que me gustaría
    verla esta tarde.

■ no está → no está en la oficina

¿de parte de quién? *who's*
    calling?

tenga la bondad de + inf. =
    ¿quiere Ud. + inf.?

* The number 54 is the telephone code for Argentina; 1 is the code for Buenos Aires.
† In English we often use the prefix "re-" where Spanish uses *volver a: Volver a llenar*
("to refill"), *volver a calentar* ("to reheat"), *volver a cortar* ("to recut"), and so on.

4 LILIANA ¿Qué pasa con el teléfono de María? **Suena** y suena pero no contesta nadie.

CARLOS Quizás **marcaste** un número **equivocado**. Marca el número otra vez.

LILIANA ¡Qué mala suerte! Ahora no hay **tono**.

■ un número equivocado → otro número
■ no hay tono → el teléfono no funciona

sonar (o → ue) *to ring*

marcar *to dial*
equivocado, -a *wrong*
el tono *dial tone*

EN OTRAS PARTES

También se dice *el / la telefonista*.

También se dice *discar*.

la llamada por cobrar

También se dice *la llamada con cargo*. En España se dice *la llamada de cobro revertido*.

el tono

También se dice *el tono de marcar* o *la señal para marcar*.

Un operador en Santa Cruz, Bolivia

INSTRUCCIONES PARA EL USO
DEL TELEFONO DURANTE SU ESTANCIA
EN ESPAÑA

SERVICIO AUTOMATICO

1. Descuelgue el microteléfono y espere la señal para marcar.
2. LLAMADAS URBANAS E INTERURBANAS DENTRO DE LA MISMA PROVINCIA. Marque el número deseado.
3. LLAMADAS INTERURBANAS. Marque el código interurbano de la ciudad a la cual va destinada la llamada, y a continuación el número del abonado deseado.
4. LLAMADAS INTERNACIONALES. Marque el 07. Espere un segundo tono más agudo que el normal. A continuación el indicativo del país (*) hacia el cual va encaminada la llamada, seguido del de la ciudad (**), y del número del abonado deseado.

(*) Consulte los indicativos de países en la última página.

(**) Recuerde que no debe marcar el prefijo de acceso al servicio automático interurbano del país de destino, que generalmente es un 0 (cero).

NOTA: Para conferencias no automáticas llame a la operadora. Marque el 003 para información general

PRÁCTICA

A Pequeños problemas.   Escoge la palabra correcta para completar las frases.

1. Hablen en *(voz alta / voz baja)* por favor. Me duele mucho la cabeza.
2. Éste no es el 22–75–84. Ud. tiene *(el número equivocado / la línea ocupada)*.
3. El teléfono no funciona. Ojalá que lo *(descuelguen / arreglen)* hoy.
4. La doctora no está todavía. *(Tenga la bondad de / Tenga miedo de)* esperar en la sala.
5. El Sr. Torres no está. ¿Quiere dejar *(un chisme / un recado)*?
6. Antes de marcar el número debes *(descolgar / colgar)* el teléfono y escuchar si hay *(recado / tono)*.
7. ¡Qué aburrido! Alejandro siempre quiere saber los *(chismes / operadores)* de la oficina.
8. Tengo que hacer una llamada *(de larga distancia / por cobrar)* porque no tengo dinero.
9. Tengo las manos mojadas. ¿Me puede *(marcar / sonar)* el número?
10. ¡Tengan cuidado! Uds. van a *(descolgar / caerse)* si corren al teléfono.

B ¿Qué dicen?   Varias personas hablan por teléfono. A la izquierda está una parte de la conversación. ¿Cuál fue la otra parte? Escoge la respuesta correcta.

ESTUDIANTE A   *¿Está Georgina?*
ESTUDIANTE B   *Lo siento. Tiene el número equivocado.*

1. ¿Me oye Ud. bien?
2. ¿Qué clase de llamada quiere hacer?
3. ¿De parte de quién?
4. Necesito hablar con la profesora Silva, por favor.
5. No sé cómo funcionan los teléfonos aquí. ¿Me puede ayudar?
6. ¿Es una llamada de larga distancia?
7. Estoy ocupada. ¿Me puedes volver a llamar?
8. ¿Puedo hablar con el Sr. o la Sra. López?

a. Acaban de salir. ¿Quiere dejar un recado?
b. No, es una llamada local.
c. Primero, marque el número.
d. Sí, te llamo alrededor de la una.
e. ¿Puede hablar en voz más alta?
f. No está. Tenga la bondad de llamarla más tarde.
g. De Leonardo.
h. Lo siento. Tiene el número equivocado.
i. Una llamada por cobrar.

C Una llamada.   Imagina que una persona acaba de llegar a los Estados Unidos y no sabe hacer una llamada en el teléfono público. Escoge palabras de cada columna para explicarle cómo hacerlo. Explícale también lo que debe hacer si marca un número equivocado. Usa mandatos con *Ud.*

colgar	las monedas
descolgar	el número
esperar	el teléfono
marcar	el tono
poner	
volver a	

D Hablemos de ti.

1. ¿Quién usa más el teléfono en tu casa?
2. ¿Tienes un teléfono en tu cuarto? ¿A quiénes llamas más frecuentemente? ¿Quiénes te llaman? ¿Cuántas llamadas haces y recibes cada día?
3. ¿Haces muchas llamadas de larga distancia? ¿Adónde? ¿Con quién hablas? ¿A veces haces llamadas por cobrar? ¿Cuesta mucho?
4. Si quieres llamar a otro país, ¿qué tienes que hacer?
5. Si llamas a alguien y no está, ¿generalmente vuelves a llamar o prefieres dejar un recado? ¿Por qué?
6. ¿Qué dices cuando marcas un número equivocado? ¿Qué haces entonces? ¿Qué haces cuando quieres llamar a alguien y no sabes el número de teléfono?
7. Imagínate la vida en un pueblo donde no hay teléfonos. Por ejemplo, ¿qué hace la gente en caso de urgencia?

¿VA A LLAMAR A VENEZUELA?

Usted puede efectuar la llamada . . . desde su habitación.

AT&T

¿VA A LLAMAR A MÉXICO?

Usted puede efectuar la llamada...desde su habitación.

AT&T

ACTIVIDAD

El recado Work with a partner to invent both a telephone answering machine recording and a message that you might leave on the machine if you were calling. For example:

ESTUDIANTE A Buenos días. Habla con el 555–1753. Después del tono, deje su nombre, su número de teléfono y su recado.

ESTUDIANTE B Hola, Javier. Habla Josefina. ¿Qué hay? Yo tengo un chisme increíble. Llámame a casa, 555–8052.

Un muchacho usa el teléfono en Puerto Rico.

APLICACIONES

Una llamada de larga distancia

Hace un mes que Daniel está en Bolivia. Hoy trata de llamar a sus padres en los Estados Unidos porque extraña a la familia.[1]

DANIEL	Quisiera hacer una llamada a Iowa, Estados Unidos. Hay una hora de diferencia,[2] ¿verdad?
5 OPERADORA	Sí. El número y la ciudad, por favor.
DANIEL	El código del área[3] es 518, y el número es el 111–5714, Des Moines.
OPERADORA	Des . . . ¿qué? Por favor, hable más lentamente.
DANIEL	D-e-s M-o-i-n-e-s. El número es . . .
10 OPERADORA	Ya tengo el número, gracias.
DANIEL	Es una llamada de persona a persona.
OPERADORA	¿Con quién quiere hablar y de parte de quién?
DANIEL	Con la Sra. Charlotte Zeller, de parte de Daniel Zeller.
15 OPERADORA	Repita el nombre por favor.
DANIEL	Ch-a-r-l-o-t-t-e Z-e-ll-e-r.
OPERADORA	Un momento. No cuelgue, por favor . . . Lo siento, Sr. Zeller. La línea está ocupada. Tenga la bondad de llamar más tarde.

---

[1]**extrañar a la familia** *to be homesick*   [2]**una hora de diferencia** *an hour's difference*   [3]**el código del área** *area code*

Preguntas

Contesta según el diálogo.

1. ¿Por qué extraña Daniel a la familia?   2. ¿Adónde y a quiénes quiere
llamar? ¿Qué clase de llamada es?   3. ¿Sabes cuántas horas de diferencia
hay entre la ciudad donde tú vives y Bolivia? ¿Sabes cuántas horas de
diferencia hay entre tu ciudad y España? ¿Es más temprano o más tarde
en España?   4. ¿Por qué crees que la operadora no entiende bien lo que
Daniel dice?   5. ¿Por qué no puede Daniel hablar con sus padres? ¿Qué
tiene que hacer para hablar con ellos?   6. En tu opinión, ¿cómo se siente
Daniel cuando la operadora le dice que la línea está ocupada?

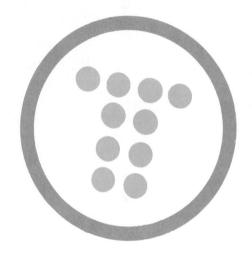

Llamando por teléfono
en Santander, España

Participación

Work with a partner to make up a dialogue between a caller and a
telephone operator. What kind of a call is it? What kinds of questions
does the operator ask?

◆ COMMUNICATIVE
OBJECTIVES
To write a letter
To send or receive
registered mail
To address an envelope

CONTEXTO
VISUAL

PALABRAS NUEVAS II

Por correo

VÍA AÉREA

el remitente

el código postal

Ana Cano
276 Ridge Road
Lyndhurst, N.J. 07143

Hotel Bamer
Avenida Juárez 52
México 1, D.F.

el sobre

vía aérea

el cartero

envolver (o → ue)

el apartado postal

el paquete

el telegrama

el formulario

la firma

el buzón
pl. los buzones

entregar

la cartera

la mensajera

el mensajero

CONTEXTO COMUNICATIVO

1 **Querida** Josefina:

Hoy alquilé un apartamento. **Incluyo** una foto de él. Estoy contentísima porque ahora puedo **mudarme** pronto. Todavía no tengo tu respuesta a mi última carta. Espero que me escribas pronto. Llámame si no tienes ganas de contestar **por correo**. **Saluda** a Pablo y a los chicos **de mi parte.**

Con cariño,
Beatriz

Variaciones:

■ me escribas pronto → **respondas** pronto **a** ésta
■ con cariño → muchos **besos**

querido, -a *dear*

incluir (yo incluyo, tú incluyes) *to include; to enclose*

mudarse *to move (to a new residence)*

el correo here: *mail*

por correo *by mail*

saludar *to greet, to say hello / good-by*

de mi parte *from me, for me*

el cariño *affection*

con cariño *affectionately*

responder a = contestar

el beso *kiss*

2

ALFREDO Luisa, ¿viste este **aviso**? Hay una carta **certificada** para ti.

LUISA ¿Dónde está?

ALFREDO Tienes que recogerla en el correo. Necesitan tu firma en **el recibo.**

- recogerla en el → **ir a buscar**la al
- necesitan tu firma en → quieren que firmes

el aviso *notice; warning*

cèrtificado, -a *registered*

el recibo *receipt*

ir (venir) a buscar *to go (come) get, to pick up*

3

ARMANDO ¿Sales ahora, Teresa?

TERESA Sí, voy al correo para **averiguar*** cómo mandar este paquete.

ARMANDO Probablemente tienes que **llenar** varios formularios.

TERESA ¡Uf! ¡Qué lata!

- averiguar → preguntar
- este paquete → un telegrama

averiguar *to find out*

llenar here: *to fill out (a form), to fill in (a blank)*

4

SR. MUÑOZ Srta. Millán, quiero que visite nuestra **compañía** la semana próxima. ¿Qué día puede venir?

SRTA. MILLÁN Estoy libre **o** el lunes **o** el miércoles.

- quiero → espero
- compañía → oficina

la compañía *company*

o . . . o *either . . . or*

EN OTRAS PARTES

También se dice *el apartado de correos* y *la casilla postal.*

mudarse

También se dice *cambiarse.*

También se dice *por avión.*

También se dice *la planilla.*

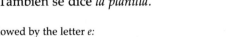

En España también se dice *el distrito postal.*

---

* In *averiguar* the *gu* changes to *gü* when it is followed by the letter *e:*
    in the *yo* form of the preterite: *averigüé*
    in all of the present subjunctive forms: *averigüe, averigües, averigüe, averigüemos, averigüéis, averigüen*
    in the commands: *no averigües* and *averigüe(n).*

PRÁCTICA

A **Una carta a España.** Lolita acaba de escribirle una carta a su amigo español. Contesta las preguntas según la carta.

Nueva York

3 de julio de 1989

Querido Carlos:

    ¿Cómo estás? Recibí tu carta la semana pasada. Me gustaron mucho los chismes de tu escuela. Me gustaría conocer a algunos de esos chicos. Me parecen muy cómicos. Y ahora tengo una noticia increíble. ¡Acabo de comprar un boleto para ir a España! Me costó un ojo de la cara, pero ya lo tengo y es mío. Salgo el 18 de julio por la tarde y llego a Madrid el 19 por la mañana. Espero que vengas a buscarme al aeropuerto. Te llamo el 16 por la tarde. Saluda a tus padres de mi parte.

Con cariño,

Lolita

1. ¿En qué ciudad vive Lolita?
2. ¿Cuál es la fecha de la carta?
3. ¿A quién le escribe Lolita?
4. ¿Qué anuncia Lolita en su carta?
5. ¿A quién quiere que Carlos salude de su parte?
6. ¿Qué va a hacer el 16 de julio?
7. ¿Cómo comienza la carta?
8. ¿Cómo termina?

B **Ahora el sobre.** Carlos acaba de recibir la carta de Lolita. Contesta las preguntas según el sobre.

1. ¿Cuál es el remitente?
2. ¿Cuál es el código postal de Lolita? ¿Y el código postal de Carlos?
3. ¿Cuál es la dirección de Carlos?
4. ¿En qué país vive?
5. ¿Cómo mandó Lolita la carta?
6. ¿Cuánto costaron los sellos?

C No olvides el remitente.   A todo el mundo le gusta recibir cartas.
Escoge las palabras correctas para completar cada frase.

1. Espero que la cartera *(averigüe / entregue)* las cartas temprano.
2. Si quieres mandar un telegrama debes *(envolver / llenar)* este *(buzón / formulario)*.
3. Mi abuelo siempre me *(envuelve / saluda)* con cariño cuando nos vemos. Me da *(besos / firmas)* y me hace muchas preguntas.
4. Nuestros amigos acaban de *(envolver / mudarse)* del barrio.
5. Elena cierra *(el formulario / el sobre)* y lo pone en *(el buzón / el recibo)*.
6. Tengo que averiguar *(el código postal / el aviso)* de la compañía antes de *(mandar / marcar)* el paquete.
7. Necesitas firmar *(el recibo / la noticia)* cuando el mensajero te *(entrega / envuelve)* la carta.
8. *(Entregué / Envolví)* el paquete y espero mandarlo esta tarde.
9. Después de escribir la carta, pon *(la firma / la dirección)* y *(el remitente / el formulario)* en el sobre, ve al *(correo / código postal)* y mándala *(por vía aérea / por cobrar)*.

D Hablemos de ti.

1. ¿A quiénes mandas cartas? ¿A veces mandas paquetes? ¿A quién?
2. ¿Te gusta comprar cosas por correo? ¿Por qué? ¿Qué clase de cosas compras por correo? ¿Cuánto tiempo tardan en llegar? ¿Te entregan el paquete o tienes que recogerlo en el correo?
3. ¿Te gustaría mudarte a otra ciudad o a otro barrio? ¿Por qué? Imagina que trabajas para una compañía que va a mandarte o a México o a España. ¿Cuál de los dos escoges? ¿Por qué?
4. ¿Esperas viajar a otro país algún día? ¿A cuál? ¿Por qué escoges ése?

ESTUDIO DE PALABRAS

Familias de palabras

Sometimes we can guess the meaning of a word because it resembles a word that we already know. For example, look at the following related words:

VERB		NOUN	
firmar	*to sign*	la firma	*signature*
entrar	*to enter*	la entrada	*entrance*
llamar	*to call*	la llamada	*call*
recibir	*to receive*	el recibo	*receipt*

To what verbs are the following nouns related?

viaje   baile   camino   enchufe

Sinónimos

Cambia cada palabra en cursiva por un sinónimo.

1. No sé *contestar* este recado.
2. ¿Aló? ¿*Qué tal*?
3. ¿*Quiere Ud.* firmar el registro?
4. Voy a mandar el paquete *por avión*.
5. Por favor, habla *despacio*.

Antónimos

Cambia cada palabra en cursiva por un antónimo.

1. Háblame *en voz baja*.
2. ¿Por qué manejas tan *lentamente*?
3. Por favor, *cuelga* el teléfono.

Correo Mayor, México

EXPLICACIONES I

El verbo caer(se)

◆ **COMMUNICATIVE OBJECTIVE**

To describe how well or badly someone does something

Caer(se) "to fall (down)" follows the same pattern as *traer*.

INFINITIVO **caer(se)**

	SINGULAR	PLURAL
1	(yo) (me) **caigo**	(nosotros) (nosotras) } (nos) **caemos**
2	(tú) (te) **caes**	(vosotros) (vosotras) } (os) **caéis**
3	Ud. (él) } (se) **cae** (ella)	Uds. (ellos) } (se) **caen** (ellas)

Una fuerte lluvia **cae** sobre la ciudad.　　*A heavy rain **falls** on the city.*
Siempre **me caigo** en la nieve.　　*I always **fall down** in the snow.*

Notice that, like many other verbs, only the *yo* form of *caer* is irregular.

PRÁCTICA

Sobre el hielo.　Un grupo de amigos piensan ir a patinar. Algunos son buenos patinadores y otros no. Pregunta y contesta según el modelo.

　　Eduardo / a veces
　　ESTUDIANTE A　*¿Cómo patina Eduardo?*
　　ESTUDIANTE B　*Se cae a veces.*

1. Felipe y Raquel / nunca
2. Ana / a menudo
3. Cecilia y tú / frecuentemente
4. Luz y Mariana / a veces
5. (yo) / siempre
6. Marcos / casi nunca
7. Gustavo y yo / siempre
8. ¿Y tú?

El verbo *incluir*

In the present tense of *incluir* ("to include"), the *i* changes to *y* in all except the *nosotros* and *vosotros* forms.

◆ COMMUNICATIVE
  OBJECTIVE
To express uncertainty

	SINGULAR		PLURAL
1	(yo) inclu**yo**	(nosotros) (nosotras)	inclu**imos**
2	(tú) inclu**yes**	(vosotros) (vosotras)	inclu**ís**
3	Ud. (él) (ella) inclu**ye**	Uds. (ellos) (ellas)	inclu**yen**

PRÁCTICA

¿Qué incluimos?   Los García comienzan a hacer un paquete grande que van a mandar a una tía que vive en México. ¿Qué pone cada persona en el paquete? Sigue el modelo.

> mamá / fotos de los quince años de Ana
> ESTUDIANTE A   *¿Qué incluye mamá?*
> ESTUDIANTE B   *Incluye fotos de los quince años de Ana.*

1. Ricardo / una botella de perfume
2. papá y tú / dibujos de los chicos
3. Ud., señora / una nueva marca de secador
4. la abuela Antonia / un suéter azul que ella hizo
5. Jorge y Ana / una cinta con canciones folklóricas
6. el tío Juan / una caja de chocolate canadiense
7. Uds. / un libro de cuentos fantásticos
8. ¿y tú? / ?

Usos del infinitivo

◆ COMMUNICATIVE
OBJECTIVES

To make suggestions

To express desires,
preferences, and plans

To report recent events
and activities

To explain how to do
something

To tell what someone
forgot or failed to do

To describe or explain
sequence of events

To set priorities

You know that we use the infinitive after many verbs.

¿Puedo dejar un recado?	*Can I leave a message?*
Preferimos hablar en voz baja.	*We prefer to speak softly.*
Necesito hacer una llamada de larga distancia.	*I need to make a long-distance call.*

With some verbs we must use *a, de,* or *en* before the infinitive.

1 The following verbs take *a* + infinitive: *aprender a, ayudar a, comenzar a, empezar a, enseñar a, invitar a, ir a, venir a, volver a.*

No vuelvan a usar la tarjeta de crédito.	*Don't use the credit card again.*
Vengo a entregar los paquetes.	*I'm coming to deliver the packages.*
Los teléfonos **empiezan a sonar.**	*The phones are starting to ring.*

2 The following verbs take *de* + infinitive: *acabar de, disfrutar de, olvidarse de, tratar de.*

Acaban de anunciar el tanteo.	*They just announced the score.*
Trata de salir temprano.	*Try to leave early.*
Disfrutan de gastar dinero.	*They enjoy spending money.*
Me olvidé de leer el aviso.	*I forgot to read the warning.*

3 *Tardar* and *pensar* take *en* + infinitive. (But remember that *pensar en* + infinitive means "to think about," while *pensar* + infinitive means "to plan.")

¿Cuánto tiempo **tardaste en cobrar** el cheque?	*How long did it take you to cash the check?*
Pienso en mudarme a un apartamento.	*I'm thinking about moving to an apartment.*
Espero que **pienses volver a atar** ese paquete.	*I hope you plan to retie that package.*

PARA ___Dorotea___

FECHA _23/7/89_ HORA ___2___ A.M. P.M.

MIENTRAS UD. NO ESTUVO

SR.
SRA. ___Rafael Jiménez___
SRTA.

DE ___Escuela San Vicente___

NÚMERO DE TELÉFONO ___555-59-76___

○ LLAMÓ POR TELÉFONO	○ FAVOR DE LLAMARLO
⊖ LLAMÓ PARA UNA CITA	○ VOLVERÁ A LLAMARLO
○ DESEA VERLO	○ VENGA A VERME

RECADO ___

Le gustaría verla el lunes
por la mañana.

RECADO TOMADO POR ___Cristina___

Una recepcionista ciega toma recados.

4 In Spanish, the infinitive is the only verb form that we can use after a preposition.

Llámenos **antes de venir.**	*Call us **before you come.***
Después de almorzar fuimos al cine.	***After we ate lunch** we went to the movies.*
No puedo marcar el número **sin saber**lo.	*I can't dial the number **without knowing (unless I know)** it.*
Necesita muletas **para caminar.**	*He needs crutches **to walk.***

PRÁCTICA

A El fin de semana.   La familia López está de vacaciones y no sabe qué hacer esta tarde. Escoge una palabra o expresión de cada columna para formar frases. Por ejemplo:

> (yo)
>
> ESTUDIANTE A   *¿Qué debo* (or: *puedo*) *hacer?*
> ESTUDIANTE B   *Debes* (or: *Puedes*) *montar a caballo.*

1. papá y abuelito	querer	ir a nadar o de pesca
2. mamá	preferir	hacer un asado
3. Manuel y tú	deber	escribir tarjetas postales
4. Diego	necesitar	dar un paseo
5. Juanita y yo	poder	montar a caballo o en bicicleta
6. Beatriz y Elenita	pensar	hacer un picnic
7. (tú)	esperar	ver una película

B ¿Aprendiste a bailar?   Varios amigos hablan de lo que hicieron durante el fin de semana pasado. Sigue el modelo.

> tú / empezar a estudiar música
> ESTUDIANTE A   *¿Qué hiciste tú?*
> ESTUDIANTE B   *Empecé a estudiar música.*

1. Pablo / invitar a cenar a su novia
2. Juan y Jorge / comenzar a cortar el césped
3. María / volver a caerse en el hielo
4. Lupe / ayudar a asar un cordero a la parrilla
5. Uds. / enseñarle a jugar a los bolos a Jorge
6. tú / empezar a leer una novela de ciencia ficción
7. ellas / aprender a manejar un camión

C ¿Qué necesitas? ¿Qué necesitas para hacer las siguientes cosas? Sigue el modelo.

> salir bien en los exámenes
> *Para salir bien en los exámenes necesitas estudiar más.*

1. hacer una llamada por cobrar
2. manejar bien
3. envolver un paquete
4. escribir el remitente
5. pedir algo por correo
6. viajar a Costa Rica
7. bajar de peso
8. recoger una carta certificada del correo

a. buscar papel y tijeras
b. incluir tu código postal
c. hablar primero con el operador
d. firmar un recibo
e. aprender las reglas de tráfico
f. estar a dieta
g. obtener un pasaporte
h. estudiar más
i. averiguar la dirección de la compañía

Correo Central en Madrid

D Los distraídos. Las siguientes personas son bastante distraídas y se olvidan de hacer cosas. Vuelve a formar estas frases según el modelo.

> Juan Carlos sube al tren pero no compra el boleto.
> *Juan Carlos sube al tren sin comprar el boleto.*

1. Jorge se va del restaurante pero no deja una propina.
2. Mi hermana se acuesta pero no apaga la luz.
3. Josefina entra en la casa pero no saluda a nadie.
4. La mensajera entrega el telegrama pero no dice nada.
5. El Sr. Montalvo llena el formulario pero no incluye su firma.
6. Cristina pide prestadas cosas pero no las devuelve.
7. Tomás escribe cheques pero no los firma.
8. Eugenio cuelga el teléfono pero no dice adiós.

E ¿Antes o después? Di lo que haces antes y lo que haces después. Por ejemplo:

> comer
> *Antes de comer me lavo las manos.*
> *Después de comer quito los platos.*

1. entrar en el paso de peatones
2. pasar la aspiradora
3. descolgar el teléfono
4. comprar algo
5. irse de casa
6. envolver un paquete
7. llenar un formulario
8. poner una carta en el sobre
9. comenzar un viaje largo
10. patinar sobre hielo

F Hablemos de ti.
1. ¿Qué prefieres hacer después de la clase? ¿A qué hora comienzas a hacer la tarea? ¿Cuánto tardas en hacerla? ¿Qué haces antes de acostarte?
2. ¿A veces te olvidas de hacer cosas? ¿Te olvidaste de hacer algo ayer? ¿Qué te olvidaste de hacer?
3. ¿Aprendiste a hacer algo nuevo el año pasado? ¿Qué aprendiste a hacer? ¿Le enseñaste algo a alguien? ¿Qué? ¿A quién?
4. ¿Qué disfrutas de hacer los fines de semana?
5. ¿Sabes patinar sobre hielo o sobre ruedas? ¿Hay un lugar para ir a patinar donde tú vives? ¿Quién te enseñó a patinar? ¿Patinas bien o te caes mucho?

APLICACIONES

El mensajero telefónico

ANTES DE LEER

Piensa en estas preguntas mientras *(while)* lees.

1. ¿Cómo es la vida donde no hay teléfonos?
2. ¿Cómo es la vida donde hay muchos turistas pero muy pocos habitantes durante varias semanas?
3. ¿Puedes darle otro título a esta lectura?

Un cartero en México

Hace poco tiempo que Ignacio Martínez vive en Las Cruces, pero todo el mundo lo conoce. Tiene un trabajo muy importante: es el mensajero telefónico del pueblo.

Las Cruces es un pequeño pueblo en el norte de la Argentina. Durante
5 las vacaciones de verano, los turistas llenan los cuatro hoteles del pueblo. El resto del año, sólo doscientas personas viven aquí y los hoteles están cerrados. No hay ningún teléfono particular[1] y hay sólo una cabina telefónica en todo el pueblo. Todos lo usan para hacer y recibir llamadas de larga distancia. Cuando hay una llamada, Ignacio contesta y luego va a buscar a
10 esa persona en bicicleta. Él casi siempre sabe dónde está cada persona en cada momento. Si no la encuentra, deja un recado.

Todos dicen que Ignacio parece ser el mensajero perfecto porque, aunque[2] sabe todo lo que pasa en Las Cruces, no le gustan los chismes y nunca repite nada de lo que oye. Pero también hay personas que creen que Igna-
15 cio no se mudó al pueblo para ser mensajero; están seguras de que es realmente un escritor y que piensa usar todo lo que aprende sobre la vida en Las Cruces para escribir su nueva novela. Otras dicen que Raúl empezó este rumor, porque él siempre soñó con[3] ser el mensajero del pueblo. ¿Quién sabe? Quizás Ignacio o Raúl, pero ellos no dicen nada. ¡Qué com-
20 plicada es la vida, aun[4] en los pueblos más pequeños.

---

[1]**particular** *private*   [2]**aunque** *although*   [3]**soñar con** *to dream of*   [4]**aun** *even*

Preguntas

1. ¿Dónde está Las Cruces? ¿Cuántos habitantes tiene?
2. En tu opinión, ¿cómo es el paisaje cerca de Las Cruces y qué tiempo hace allí en el verano?
3. ¿Por qué es importante el trabajo de Ignacio?
4. ¿Qué hace Ignacio cuando no encuentra a la persona que busca?
5. ¿Cuál crees tú que es la verdadera *(true)* profesión de Ignacio? ¿Por qué?
6. ¿Cómo piensas que es el pueblo de Las Cruces? Descríbelo.
7. ¿Cómo cambia la vida en Las Cruces en el verano?

EXPLICACIONES II

El subjuntivo de ciertos verbos que terminan en *-ir*

Remember that in the present subjunctive, stem-changing *-ar* and *-er* verbs have the stem change in all except the *nosotros* and *vosotros* forms.

Quieren que $\left\{\begin{array}{l}\textbf{yo cuente } \text{chistes.} \\ \textbf{contemos } \text{chistes.}\end{array}\right.$ They want $\left\{\begin{array}{l}\textit{me to tell jokes.} \\ \textit{us to tell jokes.}\end{array}\right.$

Ojalá que $\left\{\begin{array}{l}\textbf{entiendan.} \\ \textbf{entendamos.}\end{array}\right.$ I hope $\left\{\begin{array}{l}\textit{they understand.} \\ \textit{we understand.}\end{array}\right.$

Stem-changing *-ir* verbs, however, have a stem change in all of their present subjunctive forms.

◆ COMMUNICATIVE OBJECTIVES

To ask for advice or suggestions

To express hopes and wishes

1 Stem-changing e → i verbs have the same stem change throughout.

PEDIR	
pida	**pidamos**
pidas	pidáis
pida	pidan

2 Stem-changing e → ie and o → ue verbs whose infinitives end in *-ir* also keep the stem change in the subjunctive. But in the *nosotros* and *vosotros* forms, we drop the *e*.

SENTIRSE		DORMIR	
me s**ie**nta	nos **si**ntamos	d**ue**rma	**du**rmamos
te s**ie**ntas	os **si**ntáis	d**ue**rmas	**du**rmáis
se s**ie**nta	se s**ie**ntan	d**ue**rma	d**ue**rman

Other verbs you know that follow these patterns are:

$e \rightarrow i$:   *reír, repetir, servir, sonreír, vestir(se)*
$e \rightarrow ie$:   *divertirse, hervir, preferir*
$o \rightarrow ue$:   *morirse*

PRÁCTICA

A No quiero cambiar. Unas personas siempre sirven la misma comida. Pregunta y contesta según el modelo.

papayas
ESTUDIANTE A *Siempre servimos papayas. ¿Qué quieres que sirvamos esta noche?*
ESTUDIANTE B *Sirvan papayas.*

1. cerezas
2. duraznos
3. uvas
4. piña

5. coco
6. fresas
7. peras
8. toronja

B En el restaurante. La madre de Eugenio averigua lo que él quiere que ella pida para él. Sigue el modelo.

frijoles
ESTUDIANTE A *¿Quieres que yo pida frijoles?*
ESTUDIANTE B *Sí. Pídelos.*
   o: *No. No los pidas.*

1. espinacas
2. zanahorias
3. maíz
4. aguacates

5. guisantes
6. espárragos
7. col
8. plátanos fritos

C Yo no quiero. Forma frases según el modelo.

(yo) / no querer / (tú) / morirse de hambre
No quiero que te mueras de hambre.

1. (yo) / esperar / (tú) / no hervir el agua para el té
2. ojalá / (nosotros) / no dormirse
3. (yo) / esperar / ella / no morirse de sed
4. ellos / querer / (nosotros) / dormir lejos del fuego
5. ojalá / (nosotros) / divertirse en la feria
6. él / recomendar / (yo) / dormirse tan temprano como él
7. ojalá / (tú) / sentirse mejor
8. ella / esperar / (nosotros) / no dormirse sin cepillarse los dientes
9. ojalá / el café / no hervir
10. ellos / esperar / (nosotros) / sentirse mejor
11. ojalá / él / no repetir ese chisme
12. (ellos) / esperar / (nosotros) / preferir salir con ellos

El pretérito de *creer, leer, oír, caer(se)* e *incluir*

Here are the preterite forms of *leer* ("to read").

	SINGULAR		PLURAL	
1	(yo)	leí	(nosotros) (nosotras)	leímos
2	(tú)	leíste	(vosotros) (vosotras)	leísteis
3	Ud. (él) (ella)	leyó	Uds. (ellos) (ellas)	leyeron

Anoche **leyó** el último capítulo.　　*Last night **he read** the last chapter.*
Nosotros lo **leímos** anteayer.　　*We read it the day before yesterday.*

Note that the *i* becomes *y* in the *Ud. / él / ella* and *Uds. / ellos / ellas* forms. There is an accent on the *i* in all of the other forms. The verbs *creer, oír,* and *caer(se)* form the preterite in the same way.

¿Creíste esa noticia que **oíste**?　　*Did you believe that piece of news you heard?*

No oí ningún chisme.　　*I didn't hear any gossip.*
Oyó el ruido cuando los niños **se cayeron**.　　*He heard the noise when the children fell down.*

1　*Incluir* follows the same pattern except that it has an accent mark only on the *i* of the *yo* form (*incluí*) and the *o* of the *Ud. / él / ella* form (*incluyó*).

　　No incluí mi cuenta.　　*I didn't include my bill.*
　　¿Incluiste el recibo?　　*Did you enclose the receipt?*
　　Los precios **incluyeron** el impuesto.　　*The prices included the tax.*

Llamando por teléfono en México

PRÁCTICA

A Una tarea que no es como las otras.   La directora del club de periodismo (*journalism*) les dio a los miembros la tarea de leer varios periódicos latinoamericanos para aprender más sobre esos países. Di qué leyeron. Sigue el modelo.

> Óscar / un periódico argentino, *El Clarín* de Buenos Aires
> *Óscar leyó El Clarín de Buenos Aires.*

1. (nosotros) / un periódico peruano, *El Comercio* de Lima
2. Josefina / un periódico colombiano, *El Tiempo* de Bogotá
3. Jorge y Martín / un periódico mexicano, *El Excelsior* de México
4. (tú) / un periódico costarricense, *La Nación* de San José
5. (yo) / un periódico dominicano, *El Caribe* de Santo Domingo
6. Pilar y Celia / un periódico puertorriqueño, *El Día* de Ponce
7. Esteban y tú / un periódico uruguayo, *El País* de Montevideo
8. Ana / un periódico venezolano, *El Mundo* de Caracas

B ¿Qué pasó ayer?   Imagina que lees los titulares (*headlines*) del periódico de hoy. Usa el pretérito para contar lo que pasó ayer. Sigue el modelo.

> "Niño se cae del tercer piso"
> *Un niño se cayó del tercer piso.*

1. "Avión 707 con 150 pasajeros cae en el océano"
2. "Miles de personas oyen banda en estadio"
3. "Exposición incluye dibujos de muchacho de 15 años"
4. "Niños leen poemas en la Casa Blanca"
5. "Nadie cree chismes sobre vida de Juan Galán"
6. "Puente se cae después de la lluvia"
7. "Inspector no cree la historia del accidente"
8. "Desfile incluye compañía de baile brasileña"

C Una llamada importante.   Completa el diálogo con las formas correctas del pretérito.

ROSA   ¿(*Leer*) el periódico ayer?

MARÍA   No, pero (*oír*) las noticias por la radio. ¿Por qué preguntas?

ROSA   (Ellos)(*Incluir*) una noticia de nuestra escuela. Dicen que (*caerse*) el techo y no vamos a tener clases hasta el lunes.

5 MARÍA   ¿Y tú lo (*creer*)?

ROSA   Claro que lo (*creer*). Lo (*leer*) en el periódico. Tú no (*oír*) nada por la radio, ¿verdad?

MARÍA   No, nada. Voy a llamar a Jorge. Tal vez él (*leer*) u (*oír*) algo.

Palabras afirmativas y negativas

Review the affirmative and negative words that you know. Remember that they are antonyms.

AFFIRMATIVE	NEGATIVE
alguien	nadie
algo	nada
alguno, -a (pron.)	ninguno, -a (pron.)
algún, alguna (adj.)	ningún, ninguna (adj.)
siempre	nunca
también	tampoco
o . . . o	ni . . . ni

Don't forget that if a negative word comes *after* a verb we must use *no* or another negative word *before* the verb: *Nunca escribo / No escribo nunca.*

1 When we use *alguien* or *nadie* as a direct object, we use the personal *a*.

¿Saludas **a alguien?**   *Are you greeting **someone?***
No espero **a nadie.**   *I'm **not** waiting for **anyone.***

When we use the pronouns *alguno* and *ninguno* to refer to people and we are using them as direct objects, we also use the personal *a*.

No encontré **a ninguno** de mis amigos.   *I **didn't** find **any** of my friends.*

2 The pronouns *alguno* and *ninguno* agree in gender with the nouns they replace.

¿Tienes planes para hoy?   *Do you have plans for today?*
No tengo **ninguno.**   *I **don't** have **any.***
Respondí a **algunas** de las llamadas.   *I answered **some** of the calls.*

Remember that we usually use *ninguno(a)* in the singular.

3 In questions, we often use the affirmative adjectives in the singular. We almost always use the negative adjectives in the singular. In English we usually use the plural.

¿Tienes **algún plan** para hoy?   *Do you have **any plans** for today?*
No respondí a **ninguna llamada.**   *I didn't answer **any calls.***

4 Remember that *ni . . . ni* means "not . . . or" or "neither . . . nor" and that *o . . . o* means "either . . . or."

No vi **ni** al cartero **ni** a ningún mensajero.   *I didn't see the mail carrier **or** any messengers.*

Ni los costarricenses **ni** los hondureños son sudamericanos. Son centroamericanos.   ***Neither** Costa Ricans **nor** Hondurans are South Americans. They're Central Americans.*

O le mandas un telegrama **o** la llamas por teléfono.   ***Either** you send her a telegram **or** you call her.*

Puedes **o** dejar un recado **o** volver a llamar.   *You can **either** leave a message **or** call back.*

PRÁCTICA

A Ninguno. Pregunta y contesta según el modelo.

tener un libro de física
ESTUDIANTE A   *¿Tienes algún libro de física?*
ESTUDIANTE B   *No, no tengo ninguno.*

1. dejar un recado
2. llenar un formulario
3. envolver un regalo
4. incluir un chisme
5. poner una carta en el buzón
6. hacer una llamada por cobrar
7. recibir una caja por vía aérea
8. averiguar una dirección

B Ojalá que . . . ¿Qué dices en las siguientes situaciones?
Haz frases con *ojalá que* y una palabra afirmativa. Sigue el modelo.

El cartero no te entrega nada.
Ojalá que el cartero me entregue algo.

1. Nadie te invita a la fiesta.
2. No encuentras ningún lugar para estacionar el coche.
3. Tu equipo no gana ninguna carrera.
4. Nadie dice nada interesante.
5. Nadie te deja ningún recado.
6. La médica no te receta nada para el resfriado.
7. No tienes ningún tema bueno para la composición de inglés.
8. Ninguno de tus amigos contesta el teléfono.

C ¿Siempre o nunca? Dos niños pequeños hablan de lo que sus padres quieren que ellos hagan siempre o que no hagan nunca. Sigue el modelo.

> limpiar el dormitorio
> *Mamá quiere que siempre limpiemos el dormitorio.*

1. lavarse las manos antes de comer
2. hablar con personas que no conocemos
3. hacer la cama
4. pedir comida sana
5. hablar en voz alta en la iglesia
6. comer tan lentamente como ella
7. dejar la ropa en el suelo
8. abrir la puerta sin preguntar quién es
9. cruzar la calle solos
10. dormir en el sofá nuevo
11. vestirse de prisa
12. sentirse bien

D Hablemos de ti.
1. ¿Leíste algún libro interesante el mes pasado? ¿Cuál fue tu favorito? ¿Por qué? ¿Leíste algo importante en el periódico hoy? ¿Qué leíste?
2. ¿Crees todo lo que oyes? ¿Por qué? ¿Crees todo lo que lees? ¿Por qué? ¿Qué noticias importantes oíste ayer por la tele o la radio?
3. ¿Algunas veces das excusas cuando no haces la tarea? ¿Diste alguna excusa recientemente *(recently)*? ¿Te creyó tu profesor(a)?
4. ¿Este año cayó mucha nieve donde tú vives? ¿Fuiste a esquiar? ¿Adónde? ¿Te caíste muchas veces?
5. ¿Vas a ir a algún lugar especial este fin de semana? ¿Piensas ir con alguien o solo(a)? ¿Vas a comprar algo? ¿Qué?

Correo Central en Madrid

APLICACIONES

Mira con cuidado las frases modelo. Luego cambia las frases que siguen al español según el modelo.

1. *Anoche leí un cuento corto de mi hermano.*
   (Yesterday I heard an interesting piece of news from my cousins.)
   (The day before yesterday they read an important telegram from their father.)
   (Last week we heard a funny story from our friends.)

2. *Les acabo de escoger el regalo. Ahora busco mis cheques de viajero.*
   (Irene is rewrapping a package for him. Right now she's cutting a piece of paper.)
   (We're trying to fill out a form for her. But I forget today's date.)
   (The messenger just delivered the telegram to me. It probably announces the arrival of the plane.)

3. *Antes de mandar el paquete, Ud. escribió la dirección.*
   (Before dialing the number, you (fam.) waited for the dial tone.)
   (After making the call, I found out the answer.)
   (Before writing the check, she included the tax.)

4. *O dan la respuesta correcta o no reciben ningún premio.*
   (We either enclose the correct return address or we won't receive any answer.)
   (She either rents the post office box or she doesn't get any mail.)
   (I('ll) either choose the fresh spinach or I won't order any vegetable.)

5. *Ojalá que no se duerma porque comió tanta comida.*
   (They don't want us to laugh because they forgot so many things.)
   (He doesn't want us to go to sleep because he heard those noises.)
   (I hope they don't laugh because we lost our flashlights.)

Un buzón en Buenos Aires, Argentina

TEMA

Escribe las frases en español.

1. Yesterday Rafael read a long letter from his friends.

2. Rafael just wrote to them. He's also enclosing a photograph of Silvia.

3. After closing the envelope, he wrote the return address.

4. You (formal) either send a registered letter or you don't get any receipt.

5. I hope they don't laugh because I spent so much money.

REDACCIÓN

Ahora escoge uno de los siguientes temas para escribir tu propio diálogo o párrafo.

1. Imagine that you are writing the letter Rafael wrote to his friend. Begin with a salutation and end with *Con cariño*. Mention the photograph of Silvia, who took it, and where it was taken.

2. Make up a phone conversation in which one person dials a wrong number.

3. Write a short paragraph about a long-distance call to another country. Whom are you trying to call and in what country? Do you have to ask the operator to get the number for you? What type of call are you making? Is it easy or difficult to talk on the phone with someone in another country?

COMPRUEBA TU PROGRESO   CAPÍTULO 10

A   Completa las frases
Usa la forma correcta del verbo apropiado en el presente para completar cada frase.

1. Marta te _____ contar un chisme increíble. (ir a / aprender a)
2. Mi madre _____ trabajar a las nueve. (empezar a / aprender a)
3. Ellos _____ comer esta noche a mi casa. (venir a / empezar a)
4. ¿(Tú) _____ viajar a España este verano? (comenzar a / ir a)
5. ¿Por qué (tú) no me _____ llenar los formularios? (aprender a / enseñar a)
6. Si el teléfono _____ sonar, no contestes. (venir a / volver a)
7. El teatro _____ vender entradas para el concierto a las tres. (comenzar a / venir a)
8. Si quieres _____ dibujar, ésa es la mejor escuela. (venir a / aprender a)

B   ¿Qué hacemos?
Escoge la(s) palabra(s) correcta(s).

1. Por la mañana salgo de prisa (para / antes de) encontrar un buen estacionamiento.
2. Tengo que ir al correo pero no puedo mandar la carta (sin / después de) averiguar la dirección.
3. Necesitamos dinero (para / sin) pagar la cuenta.
4. (Antes de / Después de) hacer una llamada por cobrar tienes que decir tu nombre a la operadora.
5. (Para / Sin) obtener el permiso de manejar debes pasar un examen.
6. No puedes ganar el campeonato (sin / después de) practicar mucho.

C   El pretérito
Completa cada frase con la forma correcta del pretérito del verbo entre paréntesis.

1. Alicia _____ al mensajero cuando llegó. (oír)
2. ¿ _____ David y Ana su correo anoche? (leer)
3. ¿Qué _____ Uds. en la composición que escribieron? (incluir)
4. Uds. no _____ que su equipo ganó. (creer)
5. ¿Cuándo _____ (tú) el aviso? (leer)
6. Él _____ enfrente del museo. (caerse)
7. Descolgué el teléfono pero no _____ ningún tono. (oír)
8. (Ellas) _____ todo lo que les contó. (creer)
9. ¿ _____ (Ud.) el recibo? (incluir)

D   Las palabras afirmativas
Contesta cada pregunta con una frase afirmativa.

1. ¿No compraste nada ayer?
2. ¿No viste a ninguno de los carteros?
3. ¿No hay nadie en la tienda?
4. ¿Nunca ganas las carreras?
5. ¿No sabes nada de los premios de gimnasia?
6. ¿No tienes ningún cheque de viajero?
7. ¿Nadie pagó el telegrama?
8. ¿No viste nada en el buzón?

E   ¿Qué quieren?
Vuelve a escribir las frases. Di lo que quieren o esperan los otros. Sigue los modelos.

> Pido mariscos.   (querer)
> *Quieren que pida mariscos.*
> Pedimos bistec.   (querer)
> *Quieren que pidamos bistec.*

1. No me siento asustado.   (esperar)
2. Nos sentimos nerviosos.   (no querer)
3. Se duerme.   (esperar)
4. Nos morimos de sed.   (no querer)
5. Te vistes muy de prisa.   (querer)
6. Vestimos a los niños.   (querer)
7. Servimos guacamole.   (esperar)
8. Sirves langostas, ¿no?   (querer)
9. Hiervo los camarones.   (querer)
10. Hervimos la col con las papas.   (no querer)

VOCABULARIO DEL CAPÍTULO 10

Sustantivos

el apartado postal
el aviso
el beso
el buzón, *pl.* los buzones
el cariño
el cartero, la cartera
el código postal
la compañía
el correo *(mail)*
el chisme
la firma
el formulario
la llamada
el mensajero, la mensajera
la noticia
el operador, la operadora
el paquete
el recado
el recibo
el remitente
el sobre
el telegrama
el tono

Adjetivos

certificado, -a
equivocado, -a
querido, -a

Verbos

averiguar
caer(se)
colgar (o → ue)
descolgar (o → ue)
entregar
envolver (o → ue)
incluir
llenar *(to fill out / in)*
marcar
mudarse
responder (a)
saludar
sonar (o → ue)
volver (o → ue) a + *inf.*

Adverbios

en voz alta / baja
lentamente
por correo
por vía aérea

Expresiones

con cariño
de larga distancia
de mi parte
¿de parte de quién?
ir / venir a buscar
por cobrar
¿qué hay?
tenga la bondad de + *inf.*

Conjunción

o . . . o

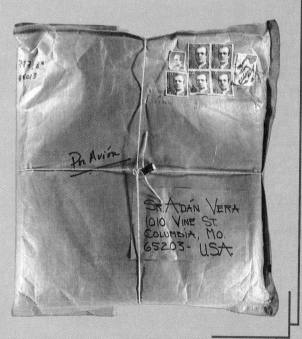

CAPÍTULO 11

EL CINE DE HABLA ESPAÑOLA

The first Spanish movie was made nearly a hundred years ago in Spain, in 1896. Only a minute long, it was entitled *Salida de las alumnas del Colegio de San Luis de los Franceses*, and it showed just what the title promised: students leaving school. Because the new technology fascinated the public, this very short movie was a smash hit. Now, almost a century later, the movies are still a popular form of entertainment throughout the Spanish-speaking world. In spite of the spread of television, most large movie theaters are filled every weekend.

In some ways, moviegoing in a Spanish-speaking country is different from what you are used to. Theaters are usually richly decorated and very large, with orchestra seats, a mezzanine, and one or more balconies. Since tickets are sold according to the section, the higher you sit and the farther you are from the screen, the less your ticket will cost.

The show usually begins with one or more of the following: a short, a cartoon, or previews of coming attractions. This may be followed by an intermission, which is partly to allow latecomers to be seated and partly to give the audience a chance to buy refreshments. Candy vendors sometimes come down the aisle calling *"Bombones, chocolates, caramelos."* During the intermission, theaters may show commercials for local stores or restaurants.

American and other non-Spanish-language films are very popular, but they are sometimes dubbed into Spanish. Spain, Mexico, Venezuela, Argentina, and Cuba have major film industries. Many of their films have won international awards. Argentina's *La historia oficial*, for example, won the Oscar for best foreign-language film of 1985.

363

¿Telenovela o documental?

el terremoto

el huracán
pl. los huracanes

el pronóstico del tiempo

el relámpago

el grado

30°

la temperatura

la locutora

el locutor

CANAL **5**

el termómetro

To ask and give the temperature we say: *¿Cuál es
la temperatura? Es de diez grados.*

el programa de concursos

los premios

el cantante

despierto, -a

dormido, -a

**CONTEXTO
VISUAL**

el público

bostezar

la cantante

hablar por señas

1 PILAR Esta **telenovela** me **aburre**. ¿Podemos ver **otra cosa**?

GLORIA Ya te **dije** que no. Quiero saber qué le **ocurre** a Pedro.

PILAR Pero es **el personaje** más aburrido de todos.

GLORIA ¡Ay, Pilar, **cállate**!

Variaciones:
- esta telenovela → este programa
- me aburre → es aburrida

la telenovela *soap opera*

aburrir *to bore*

otra cosa *something else, anything else*

(yo) dije, (tú) dijiste, (Ud. / él / ella) dijo *(from* **decir***) told, said*

ocurrir *to happen, to occur*

el personaje *character (in a play, novel, etc.)*

cállate *be quiet!*

2 CARLOS Ayer **conocí** a tu hermana mayor.

EUGENIO Si hablas de Luz, no es la mayor, **sino** la menor.

CARLOS ¡No me digas! Pues **parece** mayor que tú.

- conocí → vi
- ¡no me digas! → ¡caramba!

conocer here: *to meet, to get to know*

sino (after negative) *but, but rather*

parecer (yo parezco, tú pareces) *to seem (to be), to look like*

3 MIGUEL ¿Te divertiste en **el concurso** de disfraces?

ROBERTO No fui al concurso, **sino que** jugué al jai alai con mi hermano.

MIGUEL ¿Y quién ganó?

ROBERTO Él. Fue **un desastre**. Por fin **se aburrió** y se fue a jugar con **otra persona**.

- el concurso → la fiesta
  al concurso → a la fiesta

el concurso *contest, competition*

sino que + verb (after a negative) *but, but rather*

el desastre *disaster*

aburrirse *to be bored, to get bored*

otra persona *someone else, no one else*

4 JULIO Esta mañana a las nueve **entrevistan** al profesor Sánchez **por** la televisión. Va a mostrar **toda clase de** recuerdos de su viaje.

ESTER ¡Qué lástima! Todos tenemos clase a las nueve.

JULIO Eso no es un problema. Mi mamá va a **grabar** el programa. Podemos verlo más tarde.

- ¡qué lástima! → ¡qué lata!

entrevistar *to interview*

por here: *on*

toda clase de *all kinds of*

grabar *to record*

5	CARLITOS	Te **traje** unas flores, mamá.	**(yo) traje, (tú) trajiste, (Ud. / él / ella) trajo** *(from* **traer***)* *brought*
	SRA. GUZMÁN	¿Me **trajiste** flores? ¡Qué amable eres, hijito! Ponlas en esa canasta, por favor.	

6	RAFAEL	¿Oyes esos **truenos**? Creo que pronto va a llover.	**el trueno** *thunder, thunderclap*
	GUADALUPE	Sí, está muy oscuro. Parece que llega **una tormenta**.	**la tormenta** *storm*

- ¿oyes esos truenos? → ¿oíste ese trueno?
- ¿oyes esos truenos? → ¿viste esos relámpagos?
- creo → **indican**   **indicar** *to indicate, to show*
- parece que → estoy segura de que*

7	SONIA	A las ocho y media hay un **documental** sobre una escuela para niños **sordos**.	**el documental** *documentary* **sordo, -a** *deaf*
	LUIS	¿Ah, sí? A mí me gustaría aprender a hablar por señas.	
	SONIA	Estoy segura de que van a dar **información** sobre eso.	**la información** *information*

- documental → programa especial
- sordos → **ciegos**   **ciego, -a** *blind*
  a hablar por señas → sobre el Braille

PRÁCTICA

A   Tele y más tele.   Hace mal tiempo y Eva pasa todo el fin de semana delante del televisor. Escoge la palabra o expresión correcta para completar cada frase.

1. Con nueve canales, Eva piensa que puede escoger entre *(sólo algunos / toda clase de / muy pocos)* programas.
2. Durante un documental sobre unas cantantes francesas, Eva *(graba / bosteza / ocurre)* cada cinco minutos.
3. Después de tres horas de programas deportivos, Eva *(se aburre / habla por señas / indica)* mucho.
4. Ve un programa sobre unos niños sordos que aprenden a *(parecer oscuros / hablar por señas / estornudar)*.
5. El periódico no *(indica / graba / entrevista)* cuáles de las películas son buenas y cuáles son malas.

* When we use *seguro, -a (de)* before a verb, we use *de que.*

6. La madre de Eva *(receta / recomienda / se queja de)* un programa de música rock y dice que toda la familia va a estar *(pálida / sorda / sana)*.

7. El pronóstico del tiempo dice que una *(locutora / tormenta / telenovela)* viene del mar y que la temperatura va a bajar a diez *(truenos / huracanes / grados)*.

8. Después de ocho horas de televisión, Eva está *(congelada / fea / dormida)* en el sofá.

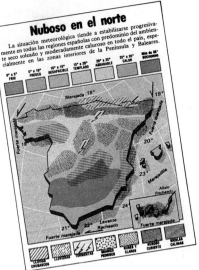

B **El pronóstico del tiempo.** Es la hora del pronóstico del tiempo en el Canal 4. Completa las frases con las palabras correctas de la lista.

fecha	información	relámpago	termómetro	tormenta
grados	lluvia		temperatura	tiempo	truenos

"Buenas noches, señores y señoras. El huracán de ayer trajo temperaturas muy bajas a la ciudad. Cayeron más de 30 centímetros de _____. Y yo espero no volver a oír nunca _____ tan fuertes. Esta mañana a las cinco, el _____ indicó una temperatura de 14 _____,
5 la más baja en los últimos años para esta _____. Afortunadamente, pronto la _____ va a subir otra vez. En este momento es de 17 grados. Mañana esperamos tener buen _____, con una temperatura entre 22 y 27 grados. Pero parece que en pocos días vamos a tener mal tiempo otra vez. En este momento empieza otra fuerte _____ en el Golfo de
10 México. Más _____ sobre esto después de este anuncio comercial."

C **Hablemos de ti.**

1. ¿Cuáles son tus programas preferidos de televisión? ¿Qué clase de programas son? ¿Te gustan las telenovelas? ¿Cuáles ves? ¿Puedes contar lo que ocurrió la semana pasada en tu telenovela preferida?

2. ¿A veces no estás de acuerdo con tus padres o hermanos sobre qué programa quieren mirar? ¿Quién gana? ¿Qué clase de programas les gustan más? ¿Y a ti?

3. ¿Miras programas de concursos? ¿Qué tienen que hacer las personas que participan? ¿Qué te parecen estos programas?

4. ¿Miras a menudo el pronóstico del tiempo? ¿Lo miras más frecuentemente en el verano o en el invierno? ¿Por qué? ¿Qué temperatura indica el termómetro estos días?

5. ¿Ocurren desastres de la naturaleza *(nature)* donde vives? ¿Qué clase?

6. ¿Te gustan las tormentas? ¿Por qué? ¿Te asustan los relámpagos? ¿Por qué? ¿Qué debes hacer y no hacer cuando hay relámpagos?

APLICACIONES

Una entrevista con Ángel Galán

Gloria Alba, locutora del Canal 8, entrevista a Ángel Galán, actor de cine muy conocido de la América del Sur.

GLORIA   Dime, Ángel, ¿qué es lo que haces hoy día?[1]

ÁNGEL   Ahora trabajo en una película que se llama *Entre tú y yo.*
5   En mayo pienso hacer un documental sobre los
     terremotos. Y después vuelvo a trabajar en el teatro en
     Buenos Aires.

GLORIA   Es una vida muy activa. ¿Nunca vas de vacaciones?

ÁNGEL   No las necesito, Gloria. Cuando uno hace lo que le
10   gusta, no se cansa.[2]

GLORIA   El periódico *Hoy* dijo que te casaste[3] el mes pasado con
     una escritora peruana.

ÁNGEL   Los periódicos cuentan toda clase de chismes sobre mí.
     No es verdad. La verdad es que sólo vivo para mi
15   profesión y no tengo tiempo para otra cosa.

GLORIA   Pero, ¿no te aburre vivir solo?

ÁNGEL   No, nunca me aburro. Mi trabajo es muy interesante.

GLORIA   Pues, gracias por la entrevista, Ángel.

ÁNGEL   De nada, Gloria. Fue un gran placer.[4]

---

[1]**hoy día** *nowadays*   [2]**cansarse** *to get tired*   [3]**casarse con** *to get married to*   [4]**el placer** *pleasure*

Preguntas

Contesta según el diálogo.

1. ¿Cuál es la profesión de Gloria Alba?   2. ¿Quién es Ángel Galán? 3. ¿Cómo se llama la película que él hace ahora? ¿Qué clase de película crees que es?   4. ¿Qué piensa hacer Ángel después de terminar la película?   5. ¿Por qué nunca va de vacaciones Ángel?   6. ¿Qué dice Ángel de los periódicos? ¿Qué piensas tú de lo que dicen los periódicos

sobre las personas muy conocidas? ¿Crees todo lo que lees en los periódicos y en las revistas?   7. Según Ángel, ¿por qué no se aburre?   8. En tu opinión, ¿por qué le importa a la gente lo que hacen y dicen las personas famosas? ¿Te importa a ti? ¿Por qué?   9. ¿Ves programas o lees revistas en que entrevistan a actores o a cantantes famosos? ¿Por qué disfrutas de ellos?   10. En tu opinión, ¿cómo es la vida de un actor famoso o una actriz famosa? ¿Es divertida? ¿Difícil? ¿Por qué?

Participación

Work with a partner to make up a dialogue between an interviewer and a TV, movie, or rock star.

El grupo Menudo de Puerto Rico

◆ COMMUNICATIVE
OBJECTIVES
To choose a movie
To read a television
guide

PALABRAS NUEVAS II

¿A qué hora es la función?

"Se fueron por allá."

They went that-a-way.

el subtítulo

el director

la directora

la taquillera

el taquillero

la taquilla

la estrella de cine

el autógrafo

María Morena

el admirador *

la admiradora

sentarse (e→ie)

el acomodador

la acomodadora

la fila

* Although *aficionado(a)* and *admirador(a)* both mean "fan," we use them differently. We use *aficionado(a) a* with activities and *admirador(a) de* with people: *Somos aficionados al béisbol / Somos admiradores de Fernando Valenzuela.*

CONTEXTO
COMUNICATIVO

1 DIANA ¿Vamos al Cine Rex esta noche? Dan una película italiana **en versión original.**

PABLO No me gustan los subtítulos. Es difícil leerlos. Prefiero las **películas dobladas.**

DIANA Yo no. Nunca las **traducen** bien y no puedo **reírme de** chistes que no entiendo.

Variaciones:
■ italiana → **extranjera**
■ traducen → hacen

en versión original *in the original (foreign) language*

la película doblada *dubbed film*

traducir (yo traduzco, tú traduces) *to translate*

reírse (de) *to laugh (at)*

extranjero, -a *foreign*

2 DIANA Quiero ver esta película. **Tiene** mucho **éxito.**

PABLO No **reconozco** ni el título ni los nombres de los actores.

DIANA No importa. Alicia me dijo que nos va a gustar porque los personajes son muy divertidos.

■ reconozco → conozco
■ personajes → actores **principales**

tener éxito *to be successful*

reconocer (yo reconozco, tú reconoces) *to recognize*

principal *main, leading*

3 JUDIT ¿Qué sabes de la película que dan en el Cine Rex?

MARIO Es norteamericana. Cliff Muggins **hace el papel de** un policía en Nueva York. ¿Te **interesa** verla? ¿Quieres ir conmigo esta tarde?

JUDIT Te **agradezco** la invitación, pero hoy no puedo ir.

■ te agradezco → gracias por

hacer el papel de *to play the role of*

interesar *to interest*

agradecer (yo agradezco, tú agradeces) *to thank (for), to appreciate*

4 JAIME Paco me **ofreció** unas entradas para **la función** de las ocho. ¿Quieres ir?

MARTA Tengo que estar en casa temprano. ¿Cuánto dura?

JAIME Dos horas y media con **el intervalo.**

MARTA Bueno, entonces puedo ir.

■ la función → el espectáculo
■ temprano → antes de medianoche

ofrecer (yo ofrezco, tú ofreces) *to offer*

la función, pl. las funciones *show*

el intervalo *intermission*

5	ENRIQUE	¿No te pareció **complicado el argumento** de esa película?	**complicado, -a** *complicated*
	BEATRIZ	Sólo **al principio.** Después fue muy **sencillo.**	**el argumento** *plot*
	ENRIQUE	¿Sencillo? ¿Una historia que **tiene lugar** en un hotel en la luna? ¿Con jirafas?	**al principio** *at first*
	BEATRIZ	Mira, no quiero **discutir** contigo y especialmente no quiero **discutir** más **de** cine.	**sencillo, -a** *simple*

el argumento *plot*
al principio *at first*
sencillo, -a *simple*
tener lugar *to take place*
discutir *to argue*
discutir de *to discuss, to talk about*

- complicado → difícil
- hotel → castillo
- jirafas → ratones y arañas

6 DIEGO ¿Quién es esa mujer que está **rodeada de** tantas personas?

rodeado, -a de *surrounded by*

LEONOR Se llama Guadalupe Limón. Es una cantante ciega. Van a **filmar una entrevista** con ella para el Canal 5.

filmar *to film*
la entrevista *interview*

- filmar → grabar

7 SRA. DÍAZ ¿Qué piensan **los jóvenes** de la película de Iowa Smith?

el/la joven, pl. **los/las jóvenes** *young person*

JORGE Algunos dicen que es un **éxito,** otros que es un **fracaso.**

el éxito *success*
el fracaso *failure*

- piensan → dicen
  dicen → creen

EN OTRAS PARTES

el intervalo

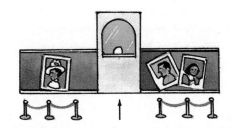

Se dice también *el descanso, el receso* y *el intermedio.*

También se dice *la boletería.*

PRÁCTICA

A Vamos a discutir de cine. Unos turistas visitan un estudio (*studio*) de cine y hacen muchas preguntas. Escoge la respuesta correcta.

1. ¿Qué papel hace, señor?
2. ¿Qué filman esas personas?
3. ¿Es complicado el argumento?
4. ¿Qué hace ese hombre rodeado de chicas?
5. ¿Están de acuerdo el director y el actor principal?
6. ¿Qué hace esa mujer?
7. ¿A quién entrevista la locutora?
8. ¿Quién es esa mujer tan guapa?

a. ¡Nunca! ¡Ellos siempre discuten!
b. Traduce para los sordos en el grupo.
c. A la estrella de cine española.
d. Les da su autógrafo.
e. Al contrario, es muy sencillo.
f. Una cantante cubana.
g. Soy el hijo de una señora rica.
h. Una película romántica.

B ¡Qué película! Imagina que estás delante de un cine cuando termina la película. La gente que sale habla sobre la película, pero hay tanto ruido que no oyes algunas palabras. Escoge las palabras de la lista para completar las frases.

argumento	hizo el papel	me parecieron	sencillo
ciegos	intervalo	principal	sentarnos
extranjero	me aburro	reconocí	trajiste
fila			

1. —¿Te gustó?
   —No. No entendí muy bien el _____.
   —Pues, no sé por qué. Es muy _____, como todas las historias románticas.
2. —¿Quién es la actriz que _____ de profesora?
   —¿No conoces a Cristina Conde?
   —¿Cristina Conde? Pues, con ese pelo castaño, no la _____.
3. —No me gustó. Todos los personajes _____ antipáticos.
   —A mí me gustó el actor _____, Pedro Martín.
   —No es de aquí, ¿verdad?
   —No, él es _____. Creo que es del Uruguay.
4. —¡Ay, me duelen los ojos! ¿Por qué siempre tenemos que _____ en la primera _____? En unos años vamos a estar _____.
5. —¿Por qué _____ un libro al cine?
   —Siempre llevo algo para leer en el _____. Si no, no tengo nada que hacer y _____.

Filmando una película
en Madrid, España

C ¿Qué palabra es distinta? En cada grupo hay una palabra o expresión que no debe estar. ¿Cuál es? Haz una frase completa con ella.

1. a. premio   b. cuento   c. historia   d. argumento
2. a. ser popular   b. tener éxito   c. ser conocido   d. tener lugar
3. a. taquillera   b. vendedora   c. dependienta   d. admiradora
4. a. relámpago   b. trueno   c. fracaso   d. tormenta
5. a. telenovela   b. taquilla   c. documental   d. noticias
6. a. función   b. película   c. programa   d. relámpago
7. a. terremoto   b. desastre   c. éxito   d. huracán
8. a. concurso   b. temperatura   c. grado   d. termómetro

D ¿Qué dan en el Canal 4? Unos muchachos miran la guía de espectáculos para buscar un buen programa de televisión. Lee la guía y contesta las preguntas.

NOCHE

8:00 2 Noticias

8:00 5 El tiempo

8:00 3 El amor (love) ciego. Telenovela. En este capítulo Clara deja a Gustavo y vuelve a vivir con sus padres. Cristina enseña a bailar a Ernesto porque quiere que él baile en la fiesta de cumpleaños de Gloria. Continúan los problemas de Margarita en el trabajo. Estrella invitada (guest star): Dolores Milonga.

8:30 2 Los leones del África. Documental. El conocido director ecuatoriano Rafael Molina presenta otro de sus estupendos documentales sobre los animales. Filmó éste en distintos países del África en 1988.

8:30 4 CINE: ¡Paren ese elefante! Comedia. Pepe Culebra hace el papel de un torero sin trabajo que tiene que aprender a trabajar con un elefante. Con Ana Medina y el elefante Sultán.

8:30 5 CINE: De los relámpagos viene el fuego. (Estados Unidos, 1939) Las complicadas aventuras del conocido personaje de las novelas de Freddy Schmitz. Zambango va con su amigo Trak a la ciudad de los hombres-rana. Allí conocen a la bella Susana y a su padre, el profesor Goldstein, quien estudia la vida de los monos. Pero Trak quiere las joyas de Susana y empiezan los problemas . . . Versión original con subtítulos en español.

9:30 3 La hora de los millones. Concurso. El popular y simpático José Carrasco presenta, como siempre, este programa. Premios fabulosos para los ganadores.

9:30 4 FÚTBOL. Repetimos el partido del domingo. Partido del Campeonato de Europa: Atlético de Bilbao contra Dínamo de Moscú.

1. En la telenovela, ¿qué hace Clara? ¿Quién crees tú que es Gustavo? ¿Qué le pasa a Margarita?
2. Imagina que tú eres Rafael Molina y que haces *Los leones del África.* Describe el documental y cómo lo hiciste.
3. ¿En qué canal dan el programa deportivo y a qué hora? ¿Crees que es un partido importante? ¿Por qué? ¿Es la primera vez que lo dan?
4. ¿Quién es Zambango? ¿Adónde va Zambango y con quién? ¿A quién encuentran allí? ¿Qué busca Trak? ¿En qué idioma es esta película? ¿Cómo lo sabes?
5. En *¡Paren ese elefante!*, ¿qué papel hace Pepe Culebra? ¿Crees que es un personaje cómico o serio? ¿Por qué?
6. ¿Qué clase de programa dan a las 9:30 en el Canal 3? ¿Qué clase de premios crees que dan? ¿Cómo lo sabes?

E Hablemos de ti.
1. ¿Te gustaría ser estrella de cine o director(a)? ¿Por qué?
2. ¿A veces vas a ver películas con subtítulos? ¿Ves películas dobladas de otros idiomas? ¿Cuál prefieres? ¿Por qué?
3. ¿Qué crees que es más importante para un actor? ¿Ser famoso, ser rico o hacer papeles interesantes? ¿Por qué?
4. ¿Te gustaría trabajar como taquillero(a) o como acomodador(a)? ¿Por qué?
5. Cuando vas al cine, ¿en qué fila prefieres sentarte? ¿Por qué?

ACTIVIDAD

¿Qué dice? Bring to class six pictures from magazines or newspapers. Imagine that these are scenes from a movie that need Spanish subtitles. Work with a partner to make up appropriate subtitles for each of the pictures.

ESTUDIO DE PALABRAS

By now you have discovered that there are many Spanish words that are very similar to English words, but some of them have very different meanings. For example, you may have noticed the similarity between the Spanish word *éxito*, which means "success," and the English word "exit" *(la salida)*. These kinds of words are called *amigos falsos*. Here are some others that you have learned:

el argumento	*plot*
la etiqueta	*tag, label*
asistir a	*to attend*

Which of the words in the following sentences are *amigos falsos*? What do they really mean?

Ésta es una pensión muy cara.
No reconozco tu firma.
Ese globo es muy largo.
Aquella librería vende libros extranjeros.
Pon la ropa en el armario.
Nuestro dormitorio está en el segundo piso.

Sinónimos
Cambia las palabras en cursiva por un sinónimo.
1. *El espectáculo* comienza a las nueve.
2. Aquí tienes *la firma* de Picasso.
3. Me encanta *hablar de* cine.

Antónimos
Cambia las palabras en cursiva por un antónimo.
1. Su última película fue *un éxito*.
2. Me parece demasiado *sencillo* para tener éxito.
3. *Me divertí* cuando vi el programa de concursos.
4. Son las diez y todo el mundo está *dormido*.

Un concierto de música popular en Asunción, Paraguay

EXPLICACIONES I

El pretérito de ciertos verbos que terminan en *-ir*

You know that stem-changing *-ar* and *-er* verbs are regular in the preterite and do not have the stem change: *contar* → *conté, contaste*, etc., *volver* → *volví, volviste*, etc. Stem-changing *-ir* verbs, however, do have a stem change in the *Ud. / él / ella* and *Uds. / ellos / ellas* forms in the preterite.

◆ COMMUNICATIVE OBJECTIVES
To describe how you felt during an event
To tell when something happened
To describe a mix-up
To describe a party

PEDIR		PREFERIR		DORMIR	
pedí	pedimos	preferí	preferimos	dormí	dormimos
pediste	pedisteis	preferiste	preferisteis	dormiste	dormisteis
pidió	pidieron	prefirió	prefirieron	durmió	durmieron

Luz **se vistió** en cinco minutos.	*Luz **got dressed** in five minutes.*
La cantante **se sintió** mal durante el concurso.	*The singer **felt** sick during the contest.*
Mi tío **se murió** el año pasado.	*My uncle **died** last year.*

1 *Reír(se)* and *sonreír* have the same *e* → *i* change as *pedir*. However, they have an accent mark in all of their forms, except the *Uds. / ellos / ellas* forms.

REÍR	
reí	reímos
reíste	reísteis
rió	rieron

Me reí del actor principal.	*I **laughed** at the leading actor.*
¿Te **sonrió** Fernando?	***Did** Fernando **smile** at you?*
Los jóvenes **se rieron** del argumento.	*The young people **laughed** at the plot.*

PRÁCTICA

A Vamos a comparar apuntes. Un grupo de turistas discuten su viaje. Pregunta y contesta según el modelo. Usa los adjetivos de la lista.

aburrido	cansado	contento	estupendo	impaciente
bienvenido	cómodo	enfermo	fuerte	nervioso

(tú) / cuando llegamos
ESTUDIANTE A *¿Cómo te sentiste cuando llegamos?*
ESTUDIANTE B *Me sentí cansado(a).*

1. (tú) / en el avión
2. Elena / cuando bajó del avión
3. Felipe y María / en el museo
4. Ud. / al principio del viaje
5. (tú) / por la noche
6. María y tú / en el autobús del aeropuerto
7. Uds. / cuando subieron a la montaña
8. el profesor / después de comer esas langostas
9. (tú) / cuando regresaste al hotel
10. Cristina y Clara / después de dar el paseo en barco

B Una película aburrida. *Iowa Smith y la montaña de fuego* fue un fracaso. El público se durmió durante la función. Indica cuándo se durmió cada uno. Sigue el modelo.

Diego / durante el intervalo
ESTUDIANTE A *¿Se durmió Diego?*
ESTUDIANTE B *Sí, se durmió durante el intervalo.*

1. Carlota / cuando la función empezó
2. (tú) / cuando Iowa comenzó a hablar por señas
3. los acomodadores / cuando apagaron las luces
4. María y su hermana / después de esa canción tan tonta
5. Gerardo / al principio
6. Ana y Eva / cuando Iowa le dio el premio a la cantante
7. Alfredo y tú / antes del terremoto
8. (tú) / cuando ocurrió la tormenta

C ¡Qué camarero! Imagina que estás en un restaurante con tu familia y unos invitados. El restaurante no tiene buenos camareros. Pregunta y contesta según el modelo. ¡Ten cuidado con los complementos indirectos!

(tú) / pescado / el camarero / mariscos
ESTUDIANTE A *¿Qué pediste?*
ESTUDIANTE B *Pedí pescado, pero el camarero me sirvió mariscos.*

1. (tú) / agua / (él) / vino
2. el Sr. Ortega / sopa / (ellos) / ensalada
3. Alicia / arroz / (él) / papas fritas
4. Uds. / chuletas de cordero / (ellos) / chuletas de cerdo
5. mamá / guisantes / (ellos) / frijoles
6. ellos / paella / (él) / gazpacho
7. (nosotros) / flan / (ellos) / pasteles
8. papá / café / (él) / té
9. mamá / fruta / (él) / un helado

D El baile de carnaval.   Completa el siguiente párrafo con las formas correctas del pretérito de los verbos de la lista. Puedes usar algunos verbos más de una vez.

divertirse	pedir	reír	repetir	servir
dormirse	preferir	reírse	sentirse	vestirse

Anoche fuimos a una fiesta de carnaval. Yo _____ de fantasma y
Alberto _____ de torero. Para mi disfraz, (yo) le _____ prestada a
mamá una sábana, y Alberto le _____ prestado el mantel rojo del
comedor. Ella _____ mucho de nosotros. Clarita no _____ de nada; es
5 un poco tímida y _____ ir sin disfraz.
    Cuando llegamos a la fiesta empezamos a bailar. Encontramos a
varios amigos y _____ mucho con ellos. Yo _____ muy contenta con
mi disfraz. Alberto contó chistes y todos (nosotros) _____ mucho de
ellos, pero después (él) _____ casi todos los mismos chistes y yo ya no
10 _____ más. (Ellos) _____ sandwiches y ensalada de frutas.
    Nos quedamos hasta la una de la mañana, pero la fiesta continuó
por dos horas más. Clarita _____ en el coche. Yo la llevé dormida a su
cama. Luego me acosté y _____ en seguida.

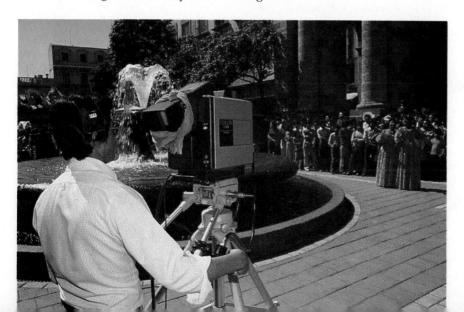

Televisión en Guadalajara,
México

El pretérito de *venir*

◆ COMMUNICATIVE
OBJECTIVE

To tell why people came
to a place or an event

Here are the preterite forms of *venir*.

VENIR	
vine	vinimos
viniste	vinisteis
vino	vinieron

Note that the *e* of the stem changes to *i* in all of the preterite forms. The endings are regular except for the *yo* and *Ud.* / *él* / *ella* forms. None of the endings has a written accent.

PRÁCTICA

¿Por qué viniste al rancho?   ¿Por qué vino toda esta gente al Rancho Relámpago? Sigue el modelo.

> todos (nosotros) / descansar
> *Todos vinimos para descansar.*

1. mi mamá / disfrutar del campo
2. (yo) / montar a caballo
3. ese director de cine / filmar una película del oeste
4. mis hermanas mayores / ver a las estrellas de cine
5. mi hermanito / ver el ganado
6. ese locutor / entrevistar al director y a las estrellas
7. Uds. / maquillar a los actores, ¿no?
8. (tú) / ayudar a los dueños, ¿no?
9. casi todos (nosotros) / admirar el paisaje

En el cine en Antigua,
Guatemala

Cine Teatro ATLAS
Tel. 392-1936
Lavalle 869
PLATEA   11   20
Jueves
1º Noche
NO VALE COMO ENTRADA.
Este boleto sólo indica su ubicación en la sala.

Pero, sino y sino que

You know that *pero* means "but." After a negative, to contradict what came before, we use *sino* instead of *pero*. It means "but" or "but rather."

◆ COMMUNICATIVE
OBJECTIVES
To correct someone
To contradict
To soften criticism

No es el cartero **sino** un mensajero.
*He isn't the mailman **but** a messenger.*

El formulario no es sencillo **sino** muy complicado.
*The form isn't simple **but** very complicated.*

No me gusta discutir de películas **sino** verlas.
*I don't like to talk about films **but** to see them.*

No me interesa escribir cartas **sino** recibirlas.
*I'm not interested in writing letters **but rather** (in) receiving them.*

Notice that in each sentence what follows *sino* contradicts the first part of the statement.

1 In the last two examples you saw that we can use an infinitive after *sino*. But if the verb is not an infinitive, we must use *sino que*.

No le receté nada **sino que** le recomendé bajar de peso.
*I didn't prescribe anything for him **but** recommended that he lose weight.*

No quiero que hagas la llamada **sino que** busques el número en la guía telefónica.
*I don't want you to make the call **but rather** to look for the number in the phone book.*

PRÁCTICA

A No fui allí, sino allá.   Escoge la palabra o expresión apropiada de la derecha para completar las frases. Sigue el modelo.

> No es un argumento sencillo . . .
> *No es un argumento sencillo sino complicado.*

1. Mi mamá no tiene el pelo corto . . .
2. Jorge no está dormido . . .
3. Éste no es un tren local . . .
4. No fue sólo un pequeño fracaso . . .
5. No recibí ningún regalo . . .
6. No dije gordo . . .
7. No traje una pila . . .
8. El cantante no está rodeado de admiradores . . .

una bombilla
de fotógrafos
complicado
largo
un desastre
un premio
despierto
expreso
sordo

B **En el cine.** Raúl encuentra a Julia delante del cine. Completa el diálogo con *pero* o *sino*.

JULIA   Fui a la taquilla, _____ no te vi.

RAÚL   No te dije en la taquilla, _____ en la esquina.

JULIA   Pues no te oí. _____ no importa, porque nos encontramos.

RAÚL   Bueno, no vinimos para discutir en la calle, _____ para ver una
5   película. Vamos. . . . Veo unos asientos allá en la segunda fila.

JULIA   No me gusta sentarme en la segunda fila, _____ en la séptima
        o la octava.
        *(Por fin encuentran dos asientos que les gustan y pronto empieza la
        película.)*

10 RAÚL   Dijiste que es una película doblada, _____ es una con
        subtítulos. ¡Y mira! La historia no tiene lugar en Caracas,
        _____ en Río. La mayoría de las películas venezolanas no
        tienen lugar en un país extranjero, _____ en Venezuela, ¿no?

JULIA   Ésta no es una película venezolana, _____ una brasileña. ¿No
15   oyes que hablan en portugués?

RAÚL   _____ reconozco a esa actriz, y no conozco a ninguna actriz
        brasileña.

JULIA   ¡Cállate, Raúl! No vine al cine para discutir contigo, _____ para
        ver la película.

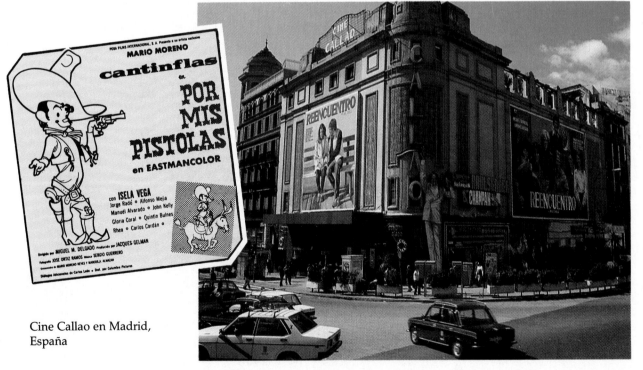

Cine Callao en Madrid,
España

C **No seas tan pesimista.** Unos amigos hacen un picnic y tratan de ser optimistas. Completa las frases con la palabra o expresión correcta: *sino* o *sino que*.

1. No tenemos que caminar una hora _____ 55 minutos.
2. Ésos no son mosquitos _____ moscas pequeñas.
3. No viene un huracán _____ un viento fuerte.
4. Las salchichas no están quemadas _____ bien cocidas.
5. No hace frío _____ hace poco sol.
6. Las nubes grises no indican una tormenta _____ puede llover.
7. No me dan miedo los relámpagos _____ no me gustan.
8. Cuando llueve aquí, nunca dura mucho _____ termina en pocos minutos.

D **Hablemos de ti.**
1. ¿Cuándo fue la última vez que fuiste a una fiesta de disfraces? ¿De qué te vestiste? ¿Ganaste algún premio? ¿De qué se vistieron las personas que ganaron premios?
2. ¿Te divertiste mucho en tu último cumpleaños? ¿Cuántos invitados vinieron a tu última fiesta? ¿Se divirtieron? ¿Qué hicieron Uds.? ¿Qué les dijiste a tus invitados cuando te dieron regalos?
3. ¿Cuántas horas dormiste anoche? ¿Cuántas horas duermes generalmente?
4. ¿Cuándo fue la última vez que fuiste a un restaurante? ¿Qué pediste?
5. ¿Qué pediste para el almuerzo ayer? ¿Trajiste tu almuerzo a la escuela hoy? ¿Qué trajiste?

ACTIVIDAD

No como col, sino coco Work in groups of four or five. One person begins by choosing a theme and making up a sentence that includes *sino*. For example, if the theme is television, the person might say:

No miro los documentales sino los programas de concursos.

The next person then says a sentence that begins with the last phrase of the preceding one. For example:

No miro los programas de concursos sino las telenovelas.

The round ends when the person who began it has completed a second sentence. The next person then chooses a new theme with a new verb and starts a new round.

APLICACIONES

La tele

Es difícil aburrirse con cinco programas distintos. ¿Cuál es el pronóstico del tiempo para mañana? ¿En qué programa dan premios? ¿Qué van a discutir en el documental?

Make up a dialogue in which Francisco and Susana discuss the programs. What do they think of them? Which do they prefer and why? Here are some words and phrases you might want to use:

aburrirse	entrevistar	ocurrir
al principio	extranjero, -a	tener lugar
bostezar	hacer el papel de	toda clase de

EXPLICACIONES II

Los verbos *saber* y *conocer*

Remember that *saber* and *conocer* both mean "to know." We use *saber* to talk about knowing *facts* or *information*. *Conocer* means "to know" in the sense of being *acquainted* or *familiar with* a person, place, or thing.

SABER		CONOCER	
sé	sabemos	conozco	conocemos
sabes	sabéis	conoces	conocéis
sabe	saben	conoce	conocen

◆ COMMUNICATIVE
OBJECTIVES
To ask for information
or directions
To tell what and whom
you know
To brag

Except for the *yo* forms, both *saber* and *conocer* follow the pattern of regular *-er* verbs.

1　Remember that when we use *saber* with an infinitive it means "to know how (to)."

    Ester **sabe usar** la cámara.　　*Ester **knows how to use** the camera.*

2　When *saber* is followed by a question word, such as *qué* or *cuándo* or *quién*, the question word must have an accent.

    No **sé qué** ocurre.　　*I don't **know what**'s happening.*
    Ella no **sabe dónde** se　　*She doesn't **know where** they're*
    sientan.　　*sitting.*

3　Remember that though we can omit "that" in English, we must always use *que* in a similar sentence in Spanish.

    Sabemos que no debemos　　*We **know (that)** we shouldn't*
    bostezar.　　*yawn.*

4　*Conocer* also means "to get to know someone or something" or "to meet someone (for the first time)."

    ¿Quieres **conocer** a una　　*Do you want **to meet** a movie*
    estrella de cine?　　*star?*
    Conocimos a la locutora.　　*We **met** the announcer.*
    Ayer **conocí** el mercado.　　*Yesterday **I got to know** the market.*

5 After *conocer*, we often use the personal *a* before a direct object that names a specific place.

> **¿Conoces** bien **a Albuquerque?**   *Do you know Albuquerque well?*

PRÁCTICA

A Un viaje en tren. Felipe va con unos amigos extranjeros de Madrid a El Escorial. Haz preguntas con la forma correcta de *saber* y de *conocer*. Sigue los modelos.

> *¿Conoces un buen restaurante cerca de aquí?*
> *¿Sabes dónde encontrar un taxi?*

¿(tú) { saber / conocer }

- El Escorial?
- cuánto tiempo dura el viaje?
- qué tren vamos a tomar?
- dónde está la estación?
- cuánto cuestan los boletos?
- el camino de la estación a El Escorial?
- que allí vivieron los reyes de España?
- a qué hora cierran El Escorial?
- algún otro lugar interesante cerca de allí?

B Una fiesta. Elena y Alfredo no saben qué hacer. Completa las frases con la forma correcta de *saber* o de *conocer*.

ELENA   ¿_____ (tú) qué día es hoy?

ALFREDO   Sí, es viernes.

ELENA   ¡Ay, caramba! Hoy es la fiesta de Gregorio y no tengo ningún regalo para él.

5 ALFREDO   ¿Quién es Gregorio? No lo _____.

ELENA   Es un amigo mío. Es muy alto y tiene pelo castaño. Tu hermana lo _____.

ALFREDO   ¡Ah! ¡Ya _____ quién es! ¿A qué hora es la fiesta?

ELENA   A las siete. Va a tener lugar en su casa. Yo _____ la
10   dirección, pero Anita y yo no _____ cómo llegar. Es en el Barrio de la Estrella. ¿Lo _____ tú?

ALFREDO   No _____ su casa sino el barrio. ¿_____ Uds. manejar?

ELENA   ¡Claro que sí! Tú _____ mi cacharro, Alfredo, el viejo SEAT rojo.

15 ALFREDO   ¡Ah sí! Ya _____ cuál es. Bueno, dime la dirección de Gregorio, y yo te explico cómo llegar.

ELENA   Muchas gracias.

Los verbos que terminan en -cer y -cir

Many verbs that end in a vowel + -cer or -cir follow the pattern of *conocer*. Their *yo* form ends in -zco. The verbs you know that follow this pattern are *agradecer, ofrecer, parecer, reconocer,* and *traducir*.

◆ COMMUNICATIVE OBJECTIVES

To thank someone

To tell what things look like or how they appear to you

Le **agradezco** su visita.	*I **appreciate** your visit.*
María **parece** estar dormida.	*María **looks like** she's asleep.*
Ofrecemos trabajo a acomodadores.	*We're **offering** work to ushers.*
Reconozco ese argumento.	*I **recognize** that plot.*

PRÁCTICA

A Un aficionado al cine. Pepe Rodríguez, de España, es aficionado al cine de su país. Usa la forma correcta del verbo apropiado para completar cada frase.

agradecer   ofrecer   parecer   reconocer   traducir

1. Cada año, España _ofrece_ un premio para la mejor película.
2. A veces (yo) _traduzco_ para actores extranjeros que no hablan español.
3. _Parece_ que él es un cantante de rock famoso.
4. (Yo) Te _____ mucho el libro de obras de teatro que me prestaste.
5. (Yo) Le _____ mi apartamento a un director de cine que va a usarlo durante todo el verano.
6. _____ fácil filmar entrevistas, pero la verdad es que es muy difícil.
7. Mucha gente que trabaja en el cine me _____ cuando me ve en la calle.
8. Hay muchas actrices aquí en España que _____ ser norteamericanas.
9. Creo que esa taquillera es argentina. (Yo) _____ el acento.
10. Claro que nosotros _____ estar cansados. La película duró más de cuatro horas.

En México y en España

B El éxito de José. El director José Montalbán habla con su viejo amigo Manuel. Completa las frases con la forma apropiada de los verbos entre paréntesis. ¡Cuidado! No todos van a estar en el presente.

JOSÉ   Ayer le escribí a Carlos Lenguado.

MANUEL   ¿Ah sí? ¿Y qué le dijiste?

JOSÉ   Le *(agradecer)* todo el trabajo que hizo para mí cuando filmé *El trueno en el valle*. Sabes que Carlos siempre *(traducir)* para

5   mí cuando estoy en Alemania.

MANUEL   *(Parecer)* que te van a dar un premio por ésa, ¿no?

JOSÉ   Sí, es el premio más importante que *(ofrecer)* los periodistas de cine de Alemania a la mejor película extranjera.

MANUEL   ¡Qué suerte, José!

10   JOSÉ   No, Manuel. No es suerte sino trabajo. Y eso no es todo. También le dije que todo el mundo *(reconocer)* mi éxito y que (ellos) me *(ofrecer)* trabajo en varios países. ¿Qué te *(parecer)*?

MANUEL   Me *(parecer)* fantástico que (tú) le *(agradecer)* a Carlos su trabajo. ¡Es un milagro! Después de tantos fracasos, un

15   director tan poco conocido ya es una estrella. Y yo, su viejo amigo, ya no lo *(reconocer)*.

Los verbos como *gustar*

You know that the verb *gustar* actually means "to be pleasing," and that whatever is pleasing is the subject of the sentence.

Me gustan los concursos.	*I like contests. (Contests are pleasing to me.)*
Nos gusta el arte moderno.	*We like modern art. (Modern art is pleasing to us.)*
A Marta le gustó la función.	*Marta liked the show. (The show was pleasing to Marta.)*

Gustar agrees with the subject *(los concursos, el arte, la función)*. The person who likes them is the indirect object *(me, nos, Marta)*.

1   Remember that, to make the meaning clear, or for emphasis, we can add *a* + a noun or prepositional pronoun.

A ella le gusta grabar telenovelas.	*She likes to record soap operas.*
A mí me gustan las películas dobladas, pero **a Jorge no le gustan.**	*I like dubbed movies, but Jorge doesn't like them.*

2 Other verbs that follow this pattern are *doler*, "to hurt," *encantar*, "to love," *faltar*, "to need or lack (something), to be missing (something)," *importar*, "to matter, to be important," *interesar*, "to interest," and *parecer*, "to seem."

¿**Te duelen** los pies?	*Do your feet hurt?*
Nos encanta obtener autógrafos.	*We love to get autographs.*
Me faltan tres dólares.	*I need three dollars.*
¿**Te importa** el dinero?	*Is money important to you?*
A él le interesan los idiomas.	*He's interested in languages.*
¿**A Uds. les parece** interesante la entrevista?	*Does the interview seem interesting to you?*

PRÁCTICA

A ¡Ay! Después de esquiar, a todo el mundo le dolió algo. Sigue el modelo.

   a Inés
   A Inés le dolió la cabeza.

1. a ti	4. a María	7. a nosotros	10. a Paco y a Luz
2. a Raúl	5. a Julio	8. a ti y a mí	11. a ti
3. a mí	6. a Ud.	9. a Uds.	12. a Juan y a mí

B **¿Qué le parece?**   Victoria quiere saber lo que varias personas piensan de ciertos *(certain)* programas y películas. Pregunta y contesta según el modelo.

> Sra. Vidal / la nueva telenovela en el Canal 7 / faltarle personajes interesantes
>
> ESTUDIANTE A   *Sra. Vidal, ¿qué le parece la nueva telenovela en el Canal 7?*
>
> ESTUDIANTE B   *Le faltan personajes interesantes.*

1. Eduardo / la última película del director italiano Bondini / faltarle los subtítulos en español
2. Dra. Vázquez / el documental sobre su clínica / importar mucho
3. chicos / la entrevista con Carlos Salsa / no interesar
4. Teresa / los premios del programa de concurso / encantar
5. Sr. Moreno / el argumento de la película / faltarle un buen personaje principal
6. Mario y Judit / esa película doblada / gustar más la versión original
7. profesora Aguirre / la historia de ese desastre / faltarle más información
8. señoritas / el programa deportivo / no gustar el locutor

C **¿Y qué les pareció?**   Repite la práctica B, pero esta vez en el pretérito. Sigue el modelo.

> Sra. Vidal / la nueva telenovela en el Canal 7 / faltarle personajes interesantes
>
> ESTUDIANTE A   *Sra. Vidal, ¿qué le pareció la nueva telenovela en el Canal 7?*
>
> ESTUDIANTE B   *Le faltaron personajes interesantes.*

D **Hablemos de ti.**
1. ¿A veces te falta algo cuando regresas de la escuela? ¿Qué clase de cosas te olvidas de llevar a casa? ¿Qué haces cuando te falta algo?
2. ¿Para qué cosas te falta tiempo? ¿Y para cuáles te falta dinero?
3. ¿Qué te importa hacer bien? ¿Qué no te importa hacer bien? ¿Por qué?
4. ¿Qué materias te interesan más? ¿Y cuáles no te interesan? ¿Por qué?
5. ¿Te duele algo ahora? ¿Tienes muchos resfriados? Cuando tienes un resfriado, ¿qué te duele? ¿Cuándo fue la última vez que te dolió algo?

Televisión en español en Chicago

Un programa de noticias en México

APLICACIONES

REPASO

Mira con cuidado las frases modelo. Luego cambia las frases que siguen al español según los modelos.

1. *A Federico le gusta toda clase de programas.*
   (I love all kinds of plots.)
   (They're interested in all kinds of documentaries.)
   (We need all kinds of singers.)

2. *Conoces a todos los personajes de la telenovela.*
   (I know all the players on the team.)
   (We know all the announcers on that program.)
   (She knows all the ushers in that theater.)

3. *A veces no asisten a las funciones con sus padres sino conmigo.*
   (She doesn't usually go to the clinic with her mother but alone.)
   (Fortunately you (fam.) aren't participating in the games with our tennis players but with me.)
   (They probably aren't entering the store with those packages, but rather leaving.)

4. *Anoche vi a una escritora famosa en la librería y le pedí la hora.*
   (Last week you (fam.) saw a foreign director at the theater and asked him for an interview.)
   (Yesterday we saw our local team at the club and asked them (= equipo) for a photo.)
   (This morning they saw the new manager (fem.) at the box office and asked her for a schedule.)

5. *Nos dijo: "Yo sé manejar el coche y muy pronto voy a hacer un viaje con Uds."*
   (I said to him: "We know how to use the tape recorder and tomorrow we're going to tape a concert for you (fam.).")
   (He said to me: "She knows how to use the lawn mower and this afternoon she's going to mow the lawn for me.")
   (You (fam.) said to me: "They know how to roast meat and tonight they're going to have a barbecue with us.")

TEMA

Escribe las frases en español.

1. Bernardo loves all kinds of movies.

2. He knows all the ticket sellers in town (ciudad).

3. He usually doesn't go to the movies with friends, but alone.

4. Yesterday he saw his favorite actress in the street and asked her for her autograph.

5. He said to her: "I know how to use a camera and someday I'm going to shoot a film (filmar) with you (formal)."

REDACCIÓN

Ahora escoge uno de los siguientes temas para escribir tu propio diálogo o párrafo.

1. Expand the *Tema* by writing a paragraph about the kinds of movies Bernardo likes. What type of person do you think Bernardo is? What does he want to be when he grows up?
2. Make up an interview with a famous movie director or movie star about his or her new film. For example, who are the main characters? Is the plot simple or complicated? Where does the story take place?
3. Create a dialogue between two friends who are discussing a foreign movie that they recently saw.

A   El pasado
Contesta cada pregunta con una frase completa.

> ¿Cuándo va a dormirse Teresita?
> *Ya se durmió.*
> ¿Cuándo van a servir el café?
> *Ya lo sirvieron.*

1. ¿Cuándo van Uds. a pedir el autógrafo?
2. ¿Cuándo va ella a repetir el pronóstico del tiempo?
3. ¿Cuándo va Ud. a hervir el agua para el café? (¡Cuidado! *El agua* es un sustantivo femenino.)
4. ¿Cuándo vas a reírte de mis chistes?
5. ¿Cuándo vas a servir los camarones?
6. ¿Cuándo van a vestirse las niñas?
7. ¿Cuándo vas a pedir el postre?

B   Todos vinieron
Pregunta y contesta con el pretérito del verbo *venir*. Sigue el modelo.

> cómo / (tú) / en avión
> **ESTUDIANTE A**   *¿Cómo viniste?*
> **ESTUDIANTE B**   *Vine en avión.*

1. cuándo / (él) / el sábado pasado
2. por qué / (tú) / por la función
3. de dónde / ellos / de la estación
4. cómo / Uds. / en tren
5. a qué hora / (él) / a las 9 de la mañana
6. con quién / (ella) / con sus padres
7. por qué / Uds. / por tu cumpleaños

C   *Pero, sino, sino que*
Completa cada frase con *pero, sino* o *sino que*.

1. Me gustan los concursos _____ prefiero los deportes.
2. La función no tiene lugar a las 4:00 _____ a las 5:30.
3. No quiero ser locutora _____ estrella de cine.
4. Esto no es un huracán _____ parece una tormenta fuerte.
5. No es una película doblada _____ entiendo todo.

6. El trueno no viene antes del relámpago _____ después.
7. Bostezamos mucho _____ no nos aburrimos.

D   *¿Saber o conocer?*
Completa cada frase con la forma correcta del presente de *saber* o *conocer*.

1. Carlos _____ hablar por señas.
2. ¡Cállate! Tú _____ que no debes discutir ahora.
3. Ana y Tomás _____ bien a la ciudad de Londres.
4. (Yo) _____ a la directora de la telenovela.
5. (Yo) no _____ cuándo ocurrió el terremoto.
6. (Nosotras) no _____ a todos los jugadores.
7. Ella no _____ quién lo trajo.
8. ¿_____ (tú) la música de Andrés Segovia?

E   ¡Qué buena eres!
Usa las frases entre paréntesis para contestar las preguntas. Usa frases completas.

1. ¿A quién le agradecemos las entradas? (a la directora)
2. ¿A qué estrellas de cine reconoces en este programa?   (sólo a Pepe Culebra)
3. ¿Para quién traduces?   (para mi médico que no entiende el idioma)
4. ¿Qué reglas de tráfico conoces?   (muchas)
5. ¿A quiénes les agradeces las flores? (a mis admiradores)
6. ¿A quién reconoces en la foto?   (a mi padre)
7. ¿Qué me ofreces?   (un premio)

F   A mí y a ti
Haz frases según el modelo.

> a mí / gustar / los programas deportivos
> *A mí me gustan los programas deportivos.*

1. a nosotros / no importar / el público
2. a Uds. / faltar / un termómetro
3. a ti / interesar / los argumentos complicados
4. a mí / encantar / las versiones originales
5. a Ud. / no parecer / ser muy serio
6. a la directora / faltar / una actriz

Sustantivos

el acomodador, la
  acomodadora
el admirador, la admiradora
el argumento
el autógrafo
el/la cantante
el concurso
el desastre
el director, la directora
el documental
la entrevista
la estrella de cine
el éxito
la fila
el fracaso
la función, *pl.* las funciones
el grado
el huracán, *pl.* los huracanes
la información
el intervalo
el/la joven, *pl.* los/las jóvenes
el locutor, la locutora
la película doblada
el personaje
el premio
el programa de concursos
el pronóstico del tiempo
el público
el relámpago
el subtítulo
la taquilla
el taquillero, la taquillera
la telenovela
la temperatura
el termómetro
el terremoto
la tormenta
el trueno

Adjetivos

ciego, -a
complicado, -a
despierto, -a
dormido, -a
extranjero, -a
principal
rodeado, -a (de)
sencillo, -a
sordo, -a

Verbos

aburrir(se)
agradecer (c → zc)
bostezar
conocer (c → zc) *(to meet)*
discutir (de)
entrevistar
filmar
grabar
indicar
interesar
ocurrir
ofrecer (c → zc)

parecer (c → zc) *(to seem to be, to look like)*
reconocer (c → zc)
reírse de (e → i)
sentarse (e → ie)
traducir (c → zc)

dije/dijiste/dijo
traje/trajiste/trajo

Preposiciones

por *(on)*
sino
sino que + *verb*

Expresiones

al principio
¡cállate!
en versión original
hablar por señas
hacer el papel de
otra cosa
otra persona
tener éxito
tener lugar
toda clase de

CAPÍTULO 12

¡CON SALSA!

What would you say is the music of the United States? If you said rock, jazz, or country and western, you would be right, but did you know that the *conga* and the *norteño* could also be added to the list?

The rhythms, dances, songs, and instruments of Latin America (especially the Caribbean) have been vital in the development of the music of this country. In the American Southwest, a unique mixture of folk music from Mexico, Europe, and the United States has been developing for more than a hundred years. Many instruments, such as the *bajo sexto*, a twelve-string guitar, and the *guitarrón*, an acoustic bass guitar, came from Mexico. The United States contributed its folk and country music, and the Germans and Eastern Europeans brought with them the accordion and the polka rhythms that developed into the *norteño*. In the 1920s, the Argentinian *tango* became very popular here. Later, so did Cuba's *rumba* and *conga*, and, more recently, the *salsa*, the big-band music of the Caribbean that found new life in cities like New York and Miami.

In 1958, Richie Valens (born Ricardo Valenzuela) brought together Mexican folk and American rock music in his hit song "La Bamba," a Mexican folk tune from the 1700s that he set to a modern rock beat. It was the first song sung entirely in Spanish to become a hit in the United States. Among the many Spanish-language songs that have gained popularity, either in the original Spanish or in English-language versions, are "Guantanamera," "Cielito lindo," "Perfidia," "Bésame mucho," "Eres tú," and "El cóndor pasa."

To find out who
someone is

To ask for clarification

To explain differences
between two similar
things

CONTEXTO
VISUAL

PALABRAS NUEVAS I

¡Bravo!

la orquesta

—el contrabajo

el trombón
pl. los trombones

la tuba

el violoncelo

el oboe

el tambor

la flauta

el saxofón
pl. los saxofones

¡Bravo!

¡Bravo!

el director
la directora

la trompeta

¡Bravo!

el clarinete

aplaudir

el violín
pl. los violines

el coro

el bailarín
pl. los bailarines

la bailarina

CONTEXTO COMUNICATIVO

1 MARTA ¡Caramba! ¿Dónde está mi clarinete?

MANUEL ¿Por qué **gritas** tanto? ¿No puedes hablar en voz más baja?

MARTA Tengo **un ensayo** en media hora y no encuentro mi clarinete.

MANUEL ¿Y éste? ¿No es tuyo?

MARTA No, es de Rogelio. Es **parecido al** mío.

MANUEL Pues úsalo para tu ensayo. Rogelio está enfermo hoy.

Variaciones:

■ parecido al → más nuevo que el

gritar	*to shout*
el ensayo	*rehearsal*
parecido, -a (a)	*like, similar (to)*

2 PEDRO La nueva directora **demuestra** que tiene mucho **talento.**

LUCÍA Tienes razón. Cuando ella **dirige,*** todos **los músicos** prestan atención.

■ tiene mucho talento → sabe mucho sobre la música

demostrar (o → ue) *to show, to demonstrate, to prove*
el talento *talent*
dirigir (yo dirijo, tú diriges) *to direct, to conduct, to lead*
el músico, la música *musician*

---

* Like verbs that end in -*ger (escoger, recoger)*, verbs that end in -*gir* have a spelling change.
In the present-tense *yo* form, *g → j.* And, since the stem for the present subjunctive comes
from the present-tense *yo* form, *g → j* in the subjunctive: *que yo dirija, que tú dirijas,* etc.

3 ANDRÉS   ¿Quién es ese hombre que está al lado del director?
   BÁRBARA   Creo que es **el compositor.**
   ANDRÉS   Por eso el público está **aplaudiendo tanto.**

- creo que → **sin duda**
- creo que → estoy segura de que
- el público está → todos están

el compositor, la compositora
   composer
aplaudiendo (from **aplaudir**)
   applauding
tanto adv.   *so much*
sin duda   *without a doubt,
   undoubtedly*

4 MARIO   ¿Qué es ese ruido? ¡Me **hace daño a** los oídos!
   LUISA   Son los chicos con el violoncelo. **Ensayan** para el
   concierto de mañana.

- ensayan → están **ensayando**

hacer daño (a)   *to hurt, to harm*
ensayar   *to rehearse*

ensayando   *rehearsing*

5 EDUARDO   ¿Cuál es **la diferencia** entre el oboe y la flauta?
   CARMEN   Son **instrumentos** muy **diferentes. El sonido** del
   oboe es más **suave.**

- la flauta → el clarinete
- diferentes → distintos

la diferencia   *difference*
el instrumento   *instrument*
diferente = distinto, -a
el sonido   *sound*
suave   *soft*

PRÁCTICA

A En la orquesta.   ¿Qué instrumentos tocan estas personas? Pregunta
y contesta según el dibujo.

ESTUDIANTE A   *¿Qué instrumento toca Federico?*
ESTUDIANTE B   *El oboe.*

B El periódico de la escuela. Imagina que escribes para el periódico de tu escuela. Escoge la palabra correcta de la lista para completar cada frase.

bailarina   coro   director   sonido
compositora   diferencia   ensayo   talento

1. La _____ principal de esa compañía ensaya ocho horas cada día.
2. El _____ del violín es muy agradable.
3. Todos los músicos llegaron a tiempo al _____.
4. ¿Cuál es la _____ entre una banda y una orquesta?
5. La música que escribió esa joven _____ demuestra que tiene mucho _____.
6. ¡Qué bien cantó el _____ de la iglesia!
7. El _____ de nuestra orquesta es muy enérgico.

C En el concierto. Imagina que asististe a un concierto anoche. Escribe un párrafo de varias frases para describirlo. Escoge palabras y expresiones de cada columna.

el/la cantante	aplaudir	al principio
el concierto	cantar	anoche
el coro	dirigir	a las ocho
el/la director(a)	disfrutar de	a menudo
los músicos	divertirse	¡Bravo!
la orquesta	durar	alrededor de dos horas
el público	empezar	mucho
	gritar	muy bien
	tocar	varias canciones alemanas

D Hablemos de ti.
1. ¿Tiene tu escuela una banda o una orquesta? ¿Cuántos músicos hay en ella? ¿Cuándo ensayan? ¿Cuándo tocan? ¿Tocan toda clase de música?
2. ¿Tocas algún instrumento musical? ¿Cuál? ¿Cuántas horas tocas cada día? ¿Piensas ser músico(a) algún día? ¿Por qué sí o por qué no?
3. Si tocas un instrumento, ¿tocas en una banda u orquesta? ¿Cómo se llama el director o la directora? ¿Es muy estricto(a)? ¿Les enseña mucho a Uds.?
4. Si no tocas un instrumento musical, ¿te gustaría tocar alguno? ¿Cuál? ¿Por qué? ¿Qué instrumento te gusta oír más? ¿Por qué?
5. ¿Quién es tu compositor(a) de canciones favorito(a)? ¿Quién es tu cantante favorito(a)? ¿Por qué te gusta tanto?

APLICACIONES

Dos mariachis[1]

Ricardo y David, dos jóvenes de Colorado, tratan de formar una banda de mariachis.

Tocando la guitarra
en Madrid, España

RICARDO   Entonces, ¿aquí es donde ensayan?

DAVID   Sí. Es el garaje del Sr. Robles. Lo podemos usar por las
5   tardes. ¿Trajiste tu instrumento?

RICARDO   Por supuesto. Está en el coche. Mi guitarrón[2] no es tan
pequeño como tu trompeta.

DAVID   Pero sin duda tiene el sonido que nuestra banda
necesita.

10 RICARDO   ¿De quién fue la idea de hacer este grupo?

DAVID   De José, nuestro violinista. Lo vas a conocer esta tarde.
Es un poco tímido, pero es muy simpático. Es también
nuestro mejor cantante y sabe cientos de canciones. Su
familia es de México.

15 RICARDO   Como la mía. ¡Esto es estupendo! Cuando nos
mudamos aquí pensé: Ricardo, ya no vas a escuchar ni
corridos[3] ni norteños.[4] Y ahora voy a tocar la misma
música que antes.

DAVID   Hablando de corridos, quiero que escuches el arreglo[5]
20   que hice para "La Adelita."[6]

RICARDO   ¡"La Adelita"! ¡Todo el mundo conoce "La Adelita"!

DAVID   Pero no como la vamos a tocar nosotros. Escucha y
después me dices lo que piensas.

---

[1]**el mariachi**   *Mexican street musician*   [2]**el guitarrón**   *oversized guitar used in the mariachi bands*   [3]**el corrido**   *Mexican song that tells a story*   [4]**el norteño** *type of melody from the north of Mexico*   [5]**arreglo**   *arrangement* [6]**"La Adelita"**   *a popular Mexican* corrido

Músicos en un festival
en Colombia

Preguntas

Contesta según el diálogo.

1. Según lo que aprendiste en el diálogo, ¿puedes decir cómo es una banda de mariachis?   2. ¿Qué instrumentos tocan Ricardo y David? 3. Usa las palabras exactas de Ricardo para contar lo que pensó cuando se mudó a los Estados Unidos.   4. ¿De qué clases de música mexicana discuten los chicos? Da una definición de ellas.   5. ¿Qué clase de canción es "La Adelita"? ¿Crees que estos mariachis van a tocar "La Adelita" como la toca todo el mundo? ¿Por qué?

Mariachis en Austin, Texas

Participación

Work with a partner to make up a dialogue. Discuss the instruments you or your friends play. Do you play in a band? Do you rehearse often? What is the director or music teacher like?

◆ COMMUNICATIVE
OBJECTIVES
To ask for and give
directions
To point out location
To plan a project

CONTEXTO
VISUAL

PALABRAS NUEVAS II

Vamos a la exposición

pintar

el paisaje

el mural

la modelo

el modelo

la escultura

la pintura

el retrato

la pintora

el pincel

la pintura

la cerámica

el pintor

el escultor

la escultora

CONTEXTO
COMUNICATIVO

1 FELIPE ¡Qué interesante es **la colección** de pinturas en esta **galería** de arte!

EMILIA Sí, ¿verdad? ¿**Te fijaste en** esos murales **junto a** la salida?

FELIPE Sí. Parecen interesantísimos. ¿Quién los pintó?

EMILIA Osvaldo Guayasamín, un gran pintor ecuatoriano.

Variaciones:
- pinturas → cuadros
- junto a → al lado de
- pintor → **artista**

la colección, pl. **las colecciones** *collection*

la galería *gallery*

fijarse en *to notice, to pay attention to*

junto a = al lado de

el/la artista *artist*

2 MARÍA ¿Dónde están las **obras** de Arreguín, el artista mexicano?

MIGUEL **En el fondo** de la galería. **Sigue** derecho por allí.

MARÍA ¿Sabes si todavía **sigue pintando** paisajes y animales que parecen ser tan **abstractos**?

MIGUEL Sí, pero ahora pinta también a personas.

- obras → pinturas
- en el fondo → en **el centro**

la obra *work*

en el fondo *at the back, in the background*

seguir (e → i) *to follow; to go on, to keep on, to continue*

sigue pintando (from **seguir**) *is still painting*

abstracto, -a *abstract*

el centro here: *center, middle*

Un cuadro de Alfredo Arreguín

PRÁCTICA

A En el estudio. Usa las expresiones de la derecha para explicar dónde están todas las cosas. Pregunta y contesta según el dibujo.

la artista

ESTUDIANTE A *¿Dónde está la artista?*
ESTUDIANTE B *Está fuera del dibujo.*

1. la escultura abstracta   en el fondo
2. las pinturas   junto a las pinturas
3. el modelo   en el centro del dibujo
4. el cuadro abstracto   fuera del dibujo
5. la colección de cerámica   a la derecha
6. el mural   a la izquierda
7. los pinceles   debajo de la silla
                                   junto a la escultura

B En el museo. Imagina que visitaste un museo de arte. ¿Qué dijo la gente? Escoge la palabra correcta para completar las frases.

1. Me gustó (*la dirección / la colección / el pincel*) de monedas viejas.
2. ¿Te fijaste en la (*balanza / exposición / biblioteca*) de cerámica?
3. Quiero que mires el (*coro / retrato / compositor*) de la hija de Picasso.
4. Me interesan estas (*artistas / escultoras / esculturas*) de papel.
5. Nunca entiendo las (*pinturas / flautas / modelos*) abstractas.
6. Prefiero que veamos los (*coros / murales / directores*) en el fondo del museo.
7. La colección del museo incluye muchas obras de arte (*sordas / abstractas / suaves*).
8. Hay una exposición de los (*cuadros / pinceles / pintores*) de la pintora mexicana Frida Kahlo.
9. Ahora vamos a comprar (*unos carteles / unas escultoras / unos sonidos*) en la tienda del museo.

C Hablemos de ti.

1. ¿Te gusta pintar o dibujar? ¿Por qué? ¿Qué otras actividades artísticas te gusta hacer?
2. ¿Hay un museo en tu ciudad? ¿Qué clase de museo es? ¿Tiene muchas galerías? ¿Lo visitas a veces? ¿Qué te gusta ver cuando vas allí?
3. ¿Qué clase de arte prefieres? ¿El arte moderno, clásico o abstracto?
4. ¿En qué te fijas cuando miras un cuadro abstracto? ¿Por qué? ¿Te gusta más la pintura o la escultura? ¿Por qué? ¿Te gustaría ser pintor(a) o escultor(a)?
5. ¿Quién es tu pintor(a) preferido(a)? ¿De dónde es? ¿Qué clase de cuadros pinta (retratos, paisajes, murales, cuadros abstractos)? Si no tienes un(a) pintor(a) favorito(a), ¿a qué pintores conoces? ¿Qué pintan ellos?

A esta chica panameña le gusta pintar.

Una pintora en San Miguel, El Salvador

ACTIVIDAD

El arte público   Imagine that your class has been asked to make *una obra de arte* for the hall or entrance of your school. With two or three students, discuss what kind of *obra de arte* you would choose. You might consider these questions:

> ¿Va a ser una escultura grande, una pintura o un mural? ¿Por qué? Si es una pintura, ¿va a ser un retrato o algo abstracto? ¿Va a mostrar actividades de la escuela? ¿Cuáles?

Afterward, discuss the ideas as a class and see if you can reach an agreement as to what you would create.

Pintando un mural en Chicago, Illinois

ESTUDIO DE PALABRAS

Palabras con varios sentidos

As in English, there are many words in Spanish that have more than one meaning.

la cartera	*(female) letter carrier*	la cartera	*wallet*
la clase	*class*	la clase	*kind, type*

Often the meanings of these words are closely related.

la música	*(female) musician*	la música	*music*
la pintura	*painting*	la pintura	*paint*

What two meanings does the word *centro* have in these sentences?

1. Los bailarines ensayan en un teatro del *centro*.
2. La escultura está en el *centro* de la fuente.

Usa cada una de estas palabras dos veces en la misma frase.

cuarto	lata	sobre
fuerte	nada	tienda

1. ¡Qué _____! No puedo abrir la _____.
2. Dice que _____ muy bien, pero no es verdad. En el agua no sabe hacer _____.
3. Tiene una voz muy _____ y por eso canta tan _____.
4. Tu _____ está en el _____ piso.
5. El _____ está _____ la mesa.
6. Si queremos ir de camping tenemos que ir a la _____ para comprar una _____ de acampar.

EXPLICACIONES I

El presente progresivo

We use the present indicative tense to express an action that always or usually happens, that is happening now, or that will probably happen soon.

Dirijo la orquesta. { *I **direct** the orchestra (always / usually).*
{ *I'm **directing** the orchestra (now / tomorrow).*

When we want to emphasize that an action is happening right now, we use the present progressive tense.

Estoy dirigiendo la orquesta.   *I'm **directing** the orchestra (now).*

The present progressive consists of a present-tense form of *estar* + a present participle. To form the present participle, we drop the ending of the infinitive and add *-ando* to the stem of *-ar* verbs and *-iendo* to the stem of *-er* and *-ir* verbs.

camin**ar** → camin**ando**
corr**er** → corr**iendo**
viv**ir**   → viv**iendo**

Here are all of the forms of the present progressive of *bailar*.

estoy }
estás } bailando   estamos }
está }   estáis } bailando
                     están }

1 When we use an object pronoun or a reflexive pronoun with the present progressive, we can either put the pronoun before the form of *estar* or we can attach it to the present participle.

¿Por qué **me estás gritando?** } *Why **are you shouting at me**?*
¿Por qué **estás gritándome?** }

Note that when we attach a pronoun to the present participle, we must use a written accent mark.

PRÁCTICA

A En el campamento. ¿Qué están haciendo estos chicos? Sigue el modelo.

un pollo
Está cocinando un pollo.

1. un paisaje   2. en el patio   3. en el velero

4. el clarinete   5. en el lago   6. por las montañas

7. por el sendero   8. en la cancha de   9. sobre ruedas
                         la escuela

B ¡Contigo no vuelvo más al cine! Fernando lleva a su hermanita al cine y ella le hace muchas preguntas. Pregunta y contesta según el modelo.

esos muchachos / hacer cola
ESTUDIANTE A *¿Qué hacen esos muchachos?*
ESTUDIANTE B *Están haciendo cola.*

1. esa mujer / vender entradas
2. los acomodadores / dirigir a la gente a sus asientos
3. esa niña / correr por el pasillo
4. (nosotros) / escoger los mejores asientos
5. esa señora / comer palomitas
6. (tú) / abrir la caja de dulces
7. el público / aplaudir
8. (nosotros) / salir de aquí

C **¿Por qué?** Vuelve a hacer la Práctica B. El (la) Estudiante A debe añadir cada vez la pregunta *¿Por qué?* El (la) Estudiante B puede dar cualquier *(any)* respuesta apropiada. Por ejemplo:

> esos muchachos / hacer cola
> ESTUDIANTE A *¿Qué hacen esos muchachos?*
> ESTUDIANTE B *Están haciendo cola.*
> ESTUDIANTE A *¿Por qué?*
> ESTUDIANTE B *Porque quieren comprar entradas / ver la película, etc.*

D **¿Me puedes ayudar?** Imagina que quieres que alguien te ayude, pero todo el mundo siempre está ocupado. Pregunta y contesta según el modelo, escogiendo la respuesta de la lista de la derecha.

> arreglar la lámpara / bañarse
> ESTUDIANTE A *¿Me puedes ayudar a arreglar la lámpara?*
> ESTUDIANTE B *Ahora no. Estoy bañándome.*
> o: *Ahora no. Me estoy bañando.*

1. grabar este programa   ducharse
2. poner mi cuarto en orden   acostarse
3. lavar el coche   limpiarse los zapatos
4. planchar la ropa   limarse las uñas
5. cortar el césped   afeitarse
6. llenar este formulario   maquillarse
7. traducir esto   cepillarse los dientes
8. envolver este paquete   lavarse el pelo

E **La exposición.** La clase tiene que preparar una exposición de arte. Hoy todos se reúnen *(meet)* para empezar sus tareas. La profesora no está, y llama por teléfono para averiguar qué están haciendo todos. Pregunta y contesta según el modelo.

> Armando / escoger las pinturas
> ESTUDIANTE A *¿Armando va a escoger las pinturas?*
> ESTUDIANTE B *Ya las está escogiendo.*
> o: *Ya está escogiéndolas.*

1. Alicia / pintar la escalera
2. Rogelio / grabar la música
3. Ramón / preparar el programa
4. tú / averiguar el precio de las pinturas
5. Uds. / escribir a máquina las etiquetas
6. Ignacio / hacer los carteles
7. Mateo y Gustavo / colocar los retratos en la pared
8. Uds. / tirar las cajas vacías

El presente progresivo: Continuación

♦ COMMUNICATIVE
OBJECTIVE

To describe things that
are happening now

Some *-er* and *-ir* verbs have slightly irregular present participles.

1 When the stem of an *-er* or *-ir* verb ends in a vowel, the *i* of *-iendo* usually changes to *y*.

caer → cayendo   incluir → incluyendo   oír → oyendo
creer → creyendo   leer → leyendo   traer → trayendo

> ¿Qué **estás leyendo**?   *What **are you reading**?*
> Ya **están trayendo** la sopa. *They're bringing the soup now.*

2 Any *-ir* verb that has the stem change *e → i* or *o → u* in the *Ud. / él / ella* and *Uds. / ellos / ellas* forms of the preterite has the same change in the present participle. Note that the irregular verbs *decir* and *venir* follow this pattern. Remember that their preterite forms have an *i*: *dije / dijiste*, etc., and *vine / viniste*, etc.

e → i

decir   → diciendo   seguir   → siguiendo
divertirse → divirtiéndose   sentirse → sintiéndose
hervir   → hirviendo   servir   → sirviendo
pedir   → pidiendo   venir   → viniendo
preferir   → prefiriendo   vestir   → vistiendo
repetir   → repitiendo   vestirse → vistiéndose

> Todavía **estoy vistiéndome**.   *I'm still **getting dressed**.*
> ¿Qué **está diciéndote**?   *What **is she telling** you?*

o → u

dormir(se) → { durmiendo / durmiéndose }   morirse → muriéndose

> Juan **se está durmiendo**.   *Juan **is falling asleep**.*
> **Estamos muriéndonos** de sed.   *We're dying of thirst.*

3 With *reír(se)* and *sonreír*, we drop the stem vowel *e* and add *-iendo*.

reír(se) → { riendo / riéndose }   sonreír → sonriendo

PRÁCTICA

A ¿Qué está pasando? Muchas personas están en un restaurante. Haz frases según el modelo para indicar lo que están haciendo.

> El camarero / traernos servilletas
> *El camarero nos está trayendo servilletas.*
> o: *El camarero está trayéndonos servilletas.*

1. los jóvenes / pedir hamburguesas
2. esa camarera / servir arroz con pollo
3. ese camarero / hervir agua para el té
4. el cajero / sonreír a los niños
5. Patricia / morirse de hambre
6. el papá de Patricia / leer el menú
7. ese señor / reírse de todo lo que dice su esposa
8. el hermanito de Patricia / dormirse en la silla
9. el gato del dueño / seguirlo
10. (yo) / divertirse
11. (nosotros) / decirle al dueño que todo está sabroso
12. tú / no oír nada de lo que / (yo) decirte

B Hablemos de ti.

1. ¿Qué actividad importante estás haciendo estos días? ¿Por qué es importante?
2. ¿Qué estás estudiando en tu clase de historia? ¿Y en tus otras clases?
3. ¿Qué estás leyendo en tu clase de inglés?
4. ¿Qué estás haciendo ahora mismo?
5. ¿Qué materia estás estudiando ahora mismo? ¿Te interesa? ¿Es la primera vez que estudias esto, o lo estás repasando? ¿Estás aprendiendo mucho?

ACTIVIDAD

Charada With a partner, prepare a game of charades. Write down six actions on separate slips of paper. For example:

> Estoy tocando la flauta.
> Estoy pintando una pared.
> Estoy durmiendo.

Get together with another pair of students and take turns pantomiming the actions you wrote down while the others try to guess what the actions are. For example: *¿Estás tocando la flauta? ¿Estás pintando una pared?*, etc.

APLICACIONES

La danza[1]

ANTES DE LEER

1. ¿Qué hay que hacer para ser artista (pintor, escultor, escritor, actor, bailarín, etc.)?
2. ¿En qué son parecidas la vida diaria *(daily)* de los bailarines y la *(that)* de los atletas?
3. En tu opinión, ¿cuál es más importante para tener éxito, el talento, el trabajo o la suerte? ¿Por qué?

¿Qué necesitas para ser bailarín o bailarina profesional? Al principio hay que demostrar gran talento. Sin duda eso es muy importante. Pero el talento solo no es suficiente. A ese talento debes añadirle trabajo, trabajo y más trabajo. Debes entrenarte[2] como un atleta: hacer ejercicio, seguir una dieta
5 sana, practicar todos los días y siempre tener mucho cuidado con el cuerpo. Después de todo, el cuerpo es el instrumento de la danza.

Blanche Hampton tiene dieciséis años y es bailarina de ballet. Es hija de madre cubana y padre estadounidense. Su familia vive en Tampa, Florida. Durante tres años, Blanche tomó clases de verano en la "School of Ameri-
10 can Ballet" en Nueva York, una de las mejores escuelas de danza del país. Como premio a su dedicación y talento, Blanche recibió una beca[3] para ser estudiante regular de esta escuela.

Blanche es muy joven todavía, pero su vida ya está llena de responsabilidades y de trabajo. Su día comienza como el de cualquier[4] otra chica de
15 dieciséis años. Va a la escuela, estudia para exámenes, hace la tarea . . . Pero su día no termina ahí.[5] Blanche también toma más de quince horas de clases de ballet por semana. A todo esto hay que añadir ensayos de cuatro o cinco horas cada semana cuando ella se está preparando para la presentación de un ballet. Como puedes ver, la vida de Blanche no es fácil.
20 Blanche vive ahora en Nueva York, muy lejos de su familia. La vida en esta gran ciudad le da un poco de miedo y frecuentemente se siente sola. Pero ella sabe que éste es el precio que tiene que pagar si quiere llegar a ser[6] una gran bailarina.

Blanche Hampton

---

[1]**la danza** *dance*   [2]**entrenarse** *to train*   [3]**la beca** *scholarship*
[4]**el de cualquier** *that of any*   [5]**ahí** *there*   [6]**llegar a ser** *to become*

Preguntas

Contesta según la lectura.

1. ¿Quién es Blanche Hampton?
2. ¿Cuál es la diferencia entre la vida de Blanche y la de otras chicas de dieciséis años?
3. ¿Cómo es la vida de Blanche? Por ejemplo, en tu opinión, ¿tiene Blanche tiempo para ir a fiestas o para salir con un novio?
4. ¿Por qué crees que se siente sola y le da miedo vivir en Nueva York?
5. ¿Qué más necesita Blanche para llegar a ser una gran bailarina?

El Ballet Folklórico de México

EXPLICACIONES II

El verbo *seguir*

◆ COMMUNICATIVE
OBJECTIVES

**To describe ongoing
activities**

**To describe things that
don't change**

To express boredom

The verb *seguir*, "to follow, to continue," is an $e \rightarrow i$ stem-changing verb. Here are all of the forms of *seguir* in the present tense.

INFINITIVO: **seguir**

	SINGULAR	PLURAL
	sigo	seguimos
	sigues	seguís
	sigue	siguen

El ensayo **sigue** hasta las 10:00.	*The rehearsal **will continue** until 10:00.*
Las obras para el coro **siguen** al intervalo.	*The works for chorus **follow** the intermission.*

1 The command forms of *seguir* are *sigue (no sigas) / siga / sigan.*

Sigue hasta la esquina y dobla a la izquierda.	***Continue** to the corner and turn left.*
Sigan a la acomodadora, por favor.	***Follow** the usher, please.*

2 When we use *seguir* meaning "to follow," we often use *a* before the direct object, even when it is not a person.

Los truenos **siguen a** los relámpagos.	*Thunder **follows** the lightning.*

3 In the preterite, *seguir* is like other *-ir* stem-changing verbs. The *e → i* in the *Ud. / él / ella* and *Uds. / ellos / ellas* forms.

	SINGULAR	PLURAL
	seguí	seguimos
	seguiste	seguisteis
	siguió	siguieron

¿**Seguiste** a los otros?   *Did you follow the others?*
Los admiradores **siguieron** al   *The fans followed the dancer after*
bailarín después de la función.   *the show.*

4 We use *seguir* + present participle to indicate that an action that began in the past is still continuing or that it occurs regularly. When we use *seguir* this way, it means "to keep on, to go on, or to continue (doing something)."

Sigo pensando en la película.   *I keep thinking about the film.*
¿**Seguiste mirando** la tele   *Did you continue watching TV*
después de las noticias?   *after the news?*
Le dije "¡Cállate!" pero **siguió**   *I told her "Be quiet!" but she went*
hablando.   *on talking.*
Miré el reloj y **seguí leyendo**   *I looked at the clock and went on*
el periódico.   *reading the newspaper.*

Un concierto en Caracas, Venezuela

Andrés Segovia, famoso
músico español

PRÁCTICA

A **La visita del Sr. Suárez.** El año pasado el Sr. Suárez se mudó a otra ciudad. Acaba de regresar para visitar a sus amigos y quiere saber lo que pasa. Pregunta y contesta según el modelo.

> ¿su mamá? / escribir novelas
> ESTUDIANTE A   *¿Y su mamá?*
> ESTUDIANTE B   *Sigue escribiendo novelas.*

1. ¿su papá? / pintar retratos
2. ¿Uds.? / vivir junto a la escuela
3. ¿Ana? / correr en el parque todos los días
4. ¿su tío Felipe? / tocar el saxofón
5. ¿Ud., señora? / dirigir la orquesta
6. ¿Miguel? / trabajar en el garaje
7. ¿tú, Beatriz? / estudiar escultura
8. ¿el Sr. González? / gritar a todos los chicos

B **La noche en que se apagaron las luces.** ¿Qué hizo cada uno esa noche? Pregunta y contesta según el modelo.

> ¿Ud.? / asar pollo a la parrilla
> ESTUDIANTE A   *¿Qué hizo Ud.?*
> ESTUDIANTE B   *Seguí asando pollo a la parrilla.*

1. ¿Uds.? / hablar por teléfono
2. ¿Jorge y Mario? / cenar
3. ¿Ud.? / pintar el techo
4. ¿tus padres? / dormir
5. ¿Pablo y tú? / levantar pesas
6. ¿Elena? / discutir con Eva
7. ¿Silvia? / hacer ejercicio
8. ¿tú? / tocar el tambor

La posición de los adjetivos

You know that in Spanish a descriptive adjective usually follows the noun.

◆ **COMMUNICATIVE OBJECTIVE**

To give complete or precise descriptions

la montaña **verde**   *the **green** mountain*
un escultor **famoso**   *a **famous** sculptor*

But when the adjective describes a natural characteristic of the noun, the adjective goes before.

un **peligroso huracán**   *a **dangerous hurricane***
la **blanca nieve**   *the **white snow***

1   Remember that these six adjectives drop the final *-o* before a masculine singular noun.

un **buen** artista   **ningún** talento   el **primer** ensayo
un **mal** pintor   **algún** sonido   el **tercer** contrabajo

The adjective *grande* becomes *gran* before any singular noun, either masculine or feminine.

un **gran** coro   una **gran** orquesta

2   Some adjectives change meaning depending on whether we use them before or after the noun.

un hombre **grande**   *a **large** man*
un **gran** hombre   *a **great** man*

la chica **pobre**   *the **poor (penniless)** girl*
la **pobre** chica   *the **poor (pitiful)** girl*

el coche **nuevo**   *the **new (brand new)** car*
el **nuevo** coche   *the **new (different)** car*

un amigo **viejo**   *an **old (elderly)** friend*
un **viejo** amigo   *an **old (of long standing)** friend*

3   When two or more adjectives describe a noun, we can place them after the noun, joined by the word *y*.

un niño **alto y pálido**   *a **tall, pale** boy*
un sonido **suave y bello**   *a **soft, beautiful** sound*

But if one of the adjectives usually comes before the noun, it remains there and the second adjective *follows* the noun.

una **gran** pintora **chilena**   *a **great Chilean** painter*
muchas esculturas **abstractas**   ***many abstract** sculptures*

PUBLICIDAD ESPAÑOLA DE LOS 80

MUSEO ESPAÑOL DE ARTE CONTEMPORÁNEO. 7 FEBRERO-2 MARZO.

PRÁCTICA

A ¿Dónde lo pongo? Daniel está tomando una clase de composición y su profesor quiere que practique los adjetivos. Indica dónde debe ponerlos. Sigue el modelo.

> Fue un *día* que nunca voy a olvidar. (grande)
> *Fue un gran día que nunca voy a olvidar.*

1. Teresa es una *chica* que no tiene dinero. (pobre)
2. Estoy seguro que ese *hombre* pesa más de 200 kilos. (grande)
3. ¡Llega el *momento!* Van a entregar los premios. (grande)
4. ¿Tienes mi *dirección?* (nuevo)
5. Busca los guantes en la *maleta.* (grande)
6. Es un *hombre* que siempre pide monedas a la gente. (pobre)
7. Los *zapatos* siempre son incómodos. (nuevos)
8. Esa *mujer* acaba de romperse el tobillo. (pobre)
9. Hace muchos años que conocemos al director. Es un *amigo* nuestro. (viejo)

B Una visita a los artistas. Alguien está describiendo el estudio de unos artistas. Completa las frases con la forma correcta de los dos adjetivos. En cada frase uno de los adjetivos va delante del sustantivo y el otro sigue al sustantivo.

> Ella siempre usa pinceles. (diferente / mucho)
> *Ella siempre usa muchos pinceles diferentes.*

1. Aquí trabaja una artista. (bueno / español)
2. ¿Viste dibujos? (algún / abstracto)
3. Felipe es un escultor. (grande / moderno)
4. Ese pintor siempre se sienta en el fondo. (extranjero / joven)
5. Me fijé en esas pinturas. (dos / parecido)
6. Ella es la modelo de la clase. (alto / único)
7. Ese pintor usa colores. (mucho / suave)
8. En este lugar trabajaron escultores. (famoso / vario)

(abajo, derecha) Pablo Picasso

AYUNTAMIENTO DE BARCELONA MUSEO PICASSO **LAS MENINAS**

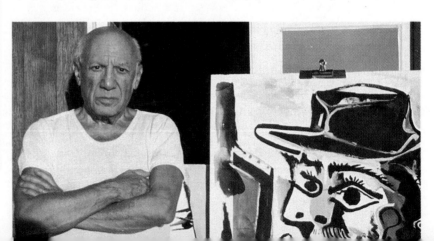

C Hablemos de ti.

Compara tu vida de hoy con tu vida durante los últimos dos o tres años.

1. ¿Sigues practicando los mismos deportes? ¿Cuáles son? ¿Por qué sí o por qué no? Si no, ¿qué deporte practicas ahora?
2. ¿Sigues visitando los mismos lugares? ¿Por qué sí o por qué no? ¿Cuáles visitas ahora?
3. ¿Te siguen gustando las mismas materias? ¿Cuáles son? ¿Sigues sacando las mismas notas? ¿O sacas notas mejores o peores? ¿Te sigue gustando estudiar español?
4. ¿Sigues aprendiendo mucho en la escuela? Por ejemplo, ¿qué aprendiste esta semana?
5. ¿Sigues mirando los mismos programas de televisión? ¿Por qué sí o por qué no? ¿Cuáles miras ahora?
6. ¿Sigues admirando a los mismos actores y cantantes? Si no, ¿a quiénes admiras ahora?
7. ¿Te siguen interesando los mismos pasatiempos? ¿Por qué sí o por qué no?

En Barcelona, España

APLICACIONES

REPASO

Mira con cuidado las frases modelo. Luego cambia las frases que siguen al español según los modelos.

1. *El coro de la escuela está ensayando una canción nueva.*
   (Mrs. González's students are reading a great novel.)
   (The band director is conducting a fantastic concert.)
   (The painter's son is painting an elegant portrait.)

2. *Ella está tocando las obras de Albéniz y él está grabando la música.*
   (The musicians are demonstrating the sounds of the instruments and the composer (fem.) *is opening the piano.)*
   (I'm signing the traveler's checks and my brother is counting the bills.)
   (Teresa is buying that nail polish and I'm looking at the perfumes.)

3. *Estamos pidiendo un libro que muestra cómo dibujar hojas.*
   (We're enclosing a notice that explains how to obtain information.)
   (They're choosing a magazine that demonstrates how to cut hair.)
   (I'm taking out a book that describes how to make ceramics.)

4. *La Sra. González me recomienda más tarde que tenga cuidado con los espejos.*
   (My parents always tell me not to hurt others.)
   (Our coach (masc.) *usually recommends that we lift weights with the team.)*
   (I ask you (pl.) *again to pay attention for an hour.)*

5. *Cuando empieza la entrevista, siguen aplaudiendo.*
   (When the accident occurred, he continued sleeping.)
   (When the players leave, I keep on shouting.)
   (When the rain began, I went on rehearsing.)

Un mural de David Alfaro
Siqueiros en México

TEMA

Escribe las frases en español.

1. Mr. Pérez's class is painting a large mural.

2. Lucía is opening the cans of paint and Jorge is mixing colors.

3. María is reading a book that explains how to paint murals.

4. Mr. Pérez tells us again to be careful with the paint.

5. When the class ends, we keep on painting.

REDACCIÓN

Ahora escoge uno de los siguientes temas para escribir tu propio diálogo o párrafo.

1. Imagine that the mural that the students were planning to paint for the school is now completed. Describe it. What does it look like? What school landmarks or events did the students include?

2. Write a paragraph about an artist or performer whom you admire.

3. Create a dialogue between two people who are visiting an art museum.

A   ¿Qué están haciendo?
Haz frases según el modelo.

> el chico / leer / el poema
> *El chico está leyendo el poema.*

1. la gente / aplaudir / a los músicos
2. ella / pedir / otro saxofón
3. los músicos / devolver / los instrumentos
4. yo / tocar / el violoncelo
5. el director / dirigir / la orquesta
6. tú / limpiar / tu trompeta
7. el coro / ensayar / una canción diferente
8. nosotros / cantar / en el coro

B   Estoy haciéndolo ahora mismo
Contesta según el modelo.

> ¿Ya limpiaste el cuarto?
> *Estoy limpiándolo ahora mismo.*

1. ¿Ya recogieron Uds. los cuadros?
2. ¿Ya escribió Irene el recado?
3. ¿Ya ensayaste la nueva obra?
4. ¿Ya terminaron Uds. el mural?
5. ¿Ya arregló Cristina tu guitarra?
6. ¿Ya oíste ese chisme?
7. ¿Ya pidieron ellos los anuncios?

C   ¿Cómo terminan?
Escoge la terminación *(ending)* correcta para cada frase. Las terminaciones están en la columna de la derecha.

1. Mi hermano no puede bajar de peso . . .
2. Después del ensayo, los músicos . . .
3. Me acuesto tarde todas las noches . . .
4. Para hacer buenos retratos . . .
5. Después de varios minutos, el público . . .
6. David se cayó y . . .
7. Cuando suena el despertador . . .

a. todavía sigue gritando.
b. tienes que seguir dibujando todos los días.
c. porque sigo mirando la televisión después de las noticias.
d. siguen practicando para el concierto.
e. lo apago y sigo durmiendo.
f. sigue aplaudiendo a los músicos.
g. porque sigue comiendo comida con muchas calorías.

D   El verbo *seguir*
Completa las frases con la forma correcta del verbo *seguir* en el pretérito.

1. (Nosotros) _____ al coro hasta la puerta.
2. (yo) Te _____ hasta la galería de arte.
3. Mis perros me _____ cuando salí de casa.
4. El ensayo _____ hasta la medianoche.
5. ¿Por qué no _____ (tú) derecho por esa calle?
6. El público _____ a los artistas para pedirles autógrafos.

E   Hablan los músicos
Usa la forma correcta de cada adjetivo y ponla en el lugar correcto, o antes o después de la palabra en cursiva.

1. Ayer volví a tocar con mi *banda*.   (viejo)
2. ¿Sabes que Roberto grabó un *disco*?   (nuevo)
3. Es un *músico*. No puede comprar buenos instrumentos.   (pobre)
4. El concierto fue un *éxito*.   (grande)
5. Ésas son *canciones*. ¿Por qué no tocamos otras?   (viejo)
6. En esa tienda venden *instrumentos* muy baratos.   (nuevo)
7. El concierto de ese *compositor* fue un fracaso.   (pobre)
8. Necesitamos un *armario* para nuestros instrumentos.   (grande)

VOCABULARIO DEL CAPÍTULO 12

Sustantivos
el/la artista
  el bailarín, *pl.* los bailarines; la
    bailarina
  el centro *(center, middle)*
  la cerámica
  el clarinete
  la colección, *pl.* las colecciones
  el compositor, la compositora
  el contrabajo
  el coro
  la diferencia
  el director, la directora
    (conductor)
  el ensayo
  el escultor, la escultora
  la escultura
  la flauta
  la galería
  el instrumento
el/la modelo
  el mural
  el músico, la música
  el oboe
  la obra
  la orquesta
  el paisaje *(landscape)*
  el pincel
  el pintor, la pintora
  la pintura *(paint; painting)*
  el retrato
  el saxofón, *pl.* los saxofones
  el sonido
  el talento
  el tambor
  el trombón, *pl.* los trombones
  la trompeta
  la tuba
  el violín, *pl.* los violines
  el violoncelo

Adverbio
tanto

Preposición
junto a

Expresiones
¡bravo!
en el fondo
hacer daño a
seguir + *present participle*
sin duda

Adjetivos
abstracto, -a
diferente
parecido, -a
suave

Verbos
aplaudir
demostrar (o → ue)
dirigir (j)
ensayar
fijarse en
gritar
pintar
seguir (e → i)

CAPÍTULO 13

EL CUERPO HABLA

If you have ever watched a conversation between native Spanish speakers, you know that gestures are almost as essential to them as words. Some gestures actually stand for words. For example, when Spanish speakers place an index finger just below one eye, they are saying *¡ojo!*, "watch out!" It's a silent way of warning you that someone or something can't be trusted. When they tap a cheek with their fingers, they're saying *cara*, part of the expression *¡qué cara tiene!*, which means that someone should be ashamed but isn't.

Sometimes their gestures and those of English speakers look the same, but their meanings may be quite different. For example, the gesture Spanish speakers use to mean "come here"—a hand held palm down with the fingers waving up and down—can easily be mistaken for "good-by" or even "go away" by an English speaker.

Gestures are conscious acts, but most body language consists of things we are not aware of doing. For example, if you are angry or impatient, your face and body will most likely reveal it.

One important difference in the unconscious body language of Spanish speakers and English speakers is that Spaniards and Latin Americans usually stand close to one another, even if they have just met. English speakers tend to stay about twice as far apart, and they may feel uncomfortable if a stranger stands any closer. Remember this the next time you talk to someone from a Spanish-speaking country. It will help you realize that they are not "invading" your space. And, if you can reach a compromise, they may realize that you are not standoffish.

PALABRAS NUEVAS I

Amor y familia

la boda

el novio

la novia

los novios*

el bautizo

llorar   el bebé

regalar

desenvolver

* Couples are *novios* from the time they start dating each other regularly until they get married. After that they become *esposos*.

◆ COMMUNICATIVE
OBJECTIVES

To admire someone's
photos

To point out similarities
and dissimilarities

To describe one's family

To express surprise

To describe close or
warm relationships

To describe a wedding

CONTEXTO COMUNICATIVO

1 CECILIA   Tengo las fotos de la fiesta de tus **bisabuelos.**

DIEGO   Fue una fiesta **inolvidable,** ¿verdad?

CECILIA   Mira, en esta foto tú **tocabas** el piano **mientras** yo
cantaba.

Variaciones:
- bisabuelos → tíos
- inolvidable → maravillosa

el bisabuelo, la bisabuela *great-grandfather, great-grandmother*

los bisabuelos *great-grandparents*

inolvidable *unforgettable*

(yo) tocaba, (tú) tocabas (from **tocar**) *was / were playing*

mientras *while*

(yo) cantaba, (tú) cantabas (from **cantar**) *was / were singing*

2 JORGE   Tu **cuñado** Guillermo **se parece** mucho **a** su
hermano.

JULIA   Sí, son **iguales:** altos y morenos.

JORGE   Bueno, iguales no, pero muy parecidos.

- cuñado → primo
- morenos → guapos

el cuñado, la cuñada *brother-in-law, sister-in-law*

parecerse a (c → zc) *to look like, to resemble*

igual *the same, alike*

3 SILVIA   ¿**Recuerdas** cuando **nació** Diego?

ANTONIO   Claro que sí. Y unos días después **nos reunimos***
con tus **parientes.** Su **madrina** hizo pasteles y
todos tomamos **sidra.**

SILVIA   Y Diego nunca lloró durante la fiesta. **Era** un niño
muy paciente.

ANTONIO   Pero ahora las cosas son distintas.

- cuando nació → el día del **nacimiento** de Diego
- nos reunimos → celebramos
- madrina → **padrino**
- sidra → **sangría**†

recordar (o → ue) *to remember*

nacer (c → zc) *to be born*

reunirse (yo me reúno, tú te reúnes) *to meet, to get together*

el pariente, la parienta *relative*

la madrina *godmother*

la sidra *cider*

era (from **ser**) *I / he / she was; you* (formal) *were*

el nacimiento *birth*

el padrino *godfather*

los padrinos *godparents*

la sangría *sangria*

---

* *Reunirse* has an accent on the *u* in all the present-tense forms except the *nosotros* and
vosotros forms.

† *Sangría* is a popular summer punch made of wine, fruit, fruit juices, and carbonated water.

4 ALBERTO **Tengo celos de** mi novia.

NICOLÁS ¿Por qué? ¿Crees que está **enamorada de** otro?

ALBERTO No, pero tiene muchos amigos y casi nunca la veo.

- otro → otra persona
- la veo → estamos juntos

tener celos de   *to be jealous of*

enamorado, -a (de)   *in love (with)*

---

5 MARÍA Tú tienes dos hermanos, ¿verdad?

MARCO Sí, Mario, el mayor, está **casado con** una bailarina uruguaya.

MARÍA ¿Y el otro?

MARCO Guillermo estudia arte y todavía está **soltero.**

- está casado → **se casó** el año pasado
- bailarina → compositora

casado, -a (con)   *married (to)*

soltero, -a   *single, unmarried*

casarse con   *to marry, to get married to*

---

6 MARÍA Y cuéntame, ¿cómo es tu cuñada?

MARCO Es una bailarina excelente pero me parece muy antipática.

MARÍA Sin duda tu hermano la **quiere.**

MARCO Sí. **El amor** es ciego, ¿no?

- la quiere → está enamorado de ella

querer   here: *to love*

el amor   *love*

---

7 JULIA ¡Qué **sorpresa**! ¿Cuándo llegaste?

JOSÉ Esta tarde. Vine porque Anita **cumple 16 años** y quiero **felicitarla.**

- Anita cumple 16 años → es el cumpleaños de Anita

la sorpresa   *surprise*

cumplir años   *to have a birthday, to turn (+ age)*

felicitar   *to congratulate*

---

8 MARIANA Ahora que tenemos una hija mi **suegro** nos visita más frecuentemente que antes. Es muy **cariñoso con** ella.

MANUEL Sí, veo que es un hombre **feliz** cuando está con sus **nietos.**

- suegro → padre
- es un hombre feliz → está muy contento

el suegro, la suegra   *father-in-law, mother-in-law*

los suegros   *in-laws*

cariñoso, -a (con)   *affectionate (with)*

feliz, pl. felices   *happy*

el nieto, la nieta   *grandson, granddaughter*

los nietos   *grandchildren*

EN OTRAS PARTES

felicitar

También se dice *la criatura, el tierno / la tierna* y *el nene / la nena*. En Chile, Bolivia, el Ecuador y el Perú se dice también *la guagua*.

En España se dice también *dar la enhorabuena*.

PRÁCTICA

A Los parientes. Rogelio tiene una familia grande. Completa las frases según el dibujo.

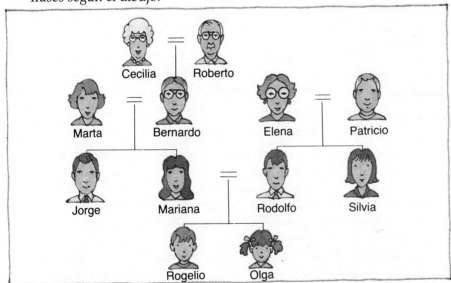

1. Elena es _____ de Mariana.
2. Mariana es _____ de Cecilia.
3. Cecilia y Roberto son _____ de Olga.
4. Olga es _____ de Jorge.
5. Jorge es _____ de Rodolfo.
6. Rodolfo es _____ de Silvia.
7. Silvia es _____ de Patricio.
8. Patricio es _____ de Olga.
9. Bernardo es _____ de Rodolfo.

B **Una fiesta inolvidable.** Josefina se casó con Juan la semana pasada. Después de la boda, los parientes de ella les dieron una fiesta. Usa el pretérito de los siguientes verbos para completar el párrafo.

agradecer	casarse	felicitar	nacer	sacar
aplaudir	cumplir años	irse	regalar	ser
bailar	desenvolver	llorar	reunirse	servir

En febrero Juan _____ 26 _____ y Josefina 24. Los dos _____ el mismo mes pero en diferentes años. El sábado pasado Juan y Josefina _____ en la iglesia del barrio. _____ una boda maravillosa. Cuando salimos de la iglesia (nosotros) _____ en la casa de la novia. Todo el mundo
5 _____ a los novios. Los parientes de la novia _____ una cena muy sabrosa. Después de cortar el pastel, los novios _____ el vals *(waltz)*. Todos _____. El fotógrafo _____ fotos de los novios junto a los parientes y amigos. Durante la fiesta Josefina y Juan _____ los regalos y _____ a todos los invitados. Sólo la tía Mariana les _____ dinero.
10 Exactamente a las doce los novios _____ de la fiesta. La madre de Josefina _____ mucho.

C **Fiesta de Navidad.** Cada Navidad, toda la familia Alegría se reúne en la granja de los abuelos. Usa la forma correcta del adjetivo apropiado para completar las frases.

cariñoso	enamorado	igual	parecido
casado	feliz	inolvidable	soltero

1. Esta Navidad va a ser diferente e _____. ¡Mi bisabuelo cumple 90 años el 25 de diciembre!
2. Éste es el único lugar donde yo soy completamente _____.
3. Mi primo Enrique está casado, pero tiene tres hermanos _____.
4. Mi hermana Sonia y su novio están muy _____. Piensan casarse pronto.
5. Todos dicen que la voz de Mónica es muy _____ a la mía.
6. Casi todas mis hermanas están _____ y tienen varios hijos.
7. Mi cuñada Ester quiere mucho a su bebé y es muy _____ con él.
8. Papá y mi tío Alberto son altos y pelirrojos. Todo el mundo dice que son _____.

D Hablemos de ti.

1. ¿Vas a veces a bodas? ¿Qué haces cuando asistes a una boda? En la última boda a la cual *(which)* asististe, ¿quiénes se casaron? ¿Cuándo ocurrió? ¿Dónde? ¿Disfrutaste de ella? ¿Qué les regalaste a los novios?

2. ¿A qué pariente te pareces más? ¿Te pareces a tu padre o a tu madre? ¿Tienes hermanos(as)? ¿Son Uds. parecidos o diferentes?

3. ¿Qué hace tu familia cuando alguien cumple años? ¿Qué te gusta hacer en tu cumpleaños?

4. ¿Eres cariñoso(a)? ¿A veces tienes celos de la gente? ¿Por qué?

5. ¿Piensas casarte o crees que vas a quedarte soltero(a)?

6. ¿Cuándo naciste? ¿A quién conoces que nació el mismo día qué tú?

Manuel Santos García
Inés Gómez Roa

Frederick Arnold Leckme
Alberta Beatrice Lan

Tienen el gusto de participarle
el enlace matrimonial de sus hijos.

Lucinio y Helene

e invitarle a la ceremonia que se
celebrará (Dios mediante) el día 26 de Mayo
a la una y media de la tarde
en la Iglesia de Nuestra Señora del
Perpetuo Socorro (calle Manuel Silvela, 2).
Almuerzo Restaurante Jai-Alai
calle Balbina Valverde, 2
(esquina a Joaquín Costa).

Se ruega comuniquen asistencia
C/ Modesto Lafuente, 9, 5 C
Madrid-10

Madrid 1984

Una boda en Mérida, México

Palabras Nuevas I   433

APLICACIONES

La boda de mi hermana

Dos amigas se reúnen en un café.

MÓNICA   Hola, Raquel, ¿qué hay?

RAQUEL   Mira, acabo de recoger las fotos de la boda de Eva y Raúl. ¿Las quieres ver?

5   MÓNICA   ¡Por supuesto!

RAQUEL   Aquí está mi hermana poniéndose el vestido. Estaba[1] muy nerviosa ese día.

MÓNICA   El vestido es fantástico. ¿Dónde lo encontró?

RAQUEL   Nuestra bisabuela lo hizo. Es el mismo vestido que

10   llevaron la abuela y mamá cuando ellas se casaron. Mira, aquí están Eva y Raúl en la iglesia.

MÓNICA   ¡Pobrecito! Parece muy pálido.

RAQUEL   Sí, pero hacen una pareja[2] muy bonita, ¿verdad?

MÓNICA   Tienes razón. ¿Y quién es toda esta gente?

15   RAQUEL   Ésta es una foto de los recién casados[3] con todos los parientes. No falta nadie.

MÓNICA   ¿Quién es este anciano?[4]

RAQUEL   El bisabuelo de Raúl. Acaba de cumplir 88 años.

MÓNICA   ¡Imagínate! ¡Cuatro generaciones juntas!

---

[1]**estaba** (from **estar**) *was*   [2]**la pareja** *couple*   [3]**el/la recién casado(a)** *newlywed*   [4]**el/la anciano(a)** *elderly gentleman/woman*

Preguntas

Contesta según el diálogo.

1. ¿Quiénes son Eva y Raúl? 2. Cuenta la historia del vestido que llevaba la novia. 3. ¿Tienes tú algo muy viejo de tus abuelos o bisabuelos? ¿Qué es? 4. En tu opinión, ¿fue la boda de Eva y Raúl muy grande? ¿Por qué? 5. ¿Cómo estaba Eva ese día? Y Raúl, ¿cómo estaba él? 6. ¿Cuántos años tiene el bisabuelo de Raúl?

Participación

Work with a partner to make up a dialogue about an event that one of you attended and the other one didn't. It might be a birthday party, a baptism, a wedding, a bar mitzvah, etc. Discuss what happened.

Una boda en Caracas, Venezuela

PALABRAS NUEVAS II

¡Pórtate bien!

empujar

la anciana

el anciano

abrazar

tirar de

besar

dar la
mano

el chicle

To offer or refuse a ride

To tell someone not to bother

To describe good/bad behavior

To make a suggestion

To say what is or is not permitted

To remind

To ask and tell where something is located

la vecina

el vecino

CONTEXTO COMUNICATIVO

1 LAURA ¡Ese chico **me cae tan mal**!

CARLOS ¿Por qué?

LAURA **Se porta** mal, es muy **mal educado** y siempre **me toma el pelo.**

Variaciones:

■ me cae tan mal → me **molesta** muchísimo
■ se porta mal → no se porta bien
■ me toma el pelo → **mete la pata**
■ me toma el pelo → se ríe de mí

caerle bien / mal (a uno)   *to make a good / bad impression (on someone); to like / not like (someone)*

portarse   *to behave*

bien / mal educado, -a   *polite / impolite, rude*

tomarle el pelo (a uno)   *to pull someone's leg*

molestar   *to bother*

meter la pata   *to put one's foot in it, to goof*

2 PABLO ¿Me **permites** llevarte a casa?

DIANA Gracias, pero **no te molestes**. Queda muy lejos de aquí.

PABLO A mí no me importa, ¡de veras!

■ me permites → puedo
■ te molestes → es necesario
■ queda muy lejos de aquí → tengo una **cita** con el dentista a mí no me importa, ¡de veras! → está bien

permitir   *to let, to allow, to permit*

no te molestes   *don't bother*

la cita   *appointment, date*

3 ESPERANZA   ¿Te cae bien Ana?

     ALEJANDRO   Sí, pero a veces hace cosas **desagradables.** Por ejemplo, sabes que siempre **masca** chicle. Pues, ayer fuimos al parque y tiró su chicle en el césped. ¡Sin envolverlo!

     ESPERANZA   ¡Qué barbaridad!

- cosas desagradables → cosas que me molestan
- siempre masca → nunca **deja de** mascar

desagradable   *disagreeable, unpleasant*

mascar   *to chew*

dejar de + inf.   *to stop (doing something)*

4 CARLOS   **¿Qué te parece si** damos un paseo por aquí?

     BEATRIZ   No **se puede.** ¿No ves el letrero? Dice: **"Se prohibe** caminar por el césped."

- damos un paseo por → nos sentamos
  caminar por → sentarse en

¿qué te parece si + verb?   *how about (doing something)?*

se puede   *it is allowed; you can*

se prohibe   *it is forbidden*

5 CLAUDIA   El hijo de Rosita es muy bien educado.

     CARLOS   Es verdad. Siempre se porta bien y casi nunca **se pelea con** sus hermanos.

- se pelea con → tiene celos de
- casi nunca se pelea → siempre **comparte** sus cosas
- casi nunca se pelea con → siempre **cuida a**

pelearse con   *to quarrel, to fight (with)*

compartir   *to share*

cuidar   here: *to take care of*

Estudiantes en Puerto Rico

6 LUCÍA   Recuerda que mamá te dijo que no hables mucho para no meter la pata.

PEDRITO   Ya sé. También dijo que no debo quitarme los zapatos **en público.**

LUCÍA   Y que después de la función **te despidas de** los abuelos y de todos **los mayores.**

■ te despidas de → saludes a
   y de todos → y a todos

en público   *in public*
despedirse de (e → i)   *to say good-by to*
los mayores   *grownups*

7 MARÍA   Necesito una nueva flauta.

MARIO   Ve a la Casa Odeón entonces. Hay una gran liquidación.

MARÍA   **¿Por dónde** queda?

MARIO   **Por** la Segunda Avenida, al lado del Mercado del Sol. Anteayer compré una trompeta allí por muy poco dinero.

■ flauta → guitarra
■ al lado del → enfrente del
■ al lado del → junto al

¿por dónde?   *where, whereabouts*
por   here: *along*

PRÁCTICA

A **¿Quién le cae bien?**   A Bernardo le caen bien algunas personas y otras no. ¿Qué clases de personas le caen bien? Contesta según los modelos.

> la gente mal educada
> *La gente mal educada le cae mal.*
>
> los chicos bien educados
> *Los chicos bien educados le caen bien.*

1. la gente que se pelea con todo el mundo
2. Manuel, que siempre comparte sus cosas
3. la prima que masca chicle con la boca abierta
4. el vecino que pide prestadas cosas y se olvida de devolverlas
5. las personas que no hablan durante una película
6. los amigos que no prestan atención cuando él habla
7. la parienta que es optimista
8. su madrina que es cariñosa
9. los mayores que no le permiten hacer lo que quiere
10. su cuñada, que mete la pata a menudo
11. los niños que no saben portarse bien
12. los novios que tienen celos

B **¿Qué les vamos a regalar?** Jorge y su hermana Julia van a una boda. Completa el diálogo con las siguientes palabras.

me importa   quiero   me gustaría   me caen
regalarles   me estás tomando   recuerda   te parece si

JULIA A Susana y a Horacio los _____ mucho.

JORGE A mí también _____ muy bien.

JULIA Entonces vamos a _____ algo especial.

JORGE _____ que Susana quiere cosas para la casa.

5 JULIA Es una buena idea. ¿Crees que necesitan una aspiradora?

JORGE _____ el pelo, ¿verdad? Una buena aspiradora es carísima.

JULIA Entonces, ¿qué _____ les compramos unas ollas o una manta?

JORGE Mira, Julia, ésos son regalos que dan los parientes. Sólo somos sus amigos. _____ gastar menos dinero.

10 JULIA A mí no _____ gastar dinero para comprarles un buen regalo a mis amigos.

JORGE Tienes razón. Vamos a comprarles una plancha.

JULIA ¡Qué amigo tan tacaño que eres!

C **Acciones apropiadas.** ¿Qué hacemos en las siguientes situaciones? Usa los verbos y expresiones de la lista para hacer frases. Sigue el modelo.

abrazar a   besar a   felicitar a   quejarse de
agradecer a   dar la mano a   pelearse con   reírse de

nuestros parientes favoritos
Besamos ⎱
Abrazamos ⎰ *a nuestros parientes favoritos.*

1. los padres de nuestros amigos cuando nos vemos
2. nuestros viejos amigos cuando nos reunimos después de no vernos por mucho tiempo
3. un locutor de televisión que mete la pata
4. alguien que no deja de molestarnos
5. nuestros abuelos cuando nos despedimos de ellos
6. los novios después de la boda
7. alguien que recuerda que hoy es nuestro cumpleaños
8. alguien que sigue empujando una puerta en que el letrero dice "se prohibe entrar"
9. el padre del bebé que nació anoche
10. alguien que nunca comparte ninguna de sus cosas
11. alguien que nos ofrece algo
12. alguien que no nos permite hacer lo que tenemos que hacer
13. alguien que nunca recuerda que tiene una cita con nosotros

D Hablemos de ti.

1. ¿Cuáles son tres cosas que hace la gente que te molestan? ¿Por qué?

2. ¿Conoces a muchos ancianos? ¿Tienes parientes o amigos ancianos? ¿Es interesante hablar con ellos? ¿Por qué? En tu opinión, ¿cuántos años hay que tener para ser anciano(a)?

3. ¿Abrazas y besas a tus parientes? ¿Y a tus amigos? ¿Cuándo? ¿Tienes padrinos? ¿Se ven Uds. a menudo? ¿Son parientes o amigos de tu familia?

4. ¿Conoces a alguna familia extranjera? ¿Se abrazan y se besan más a menudo que tu familia? ¿Por qué? ¿Qué otras diferencias hay entre las dos familias?

5. ¿Te molesta compartir tus cosas? ¿Con quién prefieres hacerlo? ¿Qué clase de cosas compartes a menudo?

ACTIVIDAD

¡Qué mal educado(a) es! Work with a partner to create a description of two of the most obnoxious and irritating people in the world. Tell what they are like, and the kinds of things they do to get on your nerves. For example:

Él nunca deja de hablar, y lo que dice le molesta a todo el mundo.
Ella come con la boca abierta y se ríe de cosas tontas.

Haciendo una piñata
en México

ESTUDIO DE PALABRAS

The negative prefix *des-* often corresponds to the English prefixes *dis-* or *un-*. It makes a word mean the opposite of its original meaning. For example:

*des*agradable	*disagreeable*	*des*envolver	*to unwrap*
*des*enchufar	*to unplug*	*des*ordenado	*untidy*

What do you think these words mean?

desigual	deshacer	desafortunadamente
desconocido	deshonesto	descolorar

Antónimos

Cambia las palabras en cursiva por un antónimo.

1. Ester todavía está *soltera*.
2. Anita y Carlos son *diferentes de* sus padres.
3. Carlos, *empieza a* trabajar.
4. Tienes que *tirar de* la puerta para abrirla.
5. *Se prohibe* nadar.
6. No *llores* tanto.
7. *Se murió* en octubre.

Familias de palabras

Escribe una palabra relacionada con cada palabra de la lista.

1. nacer	3. brazo	5. madre	7. cariño	9. olvidar
2. padre	4. casarse	6. beso	8. parecer	10. recordar

Un bautizo en Madrid,
España

EXPLICACIONES I

El imperfecto de los verbos que terminan en *-ar*

◆ COMMUNICATIVE
OBJECTIVES

To reminisce

To tell what was happening over a period of time

To show surprise

In Spanish, when we talk about things that happened in the past, we distinguish between two different kinds of actions. One kind began and ended at a definite time. These are completed actions, and we use the preterite to talk about them.

Ana **cantó.**   *Ana sang.*

The other kind are past actions without any indication of their beginning or end. We use the imperfect tense to describe them.

Ana **cantaba.**   *Ana was singing.*

We also use the imperfect to talk about actions that occurred regularly in the past. In English we often say "used to" or "would" to express this idea.

Ana **cantaba** mientras **cocinaba.** { *Ana **used to sing** while **she was cooking**.*
{ *Ana **would sing** while **she was cooking**.*

Celebrando la Navidad en Texas

1 All *-ar* verbs are regular in the imperfect. Notice the accent on the *nosotros* form.

INFINITIVO **hablar**

	SINGULAR		PLURAL
1	(yo) hablaba	(nosotros) (nosotras)	habl**ábamos**
2	(tú) hablabas	(vosotros) (vosotras)	hablabais
3	Ud. (él) hablaba (ella)	Uds. (ellos) habl**aban** (ellas)	

Since the *yo* form is the same as the *Ud. / él / ella* form, we often use the subject pronouns to avoid confusion.

2 Expressions that indicate that an action occurred over a period of time often cue us to use the imperfect. Some of these are *generalmente, cada noche (día, etc.), todas las noches (las tardes, etc.), durante, siempre, a menudo,* and *frecuentemente.*

PRÁCTICA

A No todos trabajaban. Algunos estaban ocupadísimos preparando el gran baile de fin de año. Pero otros, como siempre, no trabajaban. Sigue el modelo.

> César / limpiar los estantes / Javier / bañarse
> *Mientras César limpiaba los estantes, Javier se bañaba.*

1. Raúl / saludar a los invitados / Laura / probarse el vestido
2. tú / secar los vasos / Marta y Francisco / abrazarse
3. nosotros / asar la carne / Ángela / maquillarse
4. ellos / preparar la sangría / tú / pelearse con Eva
5. Julio / planchar los manteles / Uds. / quejarse del trabajo
6. tú / ensayar las canciones / ellos / gritarles a los músicos
7. nosotros / cortar los pasteles / ella / tomarle el pelo a Silvia
8. yo / decorar la sala / ella / descansar
9. nosotros / colocar las decoraciones / Rebeca / mirar por la ventana
10. ellas / contar las servilletas / Marco / limarse las uñas

B   ¡Qué sorpresa!   ¿Qué pasa? Nadie está como estaba antes. Sigue el modelo.

> Roberto / pelearse con todo el mundo / nadie
> ESTUDIANTE A   *¡Imagínate! Roberto se peleó con todo el mundo anoche.*
> ESTUDIANTE B   *¿De veras? Antes nunca se peleaba con nadie.*

1. Ernesto / recordar mi santo / nada
2. Mariana / besar a Eugenio / nadie
3. Santiago / regalar flores a su suegra / flores a ella
4. Pilar / mascar chicle / chicle
5. Juanito / molestar a todos los mayores en la fiesta / nadie
6. Susana / olvidar nuestra cita / nada
7. Samuel / quejarse de los vecinos / nadie
8. Mónica / fijarse en mi nueva chaqueta / nada
9. Mauricio / preparar sangría / nada
10. mi cuñado / disfrutar de esa película / las películas dobladas

C   Nos cuenta el bisabuelo . . .   El bisabuelo de Ricardo siempre le cuenta cómo era la vida cuando él era joven. Completa su cuento con la forma correcta de cada verbo en el imperfecto.

Cuando yo *(ser)* niño, nuestro pueblo *(ser)* muy distinto. Nadie *(cerrar)* nunca las puertas con llave y los niños *(quedarse)* en casa y *(ayudar)* a sus padres. (Nosotros) *(disfrutar)* de cosas sencillas. Por ejemplo, (nosotros) *(celebrar)* las fiestas con mejores desfiles y mucho más ruido
5   que ahora. (Nosotros) *(nadar)* en un río cerca de aquí y, por supuesto, nunca *(mirar)* la televisión ni *(escuchar)* la radio.
   Los niños siempre *(escuchar)* a sus padres y *(prestar)* atención a los mayores. Todo el mundo *(respetar)* todas las reglas y también (nosotros) *(respetar)* a nuestros profesores. Todos (nosotros) *(estudiar)*
10   mucho y *(sacar)* buenas notas. Muchos jóvenes *(casarse)* alrededor de los 18 años, pero nadie *(besar)* a nadie en público.
   Los domingos, después de regresar de la iglesia, (nosotros) *(cenar)* en casa o en la casa de unos parientes nuestros. Luego, todo el mundo *(caminar)* al parque, donde *(jugar)* y *(escuchar)* a la banda.
15   Nuestros padres nos *(comprar)* globos de muchos colores y cacahuates o frutas frescas: sandía o naranjas de un bello color verde o duraznos de un color y sabor increíbles. Más tarde, cuando yo *(ser)* mayor, yo *(tocar)* la trompeta en esa banda.
   (Ser) una vida sana y feliz, llena de cosas sencillas pero inolvidables.

D Hablemos de ti.

1. ¿Antes te gustaban cosas que ahora no te gustan? ¿Cuáles? ¿Y no te gustaban cosas que ahora te gustan? ¿Cuáles?
2. ¿Tocabas un instrumento que ya no tocas? ¿Cuál? ¿Por qué dejaste de tocarlo?
3. ¿Antes coleccionabas cosas que ya no coleccionas? ¿Qué cosas?
4. ¿El año pasado mirabas más televisión que ahora, o menos? ¿Por qué?
5. ¿Te molestan muchas cosas? ¿Cuáles? ¿Son las mismas cosas que te molestaban antes?
6. ¿Antes te asustaban cosas que ya no te asustan? ¿Cuáles?

Celebrando un cumpleaños
en Buenos Aires, Argentina

ACTIVIDAD

Antes, yo . . .   Think up a tall tale about what you or someone else used to do. Use any *-ar* verb that you know. Then get together in groups of three or four, tell your stories, and choose the most outrageous ones. Feats of the past might include:

Yo enseñaba inglés en Buenos Aires.
Mi madre trabajaba en la televisión como directora de un programa deportivo.

APLICACIONES

La boda

Julio y Raquel acaban de casarse. Los parientes celebran la boda con los novios. ¿Qué pasa ahora?

Julio's parents discuss whether or not they should say something to the two children who are fighting. Create a dialogue in which Julio's father asks his wife to tell the children to behave. You might want to use these words or phrases:

desagradable	mal educado, -a	mientras	portarse bien
empujar	meter la pata	pelearse (con)	¿qué te parece si . . . ?

EXPLICACIONES II

Los usos de *por*

◆ COMMUNICATIVE
OBJECTIVES

To describe how you do certain things

To give directions

To describe a route you take

To tell how much you paid for something

To explain why you did something

The word *por* has many different meanings. Here are some of them:

1 "For," "during," or "in" + time period:

Voy a dormir **por** una semana.	*I'm going to sleep **for** a week.*
Se reúnen mañana **por** la tarde.	*They meet tomorrow (**in the**) afternoon.*

2 "By" or "by means of":

Mandé la carta **por** vía aérea.	*I sent the letter **by** air mail.*

3 "Through," "along," or "around":

Salieron **por** esta puerta.	*They left **through** this door.*
Caminaba **por** el puente.	*I walked **along** the bridge.*
Yo jugaba **por** aquí.	*I used to play **around** here.*

Un almuerzo especial en Popayán, Colombia

4 "Because of" or "on account of":

Me caí **por** mala suerte.   *I fell **because of** bad luck.*

With this meaning we often use *por* with an infinitive:

Ernesto les cayó mal a sus   *Ernesto made a bad impression on his*
profesores **por** llegar tarde.   *teachers **because of** being late.*

5 "A" or "per":

La cena costó 30 dólares **por**   *The dinner cost 30 dollars **per***
persona.   *person.*

6 "For," meaning "in exchange for":

Pagué 5.000 pesos **por** el reloj.   *I paid 5,000 pesos **for** the watch.*

7 "For," meaning "to get, to pick up":

Fui **por** la sidra.   *I went **for** the cider.*
Voy **por** ti a las tres.*   *I'll come **for** you at three.*

8 "For," meaning "in place of":

Yo la felicité **por** él.   *I congratulated her **for** him.*

PRÁCTICA

A El viaje de Isabel.   Isabel acaba de visitar a unos parientes en México. Pregunta y contesta según el modelo.

recibir la invitación de tu familia / teléfono
ESTUDIANTE A *¿Cómo recibiste la invitación de tu familia?*
ESTUDIANTE B *Por teléfono.*

1. anunciarles tu llegada a ellos / telegrama
2. averiguar el horario de vuelos / teléfono
3. hacer la reservación / teléfono
4. recibir el boleto / mensajero
5. averiguar la noticia del nacimiento de tu sobrina / una llamada de larga distancia
6. agradecerles a tus parientes su invitación / carta
7. mandarles ese paquete grande a tus padres / vía aérea

* Note that in Spanish we often use *ir* where in English we use "to come." Spanish speakers use *venir* from the speaker's point of view. If someone is coming with you, toward you, or to the place where you are, you use *venir*. Otherwise the verb is *ir*.

B El arete de la bisabuela. Cuando Lupe vuelve de la escuela, le falta un arete que le regaló su bisabuela. Sus padres le preguntan por dónde fue. En la columna de la derecha busca una respuesta apropiada para cada pregunta.

1. ¿Por dónde saliste de la escuela?
2. ¿Por qué calle caminaste?
3. ¿Por dónde cruzaste la calle?
4. ¿Por dónde seguiste después?
5. ¿Por dónde entraste en la casa?
6. ¿Por dónde fuiste después?

a. por el pasillo hasta mi dormitorio
b. por el paso de peatones
c. por la puerta de la cocina
d. por la misma calle, todo derecho
e. por la entrada principal
f. por la avenida Colón

C No se hacen las cosas como antes. Varias personas compraron aparatos *(appliances)* pero ninguno de ellos funcionaba. Pregunta y contesta según el modelo.

ESTUDIANTE A *¿Pagaste mucho por el televisor?*
ESTUDIANTE B *Sí, pero no funcionaba.*
Por eso lo cambié por otro.

1. 2. 3.

4. 5. 6.

7. 8. 9.

D ¿Por qué? Los niños que viven al lado de la Sra. Mendoza siempre le hacen muchas preguntas. En la columna de la derecha busca las respuestas que ella les da a las preguntas de sus vecinos.

1. ¿Por qué tiene Ud. sueño?
2. ¿Por qué la felicitó esa señora?
3. ¿Por qué le gusta ese restaurante?
4. ¿Por qué está Ud. haciendo ejercicio?
5. ¿Por qué lleva Ud. el pelo tan corto?
6. ¿Por qué se está poniendo un suéter?
7. ¿Por qué está Ud. riendo?
8. ¿Por qué le duelen los tobillos?

a. Por el chiste que me contó Teresa.
b. Por la moda.
c. Por el frío.
d. Por los mariscos deliciosos.
e. Por trabajar demasiado.
f. Por participar en la carrera de anteayer.
g. Por la salud.
h. Por el bautizo de mi nieto.

E ¿Por qué haces tantas preguntas? Susana es muy curiosa. Siempre quiere saber por qué va y viene la gente. Pregunta y contesta según el modelo.

(tú) / ir a la cafetería / una hamburguesa
ESTUDIANTE A   *¿Por qué fuiste a la cafetería?*
ESTUDIANTE B   *Fui por una hamburguesa.*

1. Elena / regresar a casa / sus llaves
2. los hermanos López / venir a nuestro ensayo / sus trombones
3. David / correr a la taquilla / las entradas
4. (tú) / ir a la tienda / una secadora nueva
5. tus padres / volver a la recepción / sus pasaportes
6. Uds. / volver a la cancha de tenis / las raquetas
7. las profesoras / ir a la oficina / sus cheques
8. Víctor y Elena / ir al correo / un formulario y unos sellos

F Hablemos de ti.
1. ¿Adónde fueron tú y tu familia de vacaciones el año pasado? ¿Por cuánto tiempo? ¿Adónde vas a ir este verano? ¿Sabes por cuánto tiempo?
2. ¿Por qué vas a la playa o a la piscina? ¿Por el agua o por el sol? ¿O vas por otra cosa?
3. ¿Más o menos cuántas horas por día miras la televisión? ¿Y por semana? ¿Cuántas horas por día asistes a clases? ¿Cuántas horas por día haces la tarea? ¿Cuántas horas por semana practicas deportes?
4. Explica por dónde vas para llegar a la escuela.
5. Cuando vas a la tienda de comestibles, ¿por qué cosas vas?

APLICACIONES

Mira con cuidado las frases modelo. Luego cambia las frases que siguen al español, según los modelos.

1. *Raquel y Ana se mudaron hoy.*
   (*Juan and Pedro got together the day before yesterday.*)
   (*I got bored last night.*)
   (*We said good-by this afternoon.*)

2. *Los padrinos manejaron por seis horas para llegar al bautizo.*
   (*They worked for ten minutes to unwrap the box.*)
   (*She rehearsed for eight months to win that contest.*)
   (*I read for three days to finish the book.*)

3. *Mientras los niños se peleaban, los vecinos se saludaban.*
   (*While the grandchildren were shouting at each other, the relatives were sitting down.*)
   (*While the parents were going to bed, the baby was waking up.*)
   (*While you* (fam.) *were shaving, I was weighing myself.*)

4. *Mientras apagábamos los faros, la bisabuela examinaba el parquímetro.*
   (*While I was pushing the car, Mom was honking the horn.*)
   (*While we were looking at the traffic ticket, the old man was parking cars.*)
   (*While María was filling the tank, I was cleaning the windshield.*)

5. *Durante la clase, mientras el profesor pintaba, los estudiantes admiraban las pinturas de ellos.*
   (*During the concert, while the musicians were playing, the composer was reviewing* his *song.*)
   (*In the kitchen, while we were cooking, they were recommending* their *guacamole.*)
   (*After the accident, while we were waiting, the mechanic was repairing* her *car.*)

Primera comunión
en México

TEMA

Escribe las frases en español.

1. Patricia and Jorge got married yesterday.

2. Uncle Eduardo traveled for two days to come to the wedding.

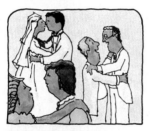

3. While the bride and groom were kissing, the in-laws were embracing each other.

4. While Patricia was cutting the cake, the photographer was taking pictures.

5. During the party, while the young people were dancing, the grownups were remembering their weddings.

REDACCIÓN

Ahora escoge uno de los siguientes temas para escribir tu propio diálogo o párrafo.

1. Expand the story in the *Tema* by writing a paragraph about the wedding and the two families. What are they like? How old are the bride and groom? When were they born? Where do they work? Where are they going to live?

2. Write a dialogue in which a parent tells a young child how he or she should behave at a wedding.

3. Write a paragraph describing a relative or a neighbor. Do you like the person? What is he or she like? Does he or she do things that annoy you?

A   La familia
Completa cada frase con la palabra correcta.

bisabuela	novio	parientes
nieto	padrino	suegra

1. Raúl, mi mejor amigo, es el _____ de mi hijo.
2. El hijo de mi hijo es mi _____.
3. Mi _____ tiene noventa años, pero parece mucho más joven.
4. Yo tengo muchos _____.
5. La madre de mi esposa es mi _____.
6. El _____ de Elena le regaló un anillo hermoso cuando se casaron.

B   ¿Qué verbo?
Completa cada frase con la forma correcta del verbo apropiado de la lista.

besar	empujar
compartir	molestar
dar la mano	nacer
dejar de	regalar
despedirse	tener celos

1. Yo _____ al bebé en la cara cuando llora.
2. Cuando alguien me presenta a una persona, le _____.
3. Cuando era niño aprendí a _____ mis cosas con otros.
4. Luis tiene muchas amigas, y yo _____ de él.
5. Cuando enciendo el televisor, ellos _____ estudiar.
6. A mí me _____ los niños cuando gritan.
7. El bebé _____ ayer y la madre se siente muy feliz.
8. Cuando _____ de mis hermanos, los abrazo.
9. Si el coche no tiene gasolina, yo lo _____.
10. Mi prima cumplió años ayer y yo le _____ una pulsera.

C   ¿Qué pasaba?
Escribe cada frase en el imperfecto.

1. La madrina felicita al padrino.
2. Yo plancho mientras tú pasas la aspiradora.
3. Los ruidos fuertes asustan a todos.
4. El padre está muy nervioso mientras espera el nacimiento de su hijo.
5. Uds. cuentan el dinero en la caja.
6. Mandamos las cartas por vía aérea.
7. El anciano compra libros para su nieto.

D   Todas las mañanas
Cambia al imperfecto. Por ejemplo:

Canté en la iglesia.   (cada domingo)
Cada domingo yo cantaba en la iglesia.

1. Los abuelos bostezaron.   (cada dos minutos)
2. El actor sordo habló por señas.   (siempre)
3. Jorge llamó por teléfono a su novia.   (todos los días)
4. Andrea saludó al profesor.   (cada mañana)
5. Practicamos para el concierto.   (por la tarde)
6. Ellos nadaron en el club.   (los martes)
7. Tomé el autobús a las nueve.   (todos los días)

E   ¡Por eso!
Lee cada diálogo. Luego escribe una frase con *por*. Sigue el modelo.

Teresa, ¿por qué vas al mercado?
Necesito mariscos.
Teresa va al mercado por mariscos.

1. Yolanda, ¿vendiste el coche?
   Sí, recibí doscientos dólares.
2. Javier, ¿por qué vas al sótano?
   Creo que la escoba está allí.
3. ¿Por qué no hay partido hoy?
   Porque está lloviendo.
4. Benjamín, ¿cómo le diste las noticias a Elena?
   Le mandé un telegrama.
5. Susana, ¿piensas dar un paseo?
   Sí, voy al parque.
6. ¿Por qué sacó malas notas Dolores?
   Porque estudió poco.
7. Jorge, ¿vas frecuentemente a la piscina?
   Cada semana voy dos veces.

VOCABULARIO DEL CAPÍTULO 13

Sustantivos

el amor
el anciano, la anciana
el bautizo
el bebé
el bisabuelo, la bisabuela
la boda
la cita
el cuñado, la cuñada
el chicle
la madrina
los mayores
el nacimiento
el nieto, la nieta
el novio, la novia *(bride / groom)*
el padrino
el pariente, la parienta
la sangría
la sidra
la sorpresa
el suegro, la suegra
el vecino, la vecina

Adjetivos

cariñoso, -a (con)
casado, -a (con)
desagradable
enamorado, -a (de)
feliz, *pl.* felices
igual
inolvidable
soltero, -a

Verbos

abrazar
besar
casarse (con)
compartir
cuidar *(to take care of)*
dejar de + *inf. (to stop)*
desenvolver (o → ue)
despedirse (e → i) (de)
empujar
felicitar
llorar
mascar
molestar
nacer (c → zc)
parecerse (c → zc) a
pelearse con
permitir
querer *(to love)*
recordar (o → ue)
regalar
reunirse
tirar (de) *(to pull)*
era

Preposición

por *(along)*

Conjunción

mientras

Expresiones

bien / mal educado, -a
caerle bien / mal (a uno)
cumplir años
dar la mano a
en público
meter la pata
no te molestes
¿por dónde?
portarse bien / mal
¿qué te parece si + *verb?*
se prohibe
se puede
tener celos de
tomarle el pelo (a uno)

CAPÍTULO 14

LA CIUDAD PERDIDA DE LOS INCAS

For almost four centuries Peru's Machu Picchu was a lost city. Abandoned sometime in the 1500s, it was not seen again until Hiram Bingham, a North American explorer, went looking for it in 1911.

Machu Picchu is perched on a ridge between two mountaintops 2,400 meters above a river valley. Protected by sheer cliffs, the city is virtually unapproachable on three sides.

Altogether, Machu Picchu covers about thirteen square kilometers, much of it broad terraces that were created along the mountainside for farming. Its two hundred small buildings follow the natural contours of the ridge.

Almost everything in Machu Picchu was made of stone. A typical building had only a few small windows and a single doorway. Even in the temples and palaces, people had to pass through an open courtyard to go from one room to another.

The walls in Machu Picchu are famous for two reasons: the enormous size of the stones and the fact that they were so perfectly shaped that no mortar was needed to hold them together. What is even more surprising is that the stones were cut and shaped with hard reeds, then smoothed by grinding their edges with smaller stones.

No one knows when Machu Picchu was built or exactly who lived there. It is fairly certain, however, that it was the last stronghold of the Incan kings after the Spanish conquered the royal city of Cuzco. Once the last king died, the workers and farmers had no reason to remain. They returned to the more fertile land of the valleys, and Machu Picchu became lost in the clouds.

CONTEXTO
VISUAL

PALABRAS NUEVAS I

Un tesoro antiguo

el arqueólogo

la estatua

la arqueóloga

el tesoro

el algodón

el oro

el papel

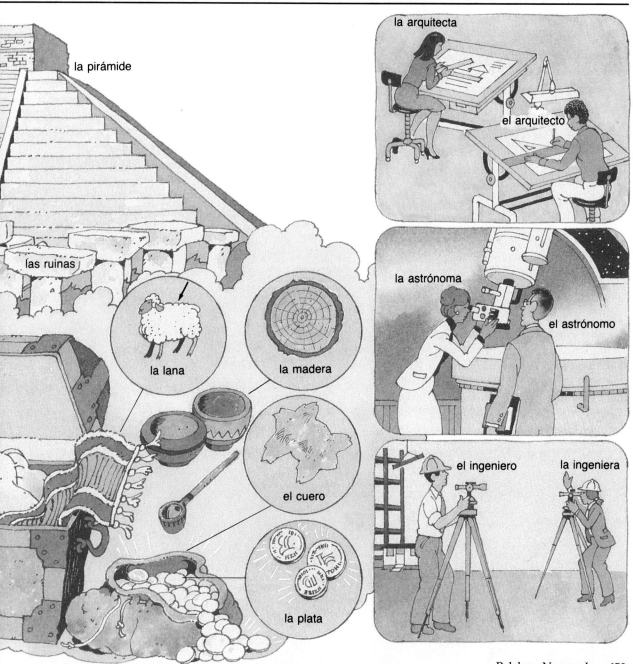

la pirámide

las ruinas

la lana

la madera

el cuero

la plata

la arquitecta

el arquitecto

la astrónoma

el astrónomo

el ingeniero

la ingeniera

CONTEXTO COMUNICATIVO

1 ESTER   **Los templos** de **los mayas** son **verdaderas** obras de arte.

JORGE   ¿Sabes qué usaban para **construir**los?*

ESTER   Creo que usaban **piedra.**

Variaciones:
- templos → edificios
- mayas → **incas**
- verdaderas → formidables

el templo   *temple*

los mayas   *Mayans (Indians of Mexico and Guatemala)*

verdadero, -a   *real, true*

construir (yo construyo, tú construyes)   *to build, to construct*

la piedra   here: *stone*

los incas   *Incas (Indians of Peru and Bolivia)*

2 SILVIA   **La civilización** de los mayas es muy **antigua,** ¿no?

MARCOS   Sí. Mira esas pirámides.

SILVIA   ¡Qué **asombrosas**! Me gustaría saber en qué **siglo** las construyeron.

- los mayas → **los aztecas**
- asombrosas → **impresionantes**

la civilización, pl. **las civilizaciones**   *civilization*

antiguo, -a   *old, ancient*

asombroso, -a   *amazing, astonishing*

el siglo   *century*

los aztecas   *Aztecs (Indians of Mexico and parts of Central America)*

impresionante   *impressive*

---

* *Construir* follows the pattern of *incluir*. In the present tense, the *i* → *y* in all except the *nosotros* and *vosotros* forms:

constr**uyo**	constr**uimos**
constr**uyes**	constr**uís**
constr**uye**	constr**uyen**

This also occurs in the *Ud. / él / ella* and *Uds. / ellos / ellas* forms of the preterite (*construyó / construyeron*) and in the present participle (*construyendo*).

Ruinas mayas en Chichén Itzá, México

3 GLORIA Los arqueólogos encontraron cuartos **secretos** en estas ruinas incas.

GERARDO ¡Qué interesante! ¿**Había** algo en ellos?

GLORIA Sí. Había **objetos de** oro y también ropa de lana muy parecida a la ropa que hacen ahora en este pueblo.

GERARDO Me gustaría trabajar **de** arqueólogo.

- encontraron → **descubrieron**
- de oro → de plata
- hacen → **producen***

4 ALICIA ¿Sabes algo de **la religión** de los mayas?

ÁNGEL Era una religión muy complicada, con muchos **dioses**. El sol y la luna **tenían** un **significado** especial para ellos.

- complicada → interesante
- el sol y la luna → las estrellas

5 JORGE Estas fotos son del terremoto de México.

JOSEFINA **¡Qué horror!**

JORGE Sí. La gente trató de **huir**† pero muchas personas quedaron **enterradas** debajo de los edificios que cayeron.

- fotos → diapositivas
- huir → **escaparse**

secreto, -a *secret*

había (from **haber**) *there was, there were*
el objeto *object*
de + material *made of*
de here: *as a(n)*

descubrir *to discover*

producir (yo produzco, tú produces) *to produce*
la religión, pl. **las religiones** *religion*
el dios, la diosa *god, goddess*
tenían (imperfect of **tener**) *(they) had*
el significado *meaning*

¡qué horror! *how awful!*
huir (de) (yo huyo, tú huyes) *to flee (from)*
enterrado, -a *buried*

escaparse *to escape, to run away*

* In the preterite of *producir*, c → j in all six forms:

produje   produ**jimos**
produ**jiste**   produjisteis
produ**jo**   produ**jeron**

† *Huir* also follows the i → y pattern of *incluir* and *construir*.

En el Museo Nacional de Antropología en México

PRÁCTICA

A ¿De qué es esto? El profesor de ciencias quiere que los estudiantes digan de qué están hechas las cosas que él les muestra. Sigue los modelos.

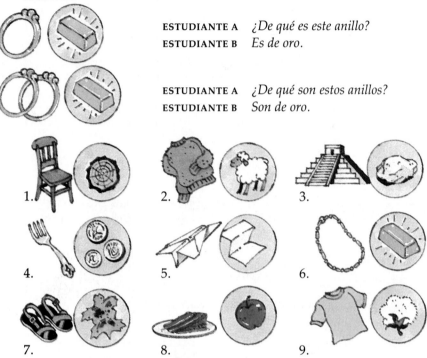

ESTUDIANTE A *¿De qué es este anillo?*
ESTUDIANTE B *Es de oro.*

ESTUDIANTE A *¿De qué son estos anillos?*
ESTUDIANTE B *Son de oro.*

1.   2.   3.

4.   5.   6.

7.   8.   9.

B El tesoro secreto. Pilar habla de su abuelo con Julio. Escoge la palabra correcta para completar cada una de las siguientes frases.

PILAR Mi abuelo es arqueólogo. Él *(construyó / descubrió / produjo)* muchos templos y pirámides en las montañas en Guatemala.

JULIO Esos templos son muy *(antiguos / verdaderos / suaves)*, ¿verdad?

PILAR ¡Por supuesto! Los *(quemaron / incluyeron / construyeron)* los
5 mayas muchos siglos antes de la llegada de los españoles. Mi abuelito encontró también un tesoro que estaba *(enterrado / estrecho / anticuado)* debajo de un templo.

JULIO ¡Qué emocionante!

PILAR Sí. Había un objeto pequeño de plata y una estatua
10 impresionante de una *(arqueóloga / ruina / diosa)* de los mayas.

JULIO ¡Es asombroso, Pilar! ¡Qué interesante! A mí me interesan mucho las *(ingenieras / astrónomas / civilizaciones)* antiguas.

PILAR ¿Ah, sí? Pues, todavía hay tesoros *(nuevos / secretos / casados)* en muchos lugares.

15 JULIO Sí, lo sé. ¡Ojalá que los descubra yo algún día!

C Aquí hay algo sobre ruinas. Usa palabras de la lista para completar el siguiente artículo.

algodón   enterrada   impresionantes   pirámides   significado
dioses   había   papeles   religión   verdadero

Un grupo de arqueólogos descubrió _____ ruinas aztecas en Honduras el año pasado. Encontraron asombrosas _____ y una gran ciudad que todavía estaba _____. Ahora un equipo de arquitectos e ingenieros estudia la clase de edificios que _____ en esa ciudad. En
5 uno de los templos encontraron _____ antiguos con dibujos fabulosos. El grupo está tratando de descubrir el _____ de estos dibujos. Los astrónomos dicen que los habitantes tenían una _____ muy complicada con muchos _____ como el sol y la luna.

D Hablemos de ti.

1. ¿Conoces algunas ruinas antiguas? ¿De qué país? ¿Qué sabes de ellas?
2. ¿Sabes algo de las ruinas antiguas del Perú o de México? ¿Qué sabes de ellas? ¿Te gustaría visitarlas? ¿Por qué?
3. ¿Sabes algo de las antiguas religiones de la América del Norte? ¿Conoces el nombre de algún dios o diosa de esas religiones?
4. ¿Tienes algún objeto de oro o de plata? ¿Qué es? ¿Es muy viejo? Descríbelo.
5. ¿Llevas algo hecho de cuero? ¿De lana? ¿De algodón? Descríbelo.

ACTIVIDAD

La pirámide de papel   Play this archaeological word game with two or three other students. One person starts by saying, "Encontré un tesoro. Había . . ." and then a noun plus an adjective or descriptive phrase that begins with the same letter as the last noun. The treasures can consist of likely or unlikely things. For example:

Había una pirámide de papel.
Había unos elefantes enterrados.
Había una cuchara de cuero.

Una antigua estatua de piedra en México

APLICACIONES

Quiero ser arqueóloga

Durante una excursión a unas famosas ruinas mayas, dos estudiantes hablan sobre lo que ven.

MARTÍN Según la guía, cada pirámide es un templo dedicado a un dios o diosa. Esta pirámide es el templo de Chac, el
5 dios de la lluvia.

LUPE Creo que estás equivocado. Aquél es el templo de Chac. Éste es el templo del sol.

MARTÍN ¿Cómo lo sabes?

LUPE Porque es la pirámide más grande y el sol fue el dios
10 principal. Leí sobre eso en la guía.

MARTÍN ¿Crees que todavía hay alguien enterrado en estas pirámides?

LUPE No sé si en éstas, pero en algunas hay gente enterrada.*

MARTÍN Es asombroso cómo construyeron estos templos de
15 piedra sin equipos[1] modernos.

LUPE También les sorprende[2] a los arquitectos, ingenieros y astrónomos de hoy día.[3] A mí me interesan muchísimo las historias que se pueden descubrir en ciudades antiguas. Por eso quiero ser arqueóloga.

---

[1]**el equipo** here: *equipment*   [2]**sorprender** *to surprise*   [3]**de hoy día** *of today*

* Although Mayan pyramids served primarily as temples, many, such as the *Templo del sol,* were also tombs.

Preguntas

Contesta según el diálogo.

1. ¿Qué significado tenían las pirámides de los mayas?   2. Sabes que había pirámides dedicadas al sol y a la lluvia. ¿Qué otros dioses crees que había en la religión maya?   3. ¿Qué es asombroso para los arquitectos e ingenieros que estudian las pirámides mayas? ¿Qué otras cosas produjeron algunas civilizaciones antiguas que tú encuentras asombrosas?   4. ¿Qué quiere ser Lupe? ¿Por qué? ¿Qué quieres ser tú? ¿Por qué?   5. ¿Te gustaría visitar las ruinas de alguna civilización antigua? ¿Cuál? ¿Por qué?

Ruinas mayas en Tikal, Guatemala

Participación

Work with a partner. Imagine that you're exploring a mysterious ancient city that has just been discovered. Tell what buildings and objects you found, what they were made of, and what you think the people used them for. You might draw a labeled map or diagram of the buildings. Here are some words you may want to use:

el algodón	la estatua	la piedra
la cerámica	la lana	la pintura
el cuarto	el mural	la pirámide
el dios, la diosa	el objeto	la plata
la escultura	el oro	el templo

PALABRAS NUEVAS II

Las noticias

◆ COMMUNICATIVE
OBJECTIVES

To interview or be
interviewed

To report or describe a
fire or robbery

To project the future

To discuss heroism and
heroic acts

To understand headlines
and lead paragraphs in
a newspaper

CONTEXTO COMUNICATIVO

1 PERIODISTA   ¿Cómo **te diste cuenta de** que había un **incendio?*

CARLOS   Por el humo que entraba en mi cuarto.

PERIODISTA   ¿Llegó el incendio a tu apartamento?

CARLOS   No, no **se quemó** nada allí. Pero el incendio **destruyó**† gran parte del edificio.

PERIODISTA   ¿Saben cuál fue **la causa**?

CARLOS   No, todavía no lo saben.

Variaciones:
- de que había un → del
- del edificio → de la planta baja

darse cuenta de	*to realize*
el incendio	*fire*
quemarse	*to burn (up), to burn (down)*
destruir (yo destruyo, tú destruyes)	*to destroy*
la causa	*cause*

2 JULIO   Luisa, ¿por qué hay tanta gente en la calle?

LUISA   Es por un **robo.**

JULIO   No me digas. ¿Qué pasó?

LUISA   No sé exactamente. **De repente** la gente empezó a gritar y un hombre se escapó. La policía lo siguió, pero no lo **hallaron.**

- por un robo → **a causa de** un robo
- hallaron → encontraron

el robo	*robbery*
de repente	*suddenly*
hallar	= encontrar
a causa de	*because of*

3 REBECA   ¡Qué horror, Roberto! ¿Recuerdas el accidente que vimos anteayer? Pues, la mujer que manejaba el coche verde está **muerta.**

ROBERTO   Ya lo sé. ¡Qué suerte que **salvaron** al bebé que estaba en el coche!

REBECA   Sí. Fue un **acto** muy **heroico.**

- ¡qué horror! → ¡qué barbaridad!
- salvaron → descubrieron

muerto, -a	*dead*
salvar	*to save*
el acto	*act*
heroico, -a	*heroic*

* *El fuego* is a general term for fire. *Un incendio* is a fire that destroys things.
† *Destruir* follows the *i* → *y* pattern of *incluir, construir, huir.*

4 **ELISA** Señora, escribo para **la sección** de noticias locales de nuestro diario. ¿Puede decirme algo sobre el robo en su casa?

SRA. RUIZ Me **robaron** muchas joyas: un collar de oro y varios anillos y aretes. Pero el policía me dijo que espera **capturar** a los ladrones muy pronto.

■ diario → periódico
■ oro → plata

la sección, pl. **las secciones**
section

robar *to steal, to rob*

capturar *to catch, to capture*

5 **PERIODISTA** Dra. Alas, ¿qué piensa Ud. que pasará* en el próximo siglo?

DRA. ALAS En mi **opinión,** nuestro **mundo** será mejor. Trabajaremos sólo tres o cuatro días por semana, viviremos en edificios cómodos y modernos y comeremos sólo comida sana como verduras y frutas frescas, mariscos frescos, **etcétera.**

■ próximo siglo → siglo XXI
■ nuestro mundo → nuestra vida

la opinión, pl. **las opiniones**
opinion
el mundo *world*

etcétera *etc., and so on*

* The endings *-á* and *-emos* that appear in this dialogue attached to the infinitive signify the future tense: *pasará* = will happen.

En Quito, Ecuador

PRÁCTICA

A Un incendio. Mira el dibujo. Usa la forma correcta de la palabra apropiada de la lista para completar las frases.

artículo	heroína	ladrón	robar
bombero	humo	periodista	sección
causa	incendio	quemarse	titular

1. ¡Qué horror! Hay un _____ grande en el edificio de la esquina.
2. ¡Qué barbaridad! Mira cómo _____ ese apartamento.
3. Mira el _____ que sale de las ventanas. ¡Qué olor tan desagradable!
4. El _____ sobre el incendio está en la siguiente página. Dice que nadie sabe la _____ del incendio.
5. Un _____ entrevista a las personas en la calle.
6. Un _____ le _____ el bolso a esa mujer.
7. Los _____ están tratando de apagar el incendio.
8. El _____ dice "Gran incendio destruye edificio de apartamentos. Tres personas muertas."
9. La bombera que salvó a esa niña es una verdadera _____.

* *Véase* is the polite command form of *verse*. Its English equivalent is "see," but literally it is a very polite "let (something) be seen."

B Las noticias.   Imagina que éstas son noticias del diario de tu ciudad. Escoge verbos de cada lista para completar cada noticia. Usa el pretérito.

ROBO DE UNA ESTATUA ANTIGUA
escaparse   portarse   robar   capturar   salvar

1. El lunes, una mujer _____ una estatua de plata de un mostrador de la Joyería Esmeralda. La ladrona _____, pero un cliente que estaba en la tienda de joyas la describió a la policía. En menos de una hora, la policía la _____.

INCENDIO EN EL BARRIO DE LA PALOMA
producir   salvar   destruir   huir   descubrir

2. El incendio _____ tres pisos del edificio. En un acto heroico, un niño _____ a su hermanito. Los bomberos no _____ la causa del incendio.

LLEGA DOLORES MILONGA A LA CIUDAD
capturar   contar   entrevistar   huir   darse cuenta

3. El periodista Enrique Parra _____ a la estrella de cine Dolores Milonga. Cuando Parra _____ del anillo grande en la mano de la estrella, ella le _____ de su boda secreta del mes pasado. Después, Milonga _____ de sus admiradores y se fue al hotel.

DESCUBREN TEMPLO DEL SOL
descubrir   hallar   construir   capturar   producir

4. "Creemos que los incas _____ este templo en el siglo XV," dice el grupo de arqueólogos que lo _____. "Nosotros _____ muchos objetos asombrosos enterrados en la sección más importante del templo. Sin duda su significado nos dará nueva información sobre la religión de esta civilización antigua."

C La entrevista.   Imagina que viste un robo. Inventa respuestas a las preguntas que te hace un periodista.

1. Buenos días, señor(ita). ¿Puedo hacerle algunas preguntas sobre el robo?
2. ¿Cuándo se dio cuenta Ud. de que pasaba algo?
3. ¿Dónde estaba Ud. en ese momento?
4. ¿A qué hora ocurrió?
5. ¿Qué vio Ud. exactamente?
6. ¿Puede Ud. describir al ladrón?
7. Cuando se escapó el ladrón, ¿por dónde se fue?
8. ¿Quién llamó a la policía?
9. ¿Cuándo llegó la policía?
10. ¿Qué hizo la policía?

D Hablemos de ti.

1. ¿Cuál fue el último incendio que viste por la televisión? ¿Cuándo ocurrió? ¿Qué se quemó? Descríbelo.
2. ¿Cuál fue el último robo importante que ocurrió en tu ciudad? ¿Qué robaron? ¿Qué pasó? ¿Capturaron a los ladrones?
3. ¿Generalmente lees el diario? ¿Leíste el diario de ayer? ¿Qué sección del diario te interesa más? ¿Por qué? ¿Te interesan más las noticias internacionales, las nacionales o las locales? ¿Por qué?

El periodista Frank Soler en Miami, Florida

ESTUDIO DE PALABRAS

Familias de palabras

Completa cada frase con una palabra relacionada con la palabra en cursiva.

1. Los titulares del periódico dicen "Joven *salvavidas* _____ a ocho personas."
2. Hay varios _____ extranjeros que trabajan para este *periódico*.
3. Dicen que *robaron* más de un millón de dólares de la casa de cambio. Fue un _____ asombroso.
4. Encontraron a tres personas _____ en las ruinas del edificio. Dos personas más *murieron* en el hospital.
5. El *héroe* de esta historia capturó tres leones. ¡Qué acto tan _____!
6. Van a poner un _____ grande en el diario para *anunciar* la nueva obra de teatro.
7. Este bombero es un _____ héroe, *¿verdad?*

Sinónimos

Cambia las palabras en cursiva por un sinónimo.

1. Los arqueólogos *encontraron* tres estatuas de plata.
2. Los niños *se escaparon* por la ventana.
3. Esos arquitectos *hacen* muchas casas de madera.

Antónimos

Cambia las palabras en cursiva por un antónimo.

1. Esa compañía va a *construir* tres casas.
2. Esta sección es muy *moderna*.

EXPLICACIONES I

El imperfecto de los verbos que terminan en *-er* e *-ir*

You have learned how to form the imperfect tense of *-ar* verbs. Here are all of the imperfect forms of *-er* and *-ir* verbs. Note that they take the same set of endings.

◆ COMMUNICATIVE OBJECTIVES

To describe what was happening over a period of time

To reminisce

APRENDER		VIVIR	
aprendía	aprendíamos	vivía	vivíamos
aprendías	aprendíais	vivías	vivíais
aprendía	aprendían	vivía	vivían

Yo **aprendía** algo cada día.   I { *was learning* / *would learn* / *used to learn* } *something every day.*

Él **vivía** en España también.   He { *was living* / *used to live* } *in Spain too.*

Notice that the *yo* and *Ud. / él / ella* forms are identical, just as they are with *-ar* verbs (*yo hablaba, Ud. / él / ella hablaba*).

1 Almost all verbs are regular in the imperfect.*

Siempre **pedían** dulces.	*They were always asking for candy.*
Los domingos yo **dormía** hasta las nueve.	*On Sundays I used to sleep until 9:00.*
Venían a visitarme.	*They used to come to visit me.*
Cuando **hacía frío me ponía** una chaqueta de lana.	*When it was cold I used to put on a wool jacket.*

2 The irregular present-tense verb form *hay* comes from the verb *haber*. The imperfect form of *haber* is *había* ("there was, there were"). Like *hay*, it is used only in the singular.

Había un tesoro en la pirámide.	*There was a treasure in the pyramid.*
Había muchas asombrosas civilizaciones antiguas.	*There were many amazing ancient civilizations.*

* Only *ir, ser,* and *ver* are irregular. You will learn their imperfect forms in Chapter 15.

PRÁCTICA

A **¿Qué hacían?** Mientras un grupo de arqueólogos bolivianos trabajaba en las ruinas de un templo, ocurrió un pequeño terremoto. Escoge el verbo apropiado de la lista para decir lo que hacía cada persona cuando ocurrió el terremoto.

construir	discutir	encender	escribir	sentirse
descubrir	dormir	envolver	haber	traducir

1. Diego _____ una linterna para examinar los dibujos en la pared.
2. Eva _____ un modelo del templo.
3. Judit _____ en voz fuerte con Tomás sobre la religión de los incas.
4. Raúl _____ unos objetos para mandarlos al museo en La Paz.
5. Marta _____ a máquina un artículo para una revista española.
6. Inés _____ el artículo de Marta al inglés.
7. Juan _____ en el saco de dormir porque no _____ bien.
8. Eduardo _____ un pasillo secreto donde _____ objetos de plata en el suelo.

B **¿Y Uds.?** Pedro habla con unos compañeros sobre lo que hacían el año pasado. Puedes dar cualquier *(any)* respuesta apropiada. Por ejemplo:

aprender mucho en la clase de ciencias

ESTUDIANTE A *Yo aprendía mucho en la clase de ciencias.*

ESTUDIANTE B *Nosotros también aprendíamos mucho*
Nosotros aprendíamos muy poco } *en la clase de*
Nosotros no aprendíamos nada *ciencias.*

1. hacer mucha tarea los fines de semana
2. leer cuentos divertidos en la clase de inglés
3. perder casi todos los partidos de . . .
4. divertirse mucho en la clase de . . .
5. reunirse con *(nombre)* los sábados por la noche
6. deber volver a casa después de las clases
7. aburrirse mucho en la clase de . . .
8. construir aviones de papel en la clase de . . .
9. tener muchos resfriados
10. poner la mesa todos los días antes de la cena
11. recibir muchas cosas por correo
12. tener que levantarse a las . . .

C Cuando tenía cinco años . . . Julio y sus amigos hablan de cuando tenían cinco años. Di lo que hacían. Escoge una frase de la derecha para hacer frases completas. Sigue el modelo.

>   Sara
>   *Sara construía barcos de papel.*

1. Juan	caerse a menudo
2. Mario y tú	nunca poder acostarse tarde
3. María y Carmen	construir barcos de papel
4. Jorge y yo	hacer pasteles de tierra y agua
5. (tú)	leer libros de cuentos para niños
6. Uds.	nunca compartir nada con nadie
7. los hermanos López	repetir todo lo que decía la gente
8. yo	romper los globos de los otros niños
	saber contar hasta cien
	tener celos de su hermanita
	vestirse con la ropa de mamá
	hacer miles de preguntas

D Hablemos de ti.

1. Cuando tenías cinco años, ¿ya sabías leer? ¿Sabías los días de la semana? ¿Y los nombres de los meses? ¿Sabías contar hasta diez en español?
2. Cuando tenías ocho años, ¿qué hacías por la noche? ¿Y durante los fines de semana? ¿Te acostabas temprano? ¿A qué hora, más o menos? ¿Te aburrías mucho? ¿Te divertías mucho? ¿Qué hacías para divertirte? ¿Dónde vivías?
3. Cuando tenías doce años, ¿qué hacías para divertirte? ¿Qué hacías durante las vacaciones de verano?
4. ¿Qué no podías hacer que puedes hacer ahora?
5. ¿Qué hacías que no debías hacer?
6. ¿Qué comida tenías que comer que no te gustaba?
7. Cuando tenías cinco años, ¿qué querías ser? ¿Piloto? ¿Auxiliar de vuelo? ¿Bombero(a)? ¿Estrella de cine? Y ahora, ¿qué quieres ser?

En el templo de Quetzalcóatl en Teotihuacán, México

ACTIVIDAD

Somos arqueólogos   Each person should write down the names of two different objects or things on separate pieces of paper, and put them into a bag. Form teams of two or three students. Each team picks four slips of paper from the bag, and the objects named on them are the remains they have found of a lost civilization. Using these clues, make up a brief description of what these people were like and what they used to do. For example, if your words are *el templo, el anillo, el tenedor, la piscina*, you might come up with a description such as this:

> Visitaban sus templos frecuentemente y tenían que bañarse en una piscina grande antes de entrar en el templo. Llevaban muchas joyas de oro y comían con hermosos tenedores de plata.

Now get together with another group and tell about your lost civilizations. Use your imagination and have fun.

Una arqueóloga en
Tenochtitlán, México

APLICACIONES

El terremoto de México

Hay cuentos de los tiempos antiguos que hoy nos parecen fantásticos. Pero en esos tiempos los cuentos servían para explicarle a la gente las cosas que no comprendía. Una tribu[1] colombiana, por ejemplo, para explicar los terremotos, decía que había un dios que llevaba el mundo sobre los hombros.
5 Cuando un hombro estaba cansado, el dios ponía el mundo sobre el otro y . . . ¡Uy! La tierra temblaba.[2]

Hoy sabemos que el movimiento de grandes masas de roca[3] debajo de la tierra produce los terremotos. En el otoño de 1985 los sismólogos, que estudian la tierra donde ocurren los terremotos, ya sabían que uno estaba por[4]
10 ocurrir en México, pero no sabían ni el momento ni el lugar exacto. El pronóstico era correcto. El 19 de septiembre un terrible terremoto destruyó escuelas, edificios de apartamentos, hoteles y hospitales en la capital.

Miles de personas murieron y el desastre costó muchos millones de dólares. Pero durante este desastre ocurrieron muchos actos heroicos. Hom-
15 bres, mujeres y niños ayudaban a las víctimas, tratando de sacar a personas enterradas debajo de las ruinas. Era muy peligroso para ellos, pero nadie se

ANTES DE LEER
Contesta las preguntas.
1. ¿Hay terremotos donde vives? ¿Ocurrió alguno en los dos o tres últimos años? Describe lo que ocurrió. ¿Qué hiciste?
2. ¿Qué otra clase de desastres naturales conoces? Describe lo que ocurre en ellos.

---

[1]**la tribu** *tribe*   [2]**temblar** *to tremble*   [3]**la masa de roca** *rock mass*   [4]**estar por** + inf.   *to be about to + inf.*

El terremoto de 1985 en México

quejaba y todo el mundo trabajaba día y noche. De todas partes del mundo llegaban personas con ropa, comida, medicinas y dinero para ayudar a la gente mexicana.

20   Ahora sabemos mucho más sobre cómo construir edificios en un lugar donde ocurren terremotos. Quizás a la gente del futuro le parecerá increíble que pudiera[5] ocurrir un desastre tan terrible. Pero la amistad[6] que mostró la gente del mundo no será un cuento fantástico, sino una historia verdadera.

---

[5]**pudiera** (from **poder**)   *could*   [6]**la amistad**   *friendship*

Preguntas

1. ¿Para qué usaba los cuentos la gente en tiempos antiguos?
2. ¿Conoces algún otro cuento sobre el tiempo, el viento, la lluvia o el cielo? ¿Le puedes contar la historia a la clase?
3. ¿Cómo explicaba la tribu de Colombia los terremotos?
4. ¿Qué es un terremoto?
5. ¿Qué no puede indicar un pronóstico de los sismólogos?
6. El terremoto del 19 de septiembre fue un verdadero desastre. Describe qué ocurrió.
7. ¿Sabes qué hacer si hay un terremoto donde tú vives? ¿Qué debes hacer?
8. ¿Qué debes hacer si viene un huracán? ¿Qué debes hacer y no hacer si hay relámpagos durante una tormenta?
9. ¿Puedes describirle a la clase un accidente o un desastre natural que viste o que conoces? ¿Cuándo y dónde ocurrió? ¿Qué pasó?

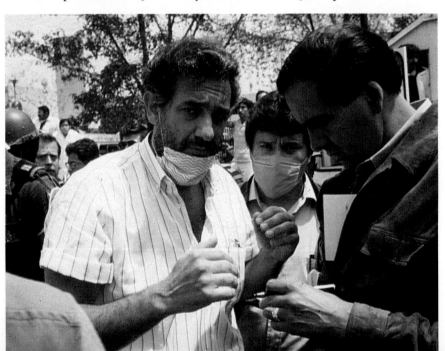

Plácido Domingo después del terremoto de México

EXPLICACIONES II

El futuro

You have learned two ways to talk about future events. One way is by using the present tense followed by a time expression.

Salgo mañana.　　　　　　*I'll leave tomorrow.*

The other way is by using *ir a* + infinitive.

Voy a poner un anuncio en el　　*I'm going to put an ad in the* diario.　　　　　　　　　　　　*paper.*

We use both of these constructions to talk about events that will take place in the near future.

1　Spanish also has a future tense. For most verbs the stem for the future tense is the infinitive.

Compraré un anillo de oro.　　*I'll buy a gold ring.*
En el próximo siglo la gente　　*In the next century people **will live*** **vivirá** en la luna.　　　　　　*on the moon.*

Here are all of the forms of *hablar, aprender,* and *vivir* in the future tense.

◆ COMMUNICATIVE
OBJECTIVES
To talk about the future
To describe future plans
To nag someone
To put someone off

HABLAR		APRENDER		VIVIR	
hablar**é**	hablar**emos**	aprender**é**	aprender**emos**	vivir**é**	vivir**emos**
hablar**ás**	hablar**éis**	aprender**ás**	aprender**éis**	vivir**ás**	vivir**éis**
hablar**á**	hablar**án**	aprender**á**	aprender**án**	vivir**á**	vivir**án**

All three types of verbs take the same endings. Note that there is an accent mark on all except the *nosotros* form.

2　Some verbs that are irregular in other tenses are regular in the future. For example:

IR	El año próximo **iremos** a Tampa.	*Next year **we'll go** to Tampa.*
SER	Algún día **serás** famoso.	*Some day **you'll be** famous.*
ESTAR	**Estaré** en casa a las diez.	*I'll be home at ten.*

PRÁCTICA

A   En la feria.   Unos amigos hablan sobre lo que quiere hacer cada uno en la feria. Sigue el modelo.

> (yo) / montar en las motos
> *Montaré en las motos.*

1. Eva / jugar a todos los juegos
2. Ud. / visitar todas las atracciones
3. Uds. / entrar en la casa de los fantasmas
4. tú y tus amigos / dar una vuelta en la rueda de feria
5. tus primos / comprar globos
6. (tú) / tomar muchas bebidas frías
7. ellas / ir a la casa de los espejos
8. (él) / comer varias bolsas de palomitas
9. (nosotros) / participar en unos concursos
10. (yo) / ganar premios en todos los puestos

B   ¿Qué serás?   Di lo que serán las siguientes personas. Luego escoge de la lista de la derecha para decir lo que harán *(will do)* las personas. Pregunta y contesta según el modelo.

> Sonia / bombera
> ESTUDIANTE A   *¿Qué será Sonia?*
> ESTUDIANTE B   *Será bombera. Salvará a la gente de los incendios.*

1. Andrés / policía	dirigir bandas u orquestas
2. Miguel y tú / ingenieros	cuidar a la gente enferma
3. tus hermanas / arqueólogas	capturar a ladrones
4. (tú) / astrónomo(a)	descubrir huesos antiguos y
5. Uds. / directores	monedas de oro viejas
6. Ángela / compositora	entrevistar a gente famosa
7. tu hermano / periodista	estudiar las estrellas
8. Raquel / médica	construir puentes
9. Y tú, ¿qué serás?	salvar a la gente de los incendios
	escribir canciones folklóricas

Una especialista en terremotos en México

C   ¡Qué impaciente eres!   Imagina que quieres saber si las siguientes personas ya terminaron de hacer ciertas (*certain*) cosas. Pregunta y contesta según el modelo.

> (tú) / terminar el libro sobre los aztecas / mañana
> ESTUDIANTE A   *¿Ya terminaste el libro sobre los aztecas?*
> ESTUDIANTE B   *Todavía no. Lo terminaré mañana.*

1. (tú) / llamar a Ana / durante el intervalo
2. Uds. / escribir el anuncio del espectáculo / mañana
3. Carlos / desenvolver los paquetes / pronto
4. ellas / arreglar la máquina de escribir / más tarde
5. (tú) / escoger el tema para tu composición / esta tarde
6. Uds. / comprar las bufandas de lana / pronto
7. Clara / recoger la madera para el fuego / antes del almuerzo
8. Ud. / leer el artículo de ese astrónomo / esta noche
9. (tú) / averiguar la información que necesitabas / la semana próxima

D   Lo que pasará.   Imagina que en el siglo XV, un maya les cuenta una historia a sus hijos y describe un viaje al siglo XX. Cambia los verbos en cursiva del presente al futuro.

El mundo *es* muy distinto, hijos. Todo *parece* asombroso. No *construyen* hermosas pirámides como las nuestras sino edificios altísimos, de cien pisos y más. ¡La gente *vive* en el cielo! En la tierra, *ven* miles de hombres y mujeres. *Van* de un lugar a otro en cajas con
5   ruedas. Por la noche *se sientan* en casa y *miran* cajas pequeñas. En esas cajas *viven* muchas personas pequeñas que *hablan* a la gente pero que no la *oyen*. ¡*Es* una civilización increíble!
   Los jóvenes no *aprenden* de sus padres y parientes cómo hacer las cosas. *Asisten* a una escuela. No *leen* las estrellas sino libros. Y no
10 *escriben* con piedras sino con máquinas.
   ¿Por qué se ríen Uds., hijitos? ¿Les parece graciosa mi historia? La *termino* en seguida. Pero primero les *cuento* la cosa más impresionante: ¡algunas personas *viajan* en pájaros grandes hasta la luna!

E   Hablemos de ti.
1. ¿Dónde crees que estarás en el año 2000? ¿Por qué? ¿Estudiarás o trabajarás? ¿Dónde trabajarás? ¿Qué estudiarás?
2. ¿Crees que usarás el español en tu trabajo o en tu vida de todos los días? Explica por qué.
3. ¿Crees que viajarás mucho? ¿Adónde? ¿Por qué? ¿Qué esperas hacer?
4. En tu opinión, ¿cómo será el mundo en el año 2050?

REPASO

Mira con cuidado las frases modelo. Luego cambia las frases que siguen al español según los modelos.

1. *Cada noche hablábamos de las noticias.*
   (Every month I used to attend a race.)
   (Every Christmas they wrote to the newspaper.)
   (Every Sunday she used to participate in contests.)

2. *Él envolvía paquetes que incluían docenas de sorpresas maravillosas.*
   (They used to build pyramids that had walls of real gold.)
   (He used to produce ads that offered treasures of ancient religions.)
   (We were reading an article that included headlines about unforgettable disasters.)

3. *Siempre servías verduras y postres congelados.*
   (Sometimes I found impressive pyramids and temples.)
   (They frequently destroyed important paintings and statues.)
   (He would almost always recognize heroic acts and causes.)

4. *Mi madre quiere que yo trabaje de arquitecta.*
   (We hope you (fam.) *work as an engineer.)*
   (I want her to work as a journalist.)
   (He asks that we work as firefighters (m.).)*

5. *Pero creo que seré bombera. Apagaré incendios.*
   (But we say we'll be journalists. We'll write articles.)
   (But María says she'll be an engineer. She'll build bridges.)
   (But they think they'll be astronomers. They'll study stars.)

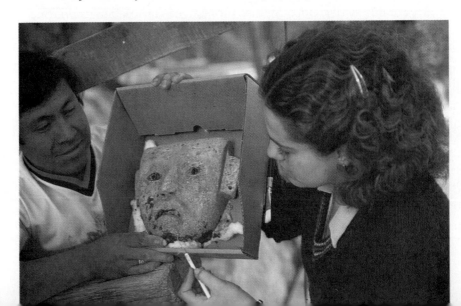

Jóvenes arqueólogos
en México

TEMA

Escribe las frases en español.

1. Every summer the Morales family fled (from) the city.

2. They used to visit places where there were ruins of ancient civilizations.

3. Sometimes they would discover amazing objects and places.

4. The Moraleses hope Mateo works as an archeologist.

5. But Mateo says he'll be an artist. He'll paint landscapes.

REDACCIÓN

Ahora escoge uno de los siguientes temas para escribir tu propio diálogo o párrafo.

1. Create a set of talk balloons for pictures 1 through 5.

2. Expand the story in the *Tema* by writing a paragraph about pictures 1 through 3. Tell what the Morales family used to do when they visited the ruins. What was their day like? Where did they sleep and eat? Did they enjoy themselves?

3. Write a paragraph about a real or imaginary heroic act. You might want to write it as a newspaper article, with a headline, lead paragraph, and a description of the event.

Aplicaciones **483**

COMPRUEBA TU PROGRESO   CAPÍTULO 14

A   Busca la palabra
Completa las siguientes frases.

1. Una persona que roba a la gente es un . . .
2. Una persona que ayuda a apagar incendios es un . . .
3. Una persona que estudia las estrellas es un . . .
4. Una persona que escribe para los diarios trabaja de . . .
5. Cuando hay un incendio, generalmente lo que vemos primero es el . . .
6. Hay cien años en un . . .
7. La casa de un dios o diosa es un . . .
8. En los diarios, lo que está en letras grandes al principio de una noticia es un . . .

B   Lo que hacían antes
Completa las frases con la forma correcta del imperfecto.

1. Claudia _____ celos de su hermano menor. (tener)
2. (Nosotras) _____ rápidamente porque nunca _____ mucho tiempo.   (comer / tener)
3. A menudo (nosotros) _____ con nuestros padrinos.   (reunirse)
4. (Yo) _____ muy triste mientras _____ que _____ un incendio en la montaña.   (sentirse / leer / haber)
5. ¿_____ (tú) en el Perú?   (vivir)
6. Yo _____ que (nosotros) _____ encontrar un tesoro enterrado.   (pensar / poder)
7. Yo siempre _____ todo en orden antes de salir de la oficina.   (poner)
8. Los arqueólogos _____ objetos de hueso y de madera.   (descubrir)

C   Los hermanos
Daniel y Ramón son hermanos, pero son muy diferentes. Cuando Daniel era niño siempre se portaba bien, pero Ramón no. Escribe seis frases y di qué hacía cada uno. Usa palabras y expresiones de las tres columnas.

Daniel	empujar	sus lecciones
Ramón	compartir	de su hermano
	entender	sus cosas
	comer	con la boca
	huir	abierta
	tener celos	a sus amigos
		cuando alguien
		lo llamaba

D   Todos podemos cambiar
Cambia las frases según el modelo.

Todos los días hablo con María. (hoy / no)
Hoy no hablaré con María.

1. Generalmente desayunamos en la cocina. (hoy / en el comedor)
2. Siempre llevo blusa y jeans a la escuela. (mañana / un vestido)
3. Siempre regresamos a casa alrededor de las siete y media.   (esta noche / más temprano)
4. Hoy llegamos a la escuela con tres minutos de retraso.   (mañana / a tiempo)
5. Antes yo compartía mi comida.   (hoy / no . . . nada)
6. Siempre comemos en la cafetería.   (hoy / en el jardín)
7. Ayer corrí por el parque.   (esta tarde / por la playa)
8. Yo bebía refrescos.   (ahora / agua)

E   ¿Quién lo va a hacer?
Contesta las siguientes preguntas con frases completas. Usa el futuro.

1. ¿Quién irá al bautizo de Juan Carlos?   (yo)
2. ¿Quién se dará cuenta de que ese vaso está roto?   (tu mamá)
3. ¿Quién se escapará?   (el ladrón)
4. ¿Qué se quemará?   (la casa)
5. ¿Quién salvará a los niños?   (tú)
6. ¿Quiénes huirán?   (nosotros)
7. ¿Quiénes se quedarán?   (Clara y Miguel)
8. ¿Quiénes escribirán esos artículos?   (los periodistas extranjeros)

VOCABULARIO DEL CAPÍTULO 14

Sustantivos

el acto
el algodón
el anuncio
el arqueólogo, la arqueóloga
el arquitecto, la arquitecta
el artículo
el astrónomo, la astrónoma
los aztecas
el bombero, la bombera
la causa
la civilización, *pl.* las
    civilizaciones
el cuero
el diario
el dios, la diosa
la estatua
el héroe, la heroína
el humo
los incas
el incendio
el ingeniero, la ingeniera
el ladrón, la ladrona
la lana
la madera
los mayas
el mundo
el objeto
la opinión, *pl.* las opiniones
el oro
el papel
el/la periodista
   la piedra *(stone)*
   la pirámide
   la plata
   la religión, *pl.* las religiones
   el robo
  las ruinas
   la sección, *pl.* las secciones

el siglo
el significado
el templo
el tesoro
el titular

Adjetivos

antiguo, -a
asombroso, -a
enterrado, -a
heroico, -a
impresionante
muerto, -a
secreto, -a
verdadero, -a

Verbos

capturar
construir
descubrir
destruir
escaparse
haber
hallar
huir de
producir (c → zc)
quemarse
robar
salvar

había

Preposición

de *(as a(n))*

Expresiones

a causa de
darse cuenta de
de + *material*
de repente
etcétera
¡qué horror!

CAPÍTULO 15

ANIMALES DE LA AMÉRICA DEL SUR

What is the strangest animal in South America? There is no way to answer that question, because there are simply too many to choose from. Even if you were to limit your search to a single kind of animal—frogs, for example—you would still find it exceedingly difficult to choose. *Las ranas sudamericanas* have an astounding variety of shapes, colors, and characteristics. Some spend their entire lives in trees, and one kind of frog dines on rats as large as itself.

Among bats *(murciélagos)*, the vampire bat is certainly unusual, but so is the Mexican bulldog bat, which swoops down over the water and grabs small fish with its hind legs. Among fish, the piranha, with its powerful jaws and razor-sharp teeth, is probably the most feared animal in the rivers of South America, but the electric eel *(anguila eléctrica)*, which is really a fish, is much more unusual. To stun or kill its prey, it produces electric pulses up to 650 volts.

There are also many unusual candidates among the mammals. The sloth, aptly called *el perezoso*, spends its life hanging upside down from branches, and travels only slightly faster than a snail. The giant anteater *(oso hormiguero)* eats as many as 30,000 ants and termites every day, catching them with its long, sticky tongue.

It is not surprising that there are so many unusual animals in South America. After all, the continent offers a vast range of living conditions, from deserts to rain forests, and from lowland savannas to towering mountains. Nearly a quarter of all the world's known types of animals live in South America—and no one knows how many more are still to be discovered.

To offer/accept/reject an
invitation

To describe an
unpleasant or
frightening experience

To describe a movie

CONTEXTO VISUAL

¡Qué aventura!

el helicóptero

el desierto

el volcán
pl. los volcanes

el loro

la selva

la arena

el jaguar

la canoa

la tortuga

CONTEXTO COMUNICATIVO

1 INÉS   Pepe, ¿quieres **acompañarme** en mi **expedición** en canoa?

PEPE   ¿Yo? No soy **bastante** valiente ni bastante loco para hacer eso.

Variaciones:

■ acompañarme → venir conmigo

■ en mi expedición → a **explorar** el río

acompañar   *to go/come with, to accompany*

la expedición, pl. **las expediciones** *expedition*

bastante   here: adj. & adv. *enough*

explorar   *to explore*

2   EVA   ¿Qué te parece si **hacemos una expedición** a la selva?

     LAURA   ¡Magnífico! Cuando era niña **soñaba con** explorar lugares **misteriosos.**

     EVA   Y yo soñaba con ser **antropóloga.** ¿Quieres ser mi **ayudante?**

■ soñaba con explorar → mi **sueño** era descubrir
■ lugares → **sitios**
■ antropóloga → **exploradora**

hacer una expedición   *to go on an expedition*
soñar (o → ue) con   *to dream about / of*
misterioso, -a   *mysterious*
el antropólogo, la antropóloga   *anthropologist*
el/la ayudante   *helper, assistant*
el sueño   *dream*
el sitio   *site, place*
el explorador, la exploradora   *explorer*

3   ÁNGEL   ¿Cómo fue tu expedición, Diana?

     DIANA   Así, así. **El clima** era muy **húmedo,** y la mochila estaba llena de **demasiados** objetos pesados.

     ÁNGEL   Bueno, **por lo menos** no **te quedaste sin** comida, ¿verdad?

     DIANA   No, pero la próxima vez seré más **práctica.** No llevaré tantas cosas.

■ no te quedaste sin → no te faltó
■ práctica → lista

el clima   *climate*
húmedo, -a   *humid, damp*
demasiado, -a   *too much, too many*
por lo menos   *at least*
quedarse sin   *to run out of, to be left without*
práctico, -a   *practical*

4   RITA   Anoche yo **iba** por la calle cuando de repente **hubo** un ruido fuerte y alguien gritó.

     LUIS   ¡Ay, qué horror! ¿Y qué hiciste?

     RITA   Grité: **"¡Socorro!"**

     LUIS   Sí . . . ¿y entonces?

     RITA   Y entonces me desperté.

■ iba → caminaba
■ ¿y qué hiciste? → ¿y qué ocurrió?
■ ¡socorro! → ¡ayúdenme!

(yo) iba, (tú) ibas (imperfect of **ir**)   *I was going, you were going*
hubo (preterite of **haber**)   *there was, there were*
¡socorro!   *help!*

EN OTRAS PARTES

También se dice la *cotorra* y *el papagayo*.

PRÁCTICA

A No soy muy valiente. Unos turistas y su guía hacían una expedición por la selva cuando de repente vieron animales que los asustaron. Al verlos, ¿qué hicieron? Pregunta y contesta según el modelo.

Lupe / caminar por el sendero

ESTUDIANTE A *Lupe caminaba por el sendero cuando de repente gritó . . .*

ESTUDIANTE B *¡Socorro! ¡Un leopardo!*

1. Pedro / buscar agua

2. Eduardo y Luisa / cruzar el río

3. tú / subir al árbol

4. Mónica y yo / dar un paseo

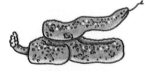

5. mi hermanito / remar en la canoa

6. Ud. / explorar esos nuevos sitios

7. Uds. / huir de las hormigas

8. yo / empujar el camión

B En la selva. Alejandro nos cuenta sobre su expedición a la selva.
Completa el párrafo con las palabras correctas.

En mis últimas vacaciones hice una expedición a la selva de Yucatán.
(Acompañé / Exploré / Capturé) a una antropóloga, amiga de mis padres.
Yo fui su *(loro / ayudante / arena)*.

La selva es un sitio *(distraído / perezoso / misterioso)*, ¿no crees?
5 También puede ser peligroso. ¡Especialmente durante la noche! No
recomiendo que *(empujes / sueñes con / te quedes sin)* pilas para la
linterna. También tienes que *(fijarte en / soñar con / tener celos de)* cada
sonido que oyes.

Todos los días *(explorábamos / salvábamos / hallábamos)* el río. El clima
10 era muy *(secreto / práctico / húmedo)*, especialmente después de una
tormenta. Y había muchas tormentas grandes mientras estábamos allí.

Tenía muchas aventuras emocionantes durante la expedición.
Algunas fueron verdaderas, otras no. Por ejemplo, un día capturé *(un
jaguar / un loro / una jaula)* de muchos colores. Ahora lo tengo en casa y
15 ya está aprendiendo a hablar un poco. Y también, una noche, capturé
un jaguar. Pero eso era en *(un volcán / un sueño / una tortuga)*.

Aprendí una cosa durante mi viaje: es mucho trabajo llevar una
mochila pesada. No es *(práctico / húmedo / misterioso)* llevar *(bastantes /
demasiadas / pocas)* cosas a la selva.

C En el desierto. Completa el siguiente párrafo con las palabras de la
lista.

| la arena | una expedición | me quedaba sin | seco | soñé con |
| el clima | exploramos | por lo menos | un sitio | un volcán |

La semana pasada hicimos _____ al desierto. _____ allí es muy _____.
Hace calor durante el día y hace frío por la noche. No fue difícil
encontrar _____ para dormir, pero yo no soy muy valiente y esa
noche _____ serpientes y arañas debajo de mi saco de dormir y
5 también que _____ agua.

Durante el día el desierto es maravilloso. Se pueden ver cactos con
bellísimas flores y también muchos animales del mismo color que
_____ del desierto. Un día nuestro guía nos indicó humo blanco que
subía al cielo. Nos contó que subía de _____ que estaba lejos, cerca de
10 las montañas. Me gustaría volver otra vez y pasar _____ dos semanas
allí.

D Hablemos de ti.

1. ¿Te gustaría hacer una expedición a la selva? ¿Y al desierto? ¿Por qué? ¿Qué te gustaría hacer allí?
2. ¿Eres valiente? ¿Qué clase de cosas te asustan? ¿Tienes miedo de algunos animales? ¿De cuáles?
3. ¿Te gustaría explorar sitios misteriosos? ¿Cuáles? ¿Por qué? ¿Te gusta especialmente alguna película o novela de aventuras misteriosas o peligrosas? Cuéntala.
4. ¿Cómo te gustaría hacer una expedición, en helicóptero, en canoa, en camión, a pie, o a caballo? ¿Por qué?

ACTIVIDAD

La compañía de aventuras   With a partner, write a radio or magazine ad for a travel company that offers exciting tours.

En la selva de Colombia

APLICACIONES

La pirámide del jaguar

RODOLFO	¿Dónde estabas anoche? Te llamé alrededor de las ocho.
CLAUDIA	Es que no estaba nadie en casa. Todos fuimos al cine.
RODOLFO	¿Qué vieron?
5 CLAUDIA	*La pirámide del jaguar.* ¿La conoces?
RODOLFO	No, ¿de qué se trata?[1]
CLAUDIA	¡Ay, tienes que verla! Es impresionante. Se trata de dos exploradores que buscan unas ruinas donde hay un tesoro enterrado.
10 RODOLFO	¿Y por qué dices que es tan impresionante?
CLAUDIA	Porque tiene lugar en un sitio muy misterioso en medio de[2] la selva. Hay unos jaguares que cuidan el tesoro.
RODOLFO	Sí, pero, ¿qué pasa en la película?
15 CLAUDIA	Pues, un hombre y una mujer tratan de entrar en las ruinas para robar el tesoro.
RODOLFO	No me digas que un jaguar los ataca.[3] El hombre valiente lucha contra[4] él mientras la mujer grita "¡socorro!" y de repente aparece[5] un hombre misterioso que los salva.
20	
CLAUDIA	Ay, Rodolfo, no te puedo contar nada. ¡Eres un sabelotodo!

---

[1]**tratarse**   *to be about*   [2]**en medio de**   *in the middle of*   [3]**atacar**   *to attack*
[4]**luchar contra**   *to fight with*   [5]**aparecer**   *to appear*

Preguntas

Contesta según el diálogo.

1. ¿Dónde estaba Claudia cuando Rodolfo la llamó? ¿Con quién?
2. ¿Qué película vieron esa noche? Descríbela.   3. ¿Por qué exploran
el hombre y la mujer esas ruinas?   4. ¿Puedes adivinar (*guess*) cómo
termina la película? Cuéntalo.   5. ¿Por qué le dice Claudia a Rodolfo que
no puede contarle nada a él?   6. ¿Conoces algunas películas parecidas a
ésta? ¿Cuáles son sus títulos? ¿Cómo son los personajes? ¿Generalmente
tiene éxito esta clase de película? ¿Por qué?

Arqueólogos en Yucatán,
México

Participación

Work with a partner to make up a dialogue in which each of you tries to
convince the other to see a certain film. What kind of film is it? Who are
the leading actors? Do you know who directed it? What is the film about?

PALABRAS NUEVAS II

◆ COMMUNICATIVE OBJECTIVES

To discuss future plans

To ask for and give advice

To discuss salary, expenses, and saving

To find out someone's interests

Me gustaría ser . . .

CONTEXTO VISUAL

la universidad

la científica

el científico

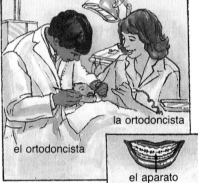

la ortodoncista

el ortodoncista

el aparato

el farmacéutico

la farmacéutica

la abogada

el abogado

el hombre de negocios

la mujer de negocios

la secretaria

el secretario

el millonario

la millonaria

CONTEXTO COMUNICATIVO

1 DANIEL   Teresa, ¿qué piensas hacer después de terminar el colegio?

TERESA   Quisiera estudiar **derecho.** ¿Y tú?

DANIEL   Espero **ganar** bastante dinero para ir a la universidad.

Variaciones:
- después de terminar el colegio → para **ganarte la vida**
- derecho → para ser **programadora de computadoras**
- ganar → **ahorrar**

el derecho   *law*
ganar   here: *to earn*

ganarse la vida   *to earn a living*
el programador / la programadora (de computadoras)   *computer programmer*
ahorrar   *to save*

2 VÍCTOR   Ayer me ofrecieron un trabajo en una agencia de viajes. Tengo que darles una respuesta **para** mañana. ¿Qué me **aconsejas?**

DIANA   **¡Acépta**lo! Creo que es muy bueno tener un trabajo antes de **graduarse.***

- darles una respuesta → **decidir**
- me aconsejas → debo hacer
  ¡acéptalo! → ¿a mí me pides **consejos?**

para + time expression   *by*
aconsejar   *to advise*
aceptar   *to accept*
graduarse (yo me gradúo, tú te gradúas)   *to graduate*
decidir   *to decide*

el consejo   *piece of advice;* pl., *advice*

3 CLARA   Mi **jefe** es un hombre de negocios muy **capaz** y con mucha **ambición.**

JULIO   Sé que es muy capaz, pero ¿por qué dices que tiene ambición?

CLARA   Me dijo que quiere tener su **propio negocio** algún día.

- tiene ambición → es **ambicioso**
- quiere tener → va a abrir
- propio negocio → propia compañía

el jefe, la jefa   *boss*
capaz, pl. **capaces**   *capable, able*
la ambición, pl. **las ambiciones**   *ambition*

propio, -a   *own*
el negocio   *business*

ambicioso, -a   *ambitious*

---

* Like *continuar*, the present tense of *graduarse* has a written accent mark on the *u* in all except the *nosotros* and *vosotros* forms: *me gradúo, te gradúas, se gradúa, nos graduamos, os graduáis, se gradúan.*

4　**ISABEL**　　Me van a pagar un buen **sueldo** en el nuevo trabajo. Probablemente lo gastaré todo en ropa nueva.

　　VICTORIA　No seas tonta, Isabel. No gastes más de **la mitad** y ahorra **el resto**. Y recuerda que todavía me **debes** diez dólares.

　　ISABEL　　Te agradezco los consejos, Victoria.

■ no seas tonta → ¡qué barbaridad!

el sueldo　*salary*

la mitad　*half*
el resto　*rest, remainder*
deber　here: *to owe*

EN OTRAS PARTES

el derecho

También se dice *los frenos* o *frenillos*.

También se dice *las leyes*.

PRÁCTICA

A　**Las profesiones.**　Para escoger una profesión es necesario saber qué te interesa. Pregunta y contesta según el modelo.

　　　dirigir una orquesta
　　　ESTUDIANTE A　*¿Te interesa dirigir una orquesta?*
　　　ESTUDIANTE B　*Sí, quisiera ser director(a) de orquesta.*

1. estudiar las estrellas
2. preparar y vender medicinas, etcétera
3. arreglarle a la gente los dientes
4. construir carreteras o puentes
5. escribir programas de computadoras
6. hacer expediciones a sitios que nadie conoce bien
7. discutir de derecho internacional
8. tener tu propio negocio
9. contestar el teléfono, recibir recados y escribir a máquina
10. estudiar las ciencias

B **En la universidad.**   Imagina que algunos amigos tuyos ya están en la universidad o ya saben qué profesión les interesa. Completa las frases.

1. Varios de mis amigos *(llegan / se gradúan)* de la universidad este año.
2. Más o menos *(la mitad / el sueldo)* piensa seguir estudiando.
3. *(La ambición / El resto)* de ellos prefiere encontrar un trabajo para empezar a ganarse la vida.
4. Patricio estaba fuerte en biología. Ahora es un *(científico / derecho)*.
5. Juana siguió *(los consejos / los derechos)* de sus profesores y ahora estudia para ser farmacéutica.
6. Victoria tiene mucha *(arena / ambición)*. Ella sueña con ser *(mujer de negocios / acomodadora)* y tener su propia tienda. Espera ser la *(jefa / dependiente)* de muchas personas.
7. Marcos piensa estudiar derecho. Quiere ser *(abogado / aparato)*.
8. A Ricardo le encantan las ciencias. Ya trabaja como *(ayudante / aparato)* de uno de los profesores.
9. Anita está muy fuerte en matemáticas y por eso va a ser una *(programadora de computadoras / millonaria)* muy capaz. Muy pronto va a ganar un *(sueldo / sueño)* muy bueno.

Una clase de computadoras en Maracaibo, Venezuela

C Estudio y trabajo. Lee esta historia de alguien que afortunadamente cambió de idea. Completa cada frase con la palabra correcta.

Felicia siempre *(se quedaba sin / soñaba con)* ser arquitecta, pero cuando tenía 18 años *(dejó de asistir / siguió asistiendo)* a la escuela. No trabajaba ni estudiaba. Sus padres no estaban contentos y Felicia muy pronto *(se graduó / se quedó)* sin dinero. Su amiga Olga *(iba / caminaba)* a la
5 universidad. Un día, Felicia *(debió / acompañó)* a Olga a la universidad para buscar trabajo allí. La universidad le *(ofreció / aconsejó)* un trabajo como secretaria. El sueldo no *(ahorraba / era)* muy bueno, pero Felicia *(exploró / aceptó)* el trabajo porque podía estudiar gratis. *(Empezó / Ofreció)* a estudiar, y siete años después *(se fue / se graduó)*. Ahora *(se*
10 *gana / se aburre)* la vida como arquitecta.

D Hablemos de ti.

1. Después de graduarte, ¿piensas ir en seguida a la universidad o empezar a trabajar? ¿Por qué? ¿Qué quieres estudiar o dónde quieres trabajar? ¿Por qué?
2. ¿Qué profesión te interesa más ahora? ¿Por qué?
3. ¿Tienes mucha o poca ambición? ¿Te gustaría ser jefe(a) de muchas personas? ¿Por qué? ¿Te gustaría tener tu propio negocio? ¿Por qué?
4. ¿Prefieres recibir un buen sueldo o estar contento en tu trabajo? ¿Por qué?
5. Imagina que de repente recibes un millón de dólares. Ahora que eres millonario(a), ¿qué vas a hacer? ¿Vas a gastar o ahorrar el dinero? Si ahorras más o menos la mitad, ¿cómo gastarás el resto?

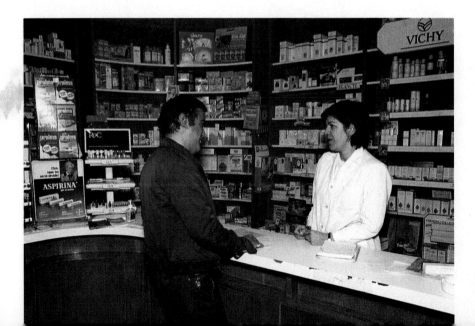

Una farmacia en Madrid, España

ESTUDIO DE PALABRAS

Sinónimos

Cambia las palabras en cursiva por un sinónimo.

1. Ése no es un buen *lugar* para buscar tesoros enterrados.
2. *¡Ayúdame!* No sé nadar.

Familias de palabras I

¿Qué sustantivo conoces que corresponda a cada verbo?

1. explorar   2. aconsejar   3. soñar   4. ayudar

Familias de palabras II

Completa las frases con una palabra relacionada con la palabra en cursiva.

1. Mi hermano está muy fuerte en las *ciencias*. Quiere ser ____.
2. La dueña de estos almacenes es ____. El año pasado ganó más de dos *millones* de dólares.
3. ¿Conoces a la nueva ____ que trabaja en la *farmacia* de la esquina?
4. Raquel ____ con ser astrónoma. Su *sueño* es descubrir una estrella nueva.

Palabras con varios sentidos

Explica el sentido de las palabras *sueño, ganar* y *deber* en las siguientes frases.

1. Cada noche *tengo* el mismo *sueño*.
2. *Tengo* mucho *sueño*. Voy a acostarme.
3. Nuestro equipo de tenis acaba de *ganar* el campeonato.
4. *Debíamos* ahorrar el dinero que *ganábamos*.
5. Todavía le *debían* la mitad de su sueldo.

EXPLICACIONES I

El imperfecto de *ir*, *ser* y *ver*

Ir, *ser*, and *ver* are the only verbs that are irregular in the imperfect.

INFINITIVO: **ir**

SINGULAR		PLURAL	
1	(yo) **iba**	(nosotros) (nosotras) } **íbamos**	
2	(tú) **ibas**	(vosotros) (vosotras) } **ibais**	
3	Ud. (él) } **iba** (ella)	Uds. (ellos) } **iban** (ellas)	

◆ COMMUNICATIVE
OBJECTIVES

To discuss plans that
didn't work out

To explain why you
didn't do something

To make excuses

To describe yourself
when you were younger

To tell how things used
to be

Juan siempre llegaba tarde al
trabajo y **se iba** temprano.

*Juan always arrived late to work and
left early.*

We can also use the imperfect of *ir* + *a* + infinitive to say what someone
"was going to do."

Íbamos a acompañar a Luisa.

We were going to go with Luisa.

Una arqueóloga en México

INFINITIVO: ser

SINGULAR		PLURAL	
1	(yo) **era**	(nosotros) (nosotras) } **éramos**	
2	(tú) **eras**	(vosotros) (vosotras) } **erais**	
3	Ud. (él) (ella) } **era**	Uds. (ellos) (ellas) } **eran**	

Cuando **éramos** niños, vivíamos en un rancho.

*When **we were** children we lived on a ranch.*

INFINITIVO: ver

SINGULAR		PLURAL	
1	(yo) **veía**	(nosotros) (nosotras) } **veíamos**	
2	(tú) **veías**	(vosotros) (vosotras) } **veíais**	
3	Ud. (él) (ella) } **veía**	Uds. (ellos) (ellas) } **veían**	

Yo siempre **veía** al mismo dependiente en esa tienda.

*I always **used to see** the same salesclerk in that store.*

PRÁCTICA

A Los viejos tiempos. La bisabuela de Jaime le cuenta cómo era la vida cuando ella era niña. Haz frases con la forma correcta de *ser* en el imperfecto. Sigue el modelo.

> mi padre / gerente de la estación de trenes
> *Mi padre era gerente de la estación de trenes.*

1. mi madre / secretaria del único hombre de negocios del pueblo
2. mi hermana mayor / novia de un millonario

3. yo / muy atlética
4. mi hermana y yo / no muy parecidas
5. mi hermano y todos sus amigos / estudiantes de derecho
6. mi hermano / mucho mayor que yo
7. nuestros padres / muy cariñosos y pacientes
8. nuestra casa / de madera y bastante pequeña
9. la vida / más fácil que la vida de hoy
10. todos nosotros / muy felices

B **¿Qué iban a hacer?** ¿Qué querían hacer estas personas y por qué no podían hacerlo? Pregunta y contesta según el modelo.

Raúl y Julia / volver al parador / no tener bastante tiempo
ESTUDIANTE A *¿Qué iban a hacer Raúl y Julia?*
ESTUDIANTE B *Iban a volver al parador pero no tenían bastante tiempo.*

1. (tú) / comprar un loro / no tener bastante dinero
2. Cecilia / navegar en canoa / no poder alquilar una
3. Bernardo y Leonor / aprender a manejar / los frenos no funcionar
4. Marcos y tú / participar en una regata / estar enfermos
5. Uds. / reparar el techo / siempre llover
6. (tú) / pintar un paisaje / siempre estar demasiado nublado
7. el primo de Luz / construir estantes / no hallar bastante madera
8. Ud. / hacer unos guantes para mi nieto / no encontrar la clase de lana que / querer

C **¿Qué veían?** Unos ancianos describen lo que veían cuando iban de vacaciones cuando eran niños. Usa palabras o expresiones de cada columna para hacer frases completas. Sigue el modelo.

Ana
A menudo Ana iba al rancho donde veía mucho ganado.

1. yo	al campo	muchos esquiadores
2. Gloria y Emilio	a la ciudad	exposiciones de arte abstracto
3. (nosotros)	al desierto	mucho ganado
4. Ud.	al lago	peces de todos los colores
5. Raimundo	a la montaña	muy pocos árboles
6. Beatriz y yo	a la playa	serpientes muy peligrosas
7. Uds.	al rancho	castillos de arena
8. (tú)	a la selva	flores por los senderos
		miles de loros en los árboles
		canoas y veleros

Otros usos del imperfecto

◆ COMMUNICATIVE
   OBJECTIVES

To describe past actions
or events

To tell what time it was
when something
happened

To talk about your
childhood

You have been using the imperfect to describe continuing or regularly
occurring actions in the past. Here are some other very common uses.

1   We use the imperfect to give background information or to tell what
    was going on when something else happened.

Llovía mucho cuando **llegamos**
a la playa.
It was raining a lot when we arrived
at the beach.

Juana **estudiaba** cuando **sonó** el
teléfono.
Juana was studying when the telephone
rang.

Descubrieron el tesoro mientras
exploraban la selva.
They discovered the treasure while they
were exploring the jungle.

Anoche **había** mucho tráfico   *Last night **there was** a lot of traffic*
en la carretera.   *on the highway.*
Hubo un accidente.   ***There was** an accident.*
Hubo un accidente porque   ***There was** an accident because **there***
había tanto tráfico.   ***was** so much traffic.*

Note that we use the imperfect to describe the action that was in
progress. We use the preterite to describe the action that occurred
while the other one was in progress.

2 We use the imperfect to tell time in the past.

> **Era la una** de la mañana.
>
> *It was one o'clock in the morning.*
>
> **Eran las cinco** cuando despegó el avión.
>
> *It was five o'clock when the plane took off.*

3 We use the imperfect to tell how old somebody was or to talk about a period in somebody's life.

> Cuando yo **tenía dos años** nos mudamos a California.
>
> *When I was two years old, we moved to California.*
>
> Cuando él **era** niño **lloraba** mucho.
>
> *When he was a child, he cried a lot.*

4 We also use the imperfect to describe a physical, mental, or emotional state.

> Apagué la calefacción porque **hacía** demasiado **calor.**
>
> *I turned off the heat because it was too hot.*
>
> No comí porque **no tenía hambre.**
>
> *I didn't eat because I wasn't hungry.*
>
> Luis **no quería** acompañarnos al concierto.
>
> *Luis didn't want to go with us to the concert.*
>
> Mi madrina **tenía** ojos azules.
>
> *My godmother had blue eyes.*

5 Here is a summary of the uses of the preterite and imperfect tenses.

PRETERITE	IMPERFECT
Specific action or event that had a definite beginning and end.	1. Continuous activity or condition with no indication of beginning or end.
	2. Activity or event that took place regularly.
	3. Information about what was going on when something else happened.
	4. Telling time in the past.
	5. Telling what someone's age was or about a period in someone's life.
	6. Describing past physical, mental, or emotional states.

PRÁCTICA

A Durante la tormenta. Juana le cuenta a su primo por teléfono que ayer hubo una tormenta muy fuerte. Pero la línea del teléfono todavía no funciona bien y su primo no oye todo lo que Juana le dice. Sigue el modelo.

> Mirábamos la tele cuando Javier volvió a casa.
> (a) ¿Qué hacían Uds.?   (b) ¿Qué hizo Javier?
> *Mirábamos la tele.*   *Volvió a casa.*

1. Mi padre miraba las noticias cuando el locutor anunció que un huracán venía.
   (a) ¿Qué hacía tu padre?   (b) ¿Qué hizo el locutor?

2. Mi hermana y yo comíamos cuando oímos truenos.
   (a) ¿Qué hacían Uds.?   (b) ¿Qué oyeron?

3. Laura escuchaba discos cuando el árbol se cayó por la ventana.
   (a) ¿Qué hacía Laura?   (b) ¿Qué le pasó al árbol?

4. Susana y yo nos peleábamos cuando papá gritó "¡Socorro!"
   (a) ¿Qué hacían Uds.?   (b) ¿Qué hizo tu papá?

5. Mamá salía corriendo de la casa cuando el helicóptero aterrizó junto al garaje.
   (a) ¿Qué hacía tu mamá?   (b) ¿Qué pasó?

6. Todos llorábamos cuando los fotógrafos llegaron.
   (a) ¿Qué hacían?   (b) ¿Quiénes llegaron?

B ¿Qué hora era? ¿A qué hora ocurrieron estas cosas? Pregunta y contesta según el modelo.

quemarse / el Teatro Juárez
ESTUDIANTE A   *¿Qué hora era cuando se quemó el Teatro Juárez?*
ESTUDIANTE B   *Eran las seis.*

1. la policía / capturar al ladrón   2. (ellos) / apagar las luces

3. terminar / el concurso
   de violín

4. morir / la directora del coro

5. caerse / el puente

6. empezar / el campeonato
   de fútbol

7. chocar / los trenes

8. los ayudantes / venir a
   buscar sus cheques

9. ocurrir / el terremoto

C Cuando íbamos de vacaciones.   Eugenia, una chica argentina,
describe los veranos de su familia. Completa el párrafo con la forma
correcta del imperfecto o del pretérito.

Cuando (yo) *(ser)* niña, mi familia *(pasar)* las vacaciones en la playa
cada verano. En enero y febrero siempre *(hacer)* tanto calor que todo el
mundo *(ir)* allí. Mi familia siempre *(ir)* a un pueblo en el sur, pero un
año (nosotros) *(ir)* a Mar del Plata mientras mi padre *(quedarse)* en
5 Buenos Aires.
    Esa vez, mi madre, mis hermanos y yo *(tomar)* el tren a la playa.
¡Qué aventura *(ser)* para nosotros! Durante el viaje mis hermanos
(tocar) la guitarra y *(cantar)* y yo *(jugar)* a los naipes con mamá. En el
tren *(haber)* mucha gente con animales, canastas grandes de comida y
10 bebés que *(llorar)* sin parar. Recuerdo que una vez (ellos) *(parar)* el tren
porque *(haber)* unas vacas en la vía y a causa de eso (nosotros) *(llegar)*
con casi una hora de retraso.
    En aquellos años mucha gente *(ir)* de vacaciones por tres meses,
pero nosotros no *(quedarse)* tanto tiempo. Ese verano en Mar del Plata
15 (nosotros) *(vivir)* en una casa con muchas puertas y ventanas, donde
el viento del mar *(entrar)* todo el día. Recuerdo que generalmente
(nosotros) no *(necesitar)* llevar más que un traje de baño. ¡Qué buenos
tiempos *(ser)* aquéllos!

D Cuenta. Usa el imperfecto y el pretérito para contar algo que hacías cuando eras niño(a) y algo que hiciste anoche. Usa los verbos de la lista. Por ejemplo: *cantar*.

> *Cuando era niño(a) cantaba en un coro.*
> *Anoche canté en una fiesta.*

beber	dormir	ir	leer	pensar	soñar con
comer	estudiar	jugar	mirar	ser	ver

E Hablemos de ti.
1. ¿A qué escuela ibas cuando eras pequeño(a)? ¿Cómo era tu primera escuela? ¿Por cuántos años fuiste a esa escuela? ¿A cuántas escuelas distintas fuiste? ¿Por qué?
2. ¿Cómo era tu primer(a) profesor(a)?
3. ¿Qué programas veías en la televisión cuando eras pequeño(a)? ¿Veías muchas películas? ¿Qué clase de películas preferías? ¿Ibas al cine? ¿Con quién?
4. Describe una fiesta de familia importante que recuerdas: un cumpleaños, una boda, un bautizo, etcétera. ¿Cuándo fue? ¿A qué hora fue? ¿En qué lugar fue? ¿Quiénes eran los invitados? ¿Qué había para comer? ¿Y para beber?

ACTIVIDAD

Las noticias Look through a newspaper and cut out three photographs showing events or people in the news. Get together in small groups and take turns telling what was happening when the photographer took the picture.

APLICACIONES

Ganándose la vida

Todo el mundo tiene que trabajar para ganarse la vida. ¿Qué hay en la planta baja? ¿Quién trabaja allí? ¿Qué hace ella? ¿Quiénes trabajan en los otros pisos? ¿Qué hacen ellos?

Raúl, a university student, is applying for a part-time job. Create a dialogue between him and the interviewer. You may want to use the following words or expressions.

ahorrar	ganarse la vida	ser capaz
escribir a máquina	graduarse	ser práctico, -a
ganar	por lo menos	tener ambición

EXPLICACIONES II

Los usos de *para*

◆ COMMUNICATIVE
OBJECTIVES

**To ask for and give
suggestions or advice**

**To tell what you want
someone to do**

**To prepare a list of
chores**

To ask a favor

Here are some common uses of *para*:

1 "For" (intention):

Mis consejos son **para** Luisa.   *My advice is **(intended) for** Luisa.*

2 "To" or "in order to" (purpose):

Trabajo **para** ganarme la vida.   *I work **(in order) to** earn a living.*

3 "For" (destination):

Mañana salimos **para** Chile.   *Tomorrow we leave **for** Chile.*

4 "By" or "for" a certain time:

Lee el artículo **para** mañana.   *Read the article **for** tomorrow.*
Necesito el resto **para** el martes.   *I need the rest **by** Tuesday.*

5 "For," meaning "considering the fact that" or "compared with":

Para una niña de seis años,   ***For** a six-year-old child, Marta*
Marta es muy capaz.   *is very capable.*

En el lago Titicaca, entre
Bolivia y el Perú

PRÁCTICA

A ¿Para quién?   Imagina que trabajas en una librería y ayudas a tus clientes a decidir qué libros deben regalar. Escoge el libro más apropiado para cada persona. Pregunta y contesta según el modelo.

un millonario

ESTUDIANTE A   *Busco algo para un millonario.*
ESTUDIANTE B   *¿Por qué no le compra* Cómo gastar dinero y ahorrarlo al mismo tiempo?

1. una abogada
2. un antropólogo
3. una secretaria
4. una programadora

5. un ortodoncista
6. una mujer de negocios
7. un explorador
8. una farmacéutica

B **¿Para cuándo?** La profesora de arte les da un horario a sus estudiantes. ¿Para cuándo quiere que hagan cada tarea? Sigue el modelo.

Quiero que terminen el retrato de los bailarines para hoy.

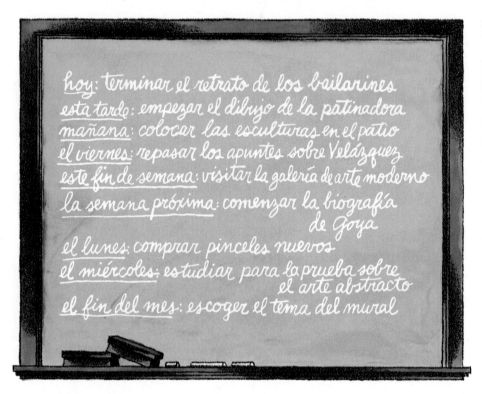

hoy: terminar el retrato de los bailarines
esta tarde: empezar el dibujo de la patinadora
mañana: colocar las esculturas en el patio
el viernes: repasar los apuntes sobre Velázquez
este fin de semana: visitar la galería de arte moderno
la semana próxima: comenzar la biografía
de Goya
el lunes: comprar pinceles nuevos
el miércoles: estudiar para la prueba sobre
el arte abstracto
el fin del mes: escoger el tema del mural

C **Por favor.** Cuando Pilar sale de casa su mamá siempre le pide que haga algo para ella. ¿Por qué quiere su mamá que vaya por esos lugares? Sigue el modelo.

la cancha de tenis
Por favor, ¿puedes ir por la cancha de tenis para buscar mi raqueta?

1. el banco
2. la tienda de ropa
3. la tienda de comestibles
4. la peluquería
5. el correo
6. la farmacia
7. la estación de servicio
8. la biblioteca

a. recoger mi medicina
b. llenar el tanque
c. mandar esta carta certificada
d. devolver estos pantalones
e. sacar una novela policíaca
f. comprar una docena de huevos
g. cobrar este cheque
h. averiguar la hora de mi cita
i. buscar mi raqueta

D ¿Por o para?   Completa las siguientes frases con *para* o *por*.

1. ¿_____ cuándo lo necesitas? Lo necesito _____ mañana _____ la tarde.
2. Este anciano tiene _____ lo menos 85 años pero va a la oficina cinco días _____ semana.
3. Será difícil _____ mí pagar a Mariana lo que le debo.
4. Luis vino _____ la casa _____ pedirme consejos.
5. Decidí hacer una expedición _____ las islas _____ varios días _____ ver los volcanes.
6. Quisiera comprar algo práctico _____ un hombre de negocios que va a viajar _____ el África.
7. ¿_____ dónde entró el ladrón? _____ la ventana del baño.
8. Antes de salir _____ el aeropuerto, ¿por qué no llamas a tu tía _____ teléfono?
9. _____ un joven de diecisiete años, Jorge es muy ambicioso.
10. El chico se lastimó _____ no mirar _____ dónde caminaba.

E   Hablemos de ti.

1. Cuando vas a la escuela, ¿por dónde vas? Y cuando regresas, ¿vas por los mismos lugares?
2. ¿Trabajaste durante el verano pasado? ¿Dónde? ¿Para quién? ¿Por cuánto tiempo? ¿Trabajas ahora? ¿Cuánto dinero ganas por hora o por semana?
3. ¿Te gusta hacer cosas para tus amigos? ¿Qué clase de cosas haces para ellos?
4. Escoge un objeto y explica para qué es. Por ejemplo: un taxi es para llevar gente de una parte de la ciudad a otra.

En una plaza en Ponce, Puerto Rico

APLICACIONES

REPASO

Mira con cuidado las frases modelo. Luego cambia las frases que siguen al español, según los modelos.

1. *El verano pasado hicimos un viaje por Venezuela.*
   (Last week I went for a walk through the city.)
   (Last October he went fishing in the sea.)
   (Last winter I had a barbecue in the mountains.)

2. *A veces pedían helicópteros nuevos para visitar los sitios.*
   (We usually rented young horses to go up the volcano.)
   (Sometimes there wasn't enough cotton to make bandages.)
   (She always wore comfortable sandals to cross the desert.)

3. *Ayer caminábamos por el parque cuando vimos unos loros. ¡Eran bellísimos!*
   (This morning I was running next to the lake when I saw a jaguar. It was terribly dangerous!)
   (Last week she was traveling through the desert when she saw the anthropologists. They were extremely thin!)
   (Last night we were looking through the window when we saw the ambulance. We were (estar) terribly worried!)

4. *"Había muchos millonarios en este barrio, pero ya no," me dijo el guía.*
   ("I used to know a lot of scientists at that university, but not anymore," the assistant told them.)
   ("There used to be too many flies in this restaurant, but not anymore," the manager told her.)
   ("I used to see several patients at that clinic, but not anymore," the orthodontist told him.)

5. *Ahorró varios dólares pero gastó la mayoría del dinero en regalos.*
   (She earned a lot of money but bought most of her clothes on sale.)
   (We took enough schedules and asked for a one-way ticket at the ticket window.)
   (I cashed several checks and spent half of my salary on food.)

Un jaguar en Colombia

Escribe las frases en español.

1. Last year I went on an expedition through the jungle.

2. We generally used small canoes to explore the river.

3. One day we were going along the river when we saw a turtle. It was extremely large!

4. "We used to see more turtles in this place, but not anymore," the explorer told us.

5. We took some pictures and made the rest of the trip by helicopter.

REDACCIÓN

Ahora escoge uno de los siguientes temas para escribir tu propio diálogo o párrafo.

1. Create a set of talk balloons for pictures 1 through 5 from the point of view of one of the other members of the expedition.

2. Write a paragraph about a trip you took. Where did you go and with whom? For how many days? What did you do and see? Would you like to do it again?

3. Write a paragraph about an important event that took place when you were a child. What happened? How old were you then? When and where did the event take place?

COMPRUEBA TU PROGRESO   CAPÍTULO 15

A   En la selva
Usa palabras de la siguiente lista para completar el párrafo.

arqueólogos	expedición	húmedo
canoas	explorar	loros
capaz	helicóptero	práctico

El verano pasado un grupo de _____ de la universidad hizo una _____ a la selva. Todos soñaban con descubrir y _____ el sitio de una civilización antigua. Primero viajaron en _____. El piloto era un hombre muy _____ y conocía muy bien la selva. Después navegaron por el río en _____. En los árboles veían monos, serpientes y bellos _____ de muchos colores. El clima era muy _____. Llovía todos los días. Pero todo el mundo era muy _____. Llevaba botas e impermeable.

B   La expedición
Haz frases en el imperfecto.

1. ¿Quién (*ser*) la exploradora en el cuento?
2. Cada día los ayudantes (*ir*) a la selva.
3. A menudo (nosotros) (*ver*) algo misterioso.
4. ¿(*Ir*) (tú) frecuentemente a Machu Picchu?
5. Todos los días (ellos) (*ver*) muchos animales diferentes en la selva.
6. (*Haber*) jaguares pero generalmente (*ser*) muy viejos y flacos.
7. Yo (*ver*) tortugas en la arena.

C   ¿El imperfecto o el pretérito?
Completa las frases con el pretérito o el imperfecto de los verbos entre paréntesis.

1. Yo siempre (*manejar*) por la noche.
2. Anoche (*haber*) un partido en la universidad.
3. Todos los días (yo) (*ir*) en tren porque no (*haber*) mucha gente.
4. Mi madre me (*acompañar*) cada vez que (yo) (*ir*) de compras.
5. El año pasado (tú) (*explorar*) ese sitio, ¿no?
6. Por mucho tiempo mis nietos (*soñar*) con ser arquitectos.

7. Todos los jugadores (*reunirse*) anteayer para hacer planes.
8. Cuando (yo) (*ser*) niña, nunca (*tener*) celos.
9. (*Ser*) las siete de la mañana cuando (nosotros) (*oír*) el ruido del helicóptero.

D   ¿Qué quieren ser?
Indica si las siguientes frases son verdaderas o falsas. Si son falsas, corrígelas (*correct them*).

1. Hay que estudiar derecho si quieres ser arquitecto.
2. La persona que prepara las medicinas que receta el médico es el farmacéutico.
3. Ana quiere ser jefa porque le interesa estudiar las civilizaciones antiguas.
4. Los abogados tienen que pasar muchas horas en el laboratorio.
5. Una dentista que pone aparatos en los dientes es una ortodoncista.
6. Mario quiere tener mucho dinero, y por eso sueña con ser ayudante.

E   ¿Por o para?
Completa las frases. Usa *por* o *para*.

1. ¿Por qué fuiste al estadio? ¡_____ aceptar el gran premio!
2. Necesitas trabajar _____ ganarte la vida.
3. ¿Estudias mucho _____ ambición o sólo _____ ganar dinero?
4. ¿Necesitas el resto de las cintas _____ hoy o _____ mañana?
5. Necesitas practicar mucho _____ ser capaz de hacer eso.
6. ¿Puedes ir a la tienda _____ mí? Tengo mucho trabajo _____ mañana.
7. Durante el viaje _____ España tomamos un tren _____ Sevilla.
8. _____ cruzar el río era necesario ir _____ el puente.
9. _____ una persona que no es muy práctica en su propio negocio, puede aconsejar bastante bien a los otros. Me dio consejos muy buenos _____ ahorrar dinero.

VOCABULARIO DEL CAPÍTULO 15

Sustantivos
el abogado, la abogada
la ambición, *pl.* las ambiciones
el antropólogo, la antropóloga
el aparato
la arena
el/la ayudante
la canoa
el científico, la científica
el clima
el consejo
el derecho
el desierto
la expedición, *pl.* las
    expediciones
el explorador, la exploradora
el farmacéutico, la farmacéutica
el helicóptero
el hombre de negocios
el jaguar
el jefe, la jefa
el loro
el millonario, la millonaria
la mitad
la mujer de negocios
el negocio
el/la ortodoncista
el programador / la programadora
    (de computadoras)
el resto
el secretario, la secretaria
la selva
el sitio
el sueldo
el sueño
la tortuga
la universidad
el volcán, *pl.* los volcanes

Adjetivos
ambicioso, -a
bastante *(enough)*
capaz, *pl.* capaces
demasiado, -a
húmedo, -a
misterioso, -a
práctico, -a
propio, -a

Adverbio
bastante *(enough)*

Preposición
para *(by)*

Verbos
aceptar
acompañar
aconsejar
ahorrar
deber *(to owe)*
decidir
explorar
ganar *(to earn)*
graduarse
soñar (o → ue) con
hubo

Expresiones
ganarse la vida
hacer una expedición
por lo menos
quedarse sin
¡socorro!

CAPÍTULO 16

¡QUE TENGAS BUENA SUERTE!

Do you carry a silver dollar or wear your birthstone? Do you avoid walking under ladders or putting a hat on a bed? You probably don't pay much attention to the superstition that associates black cats with bad luck. But people once believed that evil spirits sometimes disguised themselves that way, and it was definitely bad luck to own one. In parts of Latin America, however, though it may be considered bad luck if a black cat crosses your path, it is good luck if someone gives you a black cat.

What are some other tokens of good luck in Latin America? A horseshoe *(una herradura)*—but only if it has seven nail holes—or finding a four-leaf clover *(un trébol de cuatro hojas)* is considered as lucky there as it is in the United States. Other good omens include accidentally spilling wine on a tablecloth or drinking the last drop from a bottle of wine. *Capicúas*, numbers that read the same from left to right or from right to left—for example, 24642—are especially lucky. In Spain, if the bus ticket you buy in the morning has a *capicúa*, you're bound to have a good day, and a lottery ticket with a *capicúa* is considered a sure thing.

Sometimes you have to work a little for your luck. When two people say the same thing at the same time, one of them may be lucky. In Argentina when this occurs, the good luck goes to the first person to touch the other one's elbow. In Nicaragua, the luck belongs to the first one to say *"Suerte para mí."*

On the other hand, whatever the superstition, most people everywhere will usually agree with the old saying, *la suerte es ciega.*

PALABRAS NUEVAS I

¿Crees o dudas?

**CONTEXTO
VISUAL**

supersticioso, -a

obstinado, -a

tener vergüenza

orgulloso, -a

enojado, -a

**CONTEXTO
COMUNICATIVO**

1 MATEO ¡Qué niño!

ANITA ¿Por qué **te enojas con** él?

MATEO Porque **miente** tanto.

ANITA **Vamos,** Mateo. **Ten paciencia** con él.

Variaciones:

■ miente tanto → dice tantas **mentiras**

■ miente tanto → siempre **está de mal humor**

■ miente tanto → cree en demasiadas **supersticiones**

■ ten paciencia → sé paciente

enojarse (con) *to be / get angry
(at)*

mentir (e → ie) *to lie*

vamos here: *come on*

tener paciencia *to be patient*

la mentira *lie*

estar de buen / mal humor *to
be in a good / bad mood*

la superstición, pl. **las
supersticiones** *superstition*

2
SILVIA   ¿Cómo está mi mamá hoy, doctor? ¿**Sufre** mucho?
DOCTOR   Está mucho mejor, Silvia. No **te preocupes.**
SILVIA   ¿Cuándo sale del hospital?
DOCTOR   **Dentro de** una semana.

■ te preocupes → hay problemas

sufrir   *to suffer*
preocuparse (por)   *to worry (about)*
dentro de   here: *within*

3
PABLO   **Dudo** que ganemos el partido del viernes.
NORMA   ¿Qué pasa ahora?
PABLO   **Temo** que Rodolfo no pueda jugar. Se lastimó la rodilla.
NORMA   **Siento** que Uds. tengan tantos problemas.

■ la rodilla → el tobillo
■ tantos problemas → tanta mala suerte

dudar   *to doubt*

temer   *to fear, to be afraid*

sentir (e → ie)   *to be sorry*

4
ANA   **Me alegro de** que mi hijo saque tan buenas notas.
OLGA   Sí, debes estar muy orgullosa de él.
ANA   No lo puedo **negar.** Estoy muy feliz.

■ no lo puedo negar → no puedo decir que no
■ feliz → contenta

alegrarse (de)   *to be happy (about)*

negar (e → ie)   *to deny*

5
ELISA   ¿Te importa que Carlos venga al centro con nosotros?
MARIO   No, al contrario. Él es muy amable y parece tener un gran **sentido del humor.**
ELISA   Sí. Es una **lástima** que sólo se quede tres días aquí.

■ importa → molesta
■ venga al centro con nosotros → nos acompañe

el sentido del humor   *sense of humor*
la lástima   *shame, pity*

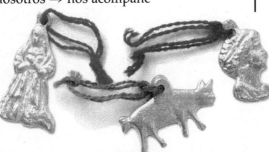

6 ANITA ¿Laura? Me **sorprende** verte aquí. Creía que estabas **de viaje** en Florida.

LAURA Con sólo cuatro días de vacaciones, no **valía la pena** viajar tan lejos.

- me sorprende → **qué alegría**
- me sorprende → qué sorpresa
- me sorprende → no esperaba
- estabas de viaje en → viajabas por

sorprender *to surprise*

de viaje *on a trip*

valer la pena *to be worth the effort, to be worth it*

¡qué alegría! *how nice! how marvelous!*

PRÁCTICA

A ¿Qué es? Raúl y Clara están en el hotel de su tío y hablan de la gente que conocen allí. Escoge una de las siguientes frases para describir a cada persona.

Dice una mentira.　　　　No está seguro(a).
Es supersticioso(a).　　　No tiene sentido del humor.
Está de buen humor.

1. Es una lástima que al cartero no le gusten los chistes.
2. El tío de Domingo dice que tiene 35 años, pero tiene 42.
3. El salvavidas no quiere que le tomemos el pelo.
4. La Srta. Mendoza no sabe si vale la pena quedarse en este hotel.
5. El gerente nunca abre el paraguas dentro de una habitación.
6. El niño de los Valdés está sonriendo a todo el mundo.
7. Graciela dice que limpió las habitaciones, pero no lo hizo.
8. Esa señora no sabe dónde dejó la llave de su maleta.

Tres jóvenes venezolanos
en Caracas

B Me enojo mucho cuando . . . Habla con un(a) compañero(a) sobre cómo te sientes cuando ocurren algunas cosas. Por ejemplo:

> me enojo mucho
> ESTUDIANTE A *Me enojo mucho cuando llego tarde al cine.*
> ESTUDIANTE B *Pues yo me enojo cuando pierdo mis llaves.*

1. estoy contento(a)	dar una vuelta en (el carrusel,
2. estoy de mal humor	etcétera)
3. tengo vergüenza	dolerme (los oídos, etcétera)
4. me preocupo mucho	estar a dieta
5. me siento orgulloso(a)	estar con gente (que no conozco,
6. estoy de buen humor	etcétera)
7. me alegro	estar de viaje / de compras
8. me sorprende mucho	ganar (un premio, etcétera)
9. sufro mucho	llegar a tiempo a / tarde a (una
10. me enojo mucho	función, etcétera)
11. lo siento mucho	mentir a (mis amigos, etcétera)
12. me quejo	nadar en (el mar, etcétera)
	perder (un partido, etcétera)
	sentirme bien / mal

C Bienvenida, Lucía. Cuando Lucía volvió de sus vacaciones, encontró una nota de María, la joven con quien comparte un apartamento. Usa las siguientes palabras y expresiones para completar la nota.

dudo	niega	te sientas
enojada	qué alegría	tenga paciencia
me alegro de	te preocupes	valía la pena

Lucía:

¡_____! Por fin regresas. Espero estar aquí cuando llegues, pero tenemos mucho trabajo en la oficina, y _____ que pueda volver a tiempo. Pero no _____. Mañana es sábado y vamos a tener todo el día
5 para hablar. Espero que _____ mejor después de tus vacaciones y que tengas muchas cosas que contarme. Tengo ganas de viajar también, pero no voy a poder hacerlo antes de noviembre. Cuando le dije a mi jefe que quería ir de vacaciones a la playa, me dijo que no _____ ir a la playa en el verano porque siempre está llena de gente. "¿Ud. cree que
10 es mejor ir en el invierno?" le pregunté. "_____," me dijo. "Pronto va a tener sus vacaciones." Él _____ que me prometió dos semanas de vacaciones en agosto. ¡Imagínate! Estoy tan _____ que pienso buscar otro trabajo.

_____ tenerte aquí otra vez. Nos vemos esta noche.

15   María

D Hablemos de ti.

1. ¿Eres supersticioso(a)? ¿Por qué sí o por qué no? ¿En qué supersticiones crees?
2. ¿Te preocupas por muchas cosas? ¿Por cuáles? ¿Te preocupas por otras personas? ¿Por quiénes? ¿Por qué?
3. ¿Tienes paciencia con otras personas? ¿Cuándo eres impaciente? ¿Cuándo te enojas? ¿Con quiénes te enojas?
4. ¿Eres obstinado(a)? ¿Cuándo eres obstinado(a)? ¿Eres obstinado(a) cuando discutes? ¿Sigues discutiendo aun *(even)* cuando sabes que no tienes razón?
5. ¿De qué estás orgulloso(a)?
6. En tu opinión, ¿qué cosas valen la pena en la vida? ¿Y qué cosas no valen la pena? ¿Por qué?

ACTIVIDAD

¿Quién sabe? Write down two or three situations that people will respond to with expressions of feeling, such as *Gerardo niega que mienta* or *Me voy a casar mañana.*

Then, in small groups, take turns reading your sentences. After each one, the others should break out in appropriate expressions of grief, amazement, irritation, and so on. Here are some expressions you might use:

¿De veras?	¡Por supuesto!	¡Qué lástima!
¡Felicidades!	¡Qué alegría!	¡Qué lata!
¡Increíble!	¡Qué alivio!	¡Qué suerte!
Lo siento.	¡Qué bueno!	¡Qué susto!
¡No me digas!	¡Qué chistoso!	¿Quién sabe?
No vale la pena.	¿Qué importa?	¡Socorro!

Dos amigas en Puerto Rico

APLICACIONES

No creo en las supersticiones

Bernardo y Margarita hablan mientras salen de la escuela.

BERNARDO	¡No camines por debajo de esa escalera![1] Trae mala suerte.
MARGARITA	¡Qué supersticioso eres!
5 BERNARDO	No me creas si no quieres. Pero esta mañana un gato negro cruzó delante de mí, y cuando la Profesora Silva me hizo preguntas en clase yo no sabía las respuestas.
MARGARITA	Vamos, Bernardo. ¿No tienes vergüenza? No podías responder porque hablabas con Juan y no prestabas atención.
10	
BERNARDO	¡Yo siempre presto atención! Por eso siempre gano cuando jugamos al ajedrez.
MARGARITA	¡Mientes! Tú ganas porque aprendiste de niño a jugar. Oye, ¿jugamos un partido mañana?
15	
BERNARDO	¡Estás loca! Mañana es martes 13.
MARGARITA	¡No me digas que crees en eso también!
BERNARDO	Recuerda el dicho,[2] "El martes ni te cases ni te embarques."[3] Tú sabes que el martes es día de mala suerte. Y si es martes 13, ¡peor!*
20	

---

[1]**la escalera** here: *ladder*   [2]**el dicho** *saying*   [3]**embarcarse** *to set sail*

* In Hispanic countries it is Tuesday—not Friday—the thirteenth that is considered to be unlucky.

Preguntas

1. ¿Por dónde no quiere Bernardo que camine Margarita? ¿Por qué?
2. Según Bernardo, ¿por qué no podía contestar las preguntas que le hizo la profesora? ¿Y según Margarita? ¿Qué crees tú? 3. ¿Por qué no quiere Bernardo jugar al ajedrez al día siguiente? 4. ¿Cuál es el dicho que repite Bernardo? ¿Conoces algunos otros dichos o refranes (*proverbs*) en español? ¿Cuáles? 5. ¿Cuáles son los equivalentes de estos dichos y refranes en inglés? "Las paredes oyen." "Escoba nueva barre bien." "Más vale tarde que nunca." "Ver para creer." "Querer es poder." "Más vale pájaro en mano que ciento volando."

Participación

Working with a partner, make up a dialogue about one or two superstitions you know of.

¡DINERO MILAGROSO CON LA LÁMPARA DE ALADINO!

¿USTED NECESITA DINE

¡LEA

¡AHORA—comience a llenar sus bolsillos CON DINERO EN EFECTIVO AL INSTANTE!

¡FROTE LA LÁMPARA DE ALADIN PARA QUE APAREZCA EL DINERO COMO MILAGRO!

¿Necesita usted ahora mismo mucho dinero?

¿Está usted ahogándose en deudas y cuentas vencidas?

¿Para arreglar todos sus problemas económicos, podría usted usar un MILAGRO INSTANTÁNEO DE DINERO?

¿Desearía usted que todas sus preocupaciones de dinero desaparecieran en cuestión de segundos? ¿Como por arte de magia?

Usted es afortunado, amigo mío:

¡Todo está enfrente de usted! La tan esperada noticia por la cual usted ha venido esperando todo su vida. ¡Realmente es una gran noticia!

Por primera vez, ahora usted puede ser dueño de la legendaria LÁMPARA DE ALADINO, cuidadosamente protegida y considerada como un tesoro por hombres y mujeres, por una poderosa razón:

《 Por su extraordinario poder para atraer suerte en dinero a las personas que apenas la froten. 》

Pero antes de seguir adelante, déjeme preguntarle esto:

PALABRAS NUEVAS II

◆ COMMUNICATIVE OBJECTIVES
To go through customs
To discuss flight plans, delays, etc.

En el aeropuerto

CONTEXTO VISUAL

volar (o → ue)

la puerta de embarque

la frontera

la aduanera

la línea aérea

la pista

el aduanero

la aduana

los documentos

CONTEXTO
COMUNICATIVO

1 ALICIA   Nicolás, trata de obtener boletos para un vuelo **sin escala.**

NICOLÁS   Ya lo **intenté,** Alicia. El único vuelo desde aquí a Buenos Aires **hace escala** en Dallas.

Variaciones:
- trata de → intenta
- trata de obtener → espero que obtengas

la escala *stopover*
sin escala *nonstop*
intentar = tratar de
hacer escala *to make a stopover (planes)*

2 ADUANERA   ¿Tiene Ud. algo que **declarar,** señor?

SR. ORÚS   Sólo unos regalos para mis hijos.

ADUANERA   ¿Le importa abrir las maletas? Debo **registrar** su equipaje.

- hijos → parientes
- ¿le importa . . . ? → tenga la bondad de
- registrar su equipaje → registrarlas

declarar *to declare (at customs)*

registrar *to check, to inspect*

3 INÉS   Guillermo me dijo que perdiste tu pasaporte, **¿es cierto?**

PEDRO   Sí. Lo busqué **por todas partes** pero no lo encontré.

- cierto → **verdad**
- encontré → hallé

cierto, -a *certain*
es cierto *it's true*
(por / en) todas partes *everywhere*

es verdad *it's true*

4 EMILIA   Ahora dicen que el avión va a salir con retraso.

ALBERTO   ¿Cuánto es **la demora?**

EMILIA   Es **posible** que pasemos todo el día aquí.

ALBERTO   ¡Pero eso es **imposible**! ¡Tenemos que estar en Madrid antes de las ocho!

EMILIA   No te enojes, Alberto. Eso no cambiará nada.

- con retraso → tarde
- posible → **probable**
- te enojes → vale la pena enojarse

la demora *delay*
posible *possible*
imposible *impossible*

probable *probable*

5 SILVIA   Es **improbable** que veamos a Carlos esta noche.

       SIMÓN   ¿Por qué lo dices?

       SILVIA   Él está muy **extraño** estos días. Nunca hace lo que promete.

- es improbable → no creo
- nunca hace lo que promete → cambia de idea **continuamente**

improbable   *improbable*

extraño, -a   *strange*

continuamente   *continually*

PRÁCTICA

A En la agencia de viajes. El Sr. Ortiz va a la agencia de viajes para comprar un boleto a Barranquilla, Colombia. Lee las preguntas y busca las respuestas en la columna de la derecha.

1. Quiero ir a Barranquilla, pero no sé si debo ir en avión o en barco. ¿Qué recomienda?
2. ¿Qué línea aérea va a Barranquilla?
3. Ése es un vuelo sin escala, ¿verdad?
4. ¿Tiene un asiento junto a la ventanilla?
5. ¿Y allí en la aduana registran las maletas?
6. ¿Tengo que declarar la cámara?
7. ¿A qué hora tengo que estar en la puerta de embarque?

a. Sí, queda uno.
b. A las 3:45.
c. Sólo si es nueva.
d. Es mejor que vuele, señor.
e. Lo siento, pero hace escala en Bogotá por 25 minutos.
f. Aero-Colombia tiene un vuelo a las 4:30.
g. Sólo si tiene algo que declarar.

En el aeropuerto de Santiago, Chile

B ¡Tengo prisa! Leonardo siempre tiene prisa, por eso prefiere volar. Se siente muy nervioso si hay una demora. Escoge la palabra o frase correcta.

1. Intenté comprar boletos sin *(vergüenza / escala)* pero fue *(posible / imposible)*.
2. Me parece *(extraño / expreso)* que ninguna línea aérea vuele directamente desde aquí hasta Medellín.
3. Date prisa, Marta, o es *(posible / imposible)* que el avión salga sin nosotros.
4. Espero que no pasemos mucho tiempo en la *(demora / pista)* antes de despegar.
5. Con tanta nieve y hielo, es *(cierto / improbable)* que el avión despegue pronto.
6. Después de tantas *(líneas aéreas / demoras)*, estoy seguro de que vamos a llegar muy tarde.
7. ¿Es posible que los aduaneros *(registren / declaren)* mi bolso?

En el aeropuerto de
San Juan, Puerto Rico

C Hablemos de ti.

1. ¿Vives cerca de una frontera? ¿Cuál? ¿Qué documentos necesitas generalmente para cruzar una frontera?
2. ¿Qué documentos de identificación tienes? ¿Para qué son? ¿Tienes pasaporte?
3. La última vez que fuiste de vacaciones, ¿cruzaste una frontera? ¿Cuál? ¿Había una aduana? ¿Qué te pidieron?
4. ¿Te gusta volar? ¿O prefieres viajar en coche, en tren o en autobús? ¿Por qué?
5. Imagina que vuelas entre Nueva York y Los Ángeles, y que la línea aérea te ofrece hacer escala en otra ciudad. ¿Qué ciudad te gustaría visitar? ¿Por qué?
6. ¿Te enojas cuando hay demoras o tienes mucha paciencia? ¿Qué clase de demora te molesta más? ¿Qué haces cuando hay una demora?

ESTUDIO DE PALABRAS

In Spanish the prefix *in-* often means "not": *in* + *cómodo* = "uncomfortable" or "not comfortable." Just as in English, *in-* becomes *im-* before words beginning with *b* or *p*: *imposible, improbable, impaciente.* The prefix *in-* / *im-* corresponds to these English prefixes: *un-* (unhappy), *im-* (impossible), *ir-* (irregular), or *il-* (illogical). What do you think these words mean?

inactivo   incapaz   infeliz   insuficiente   impagable

Sinónimos
Cambia las palabras en cursiva por sinónimos.
1. Miguel no *tiene miedo de* los gatos negros.
2. ¿Es *cierto* que hay una demora de dos horas?
3. *Trataré de* alquilar un coche.

Antónimos
Cambia las palabras en cursiva por antónimos.
1. Es *probable* que Juan llame.
2. Él nunca *dice la verdad.*
3. Es *imposible* volar cuando hace mal tiempo.

Familias de palabras
Escribe frases usando verbos parecidos a cada una de estas palabras.

1. sorpresa   3. alegría   5. enojado
2. mentira   4. preocupado 6. vuelo

EXPLICACIONES I

El subjuntivo con expresiones de emoción

◆ COMMUNICATIVE
OBJECTIVES

To express regret, fear, and worry

To express pride, pleasure, and surprise

To express annoyance or anger

To say that something bothers you

You have been using the subjunctive after verbs or expressions of wishing, wanting, and hoping and when we ask, insist, or recommend that someone do something. We also use the subjunctive after verbs and expressions that indicate emotions such as regret, fear, surprise, anger, or pleasure.

Siento que trabajes hoy.	*I'm sorry you're working today.*
Temo que ellos se enojen.	*I'm afraid they'll get angry.*
Me alegro de que Uds. vengan a la boda.	*I'm glad you're coming to the wedding.*

1 Remember that sentences with the subjunctive usually have two parts with two different subjects. When there is only one subject we usually use the infinitive.

Siento llegar tan tarde.	*I'm sorry to arrive so late.*
Se alegran de ir al bautizo.	*They're happy about going to the baptism.*

2 Many expressions of emotion are formed with *estar* + adjective. For example:

$$estar \begin{Bmatrix} contento \\ enojado \\ orgulloso \\ preocupado \end{Bmatrix} + \begin{cases} de\ que + subjunctive \\ de + infinitive \end{cases}$$

Estoy contento de que estés aquí.	*I'm happy you're here.*
Estoy contento de estar aquí.	*I'm happy to be here.*
Estamos orgullosos de que ella saque tan buenas notas.	*We're proud she's getting such good grades.*
Estamos orgullosos de sacar tan buenas notas.	*We're proud about getting such good grades.*

3 Other verbs of emotion that you know are *importar* "to mind," *molestar* "to bother," and *sorprender* "to surprise." Note that they all take an indirect object pronoun.

Nos sorprende que Gloria **se case.**	*We're surprised Gloria is getting married.*
¿Te importa que lo **invitemos?**	*Do you mind if we invite him?*
A ella le molesta que masques chicle.	*It bothers her that you chew gum.*

PRÁCTICA

A Una carta de Diana. Diana está de vacaciones en Colombia y le está escribiendo una carta a su compañero Ricardo en los Estados Unidos. Completa su carta escogiendo las expresiones correctas.

Querido Ricardo:

Hace tres semanas que estamos en Cartagena. Vivimos en casa de mis tíos. Me gusta Colombia y los colombianos son todos muy simpáticos, pero *(me molesta / me alegro de)* que hablen tan rápidamente. También
5 *(siento / me sorprende)* que mucha gente extranjera viva aquí. No lo sabía.

Como sabes, mañana es mi cumpleaños. *(Estoy enojada / Estoy orgullosa)* de que Jorge, mi primo favorito, no pueda estar aquí para la gran fiesta. Se fue a Venezuela en un viaje de negocios. *(Temo / Me*
10 *alegro de)* que él no regrese hasta el mes próximo. También *(siento / me sorprende)* que tú tampoco puedas estar aquí para ayudarme a celebrar.

Oye, ¿cómo está María? *(Estoy contenta de / Estoy preocupada de)* que no responda a mis cartas. *(Espero / Temo)* que no le pase nada malo.

Bueno, Ricardo, espero que me contestes pronto.

Tu amiga,

Diana

Estudiantes en Cartagena, Colombia

B **¿Cómo te sientes?** Escoge las expresiones de la lista para decir cómo te sientes en las siguientes situaciones. Por ejemplo:

me alegro de   siento   (no) me sorprende
temo   (no) me importa   (no) me molesta

Tu mejor amigo tiene un coche nuevo.
Me alegro de
Me sorprende } *que mi mejor amigo tenga un coche nuevo.*
No me importa

1. El profesor no piensa darnos un examen hoy.
2. El público sigue hablando durante la película.
3. Tu amigo saca mejores notas que tú.
4. Un amigo tuyo te toma el pelo.
5. Un amigo tuyo no comparte nada contigo.
6. Nadie te felicita el día de tu cumpleaños.
7. El padre de tu amigo se queda sin trabajo.
8. Tu novio(a) te regala algo muy caro.
9. Tus padres no te permiten salir de noche cuando hay escuela.
10. Tu novio(a) habla continuamente de otros(as) chicos(as).

C **Antes de despegar.** Varios viajeros están hablando en la sala de espera de un aeropuerto. Sigue el modelo usando las expresiones de la lista.

me alegro de que   me sorprende que
me molesta que   estoy preocupado(a) de que

(ellos) / dar películas en este vuelo
ESTUDIANTE A   *Creo que dan películas en este vuelo.*
ESTUDIANTE B   *Pues me alegro de que den películas.*

1. aquella auxiliar de vuelo / enojarse con esas mujeres
2. esta línea aérea / servir comidas sabrosas
3. el piloto / parecer distraído
4. esta línea aérea / permitir colocar maletas debajo del asiento
5. todos los agentes de viajes / recomendar esta línea aérea
6. el cielo / parecer oscuro
7. esta línea aérea / nunca perder el equipaje
8. el vuelo / durar más de cuatro horas
9. la pista / tener hielo
10. el avión / aterrizar alrededor de las cinco

D Opiniones.   Con un(a) compañero(a), da tu opinión sobre los siguientes temas. Usa expresiones de la lista. Por ejemplo:

estoy orgulloso(a) de que   temo que
estoy enojado(a) de que   me molesta que
estoy contento(a) de que   me sorprende que

> la escuela
> ESTUDIANTE A   *Estoy contento de que pinten el gimnasio.*
> ESTUDIANTE B   *Me sorprende que la cafetería no sirva comida más sabrosa.*

1. la clase de _____
2. el equipo de _____
3. las vacaciones
4. los fines de semana
5. los amigos
6. la ciudad o pueblo
7. las películas
8. la música
9. la televisión

E De vacaciones.   La familia González va a pasar las vacaciones en la casa de sus primos. Ahora la familia está en el aeropuerto esperando que despegue el avión. Todo el mundo está hablando. Sigue el modelo.

> Pedro / sentir / no poder ir con nosotros
> Yo / sentir / él / tener que quedarse solo
> ESTUDIANTE A   *Pedro siente no poder ir con nosotros.*
> ESTUDIANTE B   *Yo siento que él tenga que quedarse solo.*

1. (Yo) / alegrarse de / estar de vacaciones
   Yo / alegrarse de / (nosotros) / ver a nuestros primos
2. A Virginia / molestarle / llevar tanto equipaje
   A mí / molestarme / las maletas / pesar tanto
3. Molestarme / esperar en esta sala de espera sucia
   A mí / molestarme / el avión / salir con dos horas de retraso
4. (Yo) / alegrarse de / poder llevar al perro
   Yo / alegrarse de / el perro / portarse bien
5. Sorprenderme / ver a tanta gente aquí
   A mí / sorprenderme / la ciudad / no construir un aeropuerto más grande
6. Papá / sentir / tener sólo una semana de vacaciones
   Yo / sentir / él / volver solo
7. Mamá / temer / viajar en avión
   A mí / molestarme / el avión / hacer dos escalas

Todas las vacaciones del mundo.

ultramar express

El subjuntivo con expresiones de duda

◆ COMMUNICATIVE
OBJECTIVES
To deny
To express doubt or uncertainty
To express certainty or conviction

We also use the subjunctive after verbs and expressions that indicate doubt, denial, or uncertainty.

Dudo que David hable bien el español.	*I doubt that David speaks* Spanish *well.*
No creo que empecemos mañana.	*I don't think we'll begin* tomorrow.
Niego que él mienta.	*I deny that he's lying.*
No estamos seguros de que ellos se casen este año.	*We're not sure they'll get married* this year.

1 We always use the subjunctive after these verbs and expressions, even when there is no change of subject.

Dudo que (yo) **hable** bien el español.	*I doubt that I speak* Spanish *well.*
No creo que empiece mañana.	*I don't think I'll begin* tomorrow.
Ella niega que mienta.	*She denies that she's lying.*
No están seguros de que se casen este año.	*They're not sure they'll get married* this year.

2 However, when the verb or expression expresses certainty (or a lack of doubt, disbelief, or denial), we use the indicative mood.

No dudo que el viaje **vale** la pena.	*I don't doubt that the trip is worth the effort.*
Creo que empezamos mañana.	*I think we'll begin* tomorrow.
No niego que él miente.	*I don't deny he's lying.*
Estamos seguros de que ellos se casan este año.	*We're sure they'll get married* this year.

PRÁCTICA

A Es muy sencillo.   Yolanda y Armando no están de acuerdo sobre lo que está ocurriendo en su telenovela favorita, *Corazón de oro*. Cambia según el modelo.

> Rosa sabe que Rafael le debe mucho dinero a su jefe. (dudar)
> *No. Rosa duda que Rafael le deba mucho dinero a su jefe.*

1. El hijo de Rosa cree que su madre quiere a Rafael. (no creer)
2. El vecino piensa que su hijo sufre del corazón. (dudar)
3. El médico dice que el niño se mejora. (no estar seguro de)

4. La familia cree que Rafael ahorra mucho dinero para pagar al médico. (dudar)
5. La hermana de Rafael está segura de que él roba coches. (negar)
6. Los amigos de Rafael saben que él miente mucho. (no creer)
7. El abogado dice que Rafael puede cruzar la frontera. (dudar)
8. La abuela de Rafael dice que su nieto intenta escaparse. (negar)
9. Rosa dice que continuamente sueña con ser rica. (negar)
10. Todo el mundo dice que Rosa tiene vergüenza. (negar)

B **¿Por qué discutes tanto?** Cuando Armando y Yolanda miran la televisión nunca están de acuerdo sobre lo que pasa en los programas. Usa las expresiones para hacer frases según el modelo.

> Creo / Pues yo no creo
> No dudo / Pues yo dudo
> Es verdad / En mi opinión, no es verdad
> Estoy seguro(a) de / Yo no estoy seguro(a) de
>
> Esa mujer / ganar el premio
> ESTUDIANTE A *No dudo que esa mujer va a ganar el premio.*
> ESTUDIANTE B *Pues yo dudo que ella gane el premio.*

1. Dolores Martín / cantar
2. los ladrones / robar la plata
3. los novios / decidir graduarse de la universidad
4. el Sr. Montoya / esquiar bien
5. Don Quijote / besar a Dulcinea
6. el policía / hallar al arqueólogo dentro de una semana
7. el héroe / salvar a los jóvenes
8. el millonario / regalarles las joyas a sus parientes
9. el explorador / compartir el tesoro con sus ayudantes
10. el piloto / estar de mal humor

C **Hablemos de ti.**
1. ¿Te preocupas por los exámenes? ¿Por qué? ¿Por qué otras cosas te preocupas? ¿De qué te alegras?
2. ¿Te enojas con la gente que no hace lo que promete? ¿Con qué otras personas te enojas?
3. ¿Te molesta que la gente diga que no le importan tus problemas? ¿A ti te importan los problemas de otras personas? ¿Qué haces para ayudarlas?
4. ¿Qué cosas te sorprenden? Por ejemplo, ¿te sorprende que algunas personas mientan? ¿Por qué dicen mentiras?

APLICACIONES

Un secreto del desierto

¿Quiénes hicieron los enormes dibujos que se encuentran[1] en el desierto del Perú? Es probable que nunca encontremos las respuestas a todas las preguntas sobre lo que llamamos "las líneas de Nazca." Las líneas forman dos clases de dibujos: figuras geométricas y dibujos de plantas o animales,
5 todas en proporciones enormes. Por ejemplo, hay un dibujo de un mono que es más grande que un campo[2] de fútbol. Hay también una araña de cincuenta metros de largo.[3] Hace muchos siglos que esos dibujos extraños están allí. Pero sólo podemos verlos desde un avión. Desde la tierra, parecen líneas sin ningún significado. ¿Quién hizo estas líneas, y por qué? ¿Y
10 cómo podían hacerlas sin ver lo que hacían? Es muy misterioso.

Un libro popular presenta la teoría[4] de que visitantes de otros planetas llegaron a este lugar e hicieron los dibujos geométricos para indicar a sus naves espaciales[5] dónde aterrizar. Según esta teoría, los habitantes de esa parte del Perú creyeron que los visitantes eran dioses. Cuando los visitan-
15 tes regresaron a su planeta la gente de Nazca dibujó los animales para llamar otra vez a sus "dioses."

Pero los astrónomos y antropólogos no creen en esta teoría. Según ellos, las líneas geométricas probablemente servían para calcular la posición del sol y de las estrellas durante el año. Pero todavía no pueden explicar los
20 dibujos de animales y de plantas. Quizás es verdad que eran recados para los dioses, pero no dioses con naves espaciales, sino dioses de la naturaleza[6] como el dios del sol.

---

[1]**encontrarse** *to be found*   [2]**el campo** here: *field*   [3]**de cincuenta metros de largo** *50 meters long*   [4]**la teoría** *theory*   [5]**la nave espacial** *space ship*   [6]**la naturaleza** *nature*

Líneas de Nazca en el Perú

Preguntas

1. ¿Por qué nos sorprenden las líneas de Nazca?
2. Descríbelas.
3. ¿De dónde se pueden ver los dibujos?
4. ¿Cómo son los dibujos del mono y de la araña?
5. Explica, con otras palabras, la teoría en la lectura.
6. ¿Qué creen los científicos sobre las líneas geométricas?
7. ¿Qué piensas tú de estos dibujos? ¿Tienes tú alguna teoría sobre ellos? ¿Puedes inventar una?

Cerca de Nazca, Perú

EXPLICACIONES II

El subjuntivo con expresiones impersonales

◆ COMMUNICATIVE
OBJECTIVES

To express opinions
To give advice
**To tell what may or
may not happen**

Another common use of the subjunctive is after certain impersonal
expressions that give an indirect command or that indicate opinion,
emotion, doubt, possibility, or denial. Some impersonal expressions you
know that require the subjunctive are:

Es difícil	Es mejor
Es importante	Es necesario
Es imposible	Es posible
Es improbable	Es probable
Es (una) lástima	Es triste

No es necesario que César **responda.**	*It isn't necessary for César to answer.*
Es una lástima que no puedas acompañarnos.	*It's too bad you can't come with us.*
Es posible que visitemos las ruinas mañana.	*It's possible that we'll visit the ruins tomorrow.*
Es imposible que ellos duerman aquí.	*It's impossible for them to sleep here.*

1 We use the indicative with impersonal expressions that express
certainty.

Es verdad que él tiene mucha paciencia.	*It's true that he's very patient.*
Es cierto que el vuelo **llega** tarde.	*It's true that the flight will arrive late.*

But we use the subjunctive with impersonal expressions that show
uncertainty.

No es verdad que ella crea en fantasmas.	*It's not true that she believes in ghosts.*
No es cierto que el aduanero **registre** el equipaje.	*It's not true that the customs officer will check the luggage.*

2 When there is no change of subject, we use the infinitive.

Es difícil dormir con ese ruido.	*It's hard to sleep with that noise.*
Es imposible llegar a tiempo.	*It's impossible to arrive on time.*
No es necesario llevar eso.	*It's not necessary to take that.*

PRÁCTICA

A **Consejos del director.** El director del colegio quiere que los estudiantes se porten mejor y les da unos consejos. Sigue el modelo.

> María / no estudiar / es importante
> ESTUDIANTE A *María no estudia.*
> ESTUDIANTE B *Es importante que estudie.*

1. Roberto / nunca tomar apuntes / es mejor
2. Estela y Marta / nunca prestar atención / es importante
3. Laura / no escribir a máquina / es necesario
4. Luz / nunca compartir la computadora / es mejor
5. Pedro y Carmen / nunca participar en los partidos / es importante
6. Gustavo / no respetar las reglas / es necesario
7. Armando y Javier / no intentar llegar a tiempo / es importante
8. Victoria / nunca seguir los consejos de la profesora / es mejor

B **A las montañas.** Unos amigos piensan ir de excursión a las montañas mañana. Usa expresiones de la lista para preguntar y contestar. Por ejemplo:

(no) es difícil	es una lástima	es posible
es imposible	es necesario	es probable

> nosotros / caminar mucho
> ESTUDIANTE A *¿Vamos a caminar mucho?*
> ESTUDIANTE B *Es probable que caminemos mucho.*

1. Julio / llevar su radio
2. (nosotros) / encontrar animales peligrosos
3. (nosotros) / hallar el sendero hasta el campamento
4. tus amigos / visitar nuestro campamento
5. Graciela y Andrés / subir a la montaña
6. todos (nosotros) / poder dormir
7. (nosotros) / despertarse temprano
8. llover mañana

Ruinas de Sacsahuamán,
en el Perú

C ¿Cierto o no? Usa las expresiones *(no) es cierto* o *(no) es posible* para dar tu opinión en cada una de las frases. Usa el indicativo o el subjuntivo según la expresión.

1. Los gatos negros traen mala suerte.
2. Viven animales extraños en la luna.
3. Las estrellas nos aconsejan.
4. La tierra da vueltas alrededor del sol.
5. Los animales entienden lo que la gente dice.
6. La mayoría de las personas tienen vergüenza a veces.
7. La gente puede discutir sin pelearse.
8. La gente puede vivir varias semanas sin beber nada.
9. El número 13 trae mala suerte.

D ¡Una carta de mi novia! Roberto acaba de recibir una carta de Susana. Complétala usando el infinitivo, el presente del indicativo o del subjuntivo de los verbos entre paréntesis.

Playa Azul, 25 de mayo

Querido Roberto:

   ¿Por qué no me escribes? ¡Es tan emocionante *(recibir)* tus cartas! Todos los días (yo) *(esperar)* al cartero y siempre es triste que él me *(decir)* que no hay nada para mí. Es necesario que (tú) me *(mandar)* los
5 libros que te pedí. No tengo nada bueno para leer.

   Es una lástima que (tú) no *(querer)* venir a visitarme. Es muy bonito aquí. Paso los días en la playa. Es maravilloso *(nadar)* en agua tan clara y azul. Es importante que los visitantes *(conocer)* a los muchachos de aquí, porque ellos saben dónde es posible *(encontrar)* playas bonitas
10 que no estén llenas de gente.

   Es posible que Teresa y yo *(visitar)* una casa vieja donde dicen que hay fantasmas. Claro que no es probable que (nosotras) *(hallar)* fantasmas allí. Pero no dudo que *(vivir)* fantasmas en la pensión donde estoy. Todas las noches oigo ruidos extraños en el pasillo, y
15 cuando abro la puerta, ¡no hay nada! Es verdad que esos ruidos *(poder)* ser de ratones, pero es más interesante *(pensar)* que son fantasmas. Crees que estoy loca, ¿verdad? Pues es posible que (tú) *(tener)* razón. ¡Escríbeme!

   Te mando un beso.

Susana

20

E   Hablemos de ti.

1. ¿Es emocionante volar en avión? ¿Dar una vuelta en la montaña rusa? ¿Por qué?
2. ¿Es fácil para ti hablar con gente que no conoces bien? ¿Por qué?
3. ¿Es importante decir siempre la verdad? ¿Por qué?
4. ¿Es necesario que tú comas por lo menos tres veces por día y que duermas ocho horas? ¿Por qué?
5. ¿Es agradable no hacer nada? ¿Por qué?
6. ¿Es·probable que viajes a algún lugar interesante este año? ¿Adónde? ¿Con quién irás?

ACTIVIDAD

¡El subjuntivo ganador!   Get together in groups of three or five students. Write down the impersonal expressions that require the subjunctive on separate slips of paper. Choose one person to be the leader; the others should form two teams. The leader then picks a slip of paper and reads the expression aloud. The first team to say a correct sentence using the expression gets a point. After five expressions, the team with the most points wins the round and a new leader is chosen.

Una fiesta de estudiantes en España

APLICACIONES

Mira con cuidado las frases modelo. Luego cambia las frases que siguen al español según los modelos.

1. *Es necesario que Claudia regrese a casa.*
   (It's possible that you (fam.) will travel to Costa Rica.)
   (It's important that you (pl.) pay Francisco.)
   (It's probable that we'll sail to Mallorca.)

2. *Pero Elena siente que ellos vengan tarde a la cita.*
   (But I doubt we'll arrive at the border soon.)
   (But Mrs. López doesn't think you (fam.) will return home early.)
   (But they're sorry I won't come back to the inn again.)

3. *Yo creo que ella miente mucho, pero ellos dudan que ella diga mentiras.*
   (We think he plays well, but we doubt he'll win the game.)
   (He doesn't deny that you (formal) teach well, but he doesn't think you're patient.)
   (I don't deny she paints well, but I don't think she understands art.)

4. *Estoy triste de que la clase continúe sin ella.*
   (We're proud that you (formal) will work with us.)
   (He's angry that I'll start without him.)
   (They're happy that we'll run with them.)

5. *¡Qué mala suerte! Nos preocupamos de que nuestros primos nos visiten.*
   (What a surprise! I'm happy my godparents will accompany me.)
   (What a shame! They're worried that their grandchildren won't find them.)
   (What a relief! She's happy that no one recognizes her.)

En el aeropuerto de
Caracas, Venezuela

TEMA

Escribe las frases en español.

1. It's necessary for Diego and Miguel to fly to Caracas.

2. But Diego fears they'll arrive at the airport late.

3. Diego thinks the plane will leave on time, but Miguel doubts that he is right.

4. Diego is worried that the plane will take off without them.

5. What a relief! Diego is happy that his friend wakes him up.

REDACCIÓN

Ahora escoge uno de los siguientes temas para escribir tu propio diálogo o párrafo.

1. Expand the *Tema* by writing a paragraph about pictures one through four. At what time do Diego and Miguel leave the house? How do they get to the airport? Why is Diego afraid they will be late?

2. Have you ever traveled to another country? If so, write a paragraph about your experience. How did you travel? Did you need documents, such as a passport? Did you have to go through customs? Did you make any stops before you reached your destination? What did you think of the trip?

3. Write a dialogue between a passenger and a customs official.

A El aeropuerto
Completa cada frase con la forma correcta de la palabra apropiada.

aduana	escala	puerta de embarque
declarar	frontera	registrar
demora	pista	viaje

1. El avión va a despegar. Está en la ____.
2. Otros aviones esperan. Hay una ____ grande.
3. La gente que llega en el vuelo desde Colombia pasa por la ____ para ____ lo que compró allá.
4. El agente ____ las maletas.
5. Los pasajeros suben al avión por la ____.
6. Fue un vuelo corto. No hizo ninguna ____.
7. La familia López está de ____ en el Perú.

B ¿Qué crees tú?
Escoge la forma correcta del verbo.

1. Dudo que él ____ mucho.
   a. sufre   b. sufra
2. Mamá no cree que (yo) ____ mucho.
   a. ayudo   b. ayude
3. Pepe cree que (nosotros) ____ bien.
   a. cocinamos   b. cocinemos
4. No creo que el avión ____ a tiempo.
   a. aterriza   b. aterrice
5. ¿Niegas que Juan ____ bastante dinero?
   a. ahorra   b. ahorre
6. ¿Dudas que ____ a manejar?
   a. aprendo   b. aprenda
7. No dudo que ____ sed.
   a. tienes   b. tengas
8. Marta no niega que ella ____ la historia.
   a. cree   b. crea
9. No estoy seguro de que Pepe nos ____.
   a. espera   b. espere

C Me alegro de que vengas
Cambia las frases al subjuntivo según el modelo.

Olga teme llorar. (yo)
Olga teme que yo llore.

1. Me enoja gastar tanto dinero.   (nosotros)
2. Es importante tener un sentido del humor. (tú)
3. ¿Te alegras de recibir un sueldo tan grande? (nosotros)
4. A Jorge no le molesta pedir consejos.   (ellas)
5. Me sorprende descubrir eso.   (él)
6. Nos alegramos de pasar la tarde aquí.   (María)
7. Temo no comprender nada.   (Uds.)
8. Sentimos no poder conocer a tus suegros. (ellos)

D Me alegro, pero también dudo
Forma frases según el modelo.

Viajan en coche cama.   (él / negar)
Él niega que viajen en coche cama.

1. Entienden el significado de eso.   (el profesor / no estar seguro)
2. Me enojo con Andrés.   (ellos / dudar)
3. Compartimos el trabajo.   (tú / alegrarse de)
4. No empiezas a las nueve.   (el jefe / sentir)
5. Nuestro equipo siempre gana.   (nosotros / dudar)
6. La aduanera registra el equipaje.   (Laura / no creer)

E ¿Es importante?
Haz frases según el modelo.

¿Es importante estudiar mucho?   (nosotros)
¿Es importante que estudiemos mucho?

1. Es imposible volver a intentar.   (yo)
2. Es necesario terminar temprano.   (tú)
3. Es una lástima deber tanto dinero.   (él)
4. Es mejor no mentir.   (ellos)
5. Es importante asistir al espectáculo. (nosotros)
6. Es posible traer las joyas.   (Ud.)

VOCABULARIO DEL CAPÍTULO 16

Sustantivos
la aduana
el aduanero, la aduanera
la demora
el documento
la escala
la frontera
la lástima
la línea aérea
la mentira
la pista
la puerta de embarque
el sentido del humor
la superstición, *pl.* las
    supersticiones

Adjetivos
cierto, -a
enojado, -a
extraño, -a
imposible
improbable
obstinado, -a
orgulloso, -a
posible
probable
supersticioso, -a

Adverbio
continuamente

Preposición
dentro de *(within)*

Verbos
alegrarse (de)
declarar
dudar
enojar(se) (con)
intentar
mentir (e → ie)
negar (e → ie)
preocuparse (por)
registrar
sentir (e → ie)
sorprender
sufrir
temer
volar (o → ue)

Expresiones
de viaje
es cierto
es verdad
estar de buen / mal humor
hacer escala
(por / en) todas partes
¡qué alegría!
sin escala
tener paciencia
tener vergüenza
valer la pena
vamos *(come on)*

APÉNDICE:
SI UDS. QUIEREN

On the following pages you will find a few additional structures that you will learn more about next year. To learn them now will certainly help you in any outside reading you do, and, of course, Spanish speakers use them often in conversation just as you use their English equivalents.

El presente perfecto

In English we form this tense by using *have* or *has* with the past participle of a verb: *he has gone, they've eaten, have you looked?* In Spanish we use the present tense of the verb *haber* with a past participle. To form the past participle, we add *-ado* to the stem of most *-ar* verbs and *-ido* to the stem of most *-er* / *-ir* verbs:

-AR	-ER	-IR
hablar → hablado	comer → comido	salir → salido
mirar → mirado	tener → tenido	dormir → dormido
dar → dado	querer → querido	recibir → recibido
llevar → llevado	ser → sido	ir → ido

Here are the present perfect forms of *hablar, comer,* and *salir:*

	SINGULAR			PLURAL	
1	he	hablado comido salido		hemos	hablado comido salido
2	has	hablado comido salido		habéis	hablado comido salido
3	ha	hablado comido salido		han	hablado comido salido

Ya **hemos comido.**   *We've already eaten.*
No **ha llegado** todavía.   *He hasn't arrived yet.*

Many past participles are also used as adjectives. One irregular one that you know is the past participle of *hacer: hecho* ("made, done").

PRÁCTICA

¿Qué han hecho?   Con un(a) compañero(a), di lo que estas personas han hecho este año. Sigue el modelo.

> (tú) / ganar todos los partidos de bolos
> ESTUDIANTE A   *¿Qué has hecho este año?*
> ESTUDIANTE B   *He ganado todos los partidos de bolos.*

1. el (la) profesor(a) de español / trabajar mucho
2. los estudiantes / aprender mucho
3. el equipo de *(deporte)* / perder varios partidos
4. (nosotros) / disfrutar de la clase de *(materia)*
5. *(nombre de un chico)* / sacar buenas notas en *(materia)*
6. *(nombre de dos chicas)* / salir bien en todas las pruebas de *(materia)*
7. (tú) / llegar a tiempo (o tarde) a la escuela todos los días
8. tú y *(nombre)* / comer en la cafetería cada día

El pluscuamperfecto

We use the pluperfect tense to describe an action in the past that occurred before another action in the past. Its English equivalent is *had* + past participle: *he had gone, they'd eaten, had you looked?* To form the pluperfect, we use the imperfect forms of *haber* plus the past participle:

	SINGULAR			PLURAL	
1	**había**	hablado comido salido		**habíamos**	hablado comido salido
2	**habías**	hablado comido salido		habíais	hablado comido salido
3	**había**	hablado comido salido		**habían**	hablado comido salido

Note that object pronouns and reflexive pronouns come right before the form of *haber*.

¿Se habían acostado cuando llegaste?	*Had they gone to bed when you arrived?*
¿No te habíamos dado la dirección correcta?	*Hadn't we given you the correct address?*

PRÁCTICA

¿Por qué? Explica por qué estas personas no hicieron ciertas cosas. Sigue el modelo.

> (tú) / nadar / esta mañana
> ESTUDIANTE A *¿Por qué no nadaste?*
> ESTUDIANTE B *Porque ya había nadado esta mañana.*

1. Federico / ir al cine con nosotros / dos veces esta semana
2. los chicos / limpiar su dormitorio / la semana pasada
3. (nosotros) / correr ayer por la tarde / ayer por la mañana
4. (tú) / almorzar conmigo / más temprano
5. (ellos) / hacer un asado el domingo / el sábado
6. el profesor de historia / mostrar sus diapositivas / ayer
7. Uds. / escoger la película / la última vez
8. ella / venir con nosotros / sola en autobús
9. (yo) / ensayar con Uds. / dos veces esta semana

El imperfecto progresivo

You have learned to use the present progressive tense to express an action or event that is taking place right now. To describe something that was taking place at a certain time in the past, we use the imperfect progressive. We form this tense by using the imperfect forms of *estar* or *seguir* and the present participle.

Cuando me desperté **estaba lloviendo** mucho.	*When I woke up **it was raining** hard.*
Cuando llegué, **seguían buscando** su tarea.	*When I arrived, **they went on looking for** their homework.*

Remember that object pronouns can come before the main verb or can be attached to the present participle. If we attach them to the participle, we must add an accent mark to keep the stress on the correct syllable.

Él ⎰ **me estaba hablando.**   *He was talking to me.*
   ⎱ **estaba hablándome.**

PRÁCTICA

¿Qué estaban haciendo?   Con un(a) compañero(a), pregunta y contesta según el modelo.

tus padres cuando llegaste anoche / mirar la tele
ESTUDIANTE A   *¿Qué estaban haciendo tus padres cuando llegaste anoche?*
ESTUDIANTE B   *Estaban mirando la tele.*

1. la profesora de química cuando entraste / leer una historia
2. Uds. cuando empezó la tormenta / sacar los platos del lavaplatos
3. los nadadores cuando llegó la salvavidas / gritar "¡socorro!"
4. (tú) cuando oíste las noticias / cortar el césped
5. tu mamá cuando sonó el teléfono / poner la mesa
6. los otros cuando llegó la cajera / buscar a la gerente
7. (tú) cuando apagaron las luces / pedir la cuenta
8. Juanita y tú cuando ella se cortó la mano / envolver regalos

Uso del complemento directo
con el complemento indirecto

When we use a direct and an indirect object pronoun together, we always put the indirect object pronoun right before the direct object pronoun.

¿Quién **te** presta **la cámara?**	*Who's lending **you the camera?***
Luz **me la** presta.	*Luz is lending **it to me.***
¿Quién **les** enseña **español?**	*Who's teaching **you Spanish?***
El Sr. Díaz **nos lo** enseña.	*Mr. Díaz is teaching **it to us.***

When the indirect object pronoun *le* or *les* would come before the direct object pronouns *lo, la, los,* or *las,* the *le* or *les* becomes *se.*

¿Le vas a decir **el chisme a Juan?**	*Are you going to tell **Juan the gossip?***
Se lo digo ahora.	*I'm telling **it to him** now.*
¿Les mostraron **las preguntas?**	*Did they show **them the questions?***
Se las muestran ahora.	*They're showing **them to them** now.*

When we attach two object pronouns to an infinitive or present participle, we must add an accent mark to preserve the original stress.

Luz piensa **prestármela.**	*Luz plans **to lend it to me.***
Estoy **diciéndoselo.**	*I'm **telling it to him.***

PRÁCTICA

¿Quién los puede ayudar?   Con un(a) compañero(a), di quién va a ayudar a esta gente. Sigue el modelo.

Ramón necesita tijeras (dar / yo)

ESTUDIANTE A   *Ramón necesita tijeras. ¿Quién va a dárselas?*
ESTUDIANTE B   *Yo se las doy.*

1. Mariana necesita un sujetapapeles. (dar / Sofía)
2. Raimundo y Rodolfo necesitan hojas de papel. (dar / nosotros)
3. Lucía necesita un libro. (prestar / Rosa)
4. Necesito un borrador. (prestar / yo)
5. Mario y yo necesitamos una grapadora. (prestar / la Srta. López)
6. Teresa necesita una silla. (ir a buscar / yo)
7. Necesito cuadernos. (comprar / nosotros)
8. Uds. necesitan unas tizas. (dar / él)

El condicional

We use the conditional in Spanish to tell what we *would* do.

Me gustaría ir pero no puedo.   *I'd like to go but I can't.*
No comeríamos en ese café.   *We wouldn't eat in that café.*
Dijo que **llegaría** temprano.   *He said he'd arrive early.*

As with the future, we form the conditional of most verbs by adding the appropriate endings to the infinitive. The endings are the same as those for the imperfect of *-er* / *-ir* verbs, and in the conditional we use them with *-ar* verbs too. Note that there is an accent on all of the forms.

CANTAR		COMER		VIVIR	
cantaría	cantaríamos	comería	comeríamos	viviría	viviríamos
cantarías	cantaríais	comerías	comeríais	vivirías	viviríais
cantaría	cantarían	comería	comerían	viviría	vivirían

PRÁCTICA

Sé paciente, por favor.   Algunas personas siempre quieren que hagas cosas en seguida. Sigue el modelo.

(ellos) apagar las lámparas / apagarlas después
ESTUDIANTE A   *¿No han apagado las lámparas?*
ESTUDIANTE B   *Prometieron que las apagarían después.*

1. (tú) limpiar el horno / limpiarlo más tarde
2. (él) planchar las camisas / plancharlas esta noche
3. (ella) secar la ropa / secarla después del almuerzo
4. (ellos) encender el aire acondicionado / encenderlo en un momento
5. (tú) hallar el abrelatas / buscarlo después
6. (Uds.) comprar detergente / comprarlo esta tarde
7. (ellas) barrer el suelo / barrerlo antes de salir
8. (Alberto y tú) calentar la sopa / calentarla después de limpiar estas ollas y sartenes

VERBOS

Regular Verbs

cantar

PRESENT INDICATIVE	canto, cantas, canta; cantamos, cantáis, cantan
PRESENT SUBJUNCTIVE	cante, cantes, cante; cantemos, cantéis, canten
PRETERITE	canté, cantaste, cantó; cantamos, cantasteis, cantaron
IMPERFECT	cantaba, cantabas, cantaba; cantábamos, cantabais, cantaban
FUTURE	cantaré, cantarás, cantará; cantaremos, cantaréis, cantarán
COMMANDS	canta, no cantes; (no) cante Ud.; (no) canten Uds.
PRESENT PARTICIPLE	cantando

aprender

PRESENT INDICATIVE	aprendo, aprendes, aprende; aprendemos, aprendéis, aprenden
PRESENT SUBJUNCTIVE	aprenda, aprendas, aprenda; aprendamos, aprendáis, aprendan
PRETERITE	aprendí, aprendiste, aprendió; aprendimos, aprendisteis, aprendieron
IMPERFECT	aprendía, aprendías, aprendía; aprendíamos, aprendíais, aprendían
FUTURE	aprenderé, aprenderás, aprenderá; aprenderemos, aprenderéis, aprenderán
COMMANDS	aprende, no aprendas; (no) aprenda Ud.; (no) aprendan Uds.
PRESENT PARTICIPLE	aprendiendo

vivir

PRESENT INDICATIVE	vivo, vives, vive; vivimos, vivís, viven
PRESENT SUBJUNCTIVE	viva, vivas, viva; vivamos, viváis, vivan
PRETERITE	viví, viviste, vivió; vivimos, vivisteis, vivieron
IMPERFECT	vivía, vivías, vivía; vivíamos, vivíais, vivían
FUTURE	viviré, vivirás, vivirá; viviremos, viviréis, vivirán
COMMANDS	vive, no vivas; (no) viva Ud.; (no) vivan Uds.
PRESENT PARTICIPLE	viviendo

Reflexive Verbs

lavarse

PRESENT INDICATIVE	me lavo, te lavas, se lava; nos lavamos, os laváis, se lavan
PRESENT SUBJUNCTIVE	me lave, te laves, se lave; nos lavemos, os lavéis, se laven
PRETERITE	me lavé, te lavaste, se lavó; nos lavamos, os lavasteis, se lavaron
IMPERFECT	me lavaba, te lavabas, se lavaba; nos lavábamos, os lavabais, se lavaban
FUTURE	me lavaré, te lavarás, se lavará; nos lavaremos, os lavaréis, se lavarán
COMMANDS	lávate, no te laves; lávese Ud., no se lave Ud.; lávense Uds., no se laven Uds.
PRESENT PARTICIPLE	lavándose

Stem-changing Verbs

acostar (o → ue)

PRESENT INDICATIVE	acuesto, acuestas, acuesta; acostamos, acostáis, acuestan
PRESENT SUBJUNCTIVE	acueste, acuestes, acueste; acostemos, acostéis, acuesten
PRETERITE	acosté, acostaste, acostó; acostamos, acostasteis, acostaron
IMPERFECT	acostaba
FUTURE	acostaré
COMMANDS	acuesta, no acuestes; (no) acueste Ud.; (no) acuesten Uds.
PRESENT PARTICIPLE	acostando

Verbs like **acostar: contar, costar, demostrar, encontrar, mostrar, probar, recordar, sonar, soñar, volar**

acostarse (o → ue)   See *acostar* and Reflexive Verbs.

almorzar (o → ue)

PRESENT INDICATIVE	almuerzo, almuerzas, almuerza; almorzamos, almorzáis, almuerzan
PRESENT SUBJUNCTIVE	almuerce, almuerces, almuerce; almorcemos, almorcéis, almuercen
PRETERITE	almorcé, almorzaste, almorzó; almorzamos, almorzasteis, almorzaron
IMPERFECT	almorzaba
FUTURE	almorzaré
COMMANDS	almuerza, no almuerces; (no) almuerce Ud.; (no) almuercen Uds.
PRESENT PARTICIPLE	almorzando

calentar (e → ie)

PRESENT INDICATIVE	caliento, calientas, calienta; calentamos, calentáis, calientan
PRESENT SUBJUNCTIVE	caliente, calientes, caliente; calentemos, calentéis, calienten
PRETERITE	calenté
IMPERFECT	calentaba
FUTURE	calentaré
COMMANDS	calienta, no calientes; (no) caliente Ud.; (no) calienten Uds.
PRESENT PARTICIPLE	calentando

Verbs like **calentar: cerrar, despertar, pensar, recomendar**

colgar (o → ue)

PRESENT INDICATIVE	cuelgo, cuelgas, cuelga; colgamos, colgáis, cuelgan
PRESENT SUBJUNCTIVE	cuelgue, cuelgues, cuelgue; colguemos, colguéis, cuelguen
PRETERITE	colgué, colgaste, colgó; colgamos, colgasteis, colgaron
IMPERFECT	colgaba
FUTURE	colgaré
COMMANDS	cuelga, no cuelgues; (no) cuelgue Ud.; (no) cuelguen Uds.
PRESENT PARTICIPLE	colgando

Verbs like **colgar: descolgar**

comenzar (e → ie)

PRESENT INDICATIVE	comienzo, comienzas, comienza; comenzamos, comenzáis, comienzan
PRESENT SUBJUNCTIVE	comience, comiences, comience; comencemos, comencéis, comiencen
PRETERITE	comencé, comenzaste, comenzó; comenzamos, comenzasteis, comenzaron

comenzar *(cont'd.)*

IMPERFECT	comenzaba
FUTURE	comenzaré
COMMANDS	comienza, no comiences; (no) comience Ud.; (no) comiencen Uds.
PRESENT PARTICIPLE	comenzando

Verbs like **comenzar: empezar**

despedirse (e → i)   See *pedir* and Reflexive Verbs.

despertarse (e → ie)   See *calentar* and Reflexive Verbs.

divertirse (e → ie)   See *hervir* and Reflexive Verbs.

dormir (o → ue)

PRESENT INDICATIVE	duermo, duermes, duerme; dormimos, dormís, duermen
PRESENT SUBJUNCTIVE	duerma, duermas, duerma; durmamos, durmáis, duerman
PRETERITE	dormí, dormiste, durmió; dormimos, dormisteis, durmieron
IMPERFECT	dormía
FUTURE	dormiré
COMMANDS	duerme, no duermas; (no) duerma Ud.; (no) duerman Uds.
PRESENT PARTICIPLE	durmiendo

Verbs like **dormir: morir**

dormirse (o → ue)   See *dormir* and Reflexive Verbs.

encender (e → ie)

PRESENT INDICATIVE	enciendo, enciendes, enciende; encendemos, encendéis, encienden
PRESENT SUBJUNCTIVE	encienda, enciendas, encienda; encendamos, encendáis, enciendan
PRETERITE	encendí
IMPERFECT	encendía
FUTURE	encenderé
COMMANDS	enciende, no enciendas; (no) encienda Ud.; (no) enciendan Uds.
PRESENT PARTICIPLE	encendiendo

Verbs like **encender: entender, perder**

hervir (e → ie)

PRESENT INDICATIVE	hiervo, hierves, hierve; hervimos, hervís, hierven
PRESENT SUBJUNCTIVE	hierva, hiervas, hierva; hirvamos, hirváis, hiervan
PRETERITE	herví, herviste, hirvió; hervimos, hervisteis, hirvieron
IMPERFECT	hervía
FUTURE	herviré
COMMANDS	hierve, no hiervas; (no) hierva Ud.; (no) hiervan Uds.
PRESENT PARTICIPLE	hirviendo

Verbs like **hervir: mentir, preferir, sentir**

jugar (u → ue)

PRESENT INDICATIVE	juego, juegas, juega; jugamos, jugáis, juegan
PRESENT SUBJUNCTIVE	juegue, juegues, juegue; juguemos, juguéis, jueguen
PRETERITE	jugué, jugaste, jugó; jugamos, jugasteis, jugaron
IMPERFECT	jugaba
FUTURE	jugaré

jugar *(cont'd.)* COMMANDS juega, no juegues; (no) juegue Ud.; (no) jueguen Uds.
PRESENT PARTICIPLE jugando

llover (o → ue) PRESENT INDICATIVE llueve
PRESENT SUBJUNCTIVE llueva
PRETERITE llovió
IMPERFECT llovía
FUTURE lloverá
PRESENT PARTICIPLE lloviendo

morirse See *dormir* and Reflexive Verbs.

negar (e → ie) PRESENT INDICATIVE niego, niegas, niega; negamos, negáis, niegan
PRESENT SUBJUNCTIVE niegue, niegues, niegue; neguemos, neguéis, nieguen
PRETERITE negué, negaste, negó; negamos, negasteis, negaron
IMPERFECT negaba
FUTURE negaré
COMMANDS niega, no niegues; (no) niegue Ud.; (no) nieguen Uds.
PRESENT PARTICIPLE negando

nevar (e → ie) PRESENT INDICATIVE nieva
PRESENT SUBJUNCTIVE nieve
PRETERITE nevó
IMPERFECT nevaba
FUTURE nevará
PRESENT PARTICIPLE nevando

pedir (e → i) PRESENT INDICATIVE pido, pides, pide; pedimos, pedís, piden
PRESENT SUBJUNCTIVE pida, pidas, pida; pidamos, pidáis, pidan
PRETERITE pedí, pediste, pidió; pedimos, pedisteis, pidieron
IMPERFECT pedía
FUTURE pediré
COMMANDS pide, no pidas; (no) pida Ud.; (no) pidan Uds.
PRESENT PARTICIPLE pidiendo

Verbs like **pedir: repetir, servir, vestir**

poder (o → ue) See Irregular Verbs.

probarse (o → ue) See *acostar* and Reflexive Verbs.

querer (e → ie) See Irregular Verbs.

reír (e → i) See Irregular Verbs.

reírse (e → i) See Irregular Verbs and Reflexive Verbs.

seguir (e → i) PRESENT INDICATIVE sigo, sigues, sigue; seguimos, seguís, siguen
PRESENT SUBJUNCTIVE siga, sigas, siga; sigamos, sigáis, sigan
PRETERITE seguí, seguiste, siguió; seguimos, seguisteis, siguieron

seguir *(cont'd.)*

IMPERFECT	seguía
FUTURE	seguiré
COMMANDS	sigue, no sigas; (no) siga Ud.; (no) sigan Uds.
PRESENT PARTICIPLE	siguiendo

sentarse (e → ie) See *calentar* and Reflexive Verbs.

sentirse (e → ie) See *hervir* and Reflexive Verbs.

sonreír (e → i) See Irregular Verbs.

vestirse (e → i) See *pedir* and Reflexive Verbs.

volver (o → ue)

PRESENT INDICATIVE	vuelvo, vuelves, vuelve; volvemos, volvéis, vuelven
PRESENT SUBJUNCTIVE	vuelva, vuelvas, vuelva; volvamos, volváis, vuelvan
PRETERITE	volví, volviste, volvió; volvimos, volvisteis, volvieron
IMPERFECT	volvía
FUTURE	volveré
COMMANDS	vuelve, no vuelvas; (no) vuelva Ud.; (no) vuelvan Uds.
PRESENT PARTICIPLE	volviendo

Verbs like **volver: desenvolver, devolver, doler, envolver**

Verbs with Spelling Changes

abrazar (z → c)

PRESENT INDICATIVE	abrazo, abrazas, abraza; abrazamos, abrazáis, abrazan
PRESENT SUBJUNCTIVE	abrace, abraces, abrace; abracemos, abracéis, abracen
PRETERITE	abracé, abrazaste, abrazó; abrazamos, abrazasteis, abrazaron
IMPERFECT	abrazaba
FUTURE	abrazaré
COMMANDS	abraza, no abraces; (no) abrace Ud.; (no) abracen Uds.
PRESENT PARTICIPLE	abrazando

Verbs like **abrazar: aterrizar, bostezar, cruzar**

almorzar (z → c) See Stem-Changing Verbs.

apagar (g → gu)

PRESENT INDICATIVE	apago, apagas, apaga; apagamos, apagáis, apagan
PRESENT SUBJUNCTIVE	apague, apagues, apague; apaguemos, apaguéis, apaguen
PRETERITE	apagué, apagaste, apagó; apagamos, apagasteis, apagaron
IMPERFECT	apagaba
FUTURE	apagaré
COMMANDS	apaga, no apagues; (no) apague Ud.; (no) apaguen Uds.
PRESENT PARTICIPLE	apagando

Verbs like **apagar: despegar, entregar, llegar, navegar, pagar**

arrancar (c → qu)

PRESENT INDICATIVE	arranco, arrancas, arranca; arrancamos, arrancáis, arrancan
PRESENT SUBJUNCTIVE	arranque, arranques, arranque; arranquemos, arranquéis, arranquen

arrancar *(cont'd.)*	PRETERITE	arranqué, arrancaste, arrancó; arrancamos, arrancasteis, arrancaron
	IMPERFECT	arrancaba
	FUTURE	arrancaré
	COMMANDS	arranca, no arranques; (no) arranque Ud.; (no) arranquen Uds.
	PRESENT PARTICIPLE	arrancando

Verbs like **arrancar: buscar, colocar, chocar, explicar, indicar, marcar, mascar, practicar, sacar, secar, tocar**

averiguar (u → ü)	PRESENT INDICATIVE	averiguo, averiguas, averigua; averiguamos, averiguáis, averiguan
	PRESENT SUBJUNCTIVE	averigüe, averigües, averigüe; averigüemos, averigüéis, averigüen
	PRETERITE	averigüé, averiguaste, averiguó; averiguamos, averiguasteis, averiguaron
	IMPERFECT	averiguaba
	FUTURE	averiguaré
	COMMANDS	averigua, no averigües; (no) averigüe Ud.; (no) averigüen Uds.
	PRESENT PARTICIPLE	averiguando

| **colgar (g →gu)** | See Stem-Changing Verbs. |

| **comenzar (z → c)** | See Stem-Changing Verbs. |

continuar (u → ú)	PRESENT INDICATIVE	continúo, continúas, continúa; continuamos, continuáis, continúan
	PRESENT SUBJUNCTIVE	continúe, continúes, continúe; continuemos, continuéis, continúen
	PRETERITE	continué, continuaste, continuó; continuamos, continuasteis, continuaron
	IMPERFECT	continuaba
	FUTURE	continuaré
	COMMANDS	continúa, no continúes; (no) continúe Ud.; (no) continúen Uds.
	PRESENT PARTICIPLE	continuando

creer (i → y)	PRESENT INDICATIVE	creo, crees, cree; creemos, creéis, creen
	PRESENT SUBJUNCTIVE	crea, creas, crea; creamos, creáis, crean
	PRETERITE	creí, creíste, creyó; creímos, creísteis, creyeron
	IMPERFECT	creía
	FUTURE	creeré
	COMMANDS	cree, no creas; (no) crea Ud.; (no) crean Uds.
	PRESENT PARTICIPLE	creyendo

Verbs like **creer: leer**

| **descolgar (g → gu)** | See Stem-Changing Verbs. |

dirigir (g → j)	PRESENT INDICATIVE	dirijo, diriges, dirige; dirigimos, dirigís, dirigen
	PRESENT SUBJUNCTIVE	dirija, dirijas, dirija; dirijamos, dirijáis, dirijan
	PRETERITE	dirigí, dirigiste, dirigió; dirigimos, dirigisteis, dirigieron
	IMPERFECT	dirigía

dirigir *(cont'd.)*

FUTURE	dirigiré
COMMANDS	dirige,no dirijas; (no) dirija Ud.; (no) dirijan Uds.
PRESENT PARTICIPLE	dirigiendo

empezar (z → c) See Stem-Changing Verbs.

escoger (g → j)

PRESENT INDICATIVE	escojo, escoges, escoge; escogemos, escogéis, escogen
PRESENT SUBJUNCTIVE	escoja, escojas, escoja; escojamos, escojáis, escojan
PRETERITE	escogí, escogiste, escogió; escogimos, escogisteis, escogieron
IMPERFECT	escogía
FUTURE	escogeré
COMMANDS	escoge, no escojas; (no) escoja Ud.; (no) escojan Uds.
PRESENT PARTICIPLE	escogiendo

Verbs like **escoger: recoger**

esquiar (i → í)

PRESENT INDICATIVE	esquío, esquías, esquía; esquiamos, esquiáis, esquían
PRESENT SUBJUNCTIVE	esquíe, esquíes, esquíe; esquiemos, esquiéis, esquíen
PRETERITE	esquié, esquiaste, esquió; esquiamos, esquiasteis, esquiaron
IMPERFECT	esquiaba
FUTURE	esquiaré
COMMANDS	esquía, no esquíes; (no) esquíe Ud.; (no) esquíen Uds.
PRESENT PARTICIPLE	esquiando

graduarse (u → ú) See *continuar* and Reflexive Verbs.

jugar (g → gu) See Stem-Changing Verbs.

negar (g → gu) See Stem-Changing Verbs.

reunirse (u → ú)

PRESENT INDICATIVE	me reúno, te reúnes, se reúne; nos reunimos, os reunís, se reúnen
PRESENT SUBJUNCTIVE	me reúna, te reúnas, se reúna; nos reunamos, os reunáis, se reúnan
PRETERITE	me reuní, te reuniste, se reunió; nos reunimos, os reunisteis, se reunieron
IMPERFECT	me reunía
FUTURE	me reuniré
COMMANDS	reúnete, no te reúnas; reúnase Ud., no se reúna Ud.; reúnanse Uds., no se reúnan Uds.
PRESENT PARTICIPLE	reuniéndose

Irregular Verbs

caer

PRESENT INDICATIVE	caigo, caes, cae; caemos, caéis, caen
PRESENT SUBJUNCTIVE	caiga, caigas, caiga; caigamos, caigáis, caigan
PRETERITE	caí, caíste, cayó; caímos, caísteis, cayeron
IMPERFECT	caía
FUTURE	caeré

| caer *(cont'd.)* | COMMANDS | cae, no caigas; (no) caiga Ud.; (no) caigan Uds. |
| | PRESENT PARTICIPLE | cayendo |

| caerse | See *caer* and Reflexive Verbs. |

conocer	PRESENT INDICATIVE	conozco, conoces, conoce; conocemos, conocéis, conocen
	PRESENT SUBJUNCTIVE	conozca, conozcas, conozca; conozcamos, conozcáis, conozcan
	PRETERITE	conocí, conociste, conoció; conocimos, conocisteis, conocieron
	IMPERFECT	conocía
	FUTURE	conoceré
	COMMANDS	conoce, no conozcas; (no) conozca Ud.; (no) conozcan Uds.
	PRESENT PARTICIPLE	conociendo

Verbs like **conocer: agradecer, nacer, ofrecer, parecer, reconocer**

construir	PRESENT INDICATIVE	construyo, construyes, construye; construimos, construís, construyen
	PRESENT SUBJUNCTIVE	construya, construyas, construya; construyamos, construyáis, construyan
	PRETERITE	construí, construiste, construyó; construimos, construisteis, construyeron
	IMPERFECT	construía
	FUTURE	construiré
	COMMANDS	construye, no construyas; (no) construya Ud.; (no) construyan Uds.
	PRESENT PARTICIPLE	construyendo

Verbs like **construir: destruir, huir, incluir**

dar	PRESENT INDICATIVE	doy, das, da; damos, dais, dan
	PRESENT SUBJUNCTIVE	dé, des, dé; demos, deis, den
	PRETERITE	di, diste, dio; dimos, disteis, dieron
	IMPERFECT	daba
	FUTURE	daré
	COMMANDS	da, no des; (no) dé Ud.; (no) den Uds.
	PRESENT PARTICIPLE	dando

decir	PRESENT INDICATIVE	digo, dices, dice; decimos, decís, dicen
	PRESENT SUBJUNCTIVE	diga, digas, diga; digamos, digáis, digan
	PRETERITE	dije, dijiste, dijo; dijimos, dijisteis, dijeron
	IMPERFECT	decía
	FUTURE	diré, dirás, dirá; diremos, diréis, dirán
	COMMANDS	di, no digas; (no) diga Ud.; (no) digan Uds.
	PRESENT PARTICIPLE	diciendo

estar	PRESENT INDICATIVE	estoy, estás, está; estamos, estáis, están
	PRESENT SUBJUNCTIVE	esté, estés, esté; estemos, estéis, estén
	PRETERITE	estuve, estuviste, estuvo; estuvimos, estuvisteis, estuvieron
	IMPERFECT	estaba
	FUTURE	estaré
	COMMANDS	está, no estés; (no) esté Ud.; (no) estén Uds.
	PRESENT PARTICIPLE	estando

haber		
	PRESENT INDICATIVE	he, has, ha; hemos, habéis, han
	PRESENT SUBJUNCTIVE	haya, hayas, haya; hayamos, hayáis, hayan
	PRETERITE	hube, hubiste, hubo; hubimos, hubisteis, hubieron
	IMPERFECT	había
	FUTURE	habré, habrás, habrá; habremos, habréis, habrán
	PRESENT PARTICIPLE	habiendo

hacer		
	PRESENT INDICATIVE	hago, haces, hace; hacemos, hacéis, hacen
	PRESENT SUBJUNCTIVE	haga, hagas, haga; hagamos, hagáis, hagan
	PRETERITE	hice, hiciste, hizo; hicimos, hicisteis, hicieron
	IMPERFECT	hacía
	FUTURE	haré, harás, hará; haremos, haréis, harán
	COMMANDS	haz, no hagas; (no) haga Ud.; (no) hagan Uds.
	PRESENT PARTICIPLE	haciendo

ir		
	PRESENT INDICATIVE	voy, vas, va; vamos, vais, van
	PRESENT SUBJUNCTIVE	vaya, vayas, vaya; vayamos, vayáis, vayan
	PRETERITE	fui, fuiste, fue; fuimos, fuisteis, fueron
	IMPERFECT	iba, ibas, iba; íbamos, ibais, iban
	FUTURE	iré
	COMMANDS	ve, no vayas; (no) vaya Ud.; (no) vayan Uds.
	PRESENT PARTICIPLE	yendo

irse See *ir* and Reflexive Verbs.

oír		
	PRESENT INDICATIVE	oigo, oyes, oye; oímos, oís, oyen
	PRESENT SUBJUNCTIVE	oiga, oigas, oiga; oigamos, oigáis, oigan
	PRETERITE	oí, oíste, oyó; oímos, oísteis, oyeron
	IMPERFECT	oía
	FUTURE	oiré
	COMMANDS	oye, no oigas; (no) oiga Ud.; (no) oigan Uds.
	PRESENT PARTICIPLE	oyendo

parecerse See *conocer* and Reflexive Verbs.

poder		
	PRESENT INDICATIVE	puedo, puedes, puede; podemos, podéis, pueden
	PRESENT SUBJUNCTIVE	pueda, puedas, pueda; podamos, podáis, puedan
	PRETERITE	pude, pudiste, pudo; pudimos, pudisteis, pudieron
	IMPERFECT	podía
	FUTURE	podré, podrás, podrá; podremos, podréis, podrán
	PRESENT PARTICIPLE	pudiendo

poner		
	PRESENT INDICATIVE	pongo, pones, pone; ponemos, ponéis, ponen
	PRESENT SUBJUNCTIVE	ponga, pongas, ponga; pongamos, pongáis, pongan
	PRETERITE	puse, pusiste, puso; pusimos, pusisteis, pusieron
	IMPERFECT	ponía
	FUTURE	pondré, pondrás, pondrá; pondremos, pondréis, pondrán
	COMMANDS	pon, no pongas; (no) ponga Ud.; (no) pongan Uds.
	PRESENT PARTICIPLE	poniendo

ponerse	See *poner* and Reflexive Verbs.	
producir	PRESENT INDICATIVE	produzco, produces, produce; producimos, producís, producen
	PRESENT SUBJUNCTIVE	produzca, produzcas, produzca; produzcamos, produzcáis, produzcan
	PRETERITE	produje, produjiste, produjo; produjimos, produjisteis, produjeron
	IMPERFECT	producía
	FUTURE	produciré
	COMMANDS	produce, no produzcas; (no) produzca Ud.; (no) produzcan Uds.
	PRESENT PARTICIPLE	produciendo

Verbs like **producir: traducir**

querer	PRESENT INDICATIVE	quiero, quieres, quiere; queremos, queréis, quieren
	PRESENT SUBJUNCTIVE	quiera, quieras, quiera; queramos, queráis, quieran
	PRETERITE	quise, quisiste, quiso; quisimos, quisisteis, quisieron
	IMPERFECT	quería
	FUTURE	querré, querrás, querrá; querremos, querréis, querrán
	COMMANDS	quiere, no quieras; (no) quiera Ud.; (no) quieran Uds.
	PRESENT PARTICIPLE	queriendo

reír	PRESENT INDICATIVE	río, ríes, ríe; reímos, reís, ríen
	PRESENT SUBJUNCTIVE	ría, rías, ría; riamos, riáis, rían
	PRETERITE	reí, reíste, rió; reímos, reísteis, rieron
	IMPERFECT	reía
	FUTURE	reiré
	COMMANDS	ríe, no rías; (no) ría Ud.; (no) rían Uds.
	PRESENT PARTICIPLE	riendo

Verbs like **reír: sonreír**

reírse	See *reír* and Reflexive Verbs.	
saber	PRESENT INDICATIVE	sé, sabes, sabe; sabemos, sabéis, saben
	PRESENT SUBJUNCTIVE	sepa, sepas, sepa; sepamos, sepáis, sepan
	PRETERITE	supe, supiste, supo; supimos, supisteis, supieron
	IMPERFECT	sabía
	FUTURE	sabré, sabrás, sabrá; sabremos, sabréis, sabrán
	COMMANDS	sabe, no sepas; (no) sepa Ud.; (no) sepan Uds.
	PRESENT PARTICIPLE	sabiendo

salir	PRESENT INDICATIVE	salgo, sales, sale; salimos, salís, salen
	PRESENT SUBJUNCTIVE	salga, salgas, salga; salgamos, salgáis, salgan
	PRETERITE	salí, saliste, salió; salimos, salisteis, salieron
	IMPERFECT	salía
	FUTURE	saldré, saldrás, saldrá; saldremos, saldréis, saldrán
	COMMANDS	sal, no salgas; (no) salga Ud.; (no) salgan Uds.
	PRESENT PARTICIPLE	saliendo

ser	PRESENT INDICATIVE	soy, eres, es; somos, sois, son
	PRESENT SUBJUNCTIVE	sea, seas, sea; seamos, seáis, sean

ser *(cont'd.)*	PRETERITE	fui, fuiste, fue; fuimos, fuisteis, fueron
	IMPERFECT	era, eras, era; éramos, erais, eran
	FUTURE	seré
	COMMANDS	sé, no seas; (no) sea Ud.; (no) sean Uds.
	PRESENT PARTICIPLE	siendo

tener	PRESENT INDICATIVE	tengo, tienes, tiene; tenemos, tenéis, tienen
	PRESENT SUBJUNCTIVE	tenga, tengas, tenga; tengamos, tengáis, tengan
	PRETERITE	tuve, tuviste, tuvo; tuvimos, tuvisteis, tuvieron
	IMPERFECT	tenía
	FUTURE	tendré, tendrás, tendrá; tendremos, tendréis, tendrán
	COMMANDS	ten, no tengas; (no) tenga Ud.; (no) tengan Uds.
	PRESENT PARTICIPLE	teniendo

Verbs like **tener: obtener**

traer	PRESENT INDICATIVE	traigo, traes, trae; traemos, traéis, traen
	PRESENT SUBJUNCTIVE	traiga, traigas, traiga; traigamos, traigáis, traigan
	PRETERITE	traje, trajiste, trajo; trajimos, trajisteis, trajeron
	IMPERFECT	traía
	FUTURE	traeré
	COMMANDS	trae, no traigas; (no) traiga Ud.; (no) traigan Uds.
	PRESENT PARTICIPLE	trayendo

venir	PRESENT INDICATIVE	vengo, vienes, viene; venimos, venís, vienen
	PRESENT SUBJUNCTIVE	venga, vengas, venga; vengamos, vengáis, vengan
	PRETERITE	vine, viniste, vino; vinimos, vinisteis, vinieron
	IMPERFECT	venía
	FUTURE	vendré, vendrás, vendrá; vendremos, vendréis, vendrán
	COMMANDS	ven, no vengas; (no) venga Ud.; (no) vengan Uds.
	PRESENT PARTICIPLE	viniendo

ver	PRESENT INDICATIVE	veo, ves, ve; vemos, veis, ven
	PRESENT SUBJUNCTIVE	vea, veas, vea; veamos, veáis, vean
	PRETERITE	vi, viste, vio; vimos, visteis, vieron
	IMPERFECT	veía, veías, veía; veíamos, veíais, veían
	FUTURE	veré
	COMMANDS	ve, no veas; (no) vea Ud.; (no) vean Uds.
	PRESENT PARTICIPLE	viendo

VOCABULARIO ESPAÑOL-INGLÉS

The *Vocabulario español-inglés* contains all active vocabulary from *PASOS Y PUENTES* and *VOCES Y VISTAS*.

A dash (**—**) represents the main entry word. For example, **el — mineral** following **el agua** means **el agua mineral.**

The number following each entry indicates the chapter in which the word or expression is first introduced. Two numbers indicate that it is introduced in one chapter and elaborated upon in a later chapter. A Roman numeral (I) indicates that the word was presented in *VOCES Y VISTAS*.

The following abbreviations are used: *adj.* (adjective), *adv.* (adverb), *dir. obj.* (direct object), *f.* (feminine), *fam.* (familiar), *ind. obj.* (indirect object), *inf.* (infinitive), *m.* (masculine), *pl.* (plural), *prep.* (preposition), *pron.* (pronoun), *sing.* (singular).

a, al at; to; *as sign of dir. obj.* (I)
  — menudo often (I)
  — pie on foot (I)
  — tiempo on time (I)
  — veces sometimes (I)
abierto, -a open (I)
el **abogado,** la **abogada** lawyer (15)
  abrazar to embrace, to hug (13)
el **abrelatas,** *pl.* **abrelatas** can opener (4)
el **abrigo** overcoat (I)
  abril April (I)
  abrir to open (I)
  abstracto, -a abstract (12)
el **abuelo,** la **abuela** grandfather, grandmother (I)
los **abuelos** grandfathers; grandparents (I)
  aburrido, -a bored; boring (I)
  aburrir to bore (11)
  —se to be bored, to get bored (11)
  acabar de + *inf.* to have just *(done something)* (I)
  acampar: la tienda de — tent (4)
el **accidente** accident (8)
el **aceite** oil (4)
la **aceituna** olive (4)
el **acelerador** accelerator (8)
  acelerar to speed up, to accelerate (8)
el **acento** accent mark (I)
  aceptar to accept (15)

el **acomodador,** la **acomodadora** usher (11)
  acompañar to go / come with, to accompany (15)
  acondicionado: el aire — air conditioning (2)
  aconsejar to advise (15)
  acostar (o → ue) to put *(someone)* to bed (I)
  —se to go to bed (I)
la **actividad** activity (4)
  activo, -a active, energetic (5)
el **acto** act (14)
el **actor,** la **actriz,** *f. pl.* **actrices** actor, actress (I)
  acuerdo:
    de — right! okay! all right! (5)
    estar de — to agree (I)
  adentro inside (I)
  adiós good-by (I)
el **admirador,** la **admiradora** fan (11)
  admirar to admire (1)
  ¿adónde? (to) where? (I)
la **aduana** customs (16)
el **aduanero,** la **aduanera** customs official (16)
  aérea:
    la línea — airline (16)
    vía — air mail (10)
el **aeropuerto** airport (I)
  afeitar(se) to shave (7)
    la crema de — shaving cream (7)

    la maquinilla de — razor (7)
el **aficionado,** la **aficionada (a)** fan (of) (I)
  afortunadamente fortunately (3)
el **África** *f.* Africa (I)
  afuera outside (I)
la **agencia de viajes** travel agency (I)
el/la **agente de viajes** travel agent (I)
  agosto August (I)
  agradable pleasant (I)
  agradecer (c → zc) to thank *(someone)* for, to appreciate (11)
el **agua** *f.* water (I)
  el — mineral mineral water (I)
el **aguacate** avocado (9)
  ¡ah, sí! yes! (I)
  ahora now (I)
  — mismo right away, right now (2)
  ahorrar to save (15)
el **aire acondicionado** air conditioning (2)
el **ajedrez** chess (I)
el **ajo** garlic (4)
  alegrarse (de) to be happy (about) (16)
  alegría: ¡qué —! how nice! how marvelous! (16)
  alemán *(pl.* **alemanes),** **alemana** German (I)
el **alemán** German *(language)* (I)

Alemania Germany (I)
la alfombra rug (I)
el álgebra *f.* algebra (I)
algo something, anything (I)
    tomar — to have something to drink (I)
el algodón cotton (14)
alguien someone, somebody, anyone (I)
algún, alguna some, any, a (I)
alguno, -a, -os, -as *pron.* some, any, one (I)
alivio: ¡qué —! what a relief! (3)
el almacén, *pl.* **almacenes** department store (I)
la almohada pillow (I)
almorzar (o → ue) to eat lunch, to have lunch (2)
el almuerzo lunch (I)
¿aló? hello? *(on phone)* (I)
alquilar to rent (2)
alrededor de around, about (7)
alto, -a tall (I)
    en voz —a in a loud voice, out loud (10)
el alumno, la alumna pupil (I)
allá (over) there (I)
allí there (I)
    por — around there, over there, that way (8)
amable kind, nice (I)
amarillo, -a yellow (I)
la ambición, *pl.* **ambiciones** ambition (15)
ambicioso, -a ambitious (15)
la ambulancia ambulance (9)
la América Central / del Norte / del Sur / Latina Central / North / South / Latin America (I)
americano, -a American (I)
el amigo, la amiga friend (I)
el amor love (13)
anaranjado, -a orange (I)
el anciano, la anciana old man, old woman (13)
ancho, -a wide (7)
el andén, *pl.* **andenes** *(railway)* platform (6)
el anillo ring (I)
    animados: los dibujos — movie cartoons (I)
el animal animal (I)
    el — doméstico pet (I)
anoche last night (I)
anteayer the day before yesterday (5)

los anteojos eyeglasses (I)
    los — de sol sunglasses (I)
antes before (that), first (3)
    — de before (I)
    — de + *inf.* before *(doing something)* (I)
anticuado, -a old-fashioned (7)
antiguo, -a old, ancient (14)
antipático, -a unpleasant, not nice (I)
el antropólogo, la antropóloga anthropologist (15)
anunciar to announce (6)
el anuncio advertisement, ad (14)
    el — comercial commercial (I)
añadir to add (2)
el año year (I)
    ¿cuántos —s tienes? how old are you? (I)
    cumplir . . . —s to have a birthday, to turn (+ *age*) (13)
    el — escolar school year (1)
    el día de fin de — New Year's Eve (I)
    los quince —s fifteenth birthday (party) (I)
    tener . . . —s to be . . . years old (I)
el Año Nuevo New Year's Day (I)
apagar to put out, to turn off *(a fire, light, etc.)* (4)
el aparato braces *(for teeth)* (15)
el apartado postal post office box (10)
el apartamento apartment (I)
el apellido last name, surname (I)
aplaudir to applaud (12)
aprender to learn (I)
    — a + *inf.* to learn how (to) (I)
    — de memoria to memorize (I)
el apunte note (1)
aquel, aquella; aquellos, aquellas *adj.* that; those (2)
aquél, aquélla; aquéllos, aquéllas *pron.* that one; those (2)
aquello *neuter pron.* that (2)
aquí here (I)
    — lo (la / los / las) tiene(s) here it is, here they are (I)
    — tienes / tiene Ud. here is; here are (I)
    por — around here, over here, this way (8)
la araña spider (4)
el árbol tree (I)
la arena sand (15)

el arete earring (I)
argentino, -a Argentine (6)
el argumento plot (11)
el armario closet (I)
el arqueólogo, la arqueóloga archaeologist (14)
el arquitecto, la arquitecta architect (14)
arrancar to start *(car)* (8)
arreglar to fix, to repair (I)
el arroz rice (I)
el arte art (I)
el artículo article (14)
el/la artista artist (12)
asado, -a roasted (4)
el asado barbecue (4)
    hacer un — to have a barbecue (4)
asar to roast (4)
    — a la parrilla to barbecue, to grill (4)
el ascensor elevator (I)
así, así so-so (I)
el asiento seat (I)
asistir a to attend (I)
asombroso, -a amazing, astonishing (14)
la aspiradora vacuum cleaner (2)
    pasar la — to vacuum (2)
el astrónomo, la astrónoma astronomer (14)
asustado, -a frightened, scared (3)
asustar to frighten, to scare (3)
atar(se) to tie (7)
la atención: prestar — to pay attention (1)
aterrizar to land (I)
el/la atleta athlete (I)
atlético, -a athletic (I)
la atracción, *pl.* **atracciones** *(amusement park)* ride, attraction (3)
    aumentar: — de peso to gain weight (9)
ausente absent (I)
el autobús, *pl.* **autobuses** bus (I)
el autógrafo autograph (11)
el autor, la autora author (1)
el/la auxiliar de vuelo flight attendant (I)
la avenida avenue (I)
la aventura adventure (I)
averiguar to find out (10)
el avión, *pl.* **aviones** plane (I)
el aviso notice; warning (10)
ayer yesterday (I)

el/la ayudante helper, assistant (15)
ayudar (a + *inf.*) to help (I)
los aztecas Aztecs (14)
el azúcar sugar (I)
azul blue (I)

bailar to dance (I)
el bailarín (*pl.* **bailarines), la
bailarina** dancer (12)
el baile dance (I)
bajar to come down, to go down
(I)
— de to get off or out of
(*vehicles*) (I)
— de peso to lose weight (9)
bajo, -a short (I)
en voz —a in a soft voice, softly
(10)
la planta —a ground floor (I)
la balanza scale (9)
el balcón, *pl.* **balcones** balcony (I)
el balón, *pl.* **balones** ball (I)
el banco bank (I)
la banda band (*musical*) (3)
la bandera flag (I)
bañar to bathe (*someone*) (I)
—se to take a bath (I)
el baño bathroom (I)
el traje de — bathing suit (I)
barato, -a cheap, inexpensive (I)
la barba beard (7)
barbaridad: ¡qué —! good grief!
how awful! (5)
el barco boat (I)
barrer to sweep (2)
el barrio neighborhood (I)
el básquetbol basketball (I)
bastante rather, fairly, kind of (I);
enough (15)
la basura garbage (2)
el basurero garbage can (2)
batir to beat (2)
el baúl (*car*) trunk (8)
el bautizo baptism (13)
el bebé baby (13)
beber to drink (I)
la bebida drink, beverage (I)
el béisbol baseball (I)
bellísimo, -a very beautiful (I)
bello, -a beautiful (I)
besar to kiss (13)
el beso kiss (10)
la biblioteca library (I)
el bibliotecario, la bibliotecaria
librarian (1)

la bicicleta bicycle (I)
montar en — to ride a bicycle
(I)
bien well, good, fine (I)
está — okay, all right (I)
bienvenido, -a welcome (I)
el bigote mustache (7)
bilingüe bilingual (I)
el billete bill (*money*) (6)
la biografía biography (1)
la biología biology (I)
el bisabuelo, la bisabuela great-
grandfather, great-
grandmother (13)
el bistec steak (I)
blanco, -a white (I)
la blusa blouse (I)
la boca mouth (I)
la bocina (*car*) horn (8)
tocar la — to honk the horn (8)
la boda wedding (13)
el boleto ticket (I)
el bolígrafo (ballpoint) pen (I)
boliviano, -a Bolivian (6)
los bolos: jugar a los — to bowl (3)
la bolsa bag (3)
el bolsillo pocket (6)
el bolso purse (I)
el bombero, la bombera firefighter
(14)
la bombilla lightbulb (2)
bondad: tenga la — de + *inf.* will
you…? (10)
bonito, -a pretty, good-looking (I)
el borrador (blackboard) eraser (I)
borrar to erase (I)
bostezar to yawn (11)
la bota boot (I)
la botella bottle (I)
el Brasil Brazil (I)
brasileño, -a Brazilian (6)
¡bravo! bravo! (12)
el brazo arm (I)
bucear to scuba dive (5)
bueno (buen), -a good (I)
—as noches good evening,
good night (I)
—as tardes good afternoon,
good evening (I)
bueno, . . . well . . . (I)
¡bueno! okay, fine (I)
—os días good morning (I)
¡buen provecho! enjoy your
meal (4)
hace buen tiempo it's nice (out)
(I)

¡qué —! great! (I)
la bufanda scarf, muffler (I)
el burrito burrito (I)
buscar to look for (I)
ir / venir a — to go / come get,
to pick up (10)
el buzón, *pl.* **buzones** mailbox (10)

el caballo horse (I)
montar a — to ride horseback (5)
la cabeza head (I)
la cabina telefónica phone booth (I)
el cacahuate peanut (3)
la cacerola pan, saucepan (2)
el cacharro jalopy (8)
cada each, every (I)
caer to fall (10)
—se to fall down (10)
— bien / mal a to make a good /
bad impression (*on someone*);
to like / not like (*someone*) (13)
el café café; coffee (I)
el — con leche coffee with
milk (I)
la cafetería cafeteria (I)
el caimán, *pl.* **caimanes** alligator (I)
la caja box (I); cash register (7)
el cajero, la cajera cashier (7)
el calcetín, *pl.* **calcetines** sock (I)
la calculadora calculator (1)
la calefacción heating system, heat
(2)
el calendario calendar (I)
calentar (e → ie) to heat (4)
caliente hot (I)
el calor:
hace — it's hot (out) (I)
tener — to be hot (*person*) (I)
las calorías calories (9)
¡cállate! be quiet! (11)
la calle street (I)
el cruce (de —s) intersection (8)
la cama bed (I)
el coche — sleeping car (6)
la cámara camera (I)
el camarero, la camarera waiter,
waitress (I)
el camarón, *pl.* **camarones** shrimp
(9)
cambiar to change, to exchange
(I)
— de idea to change one's
mind (3)
el cambio: la casa de — currency
exchange (6)

caminar to walk (I)

el camino road (I)

el camión, *pl.* camiones truck (I)

la camisa shirt (I)

la camiseta t-shirt (I)

el campamento campground (4)

el campeón (*pl.* campeones), la campeona champion (5)

el campeonato championship (5)

el campesino, la campesina farm worker (4)

camping: ir de — to go camping (4)

el campo country, countryside (I)

canadiense Canadian (I)

el canal TV channel (I)

la canasta basket (3)

la canción, *pl.* canciones song (I)

la cancha de tenis tennis court (5)

la canoa canoe (15)

cansado, -a tired (I)

el/la cantante singer (11)

cantar to sing (I)

capaz, *pl.* capaces capable, able (15)

la capital capital (I)

el capítulo chapter (I)

el capó (*car*) hood (8)

capturar to catch, to capture (14)

la cara face (I)

costar un ojo de la — to cost an arm and a leg (7)

¡caramba! gosh! gee! (I)

el Caribe Caribbean (I)

el cariño affection (10)

con — affectionately (10)

cariñoso, -a (con) affectionate (with) (13)

carísimo, -a very expensive (I)

el carnaval carnival, Mardi Gras (I)

la carne meat (I)

el carné membership card, ID card (5)

la carnicería butcher shop (I)

caro, -a expensive (I)

la carrera race (5)

la carretera highway (8)

el carril lane (8)

el carrusel carrousel, merry-go-round (3)

la carta letter (I)

el cartel poster (I)

la cartera wallet (I)

el cartero, la cartera mail carrier (10)

la casa house (I)

a — (*to one's*) home (I)

en — at home (I)

la — de cambio currency exchange (6)

la — de los espejos house of mirrors (3)

la — de los fantasmas house of horrors (3)

casado, -a (con) married (to) (13)

casarse (con) to marry, to get married (to) (13)

casi almost (I)

el caso: un — de urgencia emergency (case) (9)

castaño, -a chestnut (*color*) (7)

el castillo castle (6)

catorce fourteen (I)

la causa cause (14)

a — de because of (14)

la cebolla onion (I)

la cebra zebra (I)

la celebración, *pl.* celebraciones celebration (I)

celebrar to celebrate (I)

celos: tener — de to be jealous of (13)

la cena dinner, supper, evening meal (I)

cenar to have dinner (4)

el centavo cent (I)

el centro downtown (I); center, middle (12)

centroamericano, -a Central American (I)

cepillar (el pelo) to brush (someone's hair) (I)

—se (los dientes, el pelo) to brush one's (teeth, hair) (I)

el cepillo de dientes toothbrush (I)

la cerámica ceramics (12)

cerca de near, close to (I)

el cerdo pig (I)

la chuleta de — pork chop (I)

el cereal cereal (9)

la cereza cherry (9)

cero zero (I)

cerrado, -a closed (I)

cerrar (e → ie) to close (I)

certificado, -a registered (10)

el césped lawn (2)

ciego, -a blind (11)

el cielo sky (I)

cien one hundred (I)

ciencia ficción: de — *adj.* science fiction (I)

las ciencias science (I)

el científico, la científica scientist (15)

ciento uno, -a; ciento dos; etc. 101; 102; etc. (I)

cierto, -a certain (16)

es — it's true (16)

cinco five (I)

cincuenta fifty (I)

el cine movies; movie theater (I)

la estrella de — movie star (11)

la cinta tape (I)

el cinturón, *pl.* cinturones belt (I)

el — de seguridad, *pl.* cinturones de seguridad seatbelt (8)

la cita appointment, date (13)

la ciudad city (I)

la civilización, *pl.* civilizaciones civilization (14)

el clarinete clarinet (12)

claro, -a bright, clear (6)

— (que sí) of course (I)

— que no of course not (I)

la clase (de) class; kind, type (I)

el compañero, la compañera de — classmate (I)

de primera (segunda) — first-(second-)class (6)

toda — de all kinds of (11)

clásico, -a classical (I)

el/la cliente customer (I)

el clima climate (15)

la clínica clinic (9)

el club, *pl.* clubes club (5)

cobrar:

— un cheque to cash a check (6)

la llamada por — collect call (10)

cocido, -a: bien / medio / poco — well-done / medium / rare (4)

la cocina kitchen (I)

cocinar to cook (I)

el coco coconut (9)

el coche car (I)

el — cama, *pl.* —s cama sleeping car (6)

el — comedor, *pl.* —s comedor dining car (6)

el — deportivo sports car (8)

el código postal zip code (10)

el codo elbow (9)

la col cabbage (9)

cola: hacer — to stand in line (I)

la colección, *pl.* colecciones collection (12)

coleccionar to collect (I)

el colegio high school (I)

el — **particular** private school (1)

colgar (o → ue) to hang up (10)

la **colina** hill (4)

colocar to put, to place (6)

colombiano, -a Colombian (6)

el **color** color (I)

¿**de qué** —? what color? (I)

en —**es** in color (I)

el **collar** necklace (I)

el **comedor** dining room (I)

el **coche** — dining car (6)

comenzar (e → ie) (a + *inf.*) to begin, to start (6)

comer to eat (I)

dar de — **a** to feed (I)

comercial *see* **anuncio**

los **comestibles** groceries (I)

cómico, -a comic (I)

la **comida** food; meal (I)

como like, as (2)

cómo how (I)

¿**— es . . . ?** what's . . . like? (I)

¡**— no!** of course! (I)

¿**— te llamas?** what's your name? (I)

la **cómoda** dresser (I)

cómodo, -a comfortable (I)

el **compañero, la compañera de clase** classmate (I)

la **compañía** company (10)

compartir to share (13)

completamente completely (3)

complicado, -a complicated (11)

la **composición,** *pl.* **composiciones** composition (1)

el **compositor, la compositora** composer (12)

comprar to buy (I)

compras: de — shopping (I)

comprender to understand (I)

la **computadora** computer (I)

el **programador / la programadora de** —**s** computer programmer (15)

con with (I)

— cariño affectionately (10)

— cuidado carefully (8)

— mucho gusto gladly, with pleasure (I)

— permiso excuse me (I)

— (+ *time* **+ de) retraso** late (6)

el **concierto** concert (I)

el **concurso** contest, competition (11)

el **programa de** —**s** quiz show (11)

el **conductor, la conductora** driver (8)

congelado, -a frozen (4)

conmigo with me (I)

conocer (c → zc) to know, to be acquainted with (I); to meet, to get to know (11)

conocido, -a: muy — well-known (I)

el **consejo** piece of advice; *pl.* advice (15)

construir to build, to construct (14)

contado: pagar al — to pay cash (6)

contar (o → ue) to count; to tell (I)

contento, -a happy (I)

contestar to answer (I)

contigo with you *(fam.)* (I)

continuamente continually (16)

continuar to continue (I)

contra against, versus (5)

el **contrabajo** bass (12)

contrario: al — on the contrary (I)

el **corazón** heart (I)

la **corbata** tie (I)

el **cordero** lamb (I)

la **chuleta de** — lamb chop (I)

el **cordón,** *pl.* **cordones** cord (2)

los **cordones de los zapatos** shoelaces (7)

el **coro** chorus, choir (12)

correcto, -a correct (I)

el **correo** post office (I); mail (10)

por — by mail (10)

correr to run (I)

la **corrida (de toros)** bullfight (I)

el **cortacésped** lawn mower (2)

cortar to cut; to mow (2)

—**(se) el pelo / las uñas** to cut (one's) hair / nails (7)

la **cortina** curtain (2)

corto, -a short (I)

la **cosa** thing (I)

otra — something else, anything else (11)

costar (o → ue) to cost (I)

— un ojo de la cara to cost an arm and a leg (7)

costarricense Costa Rican (1)

el **crédito: la tarjeta de** — credit card (6)

creer to think, to believe (I)

creo que no I don't think so (I)

creo que sí I think so (I)

la **crema de afeitar** shaving cream (7)

el **cruce (de calles)** intersection (8)

cruzar to cross (6)

el **cuaderno** notebook (I)

la **cuadra** (city) block (8)

el **cuadro** painting (3)

¿**cuál, -es?** what?; which one(s)? (I)

¿**— es la fecha de hoy?** what's the date today? (I)

cuando when (I)

¿**cuándo?** when? (I)

¿**cuánto?** how much? (I)

¿**— dura?** how long does *(something)* last? (I)

¿**— tiempo?** how long? (I)

¿**cuántos, -as?** how many? (I)

¿**— años tienes?** how old are you? (I)

cuarenta forty (I)

cuarto:

menos — quarter to (I)

y — quarter after, quarter past (I)

cuarto, -a fourth (5)

el **cuarto** room (I)

cuatro four (I)

cuatrocientos, -as four hundred (I)

cubano, -a Cuban (I)

la **cuchara** spoon (I)

la **cucharita** teaspoon (2)

el **cuchillo** knife (I)

el **cuello** neck (9)

la **cuenta** check *(in restaurant)* (I)

darse — **de** to realize (14)

el **cuento** story (I)

el **cuero** leather (14)

el **cuerpo** body (I)

cuidado:

¡—! watch out! be careful! (I)

con — carefully (8)

tener — to be careful (I)

cuidar to take care of (13)

— a los niños to baby-sit (I)

el **cumpleaños** birthday (I)

¡**feliz** —! happy birthday! (2)

cumplir . . . años to have a birthday, to turn (+ *age*) (13)

el **cuñado, la cuñada** brother-in-law, sister-in-law (13)

el **champú** shampoo (I)

la **chaqueta** jacket (I)

el **cheque** check (6)

cobrar un — to cash a check (6)

el — **de viajero** traveler's check (6)

el **chicle** chewing gum (13)
el **chico, la chica** boy, girl (I)
el **chile** chili pepper (I)
    el — **con carne** chili con carne (I)
    el — **relleno** stuffed pepper (I)
chileno, -a Chilean (6)
el **chisme** piece of gossip; *pl.* gossip (10)
el **chiste** joke (I)
    chistoso, -a funny (I)
chocar (con) to hit *(something)*, to bump (into), to crash into (8)
el **chocolate** chocolate, hot chocolate (I)
la **chuleta de cerdo / cordero** pork / lamb chop (I)
los **churros** churros (I)

las **damas** checkers (I)
daño: hacer — a to hurt, to harm (12)
dar to give (I)
    — **de comer a** to feed (I)
    — **la mano a** to shake hands (with) (13)
    — **la vuelta** to turn around, to go around (8)
    — **miedo a** to frighten, to scare (I)
    — **un paseo** to go for a walk / ride (3)
    — **una película / un programa** to show a movie / a program (I)
    — **una vuelta** to take a ride (3)
    —**se cuenta de** to realize (14)
    —**se prisa** to hurry (7)
de (del) from; of; *possessive* —'s, —s'; about (I); by (1); as a(n) (14)
    antes — before (I)
    — **camping** camping (4)
    — **compras** shopping (I)
    — **ida** one-way (6)
    — **ida y vuelta** round-trip (6)
    — + *material* made of (14)
    — **moda** fashionable (7)
    — **nada** you're welcome (I)
    — **pesca** fishing (4)
    — **postre** for dessert (I)
    — **prisa** in a hurry, quickly, fast (I)
    — **profesión** by profession (6)

— **propina** for a tip (I)
¿ — **qué color?** what color? (I)
¿ — **quién(es)?** whose? (I)
— **repente** suddenly (14)
— **vacaciones** on vacation (I)
— **veras** really (I)
debajo de under (I)
deber should, ought to (I); to owe (15)
débil weak (I)
decidir to decide (15)
décimo, -a tenth (5)
decir to say, to tell (I)
    ¿**cómo se dice . . .?** how do you say . . . ? (I)
    — **que sí / no** to say yes / no (I)
    ¡**no me digas!** you don't say! (I)
    ¿**qué quiere** — . . . ? what does . . . mean? (I)
declarar to declare *(at customs)* (16)
la **decoración,** *pl.* **decoraciones** decoration (I)
decorar to decorate (I)
el **dedo** finger (I)
dejar to leave (behind) (I)
    — **de** + *inf.* to stop *(doing something)* (13)
delante de in front of (I)
delgado, -a thin (I)
delicioso, -a delicious (I)
demasiado *adv.* too; too much (I); *adj.* too much, too many (15)
la **demora** delay (16)
demostrar (o → ue) to demonstrate, to show, to prove (12)
dentífrica: la pasta — toothpaste (I)
el/la **dentista** dentist (I)
dentro de inside (of) (I); within (16)
el **departamento** department (7)
el **dependiente, la dependienta** salesclerk (7)
el **deporte** sport (I)
    deportivo, -a *adj.* sports (5)
    derecha: a la — **(de)** to the right (of) (I)
    derecho: (todo) — straight ahead (8)
el **derecho** law (15)
desagradable disagreeable, unpleasant (13)
el **desastre** disaster (11)
desayunar to eat breakfast (4)
el **desayuno** breakfast (I)

descansar to rest (I)
descolgar (o → ue) to pick up *(phone)* (10)
descompuesto, -a *(machines)* broken, out of order (2)
describir to describe (I)
descubrir to discover (14)
desde from (I)
desear: ¿qué desea Ud.? may I help you? (I)
desenchufar to unplug (2)
desenvolver (o → ue) to unwrap (13)
el **desfile** parade (I)
el **desierto** desert (15)
el **desodorante** deodorant (I)
el **desorden** disorder, mess (2)
desordenado, -a messy (2)
despacio slowly (I)
despedirse (e → i) (de) to say good-by (to) (13)
despegar to take off *(planes)* (I)
el **despertador** alarm clock (I)
despertar (e → ie) to wake *(someone)* up (I)
    —**se** to wake up (I)
despierto, -a awake (11)
después afterwards, later (I)
    — **de** after (I)
    — **de** + *inf.* after *(doing something)* (I)
destruir to destroy (14)
el **detergente** detergent (2)
detrás de behind (I)
devolver (o → ue) to return *(something)*, to give back, to take back (7)
el **día** day (I)
    el — **de fiesta,** *pl.* **días de fiesta** holiday (I)
    el — **de fin de año** New Year's Eve (I)
    el **plato del** — special of the day (9)
    todos los —**s** every day (I)
el **diablo** devil (I)
la **diapositiva** slide, transparency (1)
el **diario** newspaper (14)
dibujar to draw (I)
el **dibujo** drawing (I)
    los —**s animados** movie cartoons (I)
el **diccionario** dictionary (1)
diciembre December (I)
diecinueve nineteen (I)

dieciocho eighteen (I)
dieciséis sixteen (I)
diecisiete seventeen (I)
los dientes teeth (I)
    el cepillo de — toothbrush (I)
la dieta diet (9)
    estar a — to be on a diet (9)
diez ten (I)
la diferencia difference (12)
diferente different (12)
difícil hard, difficult (I)
el dinero money (I)
el dios, la diosa god, goddess (14)
la dirección, *pl.* **direcciones** address (I)
el director, la directora (school) principal (1); director (11); conductor (12)
dirigir (j) to direct, to conduct, to lead (12)
el disco record (I)
discúlpeme excuse me, pardon me, I beg your pardon (I)
discutir (de) to argue (about), to discuss (11)
el disfraz, *pl.* **disfraces** costume, disguise (I)
    la fiesta de disfraces costume party (I)
disfrutar de to enjoy (I)
la distancia: de larga — long-distance (10)
distinto, -a (de) different (from) (7)
distraído, -a absent-minded (8)
diversiones: el parque de — amusement park (3)
divertido, -a amusing, entertaining (I)
divertirse (e → ie) to have fun, to have a good time (I)
doblada: la película — dubbed film (11)
doblar to turn (8)
doble: la habitación — double room (6)
doce twelve (I)
la docena (de) dozen (I)
el doctor, la doctora doctor *(as title)* (I)
el documental documentary (11)
el documento document (16)
el dólar dollar (I)
doler (o → ue) to hurt, to ache (I)
doméstico: el animal — pet (I)
domingo Sunday (I)

el — on Sunday (I)
dominicano, -a Dominican (1)
¿dónde? where? (I)
    ¿a—? (to) where? (I)
    ¿de —? from where? (I)
dormido, -a asleep (11)
dormir (o → ue) to sleep (I)
    —se to fall asleep, to go to sleep (I)
    el saco de — sleeping bag (4)
el dormitorio bedroom (I)
dos two (I)
doscientos, -as two hundred (I)
la ducha shower (I)
ducharse to take a shower (I)
duda: sin — without a doubt, undoubtedly (12)
dudar to doubt (16)
el dueño, la dueña owner (6)
los dulces candy (I)
durante during (I)
durar to last (I)
el durazno peach (9)

e and (I)
ecuatoriano, -a Ecuadorian (6)
el edificio building (I)
la educación física physical education (I)
educado, -a: bien / mal — polite / impolite, rude (13)
ejemplo: por — for example (4)
ejercicio: hacer — to exercise (9)
el *m. sing.* the (I)
él he; him, it *after prep.* (I)
eléctrico, -a electric (2)
el elefante elephant (I)
elegante elegant (7)
ella she; her, it *after prep.* (I)
ellos, ellas they; them *after prep.* (I)
embarque: la puerta de — boarding gate (16)
emocionante exciting, thrilling (I)
la empanada meat pie (I)
el empate tie *(in a game)* (5)
empezar (a + inf.) (e → ie) to begin, to start (I)
empujar to push (13)
en in; at; on (I)
    — + *vehicle* by (I)
    — casa at home (I)
    — seguida right away, immediately (I)
    — venta for sale (I)

enamorado, -a (de) in love (with) (13)
encantar to love (I)
encender (e → ie) to light, to turn on (4)
encontrar (o → ue) to find (I)
enchufar to plug in (2)
el enchufe plug; outlet (2)
enérgico, -a energetic (I)
enero January (I)
el enfermero, la enfermera nurse (I)
enfermo, -a sick (I)
enfrente de across from, opposite (I)
enojado, -a angry (16)
enojar(se) (con) to be / get angry (at) (16)
enorme enormous, huge (I)
la ensalada salad (I)
ensayar to rehearse (12)
el ensayo rehearsal (12)
enseñar to teach (I)
entender (e → ie) to understand (3)
enterrado, -a buried (14)
entonces then, so (I)
la entrada ticket; entrance (I)
entrar (en) to go in, to come in, to enter (I)
entre between (I)
entregar to deliver (10)
el entrenador, la entrenadora coach (5)
la entrevista interview (11)
entrevistar to interview (11)
envolver (o → ue) to wrap (10)
el equipaje luggage (6)
el equipo team (I)
    el — local home team (5)
equivocado, -a wrong (10)
esa *see* **ese**
la escala stopover (16)
    hacer — to make a stopover *(planes)* (16)
    sin — nonstop (16)
la escalera staircase (I)
    la — mecánica escalator (7)
escaparse to escape, to run away (14)
la escoba broom (2)
escoger (j) to choose (2)
escolar: el año — school year (I)
escribir to write (I)
    ¿cómo se escribe . . . ? how do you spell . . . ? (I)
    — a máquina to type (1)
    la máquina de — typewriter (1)

el escritor, la escritora writer, author (I)

el escritorio desk (I)

escuchar to listen (to) (I)

la escuela school (I)

el escultor, la escultora sculptor (12)

la escultura sculpture (12)

ese, -a; -os, -as *adj.* that; those (I)

ése, ésa; ésos, ésas *pron.* that one; those (2)

el esmalte de uñas nail polish (7)

eso *neuter pron.* that (2)

    por — that's why (I)

la espalda back (9)

España Spain (I)

español, -a Spanish (I)

el español Spanish *(language)* (I)

los espárragos asparagus (9)

especial special (I)

especialmente especially (3)

el espectáculo show, performance (3)

el espejo mirror (I)

    la casa de los —s house of mirrors (3)

espera: la sala de — waiting room (9)

esperar to wait (for); to hope, to expect (I)

    ¡espero que sí / no! I hope so / not! (I)

las espinacas spinach (9)

el esposo, la esposa husband, wife (I)

el esquí ski; skiing (5)

    el — acuático water skiing (5)

el esquiador, la esquiadora skier (5)

esquiar to ski (I)

la esquina street corner (I)

    a la vuelta de la — around the corner (I)

esta *see* **este**

la estación, *pl.* **estaciones** season; station (I)

    la — de servicio, *pl.* **estaciones de servicio** service station (8)

el estacionamiento parking lot (8)

estacionar to park (8)

el estadio stadium (I)

los Estados Unidos United States (I)

el estante shelf (I)

estar to be (I)

    está bien okay, all right (I)

    — de acuerdo to agree (I)

la estatua statue (14)

este, -a; -os, -as, *adj.* this; these (I)

    esta noche tonight (I)

éste, ésta; éstos, éstas *pron.* this one; these (2)

el este east (I)

esto *neuter pron.* this (2)

el estómago stomach (I)

estornudar to sneeze (9)

estrecho, -a narrow (7)

la estrella star (I)

    la — de cine movie star (11)

estricto, -a strict (5)

el/la estudiante student (I)

estudiar to study (I)

estudio: la sala de — study hall (I)

la estufa stove (I)

estupendo, -a fantastic, great (I)

etcétera etc. (14)

la etiqueta tag, price tag, label (7)

Europa Europe (I)

exactamente exactly (3)

el examen, *pl.* **exámenes** test, exam (I)

examinar to examine (I)

excelente excellent (I)

la excursión: ir de — to go on a short trip or excursion (3)

la excusa excuse (I)

el éxito success (11)

    tener — to be successful (11)

la expedición, *pl.* **expediciones** expedition (15)

    hacer una — to go on an expedition (15)

explicar to explain (1)

el explorador, la exploradora explorer (15)

explorar to explore (15)

la exposición, *pl.* **exposiciones** exhibit (3)

expreso express (6)

extranjero, -a foreign (11)

extraño, -a strange (16)

fabuloso, -a fabulous (I)

fácil easy (I)

la falda skirt (I)

faltar to need, to be missing or lacking *(something)* (I)

la familia family (I)

famoso, -a famous (3)

el fantasma ghost (I)

    la casa de los —s house of horrors (3)

fantástico, -a fantastic (I)

el farmacéutico, la farmacéutica pharmacist (15)

la farmacia pharmacy, drugstore (I)

el faro headlight (8)

favor: por — please (I)

favorito, -a favorite (I)

febrero February (I)

la fecha date (I)

¡felicidades! congratulations! (I)

¡felicitaciones! congratulations! (I)

felicitar to congratulate (13)

feliz, *pl.* **felices** happy (13)

    ¡ — cumpleaños! happy birthday! (2)

feo, -a ugly (I)

la feria fair (3)

    la rueda de — Ferris wheel (3)

la fiebre fever (I)

la fiesta holiday; party (I)

    el día de — holiday (I)

    la — de disfraces costume party (I)

fijarse en to notice, to pay attention to (12)

la fila row (11)

filmar to film (11)

el fin:

    el día de — de año New Year's Eve (I)

    el — de semana, *pl.* **fines de semana** weekend (I)

    por — at last, finally (3)

la firma signature (10)

firmar to sign (6)

la física physics (I)

    físico, -a: la educación —a physical education (I)

flaco, -a *(animals)* skinny (3)

el flan flan, baked custard (I)

la flauta flute (12)

    flojo, -a: estar — en to be poor in (I)

la flor flower (I)

folklórico, -a *adj.* folk (I)

el fondo: en el — at the back, in the background (12)

formidable terrific (I)

el formulario form (10)

la foto photo (I)

el fotógrafo, la fotógrafa photographer (I)

el fracaso failure (11)

francés *(pl.* **franceses), francesa** French (I)

el francés French *(language)* (I)

Francia France (I)
la **frase** sentence, phrase (I)
frecuentemente frequently (3)
el **fregadero** sink (2)
el **freno** brake (8)
la **fresa** strawberry (9)
fresco, -a fresh (4)
el **fresco: hace —** it's cool (out) (I)
los **frijoles** beans (I)
frío, -a cold (I)
el **frío:**
    hace — it's cold (out) (I)
    tener — to be cold *(person)* (I)
    frito, -a fried (I)
    las papas —as French fries (I)
la **frontera** border (16)
la **fruta** fruit (I)
el **fuego** fire (4)
    los **—s artificiales** fireworks (I)
la **fuente** fountain (I)
fuera de outside (of) (I)
fuerte strong (I); loud (5)
    estar — en to be good in (I)
la **función,** *pl.* **funciones** show (11)
funcionar *(machines)* to work, to
    run (2)
la **funda** pillowcase (I)
el **fútbol** soccer (I)
    el **— americano** football (I)

la **galería** gallery (12)
la **galleta** cracker (4)
la **gallina** hen (I)
el **gallo** rooster (I)
el **ganado** cattle (4)
ganador, -a winning (5)
el **ganador, la ganadora** winner (5)
ganar to win (I); to earn (15)
    —se la vida to earn a living (15)
ganas *see* **tener**
la **ganga** bargain (7)
el **garaje** garage (I)
la **garganta** throat (I)
la **gasolina** gas (8)
gastar to spend (7)
el **gato** cat (I)
el **gazpacho** gazpacho (I)
generalmente generally, usually (I)
generoso, -a generous (I)
la **gente** people (I)
    lleno, -a de — crowded (I)
la **geometría** geometry (I)
el/la **gerente** manager (I)
gimnasia: hacer — to do
    gymnastics (5)

el **gimnasio** gymnasium (I)
el **globo** balloon (3)
el **golf** golf (I)
el **Golfo de México** Gulf of Mexico
    (I)
gordo, -a fat (I)
la **grabadora** tape recorder (I)
grabar to record (11)
gracias thank you, thanks (I)
    muchas — thanks a lot (I)
gracioso, -a funny, comic (3)
el **grado** degree (I)
graduarse to graduate (15)
el **gramo** gram (I)
gran, *pl.* **grandes** great (I)
grande big, large (I)
la **granja** farm (I)
el **granjero, la granjera** farmer (I)
la **grapa** staple (1)
la **grapadora** stapler (1)
gratis, *pl.* **gratis** free (3)
la **gripe** flu (I)
gris, *pl.* **grises** gray (I)
gritar to shout (12)
el **grupo** group (I)
el **guacamole** guacamole (9)
el **guante** glove (I)
guapo, -a handsome, good-
    looking (I)
el **guardián, la guardiana (de
    zoológico)** (zoo)keeper (I)
guatemalteco, -a Guatemalan (1)
la **guía** guidebook (I)
    la **— telefónica** phone book (I)
el/la **guía** guide (I)
los **guisantes** peas (I)
la **guitarra** guitar (I)
gustar to like (I)
    me gustaría I'd like (3)
gusto:
    con mucho — gladly, with
    pleasure (I)
    mucho — pleased to meet you
    (I)

haber (hay / había / hubo) there
    is / are; there was / were
    (I, 14, 15)
la **habitación,** *pl.* **habitaciones** room
    (6)
    la **— doble** double room (6)
    la **— individual** single room (6)
el/la **habitante** inhabitant (1)
hablar to speak, to talk (I)

    — por señas to talk in sign
    language (11)
    — por teléfono to talk on the
    phone (I)
hace:
    — + *time* + **que** for + *time* (I)
    See also **calor, fresco, frío, sol,
    tiempo, viento**
hacer to do; to make (I)
    — cola to stand in line (I)
    — daño a to hurt, to harm (12)
    — ejercicio to exercise (9)
    — el papel de to play the role
    of (11)
    — la maleta to pack a suitcase (I)
    — un asado to have a barbecue
    (4)
    — una expedición to go an
    expedition (15)
    — un picnic to have a picnic (3)
    — una pregunta to ask a ques-
    tion (1)
    — un viaje to take a trip (I)
hallar to find (14)
hambre: tener — to be hungry (I)
la **hamburguesa** hamburger (I)
hasta until (I); to, out to, as far as
    (5)
    — la vista see you later (I)
    — luego see you later (I)
    — mañana see you tomorrow
    (I)
    — pronto see you soon (I)
hay there is, there are (I)
    — que + *inf.* we (you, one)
    must, it's necessary (I)
    no — de qué you're welcome
    (I)
    ¿qué —? what's new? (10)
hecho, -a made (7)
la **heladería** ice cream parlor (3)
el **helado** ice cream (I)
el **helicóptero** helicopter (15)
el **hermanito, la hermanita** little
    brother, little sister (I)
el **hermano, la hermana** brother,
    sister (I)
los **hermanos** brothers; brother(s)
    and sister(s) (I)
hermoso, -a beautiful (I)
el **héroe, la heroína** hero, heroine
    (14)
heroico, -a heroic (14)
hervir (e → ie) to boil (4)
el **hielo** ice (3)
la **hierba** grass (I)

el **hijo, la hija** son, daughter (I)
los **hijos** sons; son(s) and daughter(s)
(I)
el **hipopótamo** hippopotamus (I)
la **historia** history (I); story (1)
histórico, -a historic (6)
la **hoja** leaf (I)
la **— de papel,** *pl.* **—s de papel**
piece of paper (I)
hola hello, hi (I)
el **hombre** man (I)
el **— de negocios** businessman
(15)
el **hombro** shoulder (9)
hondureño, -a Honduran (1)
la **hora** hour (I)
¿a qué —? (at) what time? (I)
la **media —** half an hour (I)
¿qué — es? what time is it? (I)
el **horario** schedule (I)
la **hormiga** ant (4)
el **horno** oven (2)
horror: ¡qué —! how awful! (14)
el **hospital** hospital (I)
el **hotel** hotel (I)
hoy today (I)
— no not today (I)
hubo *see* **haber**
el **hueso** bone (9)
el **huevo** egg (I)
huir (de) to flee (from) (14)
húmedo, -a humid, damp (15)
el **humo** smoke (14)
el **humor:**
el **sentido del —** sense of
humor (16)
estar de buen / mal — to be in a
good / bad mood (16)
el **huracán,** *pl.* **huracanes** hurricane
(11)

ida:
de — one-way (6)
de — y vuelta round-trip (6)
la **idea** idea (2)
cambiar de — to change one's
mind (3)
el **idioma** language (1)
la **iglesia** church (I)
igual the same, alike (13)
la **iguana** iguana (I)
¡imagínate! imagine! (I)
impaciente impatient (8)
el **impermeable** raincoat (1)

importante important (I)
importar to matter to, to be
important to, to mind (I)
¿qué —? so what? (I)
imposible impossible (16)
impresionante impressive (14)
improbable improbable (16)
el **impuesto** tax (7)
los **incas** Incas (14)
el **incendio** fire (14)
incluir to include, to enclose (10)
incómodo, -a uncomfortable (I)
increíble incredible (5)
indicar to indicate, to show (11)
individual: la habitación —
single room (6)
la **información** information (11)
el **ingeniero, la ingeniera** engineer
(14)
Inglaterra England (I)
inglés (*pl.* **ingleses), inglesa**
English (I)
el **inglés** English (*language*) (I)
inolvidable unforgettable (13)
el **inspector, la inspectora** (*train*)
conductor (6)
el **instructor, la instructora**
instructor (8)
el **instrumento** instrument (12)
inteligente intelligent (I)
intentar to try (16)
interesante interesting (I)
interesar to interest (11)
el **intervalo** intermission (11)
el **invierno** winter (I)
la **invitación,** *pl.* **invitaciones**
invitation (I)
el **invitado, la invitada** guest (I)
invitar to invite (I)
la **inyección,** *pl.* **inyecciones** shot (I)
poner una — to give a shot (I)
ir to go (I)
— a + *inf.* going to + *verb* (I)
— a buscar to go get, to pick up
(10)
—se to leave, to go away (7)
la **isla** island (5)
Italia Italy (I)
italiano, -a Italian (I)
el **italiano** Italian (*language*) (I)
izquierda: a la — (de) to the left
(of) (I)

el **jabón,** *pl.* **jabones** soap (I)
el **jaguar** jaguar (15)
el **jai alai** jai alai (5)
el **jamón** ham (I)
el **jardín,** *pl.* **jardines** garden (I)
la **jaula** cage (I)
los **jeans** jeans (I)
el **jefe, la jefa** boss (15)
la **jirafa** giraffe (I)
joven, *pl.* **jóvenes** young (I)
el/la **joven,** *pl.* **los/las jóvenes** young
person (11)
las **joyas** jewels (I)
el **juego** game (I)
jueves Thursday (I)
el **—** on Thursday (I)
el **jugador, la jugadora** player (I)
jugar (u → ue) to play (I)
— a(l) to play (*sports or games*)
(I)
el **jugo (de)** juice (I)
julio July (I)
junio June (I)
junto a next to (12)
juntos, -as together (I)

el **kilo** kilo (I)

la the *f. sing.;* you *f. formal,* her, it
dir. obj. (I)
el **labio** lip (7)
el **lápiz de —s** lipstick (7)
el **laboratorio** laboratory (I)
lado: al — de next to, beside (I)
el **ladrón, la ladrona** thief (14)
el **lago** lake (I)
la **lámpara** lamp (I)
la **lana** wool (14)
la **langosta** lobster (9)
el **lápiz,** *pl.* **lápices** pencil (I)
el **— de labios** lipstick (7)
largo, -a long (I)
de —a distancia long-distance
(10)
las the *f. pl.;* you *f. pl.,* them *f. dir.
obj.* (I)
la **lástima** shame, pity (16)
¡qué —! that's too bad, that's a
shame (I)
lastimarse to hurt (*a part of one's
body*) (9)
la **lata** can (4)
¡qué —! what a drag! what a
bore! (3)

latinoamericano, -a Latin American (I)
la lavadora washing machine (2)
el lavaplatos dishwasher (2)
lavar to wash (I)
 —se (la cara, las manos, el pelo) to wash (one's face, hands, hair) (I)
 le (to / for) you *formal*, him, her *ind. obj.* (I)
la lección, *pl.* **lecciones** lesson (I)
la leche milk (I)
 el café con — coffee with cream (I)
la lechuga lettuce (I)
leer to read (I)
lejos de far from (I)
la lengua language (I)
lentamente slowly (10)
lento, -a slow (I)
el león, *pl.* **leones** lion (I)
el leopardo leopard (I)
les (to / for) you *pl.*, them *ind. obj.* (I)
el letrero sign (7)
el levantador / la levantadora de pesas weightlifter (5)
levantar to lift, to raise (I)
 — pesas to lift weights (5)
 —se to get up (I)
libre free, not busy (I)
la librería bookstore (I)
el libro book (I)
la lima de uñas nail file (7)
limar(se) las uñas to file nails (7)
el limón, *pl.* **limones** lemon (I)
la limonada lemonade (I)
limpiar to clean (I)
 —(se) los zapatos / los anteojos to clean (one's) shoes / eyeglasses (7)
limpio, -a clean (I)
la línea line (I)
 la — aérea airline (16)
la linterna flashlight (4)
la liquidación, *pl.* **liquidaciones** (clearance) sale (7)
listo, -a smart, clever (I)
el litro liter (I)
lo you *m. formal*, him, it *dir. obj.* (I)
 — que what (I)
 — siento I'm sorry (I)
local local (6)
 el equipo — home team (5)
loco, -a crazy (I)

el locutor, la locutora announcer (11)
el loro parrot (15)
los the *m. pl.*; you, them *dir. obj.* (I)
luego then, later (I)
 hasta — see you later (I)
el lugar place (3)
 tener — to take place (11)
la luna moon (I)
lunes Monday (I)
 el — on Monday (I)
la luz, *pl.* **luces** light (2)

la llama llama (I)
la llamada call (10)
 la — por cobrar collect call (10)
llamar to call (I)
 ¿cómo te llamas? what's your name? (I)
 — por teléfono to phone (I)
 —se to be called, to be named (I)
la llanta tire (8)
la llave key (I)
la llegada arrival (6)
llegar to arrive (I)
llenar to fill (up) (8); to fill out / in (10)
lleno, -a full (I)
 — de gente crowded (I)
llevar to wear; to carry (I); to take (4)
llorar to cry (13)
llover (o → ue) to rain (I)
 llueve it's raining (I)
la lluvia rain (I)

la madera wood (14)
la madre mother (I)
la madrina godmother (13)
magnífico, -a magnificent (I)
el maíz corn (I)
mal nct well, badly (I)
la maleta suitcase (I)
 hacer la — to pack a suitcase (I)
malo (mal), -a bad (I)
la mamá mom (I)
mandar to send (I)
manejar to drive (8)
 el permiso de — driver's license (8)
la mano hand (I)
 dar la — a to shake hands (with) (13)
la manta blanket (I)

el mantel tablecloth (I)
la mantequilla butter (I)
la manzana apple (I)
mañana tomorrow (I)
 hasta — see you tomorrow (I)
la mañana morning (I)
 de la — in the morning; A.M. (I)
 por la — in the morning (I)
el mapa map (I)
el maquillaje makeup (7)
maquillar(se) to put makeup on (7)
la máquina:
 escribir a — to type (1)
 la — de escribir typewriter (1)
la maquinilla de afeitar razor (7)
el mar sea (I)
 maravilla: ¡qué —! how marvelous! great! (3)
 maravilloso, -a marvelous, wonderful (6)
la marca brand (7)
marcar to dial (10)
los mariscos seafood, shellfish (9)
marrón, *pl.* **marrones** brown (I)
martes Tuesday (I)
 el — on Tuesday (I)
marzo March (I)
más plus; more (I)
 el / la / los / las — + *adj.* the most + *adj.*, the + *adj.* + -est (I)
 — + *adj.* **(+ que)** more + *adj.* (+ than), *adj.* + -er (I)
 — de + *number* more than (I)
 — o menos more or less (I)
mascar to chew (13)
la máscara mask (I)
las matemáticas mathematics (I)
la materia school subject (I)
 máximo, -a: la velocidad —a speed limit (8)
los mayas Mayans (14)
mayo May (I)
la mayonesa mayonnaise (9)
mayor older (I)
 el / la — the oldest (I)
los mayores grownups (13)
la mayoría de most (of), the majority of (7)
me me *dir. obj.*; (to / for) me *ind. obj.*; myself (I)
mecánico, -a: la escalera —a escalator (7)
el mecánico, la mecánica mechanic (8)

media:
  la — hora half an hour (I)
  y — half-past; and a half (I)
la medianoche midnight (I)
la medicina medicine (9)
el médico, la médica doctor (I)
medio cocido, -a *(meat)* medium
  (4)
el mediodía noon (I)
  al — at noon (I)
mejor better (I)
  el / la — the best (I)
mejorarse to get better, to improve (9)
memoria: aprender de — to
  memorize (I)
menor younger (I)
menos minus; + *number (in time*
  telling) (minutes) to (I)
  el / la / los / las — + *adj.* the
  least + *adj.* (I)
  más o — more or less (I)
  — + *adj.* + que less + *adj.* +
  than (I)
  — de + *number* less than, fewer
  than (I)
  por lo — at least (15)
el mensajero, la mensajera
  messenger (10)
mentir (e → ie) to lie (16)
la mentira lie (16)
el menú menu (I)
menudo: a — often (I)
el mercado market (I)
la mermelada jelly, preserves (I)
el mes month (I)
la mesa table (I)
  poner la — to set the table (I)
meter: — la pata to put one's foot
  in it, to goof (13)
el metro subway (I)
mexicano, -a Mexican (I)
mezclar to mix (2)
mi, mis my (I)
mí me *after prep.* (I)
miedo:
  dar — a to frighten, to scare (I)
  tener — (de) to be afraid (of) (I)
la miel honey (9)
mientras while (13)
miércoles Wednesday (I)
  el — on Wednesday (I)
mil one thousand (I)
  miles (de) thousands (of) (7)
el milagro miracle (5)
el millón (de), *pl.* **millones** million (1)

el millonario, la millonaria
  millionaire (15)
el minuto minute (I)
  mío, -a my, (of) mine (8)
el mío, la mía, los míos, las mías
  mine (8)
mirar to look (at), to watch (I)
mismo, -a same (1)
  ahora — right away, right now
  (2)
misterioso, -a mysterious (15)
la mitad half (15)
la mochila knapsack, backpack (I)
la moda fashion (7)
  de — fashionable, in fashion (7)
el/la modelo model (12)
  mojado, -a wet (4)
molestar to bother (13)
  no te molestes don't bother (13)
un momento just a moment (I)
la moneda coin (I)
el mono monkey (I)
la montaña mountain (I)
  la — rusa roller coaster (3)
montar:
  — a caballo to ride horseback
  (5)
  — en bicicleta to ride a bicycle
  (I)
morado, -a purple (I)
moreno, -a dark, brunette (I)
morirse (o → ue) to die (9)
la mosca fly (4)
el mosquito mosquito (4)
la mostaza mustard (4)
el mostrador (display) counter (7)
mostrar (o → ue) to show (I)
la moto motorcycle (I)
el motor motor (8)
el muchacho, la muchacha boy, girl
  (I)
mucho a lot, very much (I)
mucho, -a, -os, -as much, many, a
  lot of; very (I)
  — gusto pleased to meet you (I)
mudarse to move (10)
los muebles furniture (I)
muerto, -a dead (14)
la mujer woman (I)
  la — de negocios businesswoman (15)
la muleta crutch (9)
la multa fine; (traffic) ticket (8)
  poner una — to give a ticket (8)
el mundo world (14)
  todo el — everybody, everyone (I)

la muñeca wrist (9)
el mural mural (12)
el museo museum (I)
la música music (I)
  musical musical (I)
el músico, la música musician (12)
muy very (I)

nacer (c → zc) to be born (13)
el nacimiento birth (13)
nada nothing, not anything (I)
  de — you're welcome (I)
el nadador, la nadadora swimmer
  (5)
nadar to swim (I)
nadie no one, nobody, not
  anyone (I)
los naipes cards (I)
la naranja orange (I)
la naranjada orangeade (I)
la nariz nose (I)
la natación swimming (5)
navegar to sail (5)
la Navidad Christmas (I)
necesario, -a necessary (I)
necesitar to need (I)
negar (e → ie) to deny (16)
el negocio business (15)
  el hombre / la mujer de —s
  businessman, business-
  woman (15)
negro, -a black (I)
nervioso, -a nervous (8)
nevar to snow (I)
  nieva it's snowing (I)
ni . . . ni neither . . . nor, not . . .
  or (6)
  no . . . — not even (6)
nicaragüense Nicaraguan (1)
el nieto, la nieta grandson, granddaughter (13)
los nietos grandchildren (13)
la nieve snow (I)
  ningún, ninguna *adj.* no, not any
  (I)
  ninguno, -a *pron.* none, (not) any
  (I)
el niño, la niña little boy, little girl
  (I)
los niños little boys; boys and girls;
  children (I)
  cuidar a los — to baby-sit (I)
no no; not (I)
  ¡cómo —! of course! (I)
  ¿—? don't you? aren't I? etc. (I)

la **noche** night (I)
   de la — at night, in the evening; P.M. (I)
   esta — tonight (I)
   por la — in the evening, at night (I)
el **nombre** name (I)
el **noreste** northeast (1)
el **noroeste** northwest (1)
el **norte** north (I)
   norteamericano, -a North American (I)
   nos us *dir. obj.*; (to / for) us *ind. obj.*; ourselves (I); each other (7)
   nosotros, -as we; us *after prep.* (I)
la **nota** grade (I)
la **noticia** piece of news, news item (10); *pl.* news (I)
   novecientos, -as nine hundred (I)
la **novela** novel (I)
   noveno, -a ninth (5)
   noventa ninety (I)
   noviembre November (I)
el **novio, la novia** boyfriend, girl-friend (I); bride, groom (13)
los **novios** bride and groom (13)
la **nube** cloud (I)
   nublado: está — it's cloudy (I)
   nuestro, -a our (I); our, (of) ours (8)
el **nuestro, la nuestra, los nuestros, las nuestras** ours (8)
   nueve nine (I)
   nuevo, -a new (I)
el **número** number (I); *(shoe)* size (7)
   el — **de teléfono** phone number (I)
   nunca never (I)

   o or (I)
   — . . . — either . . . or (10)
el **objeto** object (14)
el **oboe** oboe (12)
la **obra** work (12)
   la — **de teatro** play (I)
   obstinado, -a obstinate, stubborn (16)
   obtener to get, to obtain (8)
el **océano** ocean (I)
   octavo, -a eighth (5)
   octubre October (I)
   ocupado, -a busy; occupied (I)
   ocurrir to happen, to occur (11)
   ochenta eighty (I)

   ocho eight (I)
   ochocientos, -as eight hundred (I)
el **oeste** west (I)
   del — western (I)
la **oficina** office (I)
   ofrecer (c → zc) to offer (11)
el **oído** (inner) ear (I)
   oír to hear (I)
   ¡ojalá! I hope so! let's hope so! (I)
el **ojo** eye (I)
   costar un — **de la cara** to cost an arm and a leg (7)
la **ola** wave (I)
el **olor** odor, smell (4)
   olvidar to forget *(something)* (3)
   —**se (de** + *inf.)* to forget (to) (I)
la **olla** pot (2)
   once eleven (I)
el **operador, la operadora** operator (10)
la **opinión,** *pl.* **opiniones** opinion (14)
   optimista optimistic (I)
el **orden** order (2)
   poner en — to straighten up / out (2)
   ordenado, -a neat (2)
la **oreja** ear (I)
   orgulloso, -a proud (16)
   origen: de — of . . . origin (I)
   original: en versión — in a foreign language (11)
el **oro** gold (14)
la **orquesta** orchestra (12)
el/la **ortodoncista** orthodontist (15)
   oscuro, -a dark (6)
el **oso** bear (I)
el **otoño** autumn, fall (I)
   otro, -a other, another (I)
   otra cosa / persona something / someone else (11)
   otra vez again (I)
la **oveja** sheep (I)
   ¡oye! listen! hey! (I)

la **paciencia: tener** — to be patient (16)
   paciente patient (8)
el/la **paciente** patient (9)
el **padre** father (I)
los **padres** parents, mother and father (I)
el **padrino** godfather; *pl.* godparents (13)
la **paella** paella (I)

   pagar to pay (for) (I)
   — + *sum of money* + **por** to pay + *sum of money* + for (I)
   — **al contado** to pay cash (6)
la **página** page (I)
el **país** country (I)
el **paisaje** landscape (4, 12)
el **pájaro** bird (I)
la **palabra** word (I)
   pálido, -a pale (9)
las **palomitas** popcorn (3)
el **pan** bread (I)
   el — **tostado** toast (I)
la **panadería** bakery (I)
   panameño -a Panamanian (1)
los **pantalones** pants (I)
la **pantalla** screen (1)
las **pantimedias** pantyhose (I)
el **pañuelo** handkerchief (I)
el **papá** dad (I)
la **papa** potato (I)
   las —**s fritas** French fries (I)
la **papaya** papaya (9)
el **papel** paper (14)
   hacer el — **de** to play the role of (11)
   la hoja de — piece of paper (I)
la **papelera** wastebasket (I)
el **paquete** package (10)
   para for (I); by + *time* (15)
   — + *inf.* to, in order to (I)
el **parabrisas,** *pl.* **parabrisas** windshield (8)
el **parachoques,** *pl.* **parachoques** bumper (8)
el **parador** inn *(run by Spanish government)* (6)
el **paraguas** umbrella (I)
   paraguayo, -a Paraguayan (6)
   parar to stop (3)
   parecer (c → zc) to seem *(to someone)* (I); to seem to be, to look like (11)
   —**se (c → zc) a** to look like, to resemble (13)
   ¿no te parece? don't you think so? (15)
   ¿qué te parece . . . ? how do you like . . . ? what do you think of . . . ? (I)
   ¿qué te parece si + *verb?* how about *(doing something)?* (13)
   parecido, -a (a) like, similar to (12)
la **pared** wall (I)

el pariente, la parienta relative (13)
el parque park (I)
    el — de diversiones amusement park (3)
el parquímetro parking meter (8)
la parrilla grill (4)
la parte part (1)
    de mi — from me, for me (10)
    ¿de — de quién? who's calling? (10)
    por / en todas —s everywhere (16)
  participar to participate, to take part (5)
  particular: el colegio — private school (1)
el partido (de + *sport)* game, match (I)
  pasado, -a last; past (I)
el pasajero, la pasajera passenger (6)
el pasaporte passport (I)
  pasar to spend *(time)* (I); to happen (2)
    — la aspiradora to vacuum (2)
el pasatiempo pastime, hobby (I)
el paseo: dar un — to go for a walk / ride (3)
el pasillo hall (2)
el paso de peatones crosswalk (8)
la pasta dentífrica toothpaste (I)
el pastel cake, pastry (I)
la pastilla pill (9)
la pata: meter — to put one's foot in it, to goof (13)
el patín, *pl.* **patines (de ruedas)** (roller) skate (3)
el patinador, la patinadora skater (5)
  patinar to skate (3)
    — sobre hielo to ice-skate (3)
    — sobre ruedas to roller-skate (3)
el patio courtyard (I)
el pato duck (I)
el pavo turkey (I)
el peatón, *pl.* **peatones** pedestrian (8)
  el paso de —es crosswalk (8)
el pecho chest (9)
  pedir (e → i) to ask for, to order, to request (I)
    — prestado, -a (a) to borrow (from) (I)
  peinar to comb someone's hair (I)
  —se to comb one's hair (I)

el peine comb (I)
  pelearse (con) to quarrel, to fight (with) (13)
la película movie, film (I)
  la — doblada dubbed film (11)
  peligroso, -a dangerous (8)
  pelirrojo, -a red-haired (I)
el pelo hair (I)
  tomarle el — a to pull someone's leg (13)
la pelota ball (I)
la peluquería barber / beauty shop (7)
el peluquero, la peluquera barber, hairdresser (7)
la pena: valer la — to be worth the effort, to be worth it (16)
  pensar (e → ie) to think (I)
    — + *inf.* to plan, to intend (I)
    — de to think of, to have an opinion about (I)
    — en to think about (I)
la pensión, *pl.* **pensiones** boardinghouse (6)
  peor worse (I)
  el / la — worst (I)
  pequeño, -a small, little (I)
la pera pear (9)
  perdedor, -a losing (5)
  perder (e → ie) to lose (I)
  ¡perdón! pardon me (I)
  perezoso, -a lazy (I)
  perfecto, -a perfect (I)
el perfume perfume (7)
el periódico newspaper (I)
el/la periodista journalist, reporter (14)
  permiso:
    con — excuse me (I)
    el — de manejar driver's license (8)
  permitir to let, to allow, to permit (13)
  pero but (I)
el perro dog (I)
  el — caliente hot dog (4)
la persona person (I)
  otra — someone else, no one else (11)
el personaje character (11)
  peruano, -a Peruvian (6)
  pesado, -a heavy (4)
  pesar(se) to weigh (oneself) (9)
las pesas weights (5)
  pesca: ir de — to go fishing (4)
el pescado fish *(cooked)* (I)
la peseta peseta (I)

  pesimista pessimistic (I)
el peso peso (I); weight (9)
  aumentar / bajar de — to gain / lose weight (9)
el pez, *pl.* **peces** fish *(live)* (I)
el piano piano (I)
  picante spicy, hot (I)
el picnic picnic (3)
  hacer un — to have a picnic (3)
el pie foot (I)
  a — on foot (I)
la piedra rock (4); stone (14)
la pierna leg (I)
la pila *(flashlight)* battery (4)
el/la piloto pilot (I)
la pimienta pepper (4)
el pincel paintbrush (12)
  pintar to paint (12)
el pintor, la pintora painter (12)
la pintura paint, painting (12)
la piña pineapple (9)
la piñata piñata (I)
la pirámide pyramid (14)
los Pirineos Pyrenees Mts. (I)
la piscina swimming pool (I)
el piso floor, story (I)
  el primer (segundo, tercer) — second (third, fourth) floor (I)
la pista runway (16)
la pizarra chalkboard (I)
la placa license plate (8)
el plan plan (I)
la plancha iron (2)
  planchar to iron (2)
el plano street map (6)
la planta baja ground floor (I)
la plata silver (14)
el plátano banana (I)
el platillo saucer (I)
el plato dish; plate (I)
  el — del día special of the day (9)
  quitar los — to clear the table (I)
la playa beach (I)
la plaza town square, plaza (I)
  pobre poor (I)
  ¡pobrecito, -a! poor thing! (I)
un poco (de) a little (I)
  — cocido, -a rare *(meat)* (4)
  pocos, -as a few, not many (I)
  poder (o → ue) can, to be able to (I)
    se puede it is allowed, you can (13)
el poema poem (I)

el/la **poeta** poet (I)
el/la **policía** police officer (I)
policíaco, -a *adj.* detective, mystery (I)
el **pollo** chicken (I)
poner to put, to place (I)
— **en orden** to straighten up / out (2)
— **la mesa** to set the table (I)
—**se** to put on *(clothes)* (I)
— **una inyección** to give a shot (I)
— **una multa** to give a ticket (8)
popular popular (I)
por through, across (I); for (9); along (13); per (13)
— **allí** around there, over there, that way (8)
— **aquí** around here, over here, this way (8)
— **eso** that's why (I)
— **favor** please (I)
— **fin** at last, finally (3)
— **la mañana** in the morning (I)
— **la noche** in the evening, at night (I)
— **la radio / tele** on the radio / TV (11)
— **la tarde** in the afternoon (I)
— **lo menos** at least (15)
¿— **qué?** why? (I)
¡— **supuesto!** of course! (I)
— **teléfono** on the phone (I)
porque because (I)
portarse bien / mal to behave well / badly (13)
portugués *(pl.* **portugueses), portuguesa** Portuguese (I)
el **portugués** Portuguese *(language)* (I)
posible possible (16)
postal:
el **apartado** — post office box (10)
el **código** — zip code (10)
la **tarjeta** — post card (I)
el **postre** dessert (I)
de — for dessert (I)
practicar to practice (I)
práctico, -a practical (15)
el **precio** price (7)
preferido, -a favorite (I)
preferir (e → ie) to prefer (I)
la **pregunta** question (I)
hacer una — to ask a question (1)

preguntar to ask (I)
el **premio** prize (11)
preocupado, -a worried (I)
preocuparse (por) to worry (about) (16)
preparado, -a prepared, ready (I)
preparar to prepare (I)
presentar to introduce (I)
presente *adj.* present (I)
prestado, -a: pedir — **(a)** to borrow (from) (I)
prestar to lend (I)
— **atención** to pay attention (1)
la **primavera** spring (I)
primero (primer), -a first (I)
el — **piso** second floor (I)
el **primo, la prima** cousin (I)
principal main, leading (11)
el **principio: al** — at first (11)
prisa:
darse — to hurry (7)
de — in a hurry, quickly, fast (I)
tener — to be in a hurry (8)
privado, -a private (I)
probable probable (16)
probablemente probably (3)
probar (o → ue) to taste (4)
—**se** to try on (7)
el **problema** problem (I)
producir (c → zc) to produce (14)
la **profesión,** *pl.* **profesiones** profession (6)
de — by profession (6)
el **profesor, la profesora** teacher (I)
el **programa** program (I)
el — **de concursos** quiz show (11)
el **programador / la programadora (de computadoras)** (computer) programmer (15)
prohibir: se prohíbe it is forbidden (13)
prometer to promise (4)
el **pronóstico del tiempo** weather forecast (11)
pronto soon (I)
hasta — see you soon (I)
la **propina** tip (I)
de — for a tip (I)
propio, -a own (15)
provecho: ¡buen —! enjoy your meal (4)
próximo, -a next (I)
el **proyector** projector (1)
la **prueba** test (I)

público, -a public (1)
el **público** audience (11)
en — in public (13)
el **pueblo** town (4)
el **puente** bridge (I)
la **puerta** door (I)
la — **de embarque** boarding gate (16)
puertorriqueño, -a Puerto Rican (I)
pues well (I)
el **puesto** booth, stand (3)
la **pulsera** bracelet (I)
el **pupitre** student desk (I)

que that; who; than (I) *see also* **hay, tener**
lo — what (I)
qué:
¿—? what?, which? (I)
no hay de — you're welcome (I)
¿**por** —? why? (I)
¡— + *adj.!* how + *adj.!* (I)
¡— + *noun!* what a(n) + *noun!* (I)
¿— **desea Ud.?** can I help you? (I)
¿— **importa?** so what? (I)
¿— **tal?** how's it going? (I)
quedar to fit, to look good on (7); to be located (8)
—**se** to stay, to remain (I)
—**se sin** to run out of, to be left without (15)
quejarse (de) to complain (about) (7)
quemado, -a burned (2)
quemar to burn (2)
—**se** to burn up, to burn down (14)
querer (e → ie) to want (I); to love (13)
¿**qué quiere decir . . . ?** what does . . . mean? (I)
¿**quiere(n)** + *inf.?* will you . . . ? (6)
quisiera I'd like (I)
querido, -a dear (10)
el **queso** cheese (I)
¿**quién, —es?** who? whom? (I)
¿**a** —? whom? to whom? (I)
¿**de parte de** —? who's calling? (10)
¿**de** —? whose? (I)
la **química** chemistry (I)
quince fifteen (I)

la **quinceañera** fifteen-year-old girl
(I)
los **quince años** fifteenth birthday
(party) (I)
quinientos, -as five hundred (I)
quinto, -a fifth (5)
quisiera *see* **querer**
quitar:
— **los platos** to clear the table
(I)
—**se** to take off *(clothes)* (I)
quizás maybe, perhaps (1)

la **radio** radio *(broadcast)* (I)
por la — on the radio (11)
el **radio** radio *(set)* (I)
la **rana** frog (4)
el **rancho** ranch (4)
rápidamente fast, rapidly (I)
rápido, -a fast (I)
la **raqueta** racket (5)
el **ratón,** *pl.* **ratones** mouse (4)
razón:
no tener — to be wrong (I)
tener — to be right (I)
el **recado** message (10)
la **recepción,** *pl.* **recepciones**
reception desk (6)
la **receta** prescription (I)
recetar to prescribe (9)
recibir to receive, to get (I)
el **recibo** receipt (10)
recoger (j) to pick up (2); to pick
(4)
recomendar (e → ie) to recommend, to advise (9)
reconocer (c → zc) to recognize
(11)
recordar (o → ue) to remember
(13)
el **recuerdo** souvenir (I)
el **refresco** soda, pop (I)
el **refrigerador** refrigerator (I)
regalar to give a present (13)
el **regalo** present, gift (I)
la **regata** boat race (5)
registrar to check, to inspect (16)
el **registro** *(hotel)* register (6)
la **regla** rule, law (8)
regresar to return, to go back, to
come back (I)
la **reina** queen (I)
reír (e → i) to laugh (5)
—**se (de)** to laugh (at) (11)
el **relámpago** lightning (11)

la **religión,** *pl.* **religiones** religion
(14)
el **reloj** clock, watch (I)
relleno: el chile — stuffed pepper
(I)
remar to row (3)
el **remitente** return address; sender
(10)
repasar to review (I)
el **repaso** review (1)
repente: de — suddenly (14)
repetir (e → i) to repeat (I)
la **reservación,** *pl.* **reservaciones**
reservation (I)
el **resfriado** cold (I)
respetar to respect, to obey (8)
responder (a) to answer (10)
la **respuesta** answer (I)
el **restaurante** restaurant (I)
el **resto** rest, remainder (15)
retraso: con (+ *time* + **de**) **—** late
(6)
el **retrato** portrait (12)
reunirse to meet, to get together
(13)
la **revista** magazine (I)
el **rey** king (I)
rico, -a rich (I)
el **rinoceronte** rhinoceros (I)
el **río** river (I)
robar to steal, to rob (14)
el **robo** robbery (14)
el **rock** rock *(music)* (I)
rodeado, -a (de) surrounded (by)
(11)
la **rodilla** knee (9)
rojo, -a red (I)
romántico, -a romantic (I)
romper to break (I)
romperse to break *(a bone)* (9)
la **ropa** clothing, clothes (I)
rosado, -a pink (7)
roto, -a broken (9)
rubio, -a blond (I)
la **rueda** wheel (3)
patinar sobre —s to roller-skate
(3)
el **patín de —s,** *pl.* **patines de
—s** roller-skate (3)
la **— de feria** Ferris wheel (3)
la **silla de —s** wheelchair (9)
el **ruido** noise (I)
las **ruinas** ruins (14)
rusa: la montaña — roller coaster
(3)

sábado Saturday (I)
el **—** on Saturday (I)
la **sábana** sheet (I)
saber to know (I)
**— + ** *inf.* to know how to (I)
(no) lo sé I (don't) know that (I)
el **sabor** taste (4)
sabroso, -a delicious, tasty,
flavorful (4)
el **sacapuntas,** *pl.* **sacapuntas** pencil
sharpener (1)
sacar to take out, to remove (I)
— fotos to take pictures (I)
— una buena / mala nota to get
a good / bad grade (I)
el **saco de dormir** sleeping bag (4)
la **sal** salt (4)
la **sala** living room (I)
la **— de espera** waiting room (9)
la **— de estudio** study hall (1)
la **salchicha** sausage (4)
la **salida** exit (I); departure (6)
salir (de) to leave, to go out, to
come out (I)
— bien / mal en to do well /
badly on *(tests)* (I)
la **salud** health (9)
saludar to greet, to say hello /
good-by (10)
¡saludos! greetings! (I)
salvadoreño, -a Salvadoran (1)
salvar to save (14)
el **salvavidas** life preserver (5)
el/la **salvavidas** lifeguard (5)
las **sandalias** sandals (I)
la **sandía** watermelon (4)
el **sandwich** sandwich (I)
la **sangría** sangria (13)
sano, -a healthy (9)
el **santo** saint's day (I)
la **sartén,** *pl.* **sartenes** frying pan (2)
el **saxofón,** *pl.* **saxofones** saxophone
(12)
se yourself *formal,* himself,
herself, itself, yourselves,
themselves (I); each other (7)
el **secador** hair dryer (7)
la **secadora** (clothes) dryer (2)
secar to dry (2)
la **sección,** *pl.* **secciones** section (14)
seco, -a dry (4)
el **secretario, la secretaria** secretary
(15)
secreto, -a secret (14)
sed: tener — to be thirsty (I)
la **seda dental** dental floss (I)

seguida: en — right away, immediately (I)

seguir (e → i) to follow (12)
 — + *present participle* to go on, to keep on, to continue + *verb* + -ing (12)

según according to (I)

segundo, -a second (I)
 el — piso third floor (I)

el segundo second (I)

la seguridad: el cinturón de — seatbelt (8)

seguro, -a sure (I)

seis six (I)

seiscientos, -as six hundred (I)

el sello stamp (I)

la selva jungle (15)

el semáforo traffic light (8)

la semana week (I)
 el fin de — weekend (I)

sencillo, -a simple (11)

el sendero path (4)

sentarse (e → ie) to sit down (11)

el sentido del humor sense of humor (16)

sentir (e → ie) to be sorry (16)
 —se to feel (9)

la señal de tráfico, *pl.* **señales de tráfico** traffic sign (8)

las señas: hablar por — to talk in sign language (11)

el señor (Sr.) Mr.; sir (I)

la señora (Sra.) Mrs.; ma'am (I)

la señorita (Srta.) Miss; ma'am (I)

septiembre September (I)

séptimo, -a seventh (5)

ser to be (I)

serio, -a serious (I)

la serpiente snake (I)

la servilleta napkin (I)

servir (e → i) to serve (I)

sesenta sixty (I)

setecientos, -as seven hundred (I)

setenta seventy (I)

sexto, -a sixth (5)

si if (I)

sí yes (I)

la sidra cider (13)

siempre always (I)

siento: lo — I'm sorry (I)

siete seven (I)

el siglo century (14)

el significado meaning (14)

siguiente next, following (1)

¡silencio! silence! be quiet! (1)

la silla chair (I)

la — de ruedas wheelchair (9)

el sillón, *pl.* **sillones** armchair (I)

simpático, -a nice, pleasant (I)

sin without (I)
 — duda without a doubt, undoubtedly (12)

sino *(after negative)* but, but rather (11)
 — que + *verb (after negative)* but, but rather (11)

el sitio place, site (15)

sobre on; about (I); over (6)

el sobre envelope (10)

el sobrino, la sobrina nephew, niece (I)

los sobrinos nephews; niece(s) and nephew(s) (I)

¡socorro! help! (15)

el sofá sofa (I)

el sol sun (I)
 hace — it's sunny (I)
 los anteojos de — sunglasses (I)
 tomar el — to sunbathe (1)

solo, -a alone (I)

sólo only (I)

soltero, -a single, unmarried (13)

el sombrero hat (I)

la sombrilla beach umbrella (I)

sonar (o → ue) to ring (10)

el sonido sound (12)

son las + *number* it's . . . o'clock (I)

sonreír (e → i) to smile (5)

soñar (con) to dream (about) (15)

la sopa soup (I)

sordo, -a deaf (11)

sorprender to surprise (16)

la sorpresa surprise (13)

el sótano basement (2)

su, sus his, her, your *formal,* their (I)

suave soft (12)

subir to go up, to come up (I)
 — a to get on or in *(vehicles)* (I)

el subtítulo subtitle (11)

sucio, -a dirty (I)

sudamericano, -a South American (I)

el suegro, la suegra father-in-law, mother-in-law (13)

el sueldo salary (15)

el suelo floor (2)

sueño: tener — to be sleepy (I)

el sueño dream (15)

suerte:
 ¡qué (mala) —! what (bad) luck! (I)

tener (mala) — to be (un)lucky (I)

el suéter sweater (I)

sufrir to suffer (16)

el sujetapapeles, *pl.* **sujetapapeles** paper clip (1)

el supermercado supermarket (I)

la superstición, *pl.* **supersticiones** superstition (16)

supersticioso, -a superstitious (16)

supuesto: por — of course (I)

el sur south (I)

el sureste southeast (1)

el suroeste southwest (1)

susto: ¡qué —! what a scare! (3)

suyo, -a your, (of) yours; his, of his; her, (of) hers (8)

el suyo, la suya, los suyos, las suyas yours, his, hers, theirs (8)

tacaño, -a stingy (I)

el taco taco (I)

tal:
 ¿qué —? how's it going? (I)
 — vez maybe, perhaps (I)

el talento talent (12)

la talla *(garment)* size (7)

también too, also (I)

el tambor drum (12)

tampoco neither, not either (I, 6)

tan so, as (I)
 — + *adj. / adv.* + como as + *adj. / adv.* + as (3)

el tanque gas tank (8)

el tanteo score (5)

tanto *adv.* so much (12)

tanto, -a so much, so many (3)
 — + *noun* + como as much / many + *noun* + as (3)

la taquilla box office (11)

el taquillero, la taquillera ticket seller (11)

tardar en + *inf.* to take + *time* + *verb* (6)

tarde late (I)

la tarde afternoon (I)
 de la — in the afternoon or early evening; P.M. (I)
 por la — in the afternoon (I)

la tarea homework (I)

la tarjeta:
 la — de crédito credit card (6)
 la — postal post card (I)

el **taxi** taxi (I)
la **taza** cup (I)
te you *fam. dir. obj.*; (to / for) you *fam. ind. obj.* (I)
el **té** tea (I)
el **teatro** theater (I)
    la **obra de —** play (I)
    telefónico, -a:
    la **cabina —a** phone booth (I)
    la **guía —a** phone book (I)
el **techo** roof; ceiling (2)
el **teléfono** telephone (I)
    el **número de —** phone number (I)
    hablar por — to talk on the phone (I)
    llamar por — to phone (I)
el **telegrama** telegram (10)
la **telenovela** soap opera (11)
la **televisión (tele)** television (TV) (I)
    por la — on television (11)
el **televisor** TV set (I)
el **tema** topic, subject (1)
    temer to fear, to be afraid (16)
la **temperatura** temperature (11)
el **templo** temple (14)
    temprano early (I)
el **tenedor** fork (I)
    tener to have (I)
    — **fiebre / gripe** to have a fever / the flu (I)
    — **ganas de** + *inf.* to feel like (doing something) (I)
    — **que** + *inf.* to have to (I)
    ¿qué tienes / tiene Ud.? what's wrong with you? (9)
    See also **año, calor, celos, cuidado, éxito, frío, hambre, lugar, miedo, paciencia, prisa, razón, sed, sueño, suerte, vergüenza**
el **tenis** tennis (I)
    la **cancha de —** tennis court (5)
    los **zapatos de —** tennis shoes (5)
el/la **tenista** tennis player (5)
    tercero (tercer), -a third (I)
    el — **piso** fourth floor (I)
    terminar to end, to finish (I)
el **termómetro** thermometer (11)
el **terremoto** earthquake (11)
    terror: de — *adj.* horror (I)
el **tesoro** treasure (14)
    ti you *fam. after prep.* (I)
la **tía** aunt (I)

el **tiempo** weather; time (I)
    a — on time (I)
    ¿cuánto —? how long? (I)
    hace buen / mal — it's nice / bad (out) (I)
    ¿qué — hace? what's the weather like? what's it like out? (I)
la **tienda** store (I)
    la — **de acampar** tent (4)
    la — **de (ropa, discos, etc.)** (clothing, record, etc.) store (I)
la **tierra** earth, soil (I)
el **tigre** tiger (I)
las **tijeras** scissors (7)
    tímido, -a shy, timid (3)
el **tío, la tía** uncle, aunt (I)
los **tíos** uncles; aunt(s) and uncle(s) (I)
    tirar to throw, to throw away (2)
    — **(de)** to pull (13)
el **titular** headline (14)
el **título** title (I)
la **tiza** chalk (I)
la **toalla** towel (I)
el **tobillo** ankle (9)
el **tocadiscos**, *pl.* **tocadiscos** record player (I)
    tocar to play (*musical instruments / records*) (I)
    — **la bocina** to honk the horn (8)
    todavía still (I)
    no . . . — not yet (1)
    — **no** not yet (1)
    todo *pron.* everything (I)
    todo, -a, -os, -as every; all; the whole (I)
    (por / en) todas partes everywhere (16)
    toda clase de all kinds of (11)
    (—) derecho straight ahead (8)
    todo el mundo everybody, everyone (I)
    todos los días every day (I)
    todos, -as *pron.* everyone, all (I)
    tomar to take; to drink (I)
    — **algo** to have something to drink (I)
    — **el sol** to sunbathe (I)
    —le el pelo a to pull someone's leg (13)
el **tomate** tomato (I)
el **tono** tone, dial tone (10)
    tonto, -a dumb, foolish (I)

el **torero, la torera** bullfighter (I)
la **tormenta** storm (11)
el **toro** bull (I)
la **toronja** grapefruit (9)
la **tortilla** tortilla (4)
    la **— española** Spanish omelet (I)
la **tortuga** turtle (15)
    toser to cough (9)
    tostado: el pan — toast (I)
la **tostadora** toaster (2)
    trabajar to work (I)
el **trabajo** job; work (I)
    traducir (c → zc) to translate (11)
    traer to bring (I)
el **tráfico** traffic (8)
    la **señal de —**, *pl.* **señales de —** traffic sign (8)
el **traje** suit (I)
    el **— de baño** bathing suit (I)
    tratar de + *inf.* to try (to) (I)
    trece thirteen (I)
    treinta thirty (I)
    — y uno (un); — y dos; etc. 31; 32; etc. (I)
el **tren** train (I)
    tres three (I)
    trescientos, -as three hundred (I)
    triste unhappy, sad (I)
el **trombón**, *pl.* **trombones** trombone (12)
la **trompeta** trumpet (12)
el **trueno** thunder, thunderclap (11)
    tu, tus your (I)
    tú you *fam.* (I)
la **tuba** tuba (12)
el/la **turista** tourist (I)
    tuyo, -a your, (of) yours (8)
el **tuyo, la tuya, los tuyos, las tuyas** yours (8)

    u or (I)
    ¡uf! ugh! phew! (I)
    último, -a last (5)
    un, una a, an, one (I)
    a la una at 1:00 (I)
    único, -a only (I)
    el **hijo —, la hija—** only child (I)
el **uniforme** uniform (1)
la **universidad** university (15)
    uno one (I)
    unos, -as some, a few (I)
la **uña** nail (7)
    el **esmalte de —s** nail polish (7)

la lima de —s nail file (7)
limar(se) las —s to file nails (7)
la urgencia: un caso de — emergency (case) (9)
uruguayo, -a Uruguayan (6)
usar to use (I)
usted (Ud.) you *formal sing.* (I)
ustedes (Uds.) you *pl.* (I)
las uvas grapes (9)

la vaca cow (I)
las vacaciones vacation (I)
de — on vacation (I)
vacío, -a empty (I)
el vagón, *pl.* **vagones** train car (6)
valer la pena to be worth the effort, to be worth it (16)
valiente brave, courageous (3)
el valle valley (4)
vámonos let's leave, let's go (I)
vamos come on (16)
— a + *inf.* let's + *verb* (I)
varios, -as several (I)
el vaso glass (I)
el vecino, la vecina neighbor (13)
veinte twenty (I)
veintiuno (veintiún); veintidós; etc. 21; 22; etc. (I)
el velero sailboat (5)
la velocidad máxima speed limit (8)
la venda bandage (9)
el vendedor, la vendedora salesclerk (I)
vender to sell (I)
— a + *(amount of money)* to sell for . . . (I)
venezolano, -a Venezuelan (6)
venir to come (I)
— a buscar to come get, to pick up (10)
la venta sale (I)
en — for sale (I); on sale (7)
la ventana window (I)
la ventanilla little window (I); ticket window (6); car window (8)
ver to see (I)
el verano summer (I)
veras: de — really (I)
la verdad truth (I)

es — it's true (16)
¿—? isn't that so? right? (I)
verdadero, -a real, true (14)
verde green (I)
la verdura vegetable (I)
vergüenza: tener — to be embarrassed, to be ashamed (16)
la versión: en — original in a foreign language (11)
el vestido dress (I)
vestido, -a de dressed as (I)
vestir (e → i) to dress *(someone)* (I)
—se to get dressed (I)
el veterinario, la veterinaria veterinarian (I)
la vez, *pl.* **veces** time (I)
a veces sometimes (I)
dos veces twice (I)
otra — again (I)
por primera (segunda, etc.) — for the first (second, etc.) time (5)
tal — maybe, perhaps (I)
una — once (I)
la vía train track (6)
por — aérea by air mail (10)
viajar to travel (I)
el viaje trip (I)
la agencia de —s travel agency (I)
el/la agente de —s travel agent (I)
de — on a trip (16)
hacer un — to take a trip (I)
el viajero, la viajera traveler (6)
el cheque de — traveler's check (6)
la vida life (1)
ganarse la — to earn a living (15)
viejo, -a old (I)
el viento: hace — it's windy (I)
viernes Friday (I)
el — on Friday (I)
el vinagre vinegar (4)
el vino wine (I)
el violín, *pl.* **violines** violin (12)
el violoncelo cello (12)
la visita visit (I)
el/la visitante visitor (5)

visitar to visit (I)
vista:
con — a(l) with a view of (I)
hasta la — see you later (I)
la vitrina store window (7)
vivir to live (I)
el volante steering wheel (8)
volar (o → ue) to fly (16)
el volcán, *pl.* **volcanes** volcano (15)
el volibol volleyball (I)
volver (o → ue) to return, to go back, to come back (I)
— a + *inf.* to *(do something)* again, to re- + *verb* (10)
la voz, *pl.* **voces** voice (5)
en — alta in a loud voice, out loud (10)
en — baja softly, in a soft voice (10)
el vuelo flight (I)
el/la auxiliar de — flight attendant (I)
la vuelta:
a la — de la esquina around the corner (I)
dar la — to turn around, to go around (8)
dar una — to take a ride (3)
de ida y — round-trip (6)

y and (I)
— + *number (in time telling)* (minutes) past (I)
— media half-past; and a half (I)
ya already (I); now (9)
— no not anymore (I)
yo I (I)
el yogur yogurt (I)

la zanahoria carrot (I)
el zapato shoe (I)
los cordones de los — shoelaces (7)
los —s de tenis tennis shoes (5)
el zoológico zoo (I)
el guardián, la guardiana de — zookeeper (I)

ENGLISH-SPANISH VOCABULARY

The *English-Spanish Vocabulary* contains all active vocabulary from *PASOS Y PUENTES* and *VOCES Y VISTAS*.

A dash (—) represents the main entry word. For example, **— from** following **across** means **across from.**

The number following each entry indicates the chapter in *PASOS Y PUENTES* in which the word or expression is first introduced. Two numbers indicate that it is introduced in one chapter and elaborated upon in a later chapter. A Roman numeral (I) indicates that the word was presented in *VOCES Y VISTAS.*

a, an un, una (I); algún, alguna (I)
able capaz, *pl.* capaces (15)
   to be — poder (o → ue) (I)
about sobre; de (I); alrededor de (7)
   how — *(doing something)?* ¿qué te parece si + *verb?* (13)
absent ausente (I)
absent-minded distraído, -a (8)
abstract abstracto, -a (12)
to accelerate acelerar (8)
accelerator el acelerador (8)
accent mark el acento (I)
to accept aceptar (15)
accident el accidente (8)
to accompany acompañar (15)
according to según (I)
to ache doler (o → ue) (I)
acquainted: to be — with conocer (I)
across por (I)
   — from enfrente de (I)
act el acto (14)
active activo, -a (5)
activity la actividad (4)
actor, actress el actor, la actriz, *f. pl.* actrices (I)
ad el anuncio (14)
to add añadir (2)
address la dirección, *pl.* direcciones (I)
   return — el remitente (10)
to admire admirar (1)
adventure la aventura (I)
advertisement el anuncio (14)
advice los consejos (15)

piece of — el consejo (15)
to advise recomendar (e → ie) (9); aconsejar (15)
affection el cariño (10)
affectionate (with) cariñoso, -a (con) (10)
affectionately con cariño (10)
afraid: to be — (of) tener miedo (de) (I); temer (16)
Africa el África (I)
after después de (+ *noun / inf.*) (I)
afternoon la tarde (I)
   good — buenas tardes (I)
   in the — de la tarde; por la tarde (I)
afterwards después (I)
again otra vez (I)
   to *(do something)* — volver (o → ue) a + *inf.* (10)
against contra (5)
agency: travel — la agencia de viajes (I)
agent: travel — el / la agente de viajes (I)
to agree estar de acuerdo (I)
ahead: straight — (todo) derecho (8)
air conditioning el aire acondicionado (2)
airline la línea aérea (16)
air mail vía aérea (10)
airplane el avión, *pl.* aviones (I)
airport el aeropuerto (I)
alarm clock el despertador (I)
algebra el álgebra *f.* (I)
alike igual (13)

all todo, -a (I)
alligator el caimán, *pl.* caimanes (I)
to allow permitir (13)
allowed: it is — se puede (13)
all right está bien (I); de acuerdo (5)
almost casi (I)
alone solo, -a (I)
along por (13)
already ya (I)
also también (I)
always siempre (I)
A.M. de la mañana (I)
amazing asombroso, -a (14)
ambition la ambición, *pl.* ambiciones (15)
ambitious ambicioso, -a (15)
ambulance la ambulancia (9)
American americano, -a (I)
amusement park el parque de diversiones (3)
amusing divertido, -a (I)
ancient antiguo, -a (14)
and y; e (I)
angry enojado, -a (16)
   to be / get — (at) enojar(se) (con) (16)
animal el animal (I)
ankle el tobillo (9)
to announce anunciar (6)
announcer el locutor, la locutora (11)
another otro, -a (I)
answer la respuesta (I)
to answer contestar (I); responder (a) (10)

ant la hormiga (4)
anthropologist el antropólogo, la antropóloga (15)
any *adj.* algún, alguna; *pron.* alguno, -a, -os, -as (I)
  not — *adj.* (no . . .) ningún, ninguna; *pron.* (no . . .) ninguno, -a, -os, -as (I)
anymore: not — ya no (I)
anyone alguien (I)
  not — (no . . .) nadie (I)
anything algo (I)
  — else (no . . .) otra cosa (11)
  not — (no . . .) nada (I)
apartment el apartamento (I)
to applaud aplaudir (12)
apple la manzana (I)
  — juice el jugo de manzana (I)
appointment la cita (13)
to appreciate agradecer (c → zc) (11)
April abril (I)
archaeologist el arqueólogo, la arqueóloga (14)
architect el arquitecto, la arquitecta (14)
Argentina la Argentina (I)
Argentine argentino, -a (6)
to argue discutir (11)
arm el brazo (I)
  to cost an — and a leg costar un ojo de la cara (7)
armchair el sillón, *pl.* sillones (I)
around alrededor de (7)
  — here / there por aquí / allí (8)
  — the corner a la vuelta de la esquina (I)
  to turn — dar la vuelta (8)
arrival la llegada (6)
to arrive llegar (I)
art el arte (I)
  — exhibit la exposición de arte, *pl.* exposiciones de arte (3)
article el artículo (14)
artist el / la artista (12)
as tan (I); como (2)
  — + *adj.* / *adv.* + — tan + *adj.* / *adv.* + como (3)
  — a(n) de (14)
  — much / many — tanto, -a + *noun* + como (3)
ashamed: to be — tener vergüenza (16)
to ask preguntar (I)
  to — a question hacer una pregunta (1)
  to — for pedir (e → i) (I)

asleep dormido, -a (11)
  to fall — dormirse (o → ue) (I)
asparagus los aspárragos (9)
assistant el / la ayudante (15)
astonishing asombroso, -a (14)
astronomer el astrónomo, la astrónoma (14)
at a(l); en (I)
  — home en casa (I)
  — last por fin (3)
  — least por lo menos (15)
athlete el / la atleta (I)
athletic atlético, -a (I)
to attend asistir a (I)
attendant *see* **flight attendant**
attention: to pay — (to) prestar atención (a) (1); fijarse (en) (12)
attraction la atracción, *pl.* atracciones (3)
audience el público (11)
August agosto (I)
aunt la tía (I)
  —(s) and uncle(s) los tíos (I)
author el autor, la autora (1)
autograph el autógrafo (11)
autumn el otoño (I)
avenue la avenida (I)
avocado el aguacate (9)
awake despierto, -a (11)
away:
  to go — irse (7)
  to run — escaparse (14)
  to throw — tirar (2)
awful: how —! ¡qué barbaridad! (5); ¡qué horror! (14)
Aztecs los aztecas (14)

baby el bebé (13)
to baby-sit cuidar a los niños (I)
back la espalda (9)
  at the — en el fondo (12)
back:
  to come / go — volver (o → ue); regresar (I)
  to give / take — devolver (o → ue) (7)
background: in the — en el fondo (12)
backpack la mochila (I)
bad malo (mal), -a (I)
  —ly mal (I)
  it's — out hace mal tiempo (I)
  that's too — ¡qué lástima! (I)
bag la bolsa (3)

sleeping — el saco de dormir (4)
bakery la panadería (I)
balcony el balcón, *pl.* balcones (I)
ball la pelota; el balón, *pl.* balones (I)
balloon el globo (3)
banana el plátano (I)
band *(musical)* la banda (3)
bandage la venda (9)
bank el banco (I)
baptism el bautizo (13)
barbecue el asado (4)
  to have a — hacer un asado (4)
to barbecue asar a la parrilla (4)
barber el peluquero, la peluquera (7)
  — shop la peluquería (7)
bargain la ganga (7)
baseball el béisbol (I)
basement el sótano (2)
basket la canasta (3)
basketball el básquetbol (I)
bass el contrabajo (12)
bath: to take a — bañarse (I)
to bathe (someone) bañar (I)
bathing suit el traje de baño (I)
bathroom el baño (I)
battery *(flashlight)* la pila (4)
to be ser; estar (I)
  to — *(located)* estar (I); quedar (8)
beach la playa (I)
  — umbrella la sombrilla (I)
beans los frijoles (I)
bear el oso (I)
beard la barba (7)
to beat batir (2)
beautiful hermoso, -a; bello, -a (I)
beauty shop la peluquería (7)
because porque (I)
  — of por (13); a causa de (14)
bed la cama (I)
  to go to — acostarse (o → ue) (I)
  to put someone to — acostar (o → ue) (I)
bedroom el dormitorio (I)
before antes de + *noun* / *inf.* (I)
  — (that) antes (3)
to begin empezar (e → ie) (a + *inf.*) (I); comenzar (e → ie) (a + *inf.*) (6)
to behave well / badly portarse bien / mal (13)
behind detrás de (I)
to believe creer (I)
belt el cinturón, *pl.* cinturones (I)
beside al lado de (I)
best: the — + *noun* + in el/la mejor + *noun* + de(l) (I)

better mejor (I)
    to get — mejorarse (9)
between entre (I)
beverage la bebida (I)
bicycle la bicicleta (I)
    to ride a — montar en bicicleta (I)
big grande (I)
bilingual bilingüe (I)
bill *(money)* el billete (6)
biography la biografía (1)
biology la biología (I)
bird el pájaro (I)
birth el nacimiento (13)
birthday el cumpleaños (I)
    fifteenth — los quince años (I)
    happy — ¡feliz cumpleaños! (2)
    to have a — cumplir años (13)
black negro, -a (I)
blanket la manta (I)
blind ciego, -a (11)
block *(city)* la cuadra (8)
blond rubio, -a (I)
blouse la blusa (I)
blue azul (I)
boarding gate la puerta de
    embarque (16)
boardinghouse la pensión, *pl.*
    pensiones (6)
boat el barco (I)
    — race la regata (5)
body el cuerpo (I)
to **boil** hervir (e → ie) (4)
Bolivian boliviano, -a (6)
bone el hueso (9)
book el libro (I)
    phone — la guía telefónica (I)
bookstore la librería (I)
boot la bota (I)
booth el puesto (3)
    phone — la cabina telefónica (I)
border la frontera (16)
bore: what a —! ¡qué lata! (3)
to **bore** aburrir (11)
bored aburrido, -a *(estar)* (I)
    to be / get — aburrirse (11)
boring aburrido, -a *(ser)* (I)
born: to be — nacer (c → zc) (13)
to **borrow (from)** pedir prestado, -a (a)
    (I)
boss el jefe, la jefa (15)
to **bother** molestar (13)
    don't — no te molestes (13)
bottle la botella (I)
    to bowl jugar a los bolos (3)
box la caja (I)
    — office la taquilla (11)

post office — el apartado postal
    (10)
boy el muchacho; el chico (I)
    little — el niño (I)
boyfriend el novio (I)
bracelet la pulsera (I)
braces *(for teeth)* el aparato (15)
brake el freno (8)
brand la marca (7)
brave valiente (3)
bravo! ¡bravo! (12)
Brazil el Brasil (I)
Brazilian brasileño, -a (6)
bread el pan (I)
to **break** romper (I)
    to — *(a bone)* romperse (9)
breakfast el desayuno (I)
    to have — desayunar (4)
bride la novia (13)
    — and groom los novios (13)
bridge el puente (I)
bright claro, -a (6)
to **bring** traer (I)
broken descompuesto, -a (2); roto,
    -a (9)
broom la escoba (2)
brother el hermano (I)
    —-in-law el cuñado (13)
    —(s) and sister(s) los hermanos
    (I)
    little — el hermanito (I)
brown marrón, *pl.* marrones (I)
brunette moreno, -a (I)
brush el pincel (12)
to **brush (someone's hair)** cepillar (el
    pelo) (I)
    — (one's teeth / hair) cepillarse
    (los dientes / el pelo) (I)
to **build** construir (14)
building el edificio (I)
bull el toro (I)
bullfight la corrida (de toros) (I)
bullfighter el torero, la torera (I)
to **bump (into)** chocar (con) (8)
bumper el parachoques, *pl.*
    parachoques (8)
buried enterrado, -a (14)
to **burn** quemar (2)
    to — up / down quemarse (14)
burned quemado, -a (2)
burrito el burrito (I)
bus el autobús, *pl.* autobuses (I)
business el negocio (15)
businessman / businesswoman el
    hombre / la mujer de negocios
    (15)

busy ocupado, -a (I)
    not — libre (I)
but pero (I); *(after negative)* sino (11);
    sino que + *verb* (11)
    — rather sino (11); sino que +
    verb (11)
butcher shop la carnicería (I)
butter la mantequilla (I)
to **buy** comprar (I)
by en + *vehicle* (I); de (1); por (13);
    para + *time* (15)

cabbage la col (9)
café el café (I)
cafeteria la cafetería (I)
cage la jaula (I)
cake el pastel (I)
calculator la calculadora (1)
calendar el calendario (I)
call la llamada (10)
    collect — la llamada por cobrar
    (10)
to **call** llamar (I)
    to — on the phone llamar por
    teléfono (I)
    who's —ing? ¿de parte de quién?
    (10)
called: to be — llamarse (I)
calories las calorías (9)
camera la cámara (I)
campground el campamento (4)
camping: to go — ir de camping (4)
can poder (o → ue) (I)
    — I help you? ¿qué desea Ud.? (I)
    you — se puede (13)
can la lata (4)
    garbage — el basurero (2)
can opener el abrelatas, *pl.* abrelatas
    (4)
Canada el Canadá (I)
Canadian canadiense (I)
candy los dulces (I)
canoe la canoa (15)
capable capaz, *pl.* capaces (15)
capital la capital (I)
to **capture** capturar (14)
car el coche (I); *(train)* el vagón; *pl.*
    vagones (6)
    dining — el coche comedor, *pl.*
    coches comedor (6)
    sleeping — el coche cama, *pl.*
    coches cama (6)
    sports — el coche deportivo (8)
card:
    credit — la tarjeta de crédito (6)

ID — el carné (5)
membership — el carné (5)
cards los naipes (I)
care: to take — of cuidar (13)
careful:
be —! ¡cuidado! (I)
to be — tener cuidado (I)
carefully con cuidado (8)
Caribbean el Caribe (I)
carnival el carnaval (I)
carrot la zanahoria (I)
carrousel el carrusel (3)
to carry llevar (I)
cartoons los dibujos animados (I)
case: emergency — un caso de urgencia (9)
cash:
— register la caja (7)
to pay — pagar al contado (6)
to cash a check cobrar un cheque (6)
cashier el cajero, la cajera (7)
castle el castillo (6)
cat el gato (I)
to catch capturar (14)
cattle el ganado (4)
cause la causa (14)
ceiling el techo (2)
to celebrate celebrar (I)
celebration la celebración, pl. celebraciones (I)
cello el violoncelo (12)
cent(avo) el centavo (I)
center el centro (12)
Central America la América Central (I)
Central American centroamericano, -a (I)
century el siglo (14)
ceramics la cerámica (12)
cereal el cereal (I)
certain cierto, -a (16)
chair la silla (I)
chalk la tiza (I)
chalkboard la pizarra (I)
champion el campeón (pl. campeones), la campeona (5)
championship el campeonato (5)
to change cambiar (I)
to — one's mind cambiar de idea (3)
channel el canal (I)
chapter el capítulo (I)
character el personaje (11)
cheap barato, -a (I)
check (in restaurant) la cuenta (I); (bank) el cheque (6)

to cash a — cobrar un cheque (6)
traveler's — el cheque de viajero (6)
to check registrar (16)
checkers las damas (I)
cheese el queso (I)
chemistry la química (I)
cherry la cereza (9)
chess el ajedrez (I)
chest el pecho (9)
chestnut (color) castaño, -a (7)
to chew mascar (13)
chewing gum el chicle (13)
chicken el pollo (I)
child el niño, la niña (I)
children (boys and girls) los niños; (sons and daughters) los hijos (I)
Chilean chileno, -a (6)
chili (pepper) el chile (I)
chili con carne el chile con carne (I)
chocolate el chocolate (I)
hot — el chocolate (I)
choir el coro (12)
to choose escoger (j) (2)
chop la chuleta (I)
lamb / pork — la chuleta de cordero / cerdo (I)
chorus el coro (12)
Christmas la Navidad (I)
church la iglesia (I)
churros los churros (I)
cider la sidra (13)
city la ciudad (I)
civilization la civilización, pl. civilizaciones (14)
clarinet el clarinete (12)
class la clase (de) (I)
first- / second- — de primera / segunda clase (6)
classical clásico, -a (I)
classmate el compañero, la compañera de clase (I)
clean limpio, -a (I)
to clean limpiar (I)
to — (one's) shoes / eyeglasses limpiar(se) los zapatos / los anteojos (7)
clear claro, -a (6)
to clear the table quitar los platos (I)
clearance sale la liquidación, pl. liquidaciones (7)
clever listo, -a (I)
climate el clima (15)
clinic la clínica (9)
clock el reloj (I)
alarm — el despertador (I)
to close cerrar (e → ie) (I)

close to cerca de (I)
closed cerrado, -a (I)
closet el armario (I)
clothes, clothing la ropa (I)
cloud la nube (I)
cloudy: it's — está nublado (I)
club el club, pl. clubes (5)
coach el entrenador, la entrenadora (5)
coat el abrigo; la chaqueta (I)
coconut el coco (9)
coffee el café (I)
— with milk el café con leche (I)
coin la moneda (I)
cold frío, -a (I)
it's — (out) hace frío (I)
to be — (people) tener frío (I)
cold el resfriado (I)
collect call la llamada por cobrar (10)
to collect coleccionar (I)
collection la colección, pl. colecciones (12)
Colombian colombiano, -a (6)
color el color (I)
in — en colores (I)
what —? ¿de qué color? (I)
comb el peine (I)
to comb someone's hair peinar (I)
to — one's hair peinarse (I)
to come venir (I)
— on vamos (16)
to — back volver (o → ue); regresar (I)
to — down bajar (I)
to — get venir a buscar (10)
to — in entrar (en) (I)
to — out salir (de) (I)
to — up subir (I)
to — with acompañar (15)
comedy (film) la película cómica (I)
comfortable cómodo, -a (I)
comic cómico, -a (I); gracioso, -a (3)
commercial el anuncio comercial (I)
company la compañía (10)
competition el concurso (11)
to complain (about) quejarse (de) (7)
completely completamente (3)
complicated complicado, -a (11)
composer el compositor, la compositora (12)
composition la composición, pl. composiciones (1)
computer la computadora (I)
— programmer el programador / la programadora de computadoras (15)

concert el concierto (I)

to conduct dirigir (j) (12)

conductor *(train)* el inspector, la inspectora (6); *(orchestra)* el director, la directora (12)

to congratulate felicitar (13)

congratulations! ¡felicidades!; ¡felicitaciones! (I)

to construct construir (14)

contest el concurso (11)

continually continuamente (16)

to continue continuar (I); seguir (e → i) + *present participle* (12)

contrary: on the — al contrario (I)

to cook cocinar (I)

cool: it's — (out) hace fresco (I)

cord el cordón, *pl.* cordones (2)

corn el maíz (I)

corner la esquina (I)

around the — a la vuelta de la esquina (I)

correct correcto, -a (I)

to cost costar (o → ue) (I)

to — an arm and a leg costar un ojo de la cara (7)

Costa Rican costarricense (1)

costume el disfraz, *pl.* disfraces (I)

— party la fiesta de disfraces (I)

cotton el algodón (14)

to cough toser (9)

to count contar (o → ue) (I)

counter el mostrador (7)

country el país (I)

country(side) el campo (I)

courageous valiente (3)

court: tennis — la cancha de tenis (5)

courtyard el patio (I)

cousin el primo, la prima (I)

cow la vaca (I)

cracker la galleta (4)

to crash (into) chocar (con) (8)

crazy loco, -a (I)

cream: shaving — la crema de afeitar (7)

credit card la tarjeta de crédito (6)

to cross cruzar (6)

crosswalk el paso de peatones (8)

crowded lleno, -a de gente (I)

crutch la muleta (9)

to cry llorar (13)

Cuban cubano, -a (I)

cup la taza (I)

currency exchange la casa de cambio (6)

curtain la cortina (2)

custard el flan (I)

customer el / la cliente (I)

customs la aduana (16)

— official el aduanero, la aduanera (16)

to cut cortar (2)

to — (one's) hair / nails cortar(se) el pelo / las uñas (7)

dad el papá (I)

damp húmedo, -a (15)

dance el baile (I)

to dance bailar (I)

dancer el bailarín (*pl.* bailarines), la bailarina (12)

dangerous peligroso, -a (8)

dark oscuro, -a (6)

— glasses los anteojos de sol (I)

—(-haired) moreno, -a (I)

date la fecha (I); la cita (13)

what's the — today? ¿cuál es la fecha de hoy? (I)

daughter la hija (I)

day el día (I)

— before yesterday anteayer (5)

every — todos los días (I)

special of the — el plato del día (9)

dead muerto, -a (14)

deaf sordo, -a (11)

dear querido, -a (10)

December diciembre (I)

to decide decidir (15)

to declare *(at customs)* declarar (16)

to decorate decorar (I)

decoration la decoración, *pl.* decoraciones (I)

degree el grado (11)

delay la demora (16)

delicious delicioso, -a (I); sabroso, -a (4)

to deliver entregar (10)

to demonstrate demostrar (o → ue) (12)

dental floss la seda dental (I)

dentist el / la dentista (I)

to deny negar (e → ie) (16)

deodorant el desodorante (I)

department el departamento (7)

— store el almacén, *pl.* almacenes (I)

departure la salida (6)

to describe describir (I)

desert el desierto (15)

desk el escritorio (I)

reception — la recepción, *pl.* recepciones (6)

student — el pupitre (I)

dessert el postre (I)

for — de postre (I)

to destroy destruir (14)

detective *adj.* policíaco, -a (I)

detergent el detergente (2)

devil el diablo (I)

to dial marcar (10)

dial tone el tono (10)

dictionary el diccionario (1)

to die morirse (o → ue) (9)

diet la dieta (9)

to be on a — estar a dieta (9)

difference la diferencia (12)

different (from) distinto, -a (de) (7); diferente (12)

difficult difícil (I)

dining car el coche comedor, *pl.* coches comedor (6)

dining room el comedor (I)

dinner la cena (I)

to have — cenar (4)

to direct dirigir (j) (12)

director el director, la directora (11)

dirty sucio, -a (I)

disagreeable desagradable (13)

disaster el desastre (11)

to discover descubrir (14)

to discuss discutir (11)

disguise el disfraz, *pl.* disfraces (I)

dish el plato (I)

dishwasher el lavaplatos (2)

disorder el desorden (2)

dive: to scuba — bucear (5)

to do hacer (I)

to — well / badly on *(tests)* salir bien / mal en (I)

doctor el médico, la médica; el doctor (Dr.), la doctora (Dra.) *(as title)* (I)

document el documento (16)

documentary el documental (11)

dog el perro (I)

dollar el dólar (I)

Dominican dominicano, -a (1)

Dominican Republic la República Dominicana (I)

door la puerta (I)

double room la habitación doble (6)

doubt: without a — sin duda (12)

to doubt dudar (16)
down:
  to come / go — bajar (I)
  to fall — caerse (10)
  to sit — sentarse (e → ie) (11)
downtown el centro (I)
dozen la docena (de) (I)
drag: what a —! ¡qué lata! (3)
to draw dibujar (I)
drawing el dibujo (I)
dream el sueño (15)
to dream (about) soñar (o → ue) (con) (15)
dress el vestido (I)
to dress (someone) vestir (e → i) (I)
  to get —ed vestirse (e → i) (I)
dressed as vestido, -a de (I)
dresser la cómoda (I)
drink la bebida (I)
to drink beber; tomar (I)
  to have something to — tomar algo (I)
to drive manejar (8)
driver el conductor, la conductora (8)
  —'s license el permiso de manejar (8)
drugstore la farmacia (I)
drum el tambor (12)
dry seco, -a (4)
to dry secar (2)
dryer la secadora (2)
  hair — el secador (7)
dubbed film la película doblada (11)
duck el pato (I)
dumb tonto, -a (I)
during durante (I)

each cada (I)
  — other nos (7); se (7)
ear la oreja (I)
  (inner) — el oído (I)
early temprano (I)
to earn ganar (15)
  to — a living ganarse la vida (15)
earring el arete (I)
earth la tierra (I)
earthquake el terremoto (11)
east el este (I)
easy fácil (I)
to eat comer (I)
  to — breakfast desayunar (4)
  to — dinner cenar (4)
  to — lunch almorzar (o → ue) (2)
Ecuador el Ecuador (I)

Ecuadorian ecuatoriano, -a (6)
effort: to be worth the — valer la pena (16)
egg el huevo (I)
eight ocho (I)
eighteen dieciocho (I)
eighth octavo, -a (5)
eight hundred ochocientos, -as (I)
eighty ochenta (I)
either:
  not — (ni . . .) tampoco (I)
  — . . . or o . . . o (10)
elbow el codo (9)
electric eléctrico, -a (2)
elegant elegante (7)
elephant el elefante (I)
elevator el ascensor (I)
eleven once (I)
else: someone / something — otra persona / cosa (11)
embarrassed: to be — tener vergüenza (16)
to embrace abrazar (13)
emergency (case) un caso de urgencia (9)
empty vacío, -a (I)
to enclose incluir (10)
to end terminar (I)
energetic enérgico, -a (I); activo, -a (5)
engineer el ingeniero, la ingeniera (14)
England Inglaterra (I)
English inglés (*pl.* ingleses), inglesa (I)
English *(language)* el inglés (I)
to enjoy disfrutar de (I)
  — your meal ¡buen provecho! (4)
enormous enorme (I)
enough bastante (15)
to enter entrar (en) (I)
entertaining divertido, -a (I)
entrance la entrada (I)
envelope el sobre (10)
to erase borrar (I)
eraser el borrador (I)
escalator la escalera mecánica (7)
to escape escaparse (14)
especially especialmente (3)
etc. etcétera (14)
Europe Europa (I)
even: not — no . . . ni (6)
evening: good — buenas tardes / buenas noches (I)
every todo, -a; cada (I)
  — day todos los días (I)

everybody / everyone todos, -as; todo el mundo (I)
everything todo (I)
everywhere (por / en) todas partes (16)
exactly exactamente (3)
exam el examen, *pl.* exámenes (I)
to examine examinar (I)
example: for — por ejemplo (4)
excellent excelente (I)
exchange: currency — la casa de cambio (6)
to exchange cambiar (I)
exciting emocionante (I)
excursion: to go on an — ir de excursión (3)
excuse la excusa (I)
excuse me con permiso; discúlpeme (I)
to exercise hacer ejercicio (9)
exhibit la exposición, *pl.* exposiciones (3)
exit la salida (I)
to expect esperar (I)
expedition la expedición, *pl.* expediciones (15)
  to go on an — hacer una expedición (15)
expensive caro, -a (I)
  very — carísimo, -a (I)
to explain explicar (1)
to explore explorar (15)
explorer el explorador, la exploradora (15)
express *adj.* expreso (6)
eye el ojo (I)
eyeglasses los anteojos (I)

fabulous fabuloso, -a (I)
face la cara (I)
failure el fracaso (11)
fair la feria (3)
fairly bastante (I)
fall el otoño (I)
to fall caer (10)
  to — asleep dormirse (o → ue) (I)
  to — down caerse (10)
family la familia (I)
famous famoso, -a (3)
fan el admirador, la admiradora (11)
  — (of) el aficionado, la aficionada (a) (I)
fantastic estupendo, -a; fantástico, -a (I)
far from lejos de (I)

farm la granja (I)

— **worker** el campesino, la campesina (4)

farmer el granjero, la granjera (I)

fashion la moda (7)

fashionable de moda (7)

fast *adj.* rápido, -a; *adv.* rápidamente; de prisa (I)

fat gordo, -a (I)

father el padre (I)

—**in-law** el suegro (13)

favorite favorito, -a; preferido, -a (I)

to **fear** temer (16)

February febrero (I)

to **feed** dar de comer a(l) (I)

to **feel** sentirse (e → ie) (9)

to — **like** *(doing something)* tener ganas de + *inf.* (I)

Ferris wheel la rueda de feria (3)

fever la fiebre (I)

to **have a** — tener fiebre (I)

few pocos, -as (I)

a — unos, -as (I)

—**er (than)** menos (que / de) (I)

fifteen quince (I)

fifteenth birthday los quince años (I)

fifteen-year-old girl la quinceañera (I)

fifth quinto, -a (5)

fifty cincuenta (I)

to **fight (with)** pelearse (con) (13)

to **file (one's) nails** limar(se) las uñas (7)

to **fill (up / out / in)** llenar (8, 10)

film la película (I)

dubbed — la película doblada (11)

to **film** filmar (11)

finally por fin (3)

to **find** encontrar (o → ue) (I); hallar (14)

to — **out** averiguar (10)

fine bien; ¡bueno! (I)

fine la multa (8)

finger el dedo (I)

to **finish** terminar (I)

fire el fuego (4); el incendio (14)

—**fighter** el bombero, la bombera (14)

fireworks los fuegos artificiales (I)

first primero (primer), -a; el primero *in dates* (I); antes (3)

at — al principio (11)

—**-class** de primera clase (6)

— **floor** la planta baja (I)

fish *(live)* el pez, *pl.* peces; *(cooked)* el pescado (I)

fishing: to go — ir de pesca (4)

to **fit** quedar (7)

five cinco (I)

— **hundred** quinientos, -as (I)

to **fix** arreglar (I)

flag la bandera (I)

flan el flan (I)

flashlight la linterna (4)

— **battery** la pila (4)

flavorful sabroso, -a (4)

to **flee (from)** huir (de) (14)

flight el vuelo (I)

— **attendant** el / la auxiliar de vuelo (I)

floor el piso (I); el suelo (2)

ground — la planta baja (I)

second (third / fourth) — el primer (segundo / tercer) piso (I)

flower la flor (I)

flu la gripe (I)

to **have the** — tener gripe (I)

flute la flauta (12)

fly la mosca (4)

to **fly** volar (o → ue) (16)

folk *adj.* folklórico, -a (I)

to **follow** seguir (e → i) (12)

following siguiente (1)

food la comida (I)

foot el pie (I)

on — a pie (I)

to put one's — **in it** meter la pata (13)

football el fútbol americano (I)

for para (I); por (9)

— **example** por ejemplo (4)

— **sale** en venta (I)

forbidden: it is — se prohíbe (13)

forecast: weather — el pronóstico del tiempo (11)

foreign extranjero, -a (11)

in a — **language** en versión original (11)

to **forget** *(something)* olvidar (3)

to — **(to)** olvidarse (de + *inf.*) (I)

fork el tenedor (I)

form el formulario (10)

fortunately afortunadamente (3)

forty cuarenta (I)

fountain la fuente (I)

four cuatro (I)

— **hundred** cuatrocientos, -as (I)

fourteen catorce (I)

fourth cuarto, -a (5)

— **floor** el tercer piso (I)

France Francia (I)

free *(not busy)* libre (I); *(no charge)* gratis, *pl.* gratis (3)

French francés *(pl.* franceses), francesa (I)

French *(language)* el francés (I)

French fries las papas fritas (I)

frequently frecuentemente (3)

fresh fresco, -a (4)

Friday viernes (I)

on — el viernes (I)

fried frito, -a (I)

friend el amigo, la amiga (I)

to **frighten** dar miedo a (I); asustar (3)

frightened asustado, -a (3)

frog la rana (4)

from de(l); desde (I)

— **me** de mi parte (10)

front: in — **of** delante de (I)

frozen congelado, -a (4)

fruit la fruta (I)

frying pan la sartén, *pl.* sartenes (2)

full lleno, -a (I)

fun: to have — divertirse (e → ie) (I)

funny chistoso, -a (I); gracioso, -a (3)

furniture los muebles (I)

to **gain weight** aumentar de peso (9)

gallery la galería (12)

game el partido (de + *sport*); el juego (I)

garage el garaje (I)

garbage la basura (2)

— **can** el basurero (2)

garden el jardín, *pl.* jardines (I)

garlic el ajo (I)

gas la gasolina (8)

— **tank** el tanque (8)

gate: boarding — la puerta de embarque (16)

gazpacho el gazpacho (I)

gee! ¡caramba! (I)

generally generalmente (I)

generous generoso, -a (I)

geometry la geometría (I)

German alemán *(pl.* alemanes), alemana (I)

German *(language)* el alemán (I)

Germany Alemania (I)

to **get** recibir (I); obtener (8)

to — **a good / bad grade** sacar una buena / mala nota (I)

to — **better** mejorarse (9)

to — **bored** aburrirse (11)
to **come** — venir a buscar (10)
to — **dressed** vestirse (e → i) (I)
to **go** — ir a buscar (10)
to — **married (to)** casarse (con) (13)
to — **off /out of** *(vehicles)* bajar de (I)
to — **on / in** *(vehicles)* subir a (I)
to — **together** reunirse (13)
to — **to know** conocer (c → zc) (11)
to — **up** levantarse (I)
ghost el fantasma (I)
gift el regalo (I)
giraffe la jirafa (I)
girl la muchacha; la chica (I)
little — la niña (I)
girlfriend la novia (I)
to **give** dar (I)
to — **a present** regalar (13)
to — **back** devolver (o → ue) (7)
to — **someone a shot** poner una inyección (I)
to — **a ticket** poner una multa (8)
gladly con mucho gusto (I)
glass el vaso (I)
glasses los anteojos (I)
dark —es los anteojos de sol (I)
glove el guante (I)
to **go** ir (I)
—**ing to** + *verb* ir a + *inf.* (I)
how's it —**ing?** ¿qué tal? (I)
to — **around** dar la vuelta (8)
to — **away** irse (7)
to — **back** volver (o → ue); regresar (I)
to — **down** bajar (I)
to — **for a ride / walk** dar un paseo (3)
to — **get** ir a buscar (10)
to — **in(to)** entrar (en) (I)
to — **on** + *verb* + **-ing** seguir (e → i) + *present participle* (12)
to — **out** salir (de) (I)
to — **to bed** acostarse (o → ue) (I)
to — **to sleep** dormirse (o → ue) (I)
to — **up** subir (I)
to — **with** acompañar (15)
what's —**ing on?** ¿qué pasa? (I)
god, goddess el dios, la diosa (14)
godfather, godmother el padrino, la madrina (13)
godparents los padrinos (13)
gold el oro (14)

golf el golf (I)
good bien (I); *adj.* bueno (buen), -a (I)
— **afternoon** buenas tardes (I)
— **evening** buenas tardes / buenas noches (I)
— **grief!** ¡qué barbaridad! (5)
— **morning** buenos días (I)
— **night** buenas noches (I)
to be — **in** estar fuerte en (I)
to have a — **time** divertirse (e → ie) (I)
to look — **on** quedar (7)
good-by adiós (I)
to say — **(to)** saludar (a) (10); despedirse (e → i) (de) (13)
good-looking bonito, -a; guapo, -a (I)
to **goof** meter la pata (13)
gosh! ¡caramba! (I)
gossip los chismes (10)
(piece of) — el chisme (10)
grade la nota (I)
to get a good / bad — sacar una buena / mala nota (I)
to **graduate** graduarse (15)
gram el gramo (I)
grandchildren los nietos (13)
granddaughter la nieta (13)
grandfather el abuelo (I)
grandmother la abuela (I)
grandparents los abuelos (I)
grandson el nieto (13)
grapefruit la toronja (9)
grapes las uvas (9)
grass la hierba (I)
to cut the — cortar el césped (2)
gray gris, *pl.* grises (I)
great gran; fantástico (I)
—! ¡qué bueno! (I); ¡qué maravilla! (3)
great-grandfather el bisabuelo (13)
great-grandmother la bisabuela (13)
great-grandparents los bisabuelos (13)
green verde (I)
to **greet** saludar (10)
greetings! ¡saludos! (I)
grief: good —! ¡qué barbaridad! (5)
grill la parrilla (4)
to **grill** asar a la parrilla (4)
groceries los comestibles (I)
groom el novio (13)
ground floor la planta baja (I)
group el grupo (I)
grownups los mayores (13)

guacamole guacamole (9)
Guatemalan guatemalteco, -a (1)
guest el invitado, la invitada (I)
guide el / la guía (I)
guidebook la guía (I)
guitar la guitarra (I)
Gulf of Mexico el Golfo de México (I)
gum: chewing — el chicle (13)
gym(nasium) el gimnasio (I)
gymnastics: to do — hacer gimnasia (5)

hair el pelo (I)
— **dryer** el secador (7)
See also **to brush, to comb**
hairdresser el peluquero, la peluquera (7)
half la mitad (15)
and a — y media (I)
— **an hour** la media hora (I)
— **-past** y media (I)
hall el pasillo (2)
study — la sala de estudio (1)
ham el jamón (I)
hamburger la hamburguesa (I)
hand la mano (I)
to shake —s **(with)** dar la mano a (13)
handkerchief el pañuelo (I)
handsome guapo, -a (I)
to **hang up** colgar (o → ue) (10)
to **happen** pasar (2); ocurrir (11)
happy contento, -a (I); feliz, *pl.* felices (13)
— **birthday!** ¡feliz cumpleaños! (2)
to be — **(about)** alegrarse (de) (16)
hard difícil (I)
to **harm** hacer daño a (12)
hat el sombrero (I)
to **have** tener (I)
to — **a barbecue** hacer un asado (4)
to — **a birthday** cumplir años (13)
to — **a fever / the flu** tener fiebre / gripe (I)
to — **a good time / fun** divertirse (e → ie) (I)
to — **a picnic** hacer un picnic (3)
to — **dinner** cenar (4)
to — **lunch** almorzar (o → ue) (2)
to — **just** *(done something)* acabar de + *inf.* (I)
to — **something to drink** tomar algo (I)
to — **to** tener que + *inf.* (I)

he él (I)
head la cabeza (I)
headlight el faro (8)
headline el titular (14)
health la salud (9)
healthy sano, -a (9)
to hear oír (I)
heart el corazón (I)
heat la calefacción (2)
to heat calentar (e → ie) (4)
heating system la calefacción (2)
heavy pesado, -a (4)
helicopter el helicóptero (15)
hello ¡hola!; ¿aló? *(on phone)* (I)
  to say — saludar (10)
help! ¡socorro! (15)
to help ayudar (a + *inf.*) (I)
  may I — you? ¿qué desea Ud.? (I)
helper el / la ayudante (15)
hen la gallina (I)
her su, sus *poss. adj.;* ella *after prep.;*
  la *dir. obj.* (I); suyo, -a *poss. adj.*
  (8)
  to / for — le (I)
here aquí (I)
  around — por aquí (8)
  — is / — are aquí tienes / tiene
  Ud. (I)
  — it is / — they are aquí lo (la,
  los, las) tiene(s) (I)
  over — por aquí (8)
hero, heroine, el héroe, la heroína
  (14)
heroic heroico, -a (14)
hers *pron.* el suyo, la suya, los
  suyos, las suyas (8)
  of — *adj.* suyo, -a (8)
herself se (I)
hey! ¡oye! (I)
hi ¡hola! (I)
high school el colegio (I)
highway la carretera (8)
hill la colina (4)
him él *after prep.;* lo *dir. obj.* (I)
  to / for — le (I)
himself se (I)
hippopotamus el hipopótamo (I)
his su, sus (I); suyo, -a (8); *pron.* el
  suyo, la suya, los suyos, las
  suyas (8)
  of — *adj.* suyo, -a (8)
historic histórico, -a (6)
history la historia (I)
to hit *(something)* chocar (con) (8)
hobby el pasatiempo (I)

holiday la fiesta; el día de fiesta, *pl.*
  días de fiesta (I)
home la casa (I)
  at — en casa (I)
  — team el equipo local (5)
  (to one's) — a casa (I)
homework la tarea (I)
Honduran hondureño, -a (1)
honey la miel (9)
to honk (the horn) tocar la bocina (8)
hood *(car)* el capó (8)
to hope esperar (I)
  I — not espero que no (I)
  I — so ¡ojalá!; espero que sí (I)
  let's — so ¡ojalá! (I)
horn la bocina (8)
horror *adj.* de terror (I)
  house of —s la casa de los
  fantasmas (3)
horse el caballo (I)
horseback: to ride — montar a
  caballo (5)
hospital el hospital (I)
hot caliente; *(spicy)* picante (I)
  — dog el perro caliente (4)
  it's — (out) hace calor (I)
  to be — *(people)* tener calor (I)
hotel el hotel (I)
hour la hora (I)
  half an — la media hora (I)
house la casa (I)
  — of horrors la casa de los
  fantasmas (3)
  — of mirrors la casa de los
  espejos (3)
how? ¿cómo? (I)
  — + *adj.!* ¡qué + *adj.!* (I)
  — about *(doing something)?* ¿qué te
  parece si + *verb*? (13)
  — are you? ¿cómo estás / está
  Ud.? (I)
  — do you like . . . ? ¿qué te
  parece . . . ? (I)
  — long? ¿cuánto tiempo? (I)
  — long (does something) last?
  ¿cuánto dura? (I)
  — many? ¿cuántos, -as? (I)
  — much? ¿cuánto? (I)
  — old are you? ¿cuántos años
  tienes? (I)
  —'s it going? ¿qué tal? (I)
  to know — (to) saber + *inf.* (I)
  to learn — (to) aprender a + *inf.* (I)
to hug abrazar (13)
huge enorme (I)

humid húmedo, -a (15)
humor: sense of — el sentido del
  humor (16)
hundred cien (I); *see also* **two, three,**
  etc.
  101; 102; etc. ciento uno, -a;
  ciento dos; etc. (I)
hungry: to be — tener hambre (I)
hurricane el huracán, *pl.* huracanes
  (11)
hurry:
  in a — de prisa (I)
  to be in a — tener prisa (8)
to hurry darse prisa (7)
to hurt doler (o → ue) (I); hacer daño a
  (12)
  to — (a part of one's body) lastimarse (9)
husband el esposo (I)

I yo (I)
ice el hielo (3)
ice cream el helado (I)
  — parlor la heladería (3)
idea la idea (2)
identification el documento (16)
  — card el carné (5)
if si (I)
iguana la iguana (I)
imagine! ¡imagínate! (I)
immediately en seguida (I)
impatient impaciente (8)
impolite mal educado, -a (13)
important importante (I)
  to be — to importar (I)
impossible imposible (16)
impression: to make a good / bad
  — *(on someone)* caer bien / mal a
  (13)
impressive impresionante (14)
improbable improbable (16)
to improve mejorarse (9)
in en; de (I)
  — order to para + *inf.* (I)
Incas los incas (14)
to include incluir (10)
incredible increíble (5)
to indicate indicar (11)
inexpensive barato, -a (I)
information la información (11)
inhabitant el / la habitante (1)
in-laws los suegros (13)
inn *(run by Spanish government)* el
  parador (6)

inside adentro (I)
— **(of)** dentro de (I)
to **inspect** registrar (16)
instructor el instructor, la instructora (8)
instrument el instrumento (12)
intelligent inteligente (I)
to **intend to** pensar (e → ie) + *inf.* (I)
to **interest** interesar (11)
interesting interesante (I)
intermission el intervalo (11)
intersection el cruce (de calles) (8)
interview la entrevista (11)
to **interview** entrevistar (11)
into en (I)
to **introduce** presentar (I)
invitation la invitación, *pl.* invitaciones (I)
to **invite** invitar (I)
iron la plancha (2)
to **iron** planchar (2)
island la isla (5)
it él, ella; lo, la *dir. obj.* (I)
Italian italiano, -a (I)
Italian *(language)* el italiano (I)
Italy Italia (I)
itself se (I)

jacket la chaqueta (I)
jaguar el jaguar (15)
jai alai el jai alai (5)
jalopy el cacharro (8)
January enero (I)
jealous: to be — of tener celos de (13)
jeans los jeans (I)
jelly la mermelada (I)
jewels, jewelry las joyas (I)
job el trabajo (I)
joke el chiste (I)
journalist el / la periodista (14)
juice el jugo (de) (I)
July julio (I)
June junio (I)
jungle la selva (15)
just: to have — *(done something)* acabar de + *inf.*(I)

to **keep on** + *verb* + **-ing** seguir (e → i) + *present participle* (12)
key la llave (I)
kilo el kilo (I)
kind *adj.* amable (I)
kind la clase (de) (I)
all —s of toda clase de (11)

kind of *adv.* bastante (I)
king el rey (I)
kiss el beso (10)
to **kiss** besar (13)
kitchen la cocina (I)
knapsack la mochila (I)
knee la rodilla (9)
knife el cuchillo (I)
to **know** saber; conocer (I)
I (don't) — that (no) lo sé (I)
to — how to saber + *inf.* (I)

label la etiqueta (7)
laboratory el laboratorio (I)
to **lack** faltar (I)
lake el lago (I)
lamb el cordero (I)
— **chop** la chuleta de cordero (I)
lamp la lámpara (I)
to **land** aterrizar (I)
landscape el paisaje (4, 12)
lane el carril (8)
language la lengua (I); el idioma (1)
to talk in sign — hablar por señas (11)
large grande (I)
last pasado, -a (I); último, -a (5)
at — por fin (3)
— **name** el apellido (I)
— **night** anoche (I)
to **last** durar (I)
late tarde (I); con (+ *time* + de) retraso (6)
later más tarde; después; luego (I)
see you — hasta luego; hasta la vista (I)
Latin America la América Latina (I)
Latin American latinoamericano, -a (I)
to **laugh** reír (e → i) (5)
to — at reírse (e → i) de (11)
law la regla (8); el derecho (15)
lawn el césped (2)
— **mower** el cortacésped (2)
lawyer el abogado, la abogada (15)
lazy perezoso, -a (I)
to **lead** dirigir (j) (12)
leading principal (11)
leaf la hoja (I)
to **learn** aprender (I)
to — how (to) aprender a + *inf.* (I)
least:
at — por lo menos (15)
the — + *adj.* el / la / los / las menos + *adj.* (I)

leather el cuero (14)
to **leave** salir (de) (I); irse (7)
to — behind dejar (I)
left:
to be — without quedarse sin (15)
to the — (of) a la izquierda (de) (I)
leg la pierna (I)
to cost an arm and a — costar un ojo de la cara (7)
to pull someone's — tomarle el pelo a (13)
lemon el limón, *pl.* limones (I)
lemonade la limonada (I)
to **lend** prestar (I)
leopard el leopardo (I)
less:
— **+** *adj.* **+ than** menos + *adj.* + que (I)
— **than +** *number* menos de + *number* (I)
more or — más o menos (I)
lesson la lección, *pl.* lecciones (I)
to **let** permitir (13)
let's vamos a + *inf.* (I)
— **leave!** ¡vámonos! (I)
letter la carta (I)
lettuce la lechuga (I)
librarian el bibliotecario, la bibliotecaria (1)
library la biblioteca (I)
license:
driver's — el permiso de manejar (8)
— **plate** la placa (8)
lie la mentira (16)
to **lie** mentir (e → ie) (16)
life la vida (1)
— **preserver** el salvavidas (5)
lifeguard el / la salvavidas (5)
to **lift** levantar (I)
to — weights levantar pesas (5)
light la luz, *pl.* luces (2)
traffic — el semáforo (8)
to **light** encender (e → ie) (4)
lightbulb la bombilla (2)
lightning el relámpago (11)
like *adv. / prep.* como (2); *adj.* parecido, -a (a) (12)
to feel — *(doing something)* tener ganas de + *inf.* (I)
to look — parecer(se) (c → zc) (a) (11, 13)
what's *(someone / something)* **—?** ¿cómo es . . .? (I)

like (cont'd.)
   what's the weather —? ¿qué
      tiempo hace? (I)
to like gustar (I)
   how do you — . . .? ¿qué te
      parece . . .? (I)
   I'd — quisiera (I); me gustaría (3)
   to — / not — (someone) caer bien /
      mal a (13)
limit: speed — la velocidad máxima
   (8)
line la línea (I)
   to stand in — hacer cola (I)
lion el león, pl. leones (I)
lip el labio (7)
lipstick el lápiz de labios (7)
to listen (to) escuchar (I)
   —! ¡oye! (I)
liter el litro (I)
little pequeño, -a (I)
   a — un poco (de) (I)
to live vivir (I)
   living: to earn a — ganarse la vida
      (15)
   living room la sala (I)
llama la llama (I)
lobster la langosta (9)
local local (6)
located: to be — estar (I); quedar (8)
long largo, -a (I)
   how —? ¿cuánto tiempo? (I)
   — distance de larga distancia (10)
to look:
   to — (at) mirar (I)
   to — for buscar (I)
   to — good on quedar (7)
   to — like parecer(se) (c → zc) (a)
      (11, 13)
to lose perder (e → ie) (I)
   to — weight bajar de peso (9)
losing perdedor, -a (5)
lot:
   a — mucho (I)
   a — of muchos, -as (I)
loud fuerte (5)
   in a — voice en voz alta (10)
   out — en voz alta (10)
love el amor (13)
   in — (with) enamorado, -a (de)
      (13)
to love encantar (I); querer (e → ie) (13)
   low: in a — voice en voz baja (10)
lucky: to be — tener suerte (I)
luggage el equipaje (6)
lunch el almuerzo (I)
   to eat — almorzar (o → ue) (2)

ma'am señora / señorita (I)
made hecho, -a (7)
   — of de + material (14)
magazine la revista (I)
magnificent magnífico, -a (I)
mail el correo (10)
   air — vía aérea (10)
   by — por correo (10)
mailbox el buzón, pl. buzones (10)
mail carrier el cartero, la cartera (10)
main principal (11)
majority of la mayoría de (7)
to make hacer (I)
makeup el maquillaje (7)
   to put — on maquillar(se) (7)
man el hombre (I)
   old — el anciano (13)
manager el / la gerente (I)
many muchos, -as (I)
   as — + noun + as tantos,
      -as + noun + como (3)
   how —? ¿cuántos, -as? (I)
   not — pocos, -as (I)
   too — demasiado, -a (15)
map el mapa (I)
   street — el plano (6)
March marzo (I)
Mardi Gras el carnaval (I)
market el mercado (I)
married:
   — (to) casado, -a (con) (13)
   to get — (to) casarse (con) (13)
to marry casarse (con) (13)
marvelous maravilloso, -a (6)
   how —! ¡qué maravilla! (3); ¡qué
      alegría! (16)
mask la máscara (I)
match el partido (de + sport) (I)
mathematics las matemáticas (I)
to matter to importar (I)
May mayo (I)
may I help you? ¿qué desea Ud.? (I)
Mayans los mayas (14)
maybe tal vez (I); quizás (1)
mayonnaise la mayonesa (9)
me mí after prep.; me (I)
   from / for — de mi parte (10)
   to / for — me (I)
   with — conmigo (I)
meal la comida (I)
   enjoy your — ¡buen provecho! (4)
mean: what does . . . —? ¿qué
   quiere decir? (I)
meaning el significado (14)
meat la carne (I)
   — pie la empanada (I)

mechanic el mecánico, la mecánica
   (8)
medicine la medicina (9)
medium (meat) medio cocido, -a (4)
to meet conocer (c → zc) (11); reunirse
   (13)
   pleased to — you mucho gusto (I)
membership card el carné (5)
to memorize aprender de memoria (I)
menu el menú (I)
merry-go-round el carrusel (3)
mess el desorden (2)
message el recado (10)
messenger el mensajero, la mensajera (10)
messy desordenado, -a (2)
meter: parking — el parquímetro (8)
Mexican mexicano, -a (I)
Mexico México (I)
middle el centro (12)
midnight la medianoche (I)
milk la leche (I)
million millón (de), pl. millones
   (de) (1)
millionaire el millonario, la
   millonaria (15)
mind: to change one's — cambiar
   de idea (3)
to mind importar (I)
mine, el mío, la mía, los míos, las
   mías (8)
   of — adj. mío, -a (8)
mineral water el agua mineral f. (I)
minus menos (I)
minute el minuto (I)
miracle el milagro (5)
mirror el espejo (I)
   house of —s la casa de los espejos
      (3)
Miss (la) señorita (Srta.) (I)
missing: to be — something faltar (I)
to mix mezclar (2)
model el / la modelo (12)
mom la mamá (I)
Monday lunes (I)
   on — el lunes (I)
money el dinero (I)
monkey el mono (I)
month el mes (I)
mood: to be in a good / bad — estar
   de buen / mal humor (16)
moon la luna (I)
more más (I)
   — or less más o menos (I)
   — + adj. + than más + adj. +
      que (I)

— than + *number* más de + *number* (I)
morning la mañana (I)
  good — buenos días (I)
  in the — de la mañana; por la mañana (I)
  yesterday — ayer por la mañana (I)
mosquito el mosquito (4)
most: the — + *adj.* el / la / los / las más + *adj.* (I)
  — (of) la mayoría de (7)
mother la madre (I)
  — and father los padres (I)
  —-in-law la suegra (13)
motor el motor (8)
motorcycle la moto (I)
mountain la montaña (I)
mouse el ratón, *pl.* ratones (4)
mouth la boca (I)
to **move** mudarse (10)
movie la película (I)
  —s el cine (I)
  — star la estrella de cine (11)
  — theater el cine (I)
to **mow** cortar (2)
Mr. (el) señor (Sr.) (I)
Mrs. (la) señora (Sra.) (I)
much mucho (I)
  as — + *noun* + **as** tanto, -a + *noun* + como (3)
  how —? ¿cuánto? (I)
  so — *adj.* tanto, -a (3); *adv.* tanto (12)
  too — *adv.* demasiado (I); *adj.* demasiado, -a (15)
muffler la bufanda (I)
mural el mural (12)
museum el museo (I)
music la música (I)
musical *adj.* musical (I)
musician el músico, la música (12)
must: we / you / one — hay que + *inf.* (I)
mustache el bigote (7)
mustard la mostaza (4)
my mi, mis (I); mío, -a, -os, -as (8)
myself me (I)
mysterious misterioso, -a (15)

nail la uña (7)
  — file la lima de uñas (7)
  — polish el esmalte de uñas (7)
  to file —s limar(se) las uñas (7)
name el nombre (I)

brand — la marca (7)
  last — el apellido (I)
  my — is me llamo (I)
  what's your —? ¿cómo te llamas? (I)
named: to be — llamarse (I)
napkin la servilleta (I)
narrow estrecho, -a (7)
near cerca de (I)
neat ordenado, -a (2)
necessary necesario, -a (I)
  it's — (to) hay que + *inf.*; es necesario (I)
neck el cuello (9)
necklace el collar (I)
to **need** necesitar; faltar (I)
neighbor el vecino, la vecina (13)
neighborhood el barrio (I)
neither (ni . . .) tampoco (I, 6)
  — . . . nor (no . . .) ni . . . ni (6)
nephew el sobrino (I)
nervous nervioso, -a (8)
never (no . . .) nunca (I)
new nuevo, -a (I)
  what's —? ¿qué hay? (10)
New Year's Day el Año Nuevo (I)
New Year's Eve el día de fin de año (I)
news las noticias (I)
  — item la noticia (10)
newspaper el periódico (I); el diario (14)
next próximo, -a (I); siguiente (1)
  — to al lado de (I); junto a (12)
Nicaraguan nicaragüense (1)
nice simpático, -a; amable (I)
  how —! ¡qué alegría! (16)
  it's — out hace buen tiempo (I)
  not — antipático, -a (I)
niece la sobrina (I)
  —(s) and nephew(s) los sobrinos (I)
night la noche (I)
  at — de la noche; por la noche (I)
  good — buenas noches (I)
  last — anoche (I)
nine nueve (I)
  — hundred novecientos, -as (I)
nineteen diecinueve (I)
ninety noventa (I)
ninth noveno, -a (5)
no no; *adj.* (no . . .) ningún, ninguna (I)
  — one (no . . .) nadie (I)
  — one else (no . . .) otra persona (11)
nobody (no . . .) nadie (I)

noise el ruido (I)
none ninguno, -a (I)
nonstop sin escala (16)
noon el mediodía (I)
  at — al mediodía (I)
nor: neither . . . — (no . . .) ni . . . ni (6)
north el norte (I)
North America la América del Norte (I)
North American norteamericano, -a (I)
northeast el noreste (1)
northwest el noroeste (1)
nose la nariz (I)
not no (I)
  — any *adj.* (no . . .) ningún, ninguna (I); *pron.* (no . . .) ninguno, -a (I)
  — anyone (no . . .) nadie (I)
  — even no . . . ni (6)
  — many pocos, -as (I)
  — well mal (I)
  — yet todavía no (no . . . todavía) (1)
note el apunte (1)
notebook el cuaderno (I)
nothing (no . . .) nada (I)
notice el aviso (10)
to **notice** fijarse en (12)
novel la novela (I)
November noviembre (I)
now ahora (I); ya (9)
  right — ahora mismo (2)
number el número (I)
nurse el enfermero, la enfermera (I)

to **obey** respetar (8)
object el objeto (14)
oboe el oboe (12)
obstinate obstinado, -a (16)
to **obtain** obtener (8)
occupied ocupado, -a (I)
to **occur** ocurrir (11)
ocean el océano (I)
o'clock:
  it's 1 — es la una (I)
  it's 2 —, 3 —, etc. son las dos, tres, etc. (I)
October octubre (I)
odor el olor (4)
of de(l) (I)
of course ¡cómo no!; ¡por supuesto!; ¡claro (que sí)! (I)
  — not ¡claro que no! (I)

off:

    to get — *(vehicles)* bajar de (I)

    to take — *(planes)* despegar;
    (clothes) quitarse (I)

    to turn — apagar (4)

to offer ofrecer (c → zc) (11)

office la oficina (I)

    box — la taquilla (11)

often a menudo (I)

oh! ¡ah! (I)

    —, yes ¡ah, sí! (I)

oil el aceite (4)

okay ¡bueno!; está bien (I); de
    acuerdo (5)

old viejo, -a (I); antiguo, -a (14)

    how — **are you?** ¿cuántos años
    tienes? (I)

    — man / woman el anciano, la
    anciana (13)

older mayor (I)

old-fashioned anticuado, -a (7)

olive la aceituna (4)

omelet: Spanish — la tortilla
    española (I)

on en; sobre (I)

    — foot a pie (I)

    — the phone por teléfono (I)

    — the radio / TV por la radio / la
    tele (11)

    — time a tiempo (I)

    — vacation de vacaciones (I)

    to turn — encender (e → ie) (4)

once una vez (I)

one uno; *pron.* alguno, -a (I)

    at — **o'clock** a la una (I)

    — hundred cien (I)

    — thousand mil (I)

    — -way de ida (6)

    which —**(s)?** ¿cuál(es)? (I)

onion la cebolla (I)

only *adj.* único, -a; *adv.* sólo (I)

open abierto, -a (I)

to open abrir (I)

opera: soap — la telenovela (11)

operator el operador, la operadora
    (10)

opinion la opinión, *pl.* opiniones
    (14)

    to have an — **about** pensar
    (e → ie) de (I)

opposite enfrente de (I)

optimistic optimista (I)

or o; u (I)

    either . . . — o . . . o (10)

    not . . . — (no . . .) ni . . . ni (6)

orange *adj.* anaranjado, -a (I)

orange la naranja (I)

    — juice el jugo de naranja (I)

orangeade la naranjada (I)

orchestra la orquesta (12)

order el orden (2)

    in — **to** para + *inf.* (I)

    out of — descompuesto, -a (2)

to order pedir (e → i) (I)

origin: of . . . — de origen . . . (I)

orthodontist el / la ortodoncista (15)

other otro, -a (I)

    each — nos (7); se (7)

ought to deber + *inf.* (I)

our nuestro, -a (I, 8)

ours el nuestro, la nuestra, los
    nuestros, las nuestras (8)

    of — *adj.* nuestro, -a (8)

ourselves nos (I)

out:

    it's cool (cold / hot) — hace fresco
    (frío / calor) (I)

    it's nice (bad) — hace buen (mal)
    tiempo (I)

    — loud en voz alta (10)

    — of order descompuesto, -a (2)

    to come / go — salir de (I)

    to get — **of** *(vehicles)* bajar de (I)

    to put — *(fire, light, etc.)* apagar (4)

    to run — **of** quedarse sin (15)

outing: to go on an — ir de ex-
    cursión (3)

outlet el enchufe (2)

outside afuera (I)

    — (of) fuera de (I)

oven el horno (2)

over sobre (6)

    — here / there por aquí / allí (8)

    — there allá (I)

overcoat el abrigo (I)

to owe deber (15)

own propio, -a (15)

owner el dueño, la dueña (6)

to pack a suitcase hacer la maleta (I)

package el paquete (10)

paella la paella (I)

page la página (I)

paint la pintura (12)

to paint pintar (12)

paintbrush el pincel (12)

painter el pintor, la pintora (12)

painting el cuadro (3); la pintura
    (12)

pale pálido, -a (9)

pan la cacerola (2)

frying — la sartén; *pl.* sartenes (2)

Panama Panamá (I)

Panamanian panameño, -a (1)

pants los pantalones (I)

pantyhose las pantimedias (I)

papaya la papaya (9)

paper el papel (14)

    — clip el sujetapapeles, *pl.*
    sujetapapeles (1)

    piece of — la hoja de papel, *pl.*
    hojas de papel (I)

parade el desfile (I)

Paraguay el Paraguay (I)

Paraguayan paraguayo, -a (6)

pardon me perdón; discúlpeme (I)

parents los padres (I)

park el parque (I)

    amusement — el parque de
    diversiones (3)

to park estacionar (8)

parking:

    lot el estacionamiento (8)

    — meter el parquímetro (8)

parrot el loro (15)

part la parte (1)

    to take — participar (5)

to participate participar (5)

party la fiesta (I)

passenger el pasajero, la pasajera
    (6)

passport el pasaporte (I)

past pasado, -a (I)

pastime el pasatiempo (I)

pastry el pastel (I)

path el sendero (4)

patient el / la paciente (9)

patient paciente (8)

    to be — tener paciencia (16)

to pay (for) pagar (I)

    to — **attention (to)** prestar
    atención (a) (1); fijarse (en) (12)

    to — + *sum of money* + **for**
    pagar + *sum of money* + por (I)

    to — **cash** pagar al contado (6)

peach el durazno (9)

peanut el cacahuate (3)

pear la pera (9)

peas los guisantes (I)

pedestrian el peatón, *pl.* peatones
    (8)

pen el bolígrafo (I)

pencil el lápiz, *pl.* lapices (I)

    — sharpener el sacapuntas, *pl.*
    sacapuntas (1)

people la gente (I)

    young — los / las jóvenes (11)

pepper la pimienta (4)
  chili — el chile (I)
  stuffed — el chile relleno (I)
per por (13)
perfect perfecto, -a (I)
performance el espectáculo (3)
perfume el perfume (7)
perhaps tal vez (I); quizás (1)
to **permit** permitir (13)
person la persona (I)
  young — el / la joven, *pl.* los / las jóvenes (11)
Peru el Perú (I)
Peruvian peruano, -a (6)
peseta la peseta (I)
peso el peso (I)
pessimistic pesimista (I)
pet el animal doméstico (I)
pharmacist el farmacéutico, la farmacéutica (15)
pharmacy la farmacia (I)
phew! ¡uf! (I)
phone el teléfono (I)
  on the — por teléfono (I)
  — **book** la guía telefónica (I)
  — **booth** la cabina telefónica (I)
  — **number** el número de teléfono (I)
to **phone** llamar por teléfono (I)
photo la foto (I)
photographer el fotógrafo, la fotógrafa (I)
physical education la educación física (I)
physics la física (I)
piano el piano (I)
to **pick** recoger (j) (4)
  to — **up** recoger (j) (2); ir / venir a buscar (10); *(phone)* descolgar (o → ue) (10)
picnic el picnic (3)
  to have a — hacer un picnic (3)
picture: to take —s sacar fotos (I)
piece:
  — **of gossip** el chisme (10)
  — **of news** la noticia (10)
  — **of paper** la hoja de papel, *pl.* hojas de papel (I)
pig el cerdo (I)
pill la pastilla (9)
pillow la almohada (I)
pillowcase la funda (I)
pilot el / la piloto (I)
piñata la piñata (I)
pineapple la piña (9)
pink rosado, -a (7)

pity la lástima (16)
place el lugar (3); el sitio (15)
  to take — tener lugar (11)
to **place** poner (I); colocar (6)
plan el plan (I)
to **plan to** pensar (e → ie) + *inf.* (I)
plane el avión, *pl.* aviones (I)
plate el plato (I)
  license — la placa (8)
platform *(railway)* el andén, *pl.* andenes (6)
play la obra de teatro (I)
to **play** jugar (u → ue); tocar *(musical instruments, records)* (I)
  to — **the role of** hacer el papel de (11)
  to — *(sports, games)* jugar a(l) (I)
player el jugador, la jugadora (I)
  tennis — el / la tenista (5)
plaza la plaza (I)
pleasant simpático, -a; agradable (I)
please por favor (I)
pleased to meet you mucho gusto (I)
pleasure: with — con mucho gusto (I)
plot el argumento (11)
plug el enchufe (2)
to **plug in** enchufar (2)
plus más (I)
P.M. de la tarde / noche (I)
pocket el bolsillo (6)
poem el poema (I)
poet el / la poeta (I)
police officer el / la policía (I)
polish: nail — el esmalte de uñas (7)
polite bien educado, -a (13)
poor pobre (I)
  — **thing!** ¡pobrecito, -a! (I)
  to be — **in** estar flojo, -a en (I)
pop el refresco (I)
popcorn las palomitas (3)
popular popular (I)
pork chop la chuleta de cerdo (I)
portrait el retrato (12)
Portuguese portugués *(pl.* portugueses), portuguesa (I)
Portuguese *(language)* el portugués (I)
possible posible (16)
post card la tarjeta postal (I)
post office el correo (I)
  — **box** el apartado postal (10)
poster el cartel (I)
pot la olla (2)

potato la papa (I)
practical práctico, -a (15)
to **practice** practicar (I)
to **prefer** preferir (e → ie) (I)
to **prepare** preparar (I)
  prepared preparado, -a (I)
to **prescribe** recetar (9)
prescription la receta (I)
present *adj.* presente (I)
present el regalo (I)
  to give a — regalar (13)
preserves la mermelada (I)
pretty bonito, -a (I)
price el precio (7)
  — **tag** la etiqueta (7)
principal *(school)* el director, la directora (1)
private privado, -a (I)
  — **school** el colegio particular (1)
prize el premio (11)
probable probable (16)
probably probablemente (3)
problem el problema (I)
to **produce** producir (c → zc) (14)
profession la profesión, *pl.* profesiones (6)
  by — de profesión (6)
program el programa (I)
programmer el programador / la programadora (de computadoras) (15)
projector el proyector (1)
to **promise** prometer (4)
  proud orgulloso, -a (16)
to **prove** demostrar (o → ue) (12)
public público, -a (1)
  in — en público (13)
Puerto Rican puertorriqueño, -a (I)
to **pull** tirar (de) (13)
  to — **someone's leg** tomarle el pelo a (13)
pupil el alumno, la alumna (I)
purple morado, -a (I)
purse el bolso (I)
to **push** empujar (13)
to **put** poner (I); colocar (6)
  to — **makeup on** maquillar(se) (7)
  to — **on** *(clothes)* ponerse (I)
  to — **one's foot in it** meter la pata (13)
  to — **out** *(fire, light, etc.)* apagar (4)
  to — **(someone) to bed** acostar (o → ue) (I)
pyramid la pirámide (14)
Pyrenees Mts. los Pirineos (I)

to **quarrel (with)** pelearse (con) (13)
quarter:
— **after / past** y cuarto (I)
— **to** menos cuarto (I)
queen la reina (I)
question la pregunta (I)
to ask a — hacer una pregunta (1)
quickly de prisa (I)
quiet: be — ¡silencio! (1); ¡cállate! (11)
quiz show el programa de concursos (11)

race la carrera (5)
boat — la regata (5)
racket la raqueta (5)
radio (*broadcast*) la radio; (*set*) el radio (I)
on the — por la radio (11)
rain la lluvia (I)
to **rain** llover (o → ue) (I)
it's —**ing** llueve (I)
raincoat el impermeable (I)
to **raise** levantar (I)
ranch el rancho (4)
rapidly rápidamente (I)
rare (*meat*) poco cocido, -a (4)
rather bastante (I)
but — sino (11); sino que + *verb* (11)
razor la maquinilla de afeitar (7)
to **read** leer (I)
ready preparado, -a (I)
real verdadero, -a (14)
to **realize** darse cuenta de (14)
really de veras (I)
to **receive** recibir (I); obtener (8)
receipt el recibo (10)
reception desk la recepción, *pl.* recepciones (6)
to **recognize** reconocer (c → zc) (11)
to **recommend** recomendar (e → ie) (9)
record el disco (I)
— **player** el tocadiscos, *pl.* tocadiscos (I)
to **record** grabar (11)
red rojo, -a (I)
— **-haired** pelirrojo, -a (I)
refrigerator el refrigerador (I)
register (*hotel*) el registro (6)
cash — la caja (7)
registered certificado, -a (10)
rehearsal el ensayo (12)

to **rehearse** ensayar (12)
relative el pariente, la parienta (13)
relief: what a —! ¡qué alivio! (3)
religion la religión, *pl.* religiones (14)
to **remain** quedarse (I)
remainder el resto (15)
to **remember** recordar (o → ue) (13)
to **remove** sacar (I)
to **rent** alquilar (2)
to **repair** arreglar (I)
to **repeat** repetir (e → i) (I)
reporter el / la periodista (14)
to **request** pedir (e → i) (I)
to **resemble** parecerse (c → zc) a (13)
reservation la reservación, *pl.* reservaciones (I)
to **respect** respetar (8)
rest el resto (15)
to **rest** descansar (I)
restaurant el restaurante (I)
to **return** volver (o → ue); regresar (I); (*something*) devolver (o → ue) (7)
return address el remitente (10)
review el repaso (1)
to **review** repasar (I)
rhinoceros el rinoceronte (I)
rice el arroz (I)
rich rico, -a (I)
ride (*amusement park*) la atracción, *pl.* atracciones (3)
to go for a — dar un paseo (3)
to take a — dar una vuelta (3)
to **ride:**
to — **a bicycle** montar en bicicleta (I)
to — **horseback** montar a caballo (5)
right:
all — está bien (I)
—! de acuerdo (5)
—? ¿verdad? (I)
— **away** en seguida (I); ahora mismo (2)
to be — tener razón (I)
to the — (**of**) a la derecha (de) (I)
ring el anillo (I)
to **ring** sonar (o → ue) (10)
river el río (I)
road el camino (I)
to **roast** asar (4)
roasted asado, -a (4)
to **rob** robar (14)
robbery el robo (14)
rock la piedra (4); (*music*) el rock (I)

role: to play the — **of** hacer el papel de (11)
roller coaster la montaña rusa (3)
roller skate el patín de rueda, *pl.* patines de ruedas (3)
romantic romántico, -a (I)
roof el techo (2)
room el cuarto (I); la habitación, *pl.* habitaciones (6)
single / double — la habitación individual / doble (6)
rooster el gallo (I)
round-trip de ida y vuelta (6)
row la fila (11)
to **row** remar (3)
rude mal educado, -a (13)
rug la alfombra (I)
ruins las ruinas (14)
rule la regla (8)
to **run** correr (I); (*machine*) funcionar (2)
to — **away** escaparse (14)
to — **out of** quedarse sin (15)
to — **the vacuum cleaner** pasar la aspiradora (2)
runway la pista (16)

sad triste (I)
to **sail** navegar (5)
sailboat el velero (5)
saint's day el santo (I)
salad la ensalada (I)
salary el sueldo (15)
sale la venta (I); (*clearance*) la liquidación, *pl.* liquidaciones (7)
for / on — en venta (I; 7)
salesclerk el vendedor, la vendedora (I); el dependiente, la dependienta (7)
salt la sal (4)
Salvadoran salvadoreño, -a (1)
same mismo, -a (1)
the — igual (13)
sand la arena (15)
sandals las sandalias (I)
sandwich el sandwich (I)
sangria la sangría (13)
Saturday sábado (I)
on — el sábado (I)
saucepan la cacerola (2)
saucer el platillo (I)
sausage la salchicha (4)
to **save** salvar (14); ahorrar (15)
saxophone el saxofón, *pl.* saxofones (12)
to **say** decir (I)

how do you — . . . ? ¿cómo se dice . . . ? (I)

to — good-by (to) saludar (a) (10); despedirse (e → i) (de) (13)

to — hello saludar (10)

to — yes / no decir que sí / no (I)

you don't — ¡no me digas! (I)

scale la balanza (9)

scare: what a —! ¡qué susto! (3)

to scare dar miedo a (I); asustar (3)

scared asustado, -a (3)

to be — (of) tener miedo (de) (I)

scarf la bufanda (I)

schedule el horario (I)

school la escuela (I)

high — el colegio (I)

private — el colegio particular (1)

— year el año escolar (1)

science las ciencias (I)

— fiction adj. de ciencia ficción (I)

scientist el científico, la científica (15)

scissors las tijeras (7)

score el tanteo (5)

screen la pantalla (1)

to scuba dive bucear (5)

sculptor el escultor, la escultora (12)

sculpture la escultura (12)

sea el mar (I)

seafood los mariscos (9)

season la estación, pl. estaciones (I)

seat el asiento (I)

seatbelt el cinturón de seguridad, pl. cinturones de seguridad (8)

second el segundo (I); segundo, -a (I)

— class de segunda clase (6)

— floor el primer piso (I)

secret secreto, -a (14)

secretary el secretario, la secretaria (15)

section la sección, pl. secciones (14)

to see ver (I)

— you later hasta luego; hasta la vista (I)

— you soon hasta pronto (I)

— you tomorrow hasta mañana (I)

to seem (to someone) parecer (c → zc) (I)

to — to be parecer (c → zc) (11)

to sell vender (I)

to — for + sum of money vender a + sum of money (I)

to send mandar (I)

sense of humor el sentido del humor (16)

sentence la frase (I)

September septiembre (I)

serious serio, -a (I)

to serve servir (e → i) (I)

service station la estación de servicio, pl. estaciones de servicio (8)

to set the table poner la mesa (I)

seven siete (I)

— hundred setecientos, -as (I)

seventeen diecisiete (I)

seventh séptimo, -a (5)

seventy setenta (I)

several varios, -as (I)

to shake hands (with) dar la mano a (13)

shame la lástima (16)

that's a — ¡qué lástima! (I)

shampoo el champú (I)

to share compartir (13)

to shave afeitar(se) (7)

shaving cream la crema de afeitar (7)

she ella (I)

sheep la oveja (I)

sheet la sábana (I)

shelf el estante (I)

shellfish los mariscos (9)

shirt la camisa (I)

shoe el zapato (I)

— laces los cordones de los zapatos (7)

— size el número (7)

tennis —s los zapatos de tenis (5)

shopping de compras (I)

short bajo, -a; corto, -a (I)

shot la inyección, pl. inyecciones (I)

to give someone a — poner una inyección (I)

should deber + inf. (I)

shoulder el hombro (9)

to shout gritar (I)

show el espectáculo (3); la función, pl. funciones (11)

quiz — el programa de concursos (11)

to show mostrar (o → ue) (I); indicar (11); demostrar (o → ue) (12)

to — a movie / a program dar una película / un programa (I)

shower la ducha (I)

to take a — ducharse (I)

shrimp el camarón, pl. camarones (9)

shy tímido, -a (3)

sick enfermo, -a (I)

sign el letrero (7)

traffic — la señal de tráfico (8)

sign language: to talk in — hablar por señas (11)

to sign firmar (6)

signature la firma (10)

silence! ¡silencio! (1)

silver la plata (14)

similar (to) parecido, -a (a) (12)

simple sencillo, -a (11)

to sing cantar (I)

singer el / la cantante (11)

single soltero, -a (13)

— room la habitación individual (6)

sink el fregadero (2)

sir señor (I)

sister la hermana (I)

little — la hermanita (I)

—-in-law la cuñada (13)

to sit down sentarse (e → ie) (11)

site el sitio (15)

six seis (I)

— hundred seiscientos, -as (I)

sixteen dieciséis (I)

sixth sexto, -a (5)

sixty sesenta (I)

size (garment) la talla (7); (shoes) el número (7)

skate el patín, pl. los patines (3)

roller — el patín de ruedas, pl. los patines de ruedas (3)

to skate patinar (3)

to ice- — patinar sobre hielo (3)

to roller- — patinar sobre ruedas (3)

skater el patinador, la patinadora (5)

ski el esquí (5)

to ski esquiar (I)

skier el esquiador, la esquiadora (5)

skiing el esquí (5)

water — el esquí acuático (5)

skinny (animals) flaco, -a (3)

skirt la falda (I)

sky el cielo (I)

to sleep dormir (o → ue) (I)

to go to — dormirse (o → ue) (I)

sleeping bag el saco de dormir (4)

sleeping car el coche cama, pl. coches cama (6)

sleepy: to be — tener sueño (I)

slide transparency la diapositiva (1)

slow lento, -a (I)

—ly despacio (I); lentamente (10)

small pequeño, -a (I)

smart listo, -a (I)

smell el olor (4)

to **smile** sonreír (e → ie) (5)

smoke el humo (14)

snake la serpiente (I)

to **sneeze** estornudar (9)

snow la nieve (I)

to **snow** nevar (e → ie) (I)

    it's —ing nieva (I)

so *conj.* entonces (I); *adv.* tan (I)

    don't you think —? ¿no te parece? (5)

    I don't think — creo que no (I)

    I hope — ¡ojalá!; espero que sí (I)

    I think — creo que sí (I)

    let's hope — ¡ojalá! (I)

    — much *adv.* tanto (12)

    — much / many tanto, -a (3)

    — what? ¿qué importa? (I)

soap el jabón, *pl.* jabones (I)

    — opera la telenovela (11)

soccer el fútbol (I)

sock el calcetín, *pl.* calcetines (I)

soda el refresco (I)

sofa el sofá (I)

soft suave (12)

    in a — voice en voz baja (10)

    —ly en voz baja (10)

soil la tierra (I)

some unos, -as; algún, alguna; *pron.* alguno, -a, -os, -as (I)

somebody / someone alguien (I)

    — else otra persona (11)

something algo (I)

    — else otra cosa (11)

    to have — to drink tomar algo (I)

sometimes a veces (I)

son el hijo (I)

    —(s) and daughter(s) los hijos (I)

song la canción, *pl.* canciones (I)

soon pronto (I)

    see you — hasta pronto (I)

sorry:

    I'm — lo siento (I)

    to be — sentir (e → ie) (16)

so-so así, así (I)

sound el sonido (12)

soup la sopa (I)

south el sur (I)

South America la América del Sur (I)

South American sudamericano, -a (I)

southeast el sureste (1)

southwest el suroeste (1)

souvenir el recuerdo (I)

Spain España (I)

Spanish español, -a (I)

Spanish *(language)* el español (I)

to **speak** hablar (I)

special *adj.* especial (I)

special of the day el plato del día (9)

speed limit la velocidad máxima (8)

to **speed up** acelerar (8)

spell: how do you — . . . ? ¿cómo se escribe . . . ? (I)

to **spend** gastar (7); *(time)* pasar (I)

spicy picante (I)

spider la araña (4)

spinach las espinacas (9)

spoon la cuchara (I)

sport el deporte (I)

sports *adj.* deportivo, -a (5)

    — car el coche deportivo (8)

spring la primavera (I)

stadium el estadio (I)

stairs la escalera (I)

stamp el sello (I)

stand el puesto (3)

to **stand in line** hacer cola (I)

staple la grapa (1)

stapler la grapadora (1)

star la estrella (I)

    movie — la estrella de cine (11)

to **start** empezar (e → ie) (a → *inf.*) (I); comenzar (e → ie) (a + *inf.*) (6); *(car)* arrancar (8)

station la estación, *pl.* estaciones (I)

statue la estatua (14)

to **stay** quedarse (I)

steak el bistec (I)

to **steal** robar (14)

steering wheel el volante (8)

still todavía (I)

    to be — + *verb* + -ing seguir (e → i) + *present participle* (12)

stingy tacaño, -a (I)

stomach el estómago (I)

stone la piedra (14)

to **stop** parar (3)

    to — *(doing something)* dejar de + *inf.* (13)

stopover la escala (16)

    to make a — hacer escala (16)

store la tienda (de) (I)

    department — el almacén, *pl.* almacenes (I)

    — window la vitrina (7)

storm la tormenta (11)

story el cuento (I); la historia (1)

stove la estufa (I)

straight ahead (todo) derecho (8)

to **straighten up / out** poner en orden (2)

strange extraño, -a (16)

strawberry la fresa (9)

street la calle (I)

    — corner la esquina (I)

    — map el plano (6)

strict estricto, -a (5)

strong fuerte (I)

stubborn obstinado, -a (16)

student el / la estudiante (I)

to **study** estudiar (I)

study hall la sala de estudio (1)

stuffed pepper el chile relleno (I)

stupid tonto, -a (I)

subject el tema (1); *(in school)* la materia (I)

subtitle el subtítulo (11)

subway el metro (I)

success el éxito (11)

successful: to be — tener éxito (11)

suddenly de repente (14)

to **suffer** sufrir (16)

sugar el azúcar (I)

suit el traje (I)

    bathing — el traje de baño (I)

suitcase la maleta (I)

    to pack a — hacer la maleta (I)

summer el verano (I)

sun el sol (I)

to **sunbathe** tomar el sol (I)

Sunday domingo (I)

    on — el domingo (I)

sunglasses los anteojos de sol (I)

sunny: it's — hace sol (I)

supermarket el supermercado (I)

superstition la superstición, *pl.* supersticiones (16)

superstitious supersticioso, -a (16)

supper la cena (I)

sure seguro, -a (I)

surprise la sorpresa (13)

to **surprise** sorprender (16)

surrounded (by) rodeado, -a (de) (11)

sweater el suéter (I)

to **sweep** barrer (2)

to **swim** nadar (I)

swimmer el nadador, la nadadora (5)

swimming la natación (5)

    — pool la piscina (I)

table la mesa (I)

    to clear the — quitar los platos (I)

    to set the — poner la mesa (I)

tablecloth el mantel (I)
taco el taco (I)
tag la etiqueta (7)
to **take** tomar (I); llevar (4)
    to **—** + *time* + *verb* tardar
      en + *inf.* (6)
    to **— a bath** bañarse (I)
    to **— a ride** dar una vuelta (3)
    to **— a shower** ducharse (I)
    to **— a trip** hacer un viaje (I)
    to **— a walk / ride** dar un paseo
      (3)
    to **— back** devolver (o → ue) (7)
    to **— care of** cuidar (13)
    to **— off** *(planes)* despegar; *(clothes)*
      quitarse (I)
    to **— out** sacar (I)
    to **— part** participar (5)
    to **— pictures** sacar fotos (I)
    to **— place** tener lugar (11)
talent el talento (12)
to **talk** hablar (I)
    to **— in sign language** hablar por
      señas (11)
tall alto, -a (I)
tank el tanque (8)
tape la cinta (I)
    — recorder la grabadora (I)
to **tape** grabar (11)
taste el sabor (4)
to **taste** probar (o → ue) (4)
tasty sabroso, -a (4)
tax el impuesto (7)
taxi el taxi (I)
tea el té (I)
to **teach** enseñar (I)
teacher el profesor, la profesora (I)
team el equipo (I)
    home — el equipo local (5)
teaspoon la cucharita (2)
teeth los dientes (I)
    to brush one's — cepillarse los
      dientes (I)
telegram el telegrama (10)
telephone *see* **phone**
television la televisión (tele) (I)
    on — por la televisión (11)
    — channel el canal (I)
    — set el televisor (I)
to **tell** decir; contar (o → ue) (I)
temperature la temperatura (11)
temple el templo (14)
ten diez (I)
tennis el tenis (I)
    — court la cancha de tenis (5)
    — player el / la tenista (5)

— shoes los zapatos de tenis (5)
tent la tienda de acampar (4)
tenth décimo, -a (5)
terrific formidable (I)
test el examen, *pl.* exámenes; la
    prueba (I)
than que; de (I)
to **thank (someone) for** agradecer
    (c → zc) (11)
thanks, thank you gracias (I)
    — a lot muchas gracias (I)
that *adj.* ese, -a (I); aquel, aquella
    (2); *neuter prons.* eso (2); aquello
    (2); *conj.* que (I)
    — one ése, ésa (2); aquél, aquélla
      (2)
    —'s why por eso (I)
    — way por allí (8)
the el, la, los, las (I)
theater el teatro (I)
    movie — el cine (I)
their su, sus (I); suyo, -a (8)
theirs el suyo, la suya, los suyos,
    las suyas (8)
    of — *adj.* suyo, -a (8)
them ellos, ellas *after prep.*; los, las
    dir. obj. (I)
    to / for — les (I)
themselves se (I)
then entonces; luego (I)
there allí (I)
    around — por allí (8)
    over — allá (I); por allí (8)
    — is / are hay (I)
    — was / were había (14); hubo
      (15)
thermometer el termómetro (11)
these *adj.* estos, -as (I); *pron.* éstos,
    éstas (2)
they ellos, ellas (I)
thief el ladrón, la ladrona (14)
thin delgado, -a (I)
thing la cosa (I)
to **think** creer; pensar (e → ie) (I)
    don't you — so? ¿no te parece?
      (5)
    I don't — so creo que no (I)
    I — so creo que sí (I)
    to — about pensar en (I)
    to — of pensar de (I)
    what do you — of . . . ? ¿qué te
      parece . . . ? (I)
third tercero (tercer), -a (I)
    — floor el segundo piso (I)
thirsty: to be — tener sed (I)
thirteen trece (I)

thirty treinta (I)
    31; 32; etc. treinta y uno (un);
      treinta y dos; etc. (I)
this *adj.* este, -a (I); *neuter pron.* esto (2)
    — one *pron.* éste, ésta (2)
    — way por aquí (8)
those *adjs.* esos, -as (I); aquellos,
    aquellas (2); *prons.* ésos, ésas
    (2); aquéllos, aquéllas (2)
thousand mil (I, 7)
three tres (I)
    —hundred trescientos, -as (I)
thrilling emocionante (I)
throat la garganta (I)
through por (I)
to **throw (away)** tirar (2)
thunder, thunderclap el trueno (11)
Thursday jueves (I)
    on — el jueves (I)
ticket *(entrance)* la entrada; *(travel)* el
    boleto (I); *(traffic)* la multa (8)
    — seller el taquillero, la taquillera
      (11)
    — window la ventanilla (6)
tie la corbata (I); *(in a game)* el
    empate (5)
to **tie** atar(se) (7)
tiger el tigre (I)
time el tiempo; la vez, *pl.* veces (I)
    (at) what —? ¿a qué hora? (I)
    for the first (second, etc.) — por
      primera (segunda, etc.) vez (5)
    on — a tiempo (I)
    to have a good — divertirse
      (e → ie) (I)
    what — is it? ¿qué hora es? (I)
timid tímido, -a (3)
tip la propina (I)
    for a — de propina (I)
tire la llanta (8)
tired cansado, -a (I)
title el título (I)
to a(l) (I); hasta (5)
    (in order) — para + *inf.* (I)
    minutes — *(in time-telling)*
      menos + *number* (I)
    — where? ¿adónde? (I)
toast el pan tostado (I)
toaster la tostadora (2)
today hoy (I)
    not — hoy no (I)
together juntos, -as (I)
    to get — reunirse (13)
tomato el tomate (I)
tomorrow mañana (I)
    see you — hasta mañana (I)

tone el tono (10)
tonight esta noche (I)
too también; demasiado (!)
  — **many** adj. demasiado, -a (15)
  — **much** adv. demasiado (I); adj.
    demasiado, -a (15)
toothbrush el cepillo de dientes (I)
toothpaste la pasta dentífrica (I)
topic el tema (1)
tortilla la tortilla (4)
tourist el / la turista (I)
towel la toalla (I)
town el pueblo (4)
  — **square** la plaza (I)
track (train) la vía (6)
traffic el tráfico (8)
  — **light** el semáforo (8)
  — **sign** la señal de tráfico (8)
  — **ticket** la multa (8)
train el tren (I)
  — **car** el vagón, pl. vagones (6)
  — **track** la vía (6)
to **translate** traducir (c → zc) (11)
transparency la diapositiva (1)
to **travel** viajar (I)
travel agency la agencia de viajes (I)
travel agent el / la agente de viajes (I)
traveler el viajero, la viajera (6)
  —**'s check** el cheque de viajero (6)
treasure el tesoro (14)
tree el árbol (I)
trip el viaje (I)
  on a — de viaje (16)
  to go on a short— ir de excursión (3)
  to take a — hacer un viaje (I)
trombone el trombón, pl.
    trombones (12)
truck el camión, pl. camiones (I)
true verdadero, -a (14)
  it's — es verdad (16); es cierto (16)
trumpet la trompeta (12)
trunk (car) el baúl (8)
truth la verdad (I)
to **try (to)** tratar (de + inf.) (I); intentar
    (16)
  to — **on** probarse (o → ue) (7)
t-shirt la camiseta (I)
tuba la tuba (12)
Tuesday martes (I)
  on — el martes (I)
turkey el pavo (I)
to **turn** doblar (8)
  to — + age cumplir años (13)
  to — **around** dar la vuelta (8)
  to — **off** apagar (4)
  to — **on** encender (e → ie) (4)

turtle la tortuga (15)
TV la tele (I)
twelve doce (I)
twenty veinte (I)
  21; 22; etc. veintiuno (veintiún);
    veintidós; etc. (I)
twice dos veces (I)
two dos (I)
  — **hundred** doscientos, -as (I)
type la clase (de) (I)
to **type** escribir a máquina (1)
typewriter la máquina de escribir (1)

ugh! ¡uf! (I)
ugly feo, -a (I)
umbrella el paraguas (I)
  beach — la sombrilla (I)
uncle el tío (I)
uncomfortable incómodo, -a (I)
under debajo de (I)
to **understand** comprender (I);
    entender (e → ie) (3)
undoubtedly sin duda (12)
unforgettable inolvidable (13)
uniform el uniforme (1)
United States los Estados Unidos (I)
university la universidad (15)
unlucky: to be — tener mala suerte (I)
unmarried soltero, -a (13)
unpleasant antipático, -a (I); desa-
    gradable (13)
to **unplug** desenchufar (2)
until hasta (I)
to **unwrap** desenvolver (o → ue) (13)
up:
  to come / go — subir (I)
  to get — levantarse (I)
Uruguay el Uruguay (I)
Uruguayan uruguayo, -a (6)
us nosotros, -as after prep.; nos (I)
  to / for — nos (I)
to **use** usar (I)
  used to imperfect tense (13)
  usher el acomodador, la
    acomodadora (11)
usually generalmente (I)

vacation las vacaciones (I)
  on — de vacaciones (I)
to **vacuum** pasar la aspiradora (2)
vacuum cleaner la aspiradora (2)
valley el valle (4)
vegetable la verdura (I)

Venezuelan venezolano, -a (6)
versus contra (5)
very adj. mucho, -a; adv. muy (I)
veterinarian el veterinario, la
    veterinaria (I)
view: with a — **of** con vista a(l) (I)
vinegar el vinagre (4)
violin el violín, pl. violines (12)
visit la visita (I)
to **visit** visitar (I)
visitor el / la visitante (5)
voice la voz, pl. voces (5)
volcano el volcán, pl. volcanes
volleyball el volibol (I)

to **wait (for)** esperar (I)
waiter, waitress el camarero, la
    camarera (I)
waiting room la sala de espera (9)
to **wake up** despertarse (e → ie) (I)
  to — (someone) despertar (e → ie) (I)
walk: to go for / take a — dar un
    paseo (3)
to **walk** ir a pie; caminar (I)
wall la pared (I)
wallet la cartera (I)
to **want** querer (e → ie) (I)
warning la noticia (10)
to **wash** lavar (I)
  to — (one's face, hands, hair)
    lavarse (la cara, las manos, el
    pelo) (I)
washing machine la lavadora (2)
wastebasket la papelera (I)
to **watch** mirar (I)
  — **out!** ¡cuidado! (I)
water el agua f. (I)
  — **skiing** el esquí acuático (5)
watermelon la sandía (4)
wave la ola (I)
way: this / that — por aquí / allí (8)
we nosotros, -as (I)
weak débil (I)
to **wear** llevar (I)
weather el tiempo (I)
  — **forecast** el pronóstico del
    tiempo (11)
  what's the — **like?** ¿qué tiempo
    hace? (I)
wedding la boda (13)
Wednesday miércoles (I)
  on — el miércoles (I)
week la semana (I)
weekend el fin de semana, pl. fines
    de semana (I)

to weigh (oneself) pesar(se) (9)
weight el peso (9)
  to gain / lose — aumentar / bajar de peso (9)
weightlifter el levantador / la levantadora de pesas (5)
weights las pesas (5)
welcome bienvenido, -a (I)
  you're — de nada; no hay de qué (I)
well bien; pues; bueno (I)
  — **done** *(meat)* bien cocido, -a (4)
  not — mal (I)
  —**-known** muy conocido, -a (I)
west el oeste (I)
western *adj.* del oeste (I)
wet mojado, -a (4)
what lo que (I)
  so —? ¿qué importa? (I)
  —? ¿qué? (I); ¿cuál? (I)
  — **a(n)** + *noun!* ¡qué + *noun!* (I)
  —**'s** *(someone / something)* **like?** ¿cómo es . . . ? (I)
  —**'s your name?** ¿cómo te llamas? (I)
wheel la rueda (3)
  Ferris — la rueda de feria (3)
  steering — el volante (8)
wheelchair la silla de ruedas (9)
when ¿cuándo?; cuando (I)
where ¿dónde?; donde; ¿por dónde? (13)
  from —? ¿de dónde? (I)
  (to) —? ¿adónde? (I)
which, which one(s)? qué; ¿cuál(es)? (I)
while mientras (13)
white blanco, -a (I)
who que; ¿quién(es)? (I)
whole: the — todo, -a (I)
whom? ¿a quién(es)? (I)
  for —? ¿para quién(es)? (I)
  to —? ¿a quién(es)? (I)
  with —? ¿con quién(es)? (I)
whose? ¿de quién(es)? (I)
why? ¿por qué? (I)
  that's — por eso (I)

wide ancho, -a (7)
wife la esposa (I)
will you . . . ? ¿quiere(n) + *inf.?* (6); tenga la bondad de + *inf.* (10)
to win ganar (I)
windshield el parabrisas, *pl.* parabrisas (8)
window la ventana; *(in vehicles)* la ventanilla (I, 8)
  store — la vitrina (7)
  ticket — la ventanilla (6)
windy: it's — hace viento (I)
wine el vino (I)
winner el ganador, la ganadora (5)
winning ganador, -a (5)
winter el invierno (I)
with con (I)
  — **me** conmigo (I)
  — **you** *fam.* contigo (I)
within dentro de (16)
without sin (I)
  — **a doubt** sin duda (12)
woman la mujer (I)
  old — la anciana (13)
wonderful maravilloso, -a (6)
wood la madera (14)
wool la lana (14)
word la palabra (I)
work el trabajo (I); la obra (12)
to work trabajar (I); *(machines)* funcionar (2)
  worker: farm — el campesino, la campesina (4)
world el mundo (14)
worried preocupado, -a (I)
to worry (about) preocuparse (por) (16)
worse peor (I)
worst: the — + *noun* + **in** el / la peor + *noun* + de(l) (I)
worth: to be — **it / the effort** valer la pena (16)
would *imperfect tense* (13)
to wrap envolver (o → ue) (10)
wrist la muñeca (9)
to write escribir (I)

writer el escritor, la escritora (I)
wrong equivocado, -a (10)
  to be — no tener razón (I)
  what's — **with you?** ¿qué tienes / tiene Ud.? (9)

to yawn bostezar (11)
year el año (I)
  school — el año escolar (1)
  to be . . . —s old tener . . . años (I)
yellow amarillo, -a (I)
yes sí (I)
yesterday ayer (I)
  the day before — anteayer (5)
  — **morning** ayer por la mañana (I)
yogurt el yogur (I)
you *fam.* tú; *formal* usted (Ud.); *pl.* ustedes (Uds.); ti *after prep.;* lo, la *sing. formal dir. obj.;* los, las *pl. dir. obj.;* te *fam. dir. obj.* (I)
  to / for — *formal* le; *pl.* les; *fam.* te (I)
  with — *fam.* contigo (I)
young joven, *pl.* jóvenes (I)
younger menor (I)
your tu, tus *fam.;* su, sus *formal & pl.* (I); tuyo, -a (8); suyo, -a (8)
you're welcome *see* welcome
yours el tuyo / suyo, la tuya / suya, los tuyos / suyos, las tuyas / suyas (8)
  of — *adj.* tuyo, -a (8); suyo, -a (8)
yourself te *fam.;* se *(formal)* (I)
yourselves se (I)

zebra la cebra (I)
zero cero (I)
zip code el código postal (10)
zoo el zoológico (I)
zookeeper el guardián, la guardiana (de zoológico) (I)

INDEX

Most new structures are first presented in conversational contexts and explained later. Bold-face numbers refer to pages where structures are explained or highlighted. Light-face numbers refer to pages where they are initially presented, reviewed, or elaborated upon.

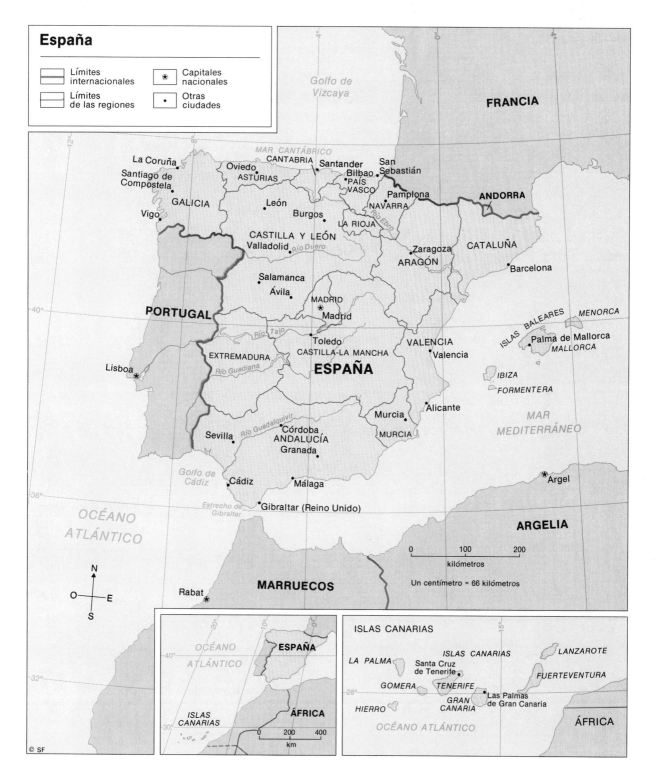

España

Límites internacionales
Límites de las regiones
Capitales nacionales
Otras ciudades

FRANCIA

Golfo de Vizcaya

MAR CANTÁBRICO

La Coruña
Santiago de Compostela
GALICIA
Vigo

Oviedo
ASTURIAS
CANTABRIA
Santander
Bilbao
PAÍS VASCO
San Sebastián

ANDORRA

León
Burgos
NAVARRA
Pamplona
LA RIOJA
Río Ebro

CASTILLA Y LEÓN
Valladolid
Río Duero

Zaragoza
ARAGÓN

CATALUÑA

Barcelona

PORTUGAL

Salamanca
Ávila

MADRID
Madrid

Río Tajo

Toledo
CASTILLA-LA MANCHA

ESPAÑA

VALENCIA
Valencia

ISLAS BALEARES
MENORCA
Palma de Mallorca
MALLORCA

IBIZA
FORMENTERA

EXTREMADURA
Río Guadiana

Lisboa

Murcia
MURCIA

Alicante

MAR MEDITERRÁNEO

Sevilla
Río Guadalquivir
Córdoba
ANDALUCÍA
Granada

Golfo de Cádiz
Cádiz
Málaga
Estrecho de Gibraltar
Gibraltar (Reino Unido)

Argel

ARGELIA

OCÉANO ATLÁNTICO

N
O   E
S

0   100   200
kilómetros

Un centímetro = 66 kilómetros

Rabat

MARRUECOS

OCÉANO ATLÁNTICO

ESPAÑA

ÁFRICA

ISLAS CANARIAS

0   200   400
km

© SF

ISLAS CANARIAS

LA PALMA

ISLAS CANARIAS

Santa Cruz de Tenerife

GOMERA
TENERIFE

HIERRO
GRAN CANARIA
Las Palmas de Gran Canaria

LANZAROTE

FUERTEVENTURA

OCÉANO ATLÁNTICO

ÁFRICA

Mapas   607

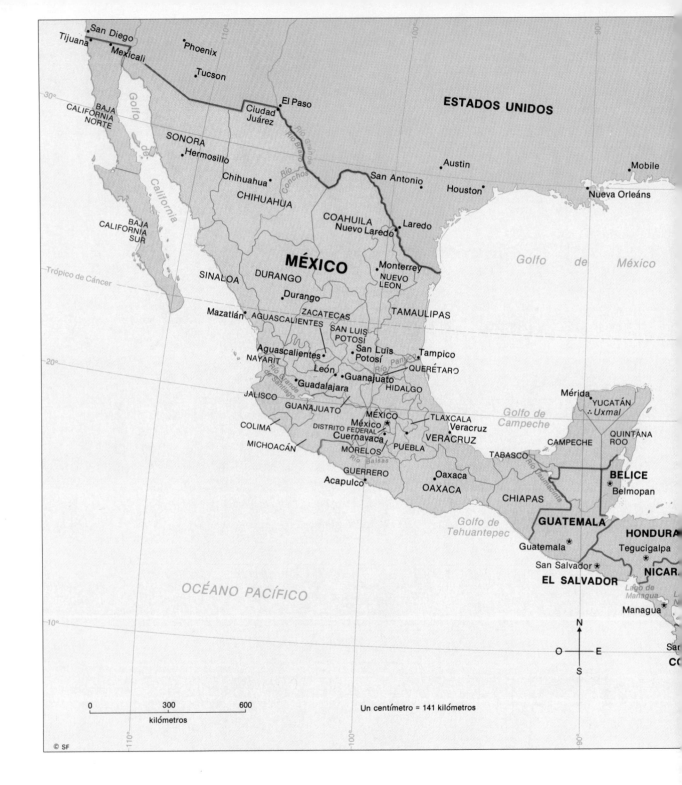

Tijuana
San Diego
Mexicali
Phoenix
Tucson

BAJA
CALIFORNIA
NORTE

SONORA

Hermosillo

Chihuahua

CHIHUAHUA

BAJA
CALIFORNIA
SUR

Golfo de California

Trópico de Cáncer

SINALOA

Mazatlán

Durango

DURANGO

ZACATECAS

AGUASCALIENTES

El Paso
Ciudad
Juárez

Río Bravo

Río Conchos

ESTADOS UNIDOS

San Antonio

Austin

Houston

Mobile

Nueva Orleáns

COAHUILA
Nuevo Laredo

Laredo

MÉXICO

Monterrey
NUEVO
LEÓN

TAMAULIPAS

Golfo   de   México

SAN LUIS
POTOSÍ

Aguascalientes

NAYARIT

León

Guanajuato

Guadalajara

JALISCO

GUANAJUATO

San Luís
Potosí

Tampico

QUERÉTARO

Río Pánuco

HIDALGO

Golfo de
Campeche

Mérida

YUCATÁN
Uxmal

COLIMA

MICHOACÁN

MÉXICO

DISTRITO FEDERAL

Cuernavaca

MORELOS

Río Balsas

GUERRERO

Acapulco

Río Grande de Santiago

TLAXCALA

Veracruz

PUEBLA

VERACRUZ

Oaxaca

OAXACA

TABASCO

CAMPECHE

Río Usumacinta

QUINTANA
ROO

BELICE
Belmopan

CHIAPAS

GUATEMALA

HONDURA

Golfo de
Tehuantepec

Guatemala

San Salvador

EL SALVADOR

Tegucigalpa

NICAR.

Lago de
Managua

Managua

OCÉANO PACÍFICO

N
O   E
S

Sar
CO

0   300   600
kilómetros

Un centímetro = 141 kilómetros

© SF

30°

20°

10°

110°

100°

90°

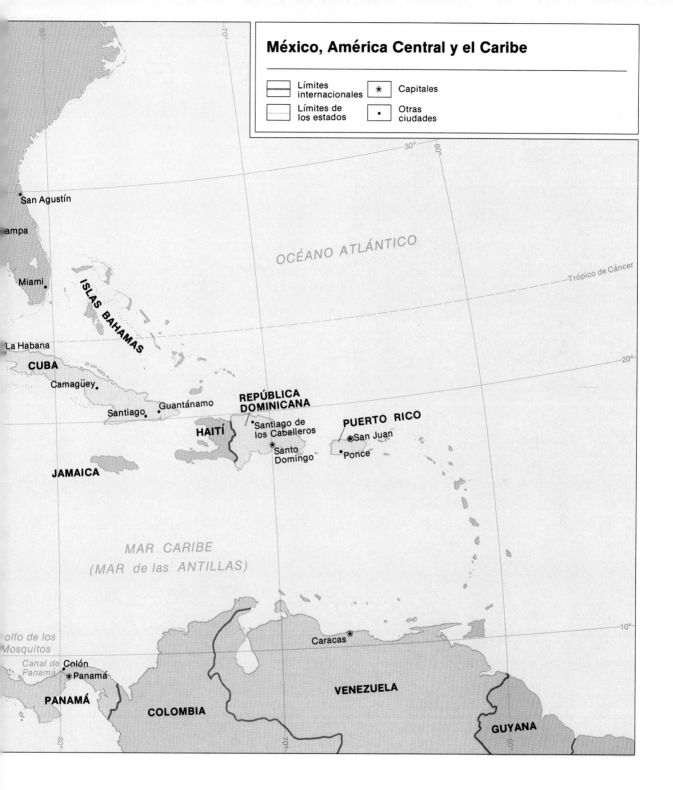

México, América Central y el Caribe

Límites internacionales
Límites de los estados
✳ Capitales
• Otras ciudades

San Agustín

Tampa

OCÉANO ATLÁNTICO

Miami

Trópico de Cáncer

ISLAS BAHAMAS

La Habana

CUBA

20°

Camagüey

REPÚBLICA DOMINICANA

Santiago

Guantánamo

PUERTO RICO

HAITÍ

Santiago de los Caballeros

San Juan

JAMAICA

✳ Santo Domingo

Ponce

MAR CARIBE
(MAR de las ANTILLAS)

10°

Golfo de los Mosquitos

Caracas

Canal de Panamá

Colón

✳ Panamá

VENEZUELA

PANAMÁ

COLOMBIA

GUYANA

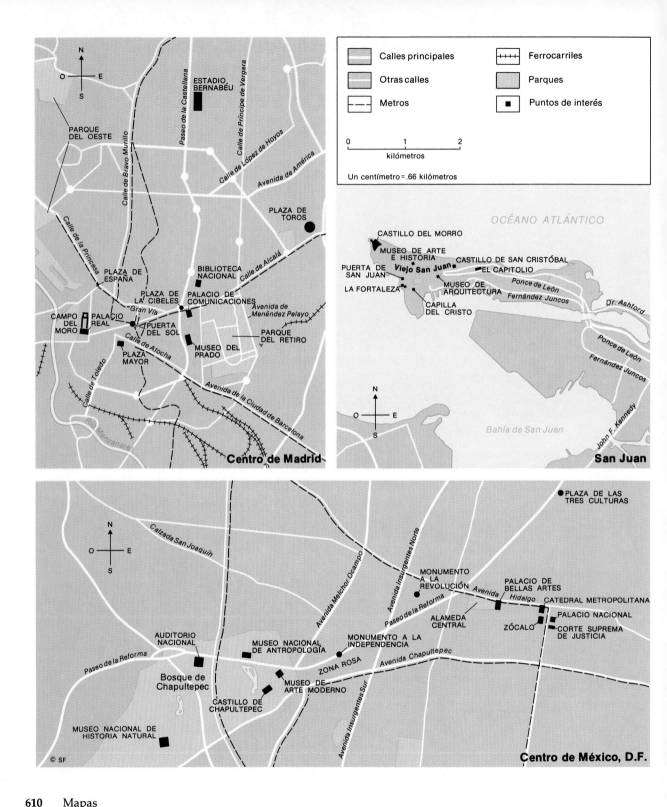

Calles principales Ferrocarriles

Otras calles Parques

Metros Puntos de interés

0 1 2
kilómetros

Un centímetro = .66 kilómetros

Centro de Madrid

N
O   E
S

PARQUE
DEL OESTE

Calle de Bravo Murillo

Paseo de la Castellana

ESTADIO
BERNABÉU

Calle de Príncipe de Vergara

Calle de López de Hoyos

Avenida de América

Calle de la Princesa

PLAZA DE
TOROS

PLAZA DE
ESPAÑA

BIBLIOTECA
NACIONAL

Calle de Alcalá

PLAZA DE
LA CIBELES

PALACIO DE
COMUNICACIONES

Avenida de
Menéndez Pelayo

Gran Vía

CAMPO
DEL
MORO

PALACIO
REAL

PUERTA
DEL SOL

Calle de Atocha

MUSEO DEL
PRADO

PARQUE
DEL RETIRO

PLAZA
MAYOR

Calle de Toledo

Avenida de la Ciudad de Barcelona

Río Manzanares

San Juan

OCÉANO ATLÁNTICO

CASTILLO DEL MORRO

MUSEO DE ARTE
E HISTORIA

CASTILLO DE SAN CRISTÓBAL

PUERTA DE
SAN JUAN

Viejo San Juan

EL CAPITOLIO

LA FORTALEZA

MUSEO DE
ARQUITECTURA

Ponce de León

Fernández Juncos

Dr. Ashford

CAPILLA
DEL CRISTO

Ponce de León

Fernández Juncos

N
O   E
S

Bahía de San Juan

John F. Kennedy

Centro de México, D.F.

N
O   E
S

PLAZA DE LAS
TRES CULTURAS

Calzada San Joaquín

Avenida Melchor Ocampo

Avenida Insurgentes Norte

MONUMENTO
A LA
REVOLUCIÓN

Avenida

Paseo de la Reforma

PALACIO DE
BELLAS ARTES

Hidalgo

CATEDRAL METROPOLITANA

ALAMEDA
CENTRAL

PALACIO NACIONAL

ZÓCALO

CORTE SUPREMA
DE JUSTICIA

AUDITORIO
NACIONAL

MUSEO NACIONAL
DE ANTROPOLOGÍA

MONUMENTO A LA
INDEPENDENCIA

Paseo de la Reforma

Bosque de
Chapultepec

ZONA ROSA

Avenida Chapultepec

Avenida Insurgentes Sur

MUSEO DE
ARTE MODERNO

CASTILLO DE
CHAPULTEPEC

MUSEO NACIONAL DE
HISTORIA NATURAL

© SF

ACKNOWLEDGMENTS

Illustrations

Illustrations by Steve Boswick, James Buckley, Aldo Castillo, Donald Charles, Len Ebert, Linda Kelen, Carl Kock, Yoshi Miyake, Mike Muir, Rob Porazinski, Dan Siculan, Suzanne Snider, Ed Taber, Justin Wager, Don Wilson, and John Youssi.

Photos

Positions of photographs are shown in abbreviated form as follows: top(t), bottom(b), center(c), left(l), right(r), insert(INS). Unless otherwise acknowledged, all photos are the property of Scott, Foresman and Company. Cover, Stuart Cohen; ii–iii, iv–v, John Moore; vi, Stuart Cohen; ix, Peter Menzel; x, xii–xiii, xiv, xvi–xvii, Robert Frerck/Odyssey Productions, Chicago; 1, Stuart Cohen; 12, Peter Menzel; 14, Chip & Rosa Maria de la Cueva Peterson; 16tl, Robert Frerck/Odyssey Productions, Chicago; 16tr, Stuart Cohen; 16b, 17l, Joseph F. Viesti; 17r, Robert Frerck/Click/Chicago Ltd.; 21t, Mike Mazzaschi/Stock Boston; 21b, K. Benser/Leo de Wys; 23tl, William Dyckes; 23tr, Stuart Cohen; 23b, Larry Mangino/The Image Works; 25, David R. Frazier Photolibrary; 26, Tor Eigeland/Susan Griggs Agency; 27, William Dyckes; 28–29, Robert Frerck/Odyssey Productions, Chicago; 33t, Owen Franken; 33INS: tr, cl, Owen Franken; cc, Stuart Cohen; cl, bl, Owen Franken; bc, Stuart Cohen; br, Owen Franken; 35, Stuart Cohen; 37, 46, Robert Frerck/Odyssey Productions, Chicago; 48, Stuart Cohen; 53l, Owen Franken; 53INS, Stuart Cohen; 53r, 55, Robert Frerck/Odyssey Productions, Chicago; 57, Stuart Cohen; 58l, Robert Frerck/Odyssey Productions, Chicago; 58r, Chip & Rosa Maria de la Cueva Peterson; 61, Courtesy of The Newberry Library, Chicago; 62–63, 68, Robert Frerck/Odyssey Productions, Chicago; 69tr, Lee Foster; 69c, Stuart Cohen; 69b, Owen Franken; 71t, Stuart Cohen; 71b, Peter Menzel; 74, Robert Frerck/Odyssey Productions, Chicago; 76, José Carrillo/Click/Chicago Ltd.; 81, Robert Frerck/Odyssey Productions, Chicago; 84t, Gerald Marella/D. Donne Bryant; 84b, Stuart Cohen; 85, Robert Frerck/Odyssey Productions, Chicago; 89, Peter Menzel; 91, South American Pictures; 92l, 92r, Joseph F. Viesti; 95, Franz Altschuler; 96–97, Mike Yamashita (© 1986); 100, Robert Frerck/Odyssey Productions, Chicago; 101, Peter Menzel; 103, Bob Daemmrich; 108l, Stuart Cohen; 108r, William Dyckes; 111, Stuart Cohen; 112, Owen Franken; 113, 117, Robert Frerck/Odyssey Productions, Chicago; 119, Stuart Cohen; 122, Mark Antman/The Image Works; 123, Peter Menzel; 125, 126, Robert Frerck/Odyssey Productions, Chicago; 129, Eugenia Fawcett; 130–131, Tom Hopkins; 134, Robert Frerck/Odyssey Productions, Chicago; 135, South American Pictures; 138, Artstreet; 139, Stuart Cohen; 142, Loren McIntyre; 144, Bob and Ira Spring; 145l, Victor Englebert; 145r, 146l, Stuart Cohen; 146r, Mark Antman/The Image Works; 147, Chip & Rosa Maria de la Cueva Peterson; 153, Brian Seed/Click/Chicago Ltd.; 155l, Milt & Joan Mann/Cameramann International, Ltd.; 155r, Stuart Cohen; 156c, Joseph F. Viesti; 156r, Robert Frerck/Odyssey Productions, Chicago; 159, Victor Englebert; 160l, Joseph F. Viesti; 160r, Stuart Cohen; 163, Dwayne Newton; 164–165, Stuart Cohen; 168, David Ryan/D. Donne Bryant; 170l, 170r, Focus On Sports; 171, Joseph F. Viesti; 172–173l, Duomo Photography Inc.; 173r, Stuart Cohen; 176, Eduardo Aparicio; 178, 180, Robert Frerck/Odyssey Productions, Chicago; 181, Focus On Sports; 182, John Apolinski/Hillstrom Stock Photos; 187, M. Timothy O'Keefe/Tom Stack & Associates; 188l, Focus On Sports; 188c, Paul J. Sutton/Duomo Photography Inc.; 188r, South American Pictures; 190, Eduardo Aparicio; 191, John Henebry; 192l, Adam J. Stoltman/Duomo Photography Inc.; 195, Courtesy of the Artisan Shop, Cuyahoga Falls, Ohio; 196–197, Loren McIntyre; 202l, Susan Dobinsky; 202r, Robert Frerck/Odyssey Productions, Chicago; 204, Stuart Cohen; 205, South American Pictures; 208l, Peter Menzel; 208r, Robert Frerck/Odyssey Productions, Chicago; 210, Robert Fried/D. Donne Bryant; 213, Chip & Rosa Maria de la Cueva Peterson; 216, Artstreet; 217, Robert Frerck/Odyssey Productions, Chicago; 218, Joseph F. Viesti; 219l, Peter Menzel; 219r, 226, Joseph F. Viesti; 229, Collection of Santiago and Roseanne Mendoza; 230–231, (© 1983) Stephanie Maze/ Woodfin Camp & Associates; 236tl, Joseph F. Viesti; 236tr, Kennedy/TexaStock; 239, Milt & Joan Mann/Cameramann International, Ltd.; 241, Beryl Goldberg; 245t, Chip & Rosa Maria de la Cueva Peterson; 246, Robert Frerck/Odyssey Productions, Chicago; 247, David R. Frazier Photolibrary; 248l, Chip & Rosa Maria de la Cueva Peterson; 248r, Eduardo Aparicio; 256, Milt & Joan Mann/Cameramann International, Ltd.; 258, Joseph F. Viesti; 260, John Henebry; 263, From the collection of Peter and Roberta Markman. Photo by Joan Benedetti for the Craft & Folk Art Museum Exhibition, "Masks in Motion," 1984; 264–265, Peter Menzel; 269, Stuart Cohen; 270l, 270r, Robert Frerck/Odyssey Productions, Chicago; 271, Peter

Menzel; 272, Larry Mangino/The Image Works; 273, Frerck/Click/Chicago Ltd.; 276, Stuart Cohen; 277, Robert Frerck/Odyssey Productions, Chicago; 280, Artstreet; 281, Chip & Rosa Maria de la Cueva Peterson; 284l, David Ryan/D. Donne Bryant; 284r, Artstreet; 285, Larry Mangino/The Image Works; 287, Paul Dix/Reflejo; 292, 296–297, 300, Robert Frerck/Odyssey Productions, Chicago; 301, Chip & Rosa Maria de la Cueva Peterson; 302, Joseph F. Viesti; 303, David Phillips; 305, Larry Kolvoord/ TexaStock; 309, Robert Frerck/Odyssey Productions, Chicago; 312, Chip & Rosa Maria de la Cueva Peterson; 313, Owen Franken; 315, Robert Frerck/Odyssey Productions, Chicago; 317, Beryl Goldberg; 318, UPI/Bettmann; 319, Stuart Cohen; 321, Chip & Rosa Maria de la Cueva Peterson; 324, Joseph F. Viesti; 327, Courtesy: Cortland-Leyten Gallery; 328–329, William Dyckes; 332, Milt & Joan Mann/Cameramann International, Ltd.; 335, David R. Frazier Photolibrary; 337, Joseph F. Viesti; 343, Charmayne McGee; 346, Chip & Rosa Maria de la Cueva Peterson; 348, Beryl Goldberg; 350, Peter Menzel; 353, Stuart Cohen; 355, Don and Pat Valenti; 357, Beryl Goldberg; 358, Owen Franken; 361, Aldo Castillo; 362–363, Horst Munzig/Susan Greggs Agency; 369, Black Star; 373, Larry Mangino/The Image Works; 375(all), The Bettmann Archive; 376, South American Pictures; 379, Peter Menzel; 381, Robert Frerck/Odyssey Productions, Chicago; 382, Larry Mangino/The Image Works; 387l, Stuart Cohen; 387r, William Dyckes; 391b, Peter Menzel; 395, D. Donne Bryant; 396–397, Milt & Joan Mann/Cameramann International, Ltd.; 402l, Stuart Cohen; 402b, Chip & Rosa Maria de la Cueva Peterson; 403, Bob Daemmrich; 405, Alfredo Arreguín; 407b, Sheryl McNee/Click/Chicago Ltd.; 407r, Joseph F. Viesti; 408, Artstreet; 414, *The Tampa Tribune*; 415, Robert Frerck/Odyssey Productions, Chicago; 417, Joseph F. Viesti; 418, Menaud/Figaro/Gamma-Liaison; 420, Roberto Otero/Black Star; 421, Peter Menzel; 422, Stuart Cohen; 425, Jackie Foryst/Bruce Coleman Inc.; 426–427, Robert Frerck/Odyssey Productions, Chicago; 433, Peter Menzel; 435, 438, Stuart Cohen; 441, Robert Frerck/Odyssey Productions, Chicago; 442, Peter Menzel; 443, David Kennedy/TexaStock; 446, Milt & Joan Mann/Cameramann International, Ltd.; 448, Inge Morath/Magnum Photos; 452, Stephanie Maze/Woodfin Camp & Associates; 455, Norma Morrison; 456–457, Dom Nebbia/Click/Chicago Ltd.; 460, J. Alex Langley/DPI; 461, Norman Prince; 463, Tessing Design Inc.; 465, Norman Prince; 468, Stuart Cohen; 471, Ken Hawkins/Sygma; 475, Robert Frerck/Odyssey Productions, Chicago; 476, Andrew Rakoczy/Bruce Coleman Inc.; 477, Barbara Laing/Black Star; 478, R. Neveu/Gamma-Liaison; 480, 482, Peter Menzel; 485, Robert Frerck/Odyssey Productions, Chicago; 486–487, Loren McIntyre; 492, Wolfgang Kaehler; 494, Peter Menzel; 498, Milt & Joan Mann/Cameramann International, Ltd.; 499, Beryl Goldberg; 501, Robert Frerck/Odyssey Productions, Chicago; 508, Manolo Rodríguez; 510, Victor Englebert; 513, Robert Frerck/ Odyssey Productions, Chicago; 514, Loren McIntyre; 517, Eugenia Fawcett; 522, Milt & Joan Mann/Cameramann International, Ltd.; 524, Owen Franken; 529, David Phillips; 530, David R. Frazier Photolibrary; 533, Owen Franken; 538, Robert Frerck/ Odyssey Productions, Chicago; 539, J. C. Carton/Bruce Coleman Inc.; 541, Chip & Rosa Maria de la Cueva Peterson; 543, 544, Stuart Cohen; 547, Courtesy: Cortland-Leyten Gallery.